中国中药资源大典

新疆卷

黄璐琦 / 总主编

李晓瑾　贾晓光　徐建国　朱　军　王果平 / 主　编

北京科学技术出版社

图书在版编目（CIP）数据

中国中药资源大典. 新疆卷. 4 / 李晓瑾等主编. --

北京：北京科学技术出版社, 2024. 6. -- ISBN 978-7

-5714-4018-3

Ⅰ. R281.4

中国国家版本馆CIP数据核字第2024V83W31号

责任编辑：吕　慧　庞璐璐　吴　丹　李兆弟　侍　伟

责任校对：贾　荣

图文制作：樊润琴

责任印制：李　茗

出 版 人：曾庆宇

出版发行：北京科学技术出版社

社　　址：北京西直门南大街16号

邮政编码：100035

电　　话：0086-10-66135495（总编室）　　0086-10-66113227（发行部）

网　　址：www.bkydw.cn

印　　刷：北京博海升彩色印刷有限公司

开　　本：889 mm × 1 194 mm　　1/16

字　　数：1 231千字

印　　张：55.5

版　　次：2024年6月第1版

印　　次：2024年6月第1次印刷

审 图 号：GS京（2023）1758号

ISBN 978-7-5714-4018-3

定　　价：490.00元

《中国中药资源大典·新疆卷》

编写委员会

总 主 编 黄璐琦

主　　编 李晓瑾　贾晓光　徐建国　朱　军　王果平

副 主 编 樊丛照　邱远金　赵亚琴　张际昭　石磊岭　宋海龙

阿依别克·热合木都拉　　姜　林　贾月梅

编　　委 丁文欢　力瓦衣丁·买合苏提　　马　宁　马占仓　王　超　王　茜

王　烨　王东东　王应林　王果平　王喜勇　尹林克

巴哈尔古丽·黄尔汗　艾比拜罕·麦提如则　石书兵　石明辉　石磊岭

田树革　史银基　兰　卫　地力努尔·吐尔逊江　　朱　军　朱　君

任杉杉　伊永进　刘　冲　刘旭丽　刘宏炳　闫素雅　关永强　祁志勇

杜珍珠　李　洁　李晓瑾　杨美琳　杨淑萍　轩辕欢　邱远金　何　权

何　江　辛禄德　宋　骏　宋海龙　张　欢　张丽君　张际昭　张金汕

张雪佳　阿依别克·热合木都拉　　陈向南　努尔巴依·阿布都沙力克

罗四维　金晓艳　孟　岩　赵　丽　赵亚琴　赵翡翠　段燕燕　侯翼国

姜　林　贾月梅　贾晓光　徐文斌　徐建国　徐倞倞　徐海燕　郭雄飞

黄　刚　黄红雨　曹　佩　曹红梅　康定明　阎　平　梁凤丽　逯永满

葛　亮　董俊俊　程　波　鲁　疆　童加强　满尔哈巴·海如拉

谭治刚　樊丛照　黎耀东　潘　兰　燕雪花　魏青宇

序 言

新疆地处亚欧大陆腹地，地理环境、气候条件和生物资源多样，中药资源丰富、特色鲜明。在新疆阿尔泰山区、天山山脉、阿尔金山－昆仑山区以及伊犁河谷、准噶尔盆地、塔里木河流域等区域分布着大量特色中药资源，形成具有地域特色的中药资源宝库。

中药资源是中医药事业发展的物质基础，是国家重要的战略资源，在经济社会发展中具有重要作用。新疆作为首批启动实施第四次全国中药资源普查工作的省份之一，在各级政府部门的大力支持下、在全体普查伙计的共同努力下，出色地完成了新疆的中药资源普查工作。还对新中国成立后才被收回祖国的夏尔希里进行了专题调查，为新疆建设工作做出贡献。

《中国中药资源大典·新疆卷》以第四次全国中药资源普查工作成果为基础，全面展示了新疆的中药资源现状。该书内容丰富、图文并茂，专业性、科普性、实用性并存，是一部较为权威的具有参考价值的中药资源学著作。该书的出版可为中药专业的人士提供参考，也可为政府部门制定中药产业政策提供支撑，亦可为乡村振兴和推动新疆区域经济社会发展发挥积极作用，为助力新疆中医药事业发展贡献力量。

在该书付梓面世之际，仅书片言，乐为之序！

中国工程院院士

中国中医科学院院长

第四次全国中药资源普查技术指导专家组组长

2024 年 4 月

前　言

　　中药资源是国家战略性资源，是中医药传承、创新、发展的物质基础。新疆地处亚欧大陆腹地，其独特的地理位置和自然条件，孕育了独具特色的中药资源，诸如"峭壁悬崖绽雪莲，天山峰脉育芙娟"的天山雪莲，以及阿魏、紫草、伊贝母、一枝蒿等药材均为新疆特有的道地优势资源。

　　新疆第四次中药资源普查工作历时 10 年，完成了新疆（含新疆生产建设兵团在内）166 万 km² 的中药资源普查，累计实地调查样地 3 502 个样方套 17 652 个，采集腊叶标本 15.1 万份、药材标本 2 710 份、种质资源 1 784 份，拍摄照片 322 116 张，调查蕴藏量 150 种；调查到药用植物 3 107 种，全面摸清了自第三次中药资源普查以来新疆 30 余年来的中药资源变迁情况；首次建立了新疆中药资源数据库管理系统，建立了种质资源保存体系（低温保存库、超低温保存库）、标本库、种子种苗繁育基地，开展了中药材生产区划和 30 种重点药材的生产适宜性分析，为新疆中药产业发展提供了最新的基础数据和系统的技术服务。

　　本书以新疆第四次中药资源普查成果为基础，收载新疆中药资源（含维吾尔医药、哈萨克医药等新疆少数民族医药）1 362 种。本书分为上篇、中篇、下篇，上篇为新疆中药资源概论，介绍了新疆的自然环境、第四次中药资源普查情况、中药资源发展现状，中篇介绍了新疆道地、大宗中药资源，下篇为新疆中药资源各论。该书首次系统、全面、客观地反映了新疆现有的中药资源情况，并配以高清彩图，增强了本书的可读性、科学性、实用性，可供中医药领域的研究者及爱好者参考。

宝剑锋从磨砺出，梅花香自苦寒来。新疆第四次中药资源普查工作克服了调查区域广、环境类型多样、物种差异大、学科领域多、技术人员断层严重等诸多困难，取得了丰硕的成果。《中国中药资源大典·新疆卷》的最终付梓亦非易事，本书的出版无不凝聚着新疆所有普查工作者的汗水。希望本书能为政府部门制定中药产业政策提供支撑，为推动新疆道地药材体系建设进程、加速现代中药产业转型、助力乡村振兴、推动新疆经济高质量发展贡献一份力量。

本书对于读者全面了解新疆中药资源现状具有重要的参考价值，但由于编者水平有限，书中难免有不妥之处，敬请广大读者批评指正，以便后期再版时修改、补充与完善。

编　者

2024 年 4 月

凡 例

（1）本书共4册，分为上、中、下篇。上篇综述了新疆自然环境、第四次中药资源普查情况、中药资源发展现状；中篇论述了60种新疆道地、大宗中药资源；下篇共收录药用植物资源1362种。

（2）本书下篇以中药资源名为条目名，下设药材名、形态特征、生境分布、资源情况、采收加工、功能主治、用法用量及附注等，其中资源情况、采收加工、用法用量、附注为非必要项，资料不详者项目从略。各项目编写原则简述如下。

1）条目名。该项记述中药资源物种及其科属的中文名、拉丁学名。其中蕨类植物、裸子植物、被子植物的名称主要参考《中国植物志》和《新疆植物志》。

2）药材名。该项记述中药资源的药材名、药用部位。凡《中华人民共和国药典》等法定标准收载者，原则上采用法定药材名；法定标准未收载者，主要参考《中华本草》《全国中草药名鉴》《中国中药资源志要》。

3）形态特征。该项简要描述中药资源的形态特征，突出鉴别特征。主要参考《中国植物志》和《新疆植物志》，并结合普查实际所获取的信息进行描述。

4）生境分布。该项记述中药资源在新疆的生存环境与分布区域。生存环境主要源于普查实际获取的生境信息，并参考相关志书的描述。分布区域主要介绍野生资源的分布情况，源于植物标本采集地，以"分布于新疆地市级行政区划（县级行政区划）/地市级行政区划/县级行政区划"的形式进行描述；栽培资源的分布区域以"地市级行政区划（县级行政区划）/地市级行政区划/县级行政区划有栽培"的形式进行描述。在新疆各地皆有野生者，记述为"新疆各地均有分布"；在新疆各地皆有栽培者，记述为"新疆各地均有栽培"。

5）资源情况。该项记述中药资源的蕴藏量情况，用丰富、一般、稀少来表示；并用"野生"或"栽培"记述药材的主要来源。

6）采收加工。该项记述药材的采收时间与加工方法。

7）功能主治。该项主要记述药材的功能和主治。

8）用法用量。该项主要记述药材的用法和用量。

9）附注。该项描述物种的濒危等级、其他医药相关用途等。

（3）附录。以名录形式收载中篇、下篇没有收载的新疆药用植物资源。

目录
Contents

被子植物

唇形科 Lamiaceae 藿香属 Agastache

藿香

Agastache rugosa (Fisch. et C. A. Mey.) Kuntze

| 药 材 名 | 藿香（药用部位：地上部分）。

| 形态特征 | 多年生草本。茎直立，高 50 ～ 100 cm，四棱形。叶柄长 2 ～ 3 cm；叶片心状卵形至长圆状披针形，长 4 ～ 7（～ 11）cm，宽 2 ～ 4（～ 6.5）cm，向上渐小，先端渐尖，基部微心形，稀截形，边缘具粗齿，沿叶脉被微柔毛及点状腺体；苞叶长不超过 5 mm，披针状线形，先端渐尖。轮伞花序，在主茎或侧枝上组成顶生密集的圆筒形穗状花序；苞片形状与苞叶相似，较小；萼筒钟形，长约 8 mm，被微柔毛及黄色小腺体，喉部微斜，萼齿三角状披针形，紫红色，后 3 齿长约 2.2 mm，前 2 齿稍短，齿间有瘤状突起；花冠淡紫蓝色，长约 8 mm，外被微柔毛，花冠筒略长于花萼，向上渐宽，冠檐二唇

形，上唇直伸，先端微缺，下唇 3 裂，中裂片较宽大，长约 2 mm，宽约 3.5 mm，边缘波状，基部宽，侧裂片半圆形；雄蕊 4，伸出花冠外，花丝光滑；花柱与雄蕊近等长，先端 2 裂，子房裂片顶部具绒毛；花盘环状。小坚果长圆形，腹部具棱，先端具短硬毛，褐色。花期 6 ~ 9 月，果期 9 ~ 11 月。

| **生境分布** | 生于山坡林缘、灌丛中。分布于新疆伊犁哈萨克自治州、博尔塔拉蒙古自治州、塔城地区、哈密市等。

| **资源情况** | 野生资源稀少，栽培资源较丰富。药材来源于栽培。

| **采收加工** | 6 ~ 7 月花序抽出而未开花时采收第一次，选择晴天采收，薄摊晒至日落后收回，堆叠过夜，翌日再晒。10 月采收第二次，迅速晾干，晒干或烤干。

| **功能主治** | 清暑化湿，和胃止呕，行气。

唇形科 Lamiaceae 水棘针属 Amethystea

水棘针

Amethystea caerulea L.

| 药 材 名 |

水棘针（药用部位：全草）。

| 形态特征 |

一年生草本。茎直立，高 30 ~ 80 cm，呈金字塔形分枝，被疏柔毛或微柔毛。叶柄长 0.7 ~ 2 cm，具狭翅，被疏长硬毛；叶片三角形或近卵形，3 深裂，稀不裂或 5 裂，裂片披针形，边缘具粗锯齿或重锯齿，中裂片长 2 ~ 4 cm，宽 0.5 ~ 1.2 cm，侧裂片长 2 ~ 3.5 cm，宽 0.7 ~ 1 cm，叶片两面无毛或几无毛。花序由具长柄的松散的聚伞花序组成圆锥花序；小苞片小，线形，具缘毛；花萼钟形，长约 2 mm，外面被乳突及腺毛，具 10 脉，萼齿 5，近整齐，三角形，先端渐尖，边缘具缘毛，果时花萼膨大；花冠蓝色或紫蓝色，花冠筒内藏或稍伸出花萼外，外面无毛，冠檐二唇形，外面被腺毛，上唇 2 裂，长圆状卵形或卵形，下唇略大，3 裂，中裂片近圆形，侧裂片与上唇裂片近同形；雄蕊 4，前对雄蕊能育，着生于下唇基部，花丝无毛，雄蕊比花冠长，花药 2 室，药室叉开，后对雄蕊退化，线形或几无；花柱略长于雄蕊，花柱先端 2 浅裂；花盘环状，具相等的浅裂片。小坚果倒卵状三棱形，背面具网纹，腹面具棱。花期8～9月，果期9月。

| **生境分布** | 生于水沟边。分布于新疆和布克赛尔、塔城市、昭苏等。

| **资源情况** | 野生资源较少。药材来源于野生和栽培。

| **采收加工** | 夏、秋季采收，切段，晒干。

| **功能主治** | 解毒透疹，祛风湿。

唇形科 Lamiaceae 新风轮属 Calamintha

新风轮

Calamintha debilis (Bunge) Benth.

| 药 材 名 | 新风轮（药用部位：地上部分）。

| 形态特征 | 多年生草本。高 5 ~ 25 cm。根细，淡紫色。茎单一或由基部分枝，四棱形，淡紫色，被稀疏的短柔毛并混生腺点。叶片卵形或长圆状卵形，长 1 ~ 2.5 cm，宽 0.4 ~ 0.7 cm，基部楔形，下延成柄状，先端钝尖，全缘或具稀疏的小牙齿及疏生的短硬毛，两面均被稀疏的短硬毛及稀疏的腺点。聚伞花序均着生于叶腋；花梗长约 4 mm；苞片披针状钻形，先端锐尖，被短柔毛；花萼管状钟形，长约 5 mm，果时稍增大，萼脉 13，萼齿二唇形，上唇具 3 齿，齿卵形，具芒尖，反折，下唇具 2 齿，齿披针形，先端具钻状芒尖，边缘具排列整齐的刚毛；花冠白色，喇叭状，向上渐宽大，冠檐二唇形，

上唇直伸，先端微凹，下唇反折，3 裂，中裂片较大，先端微凹，侧裂片长圆状，微短于中裂片；雄蕊 4，前对雄蕊较长，不伸出花冠外，后对雄蕊不育，花药略叉开；花柱短于花冠，先端 2 裂，子房无毛；花盘平顶，裂片明显，与子房裂片互生。小坚果卵形，褐色。花期 6 月，果期 8 月。

| **生境分布** | 生于海拔 1 200 ～ 2 000 m 的山地草原、灌丛及低山砾石质坡地。分布于新疆乌鲁木齐市等。

| **资源情况** | 野生资源一般。药材来源于野生。

| **采收加工** | 夏、秋季采收，切段，晒干。

| **功能主治** | 解毒透疹，祛风湿。

唇形科 Lamiaceae 鬃尾草属 Chaiturus

鬃尾草

Chaiturus marrubiastrum (L.) Spenn

| 药 材 名 |

鬃尾草（药用部位：地上部分）。

| 形 态 特 征 |

二年生或多年生草本。高 20 ~ 60 cm。根木质化，紫褐色。茎直立，单一或从基部分枝，四棱形，被稀疏的短柔毛。叶柄长 1.5 ~ 2 cm；茎生叶卵形或宽披针形，长 1.5 ~ 3 cm，宽 0.5 ~ 1.5 cm，先端急尖，基部宽楔形，下部的叶多为圆形，被短柔毛，两边均具宽的牙齿状锯齿；苞叶全缘或具稀疏的牙齿。轮伞花序无梗，小圆球形，由许多花组成；小苞片刺状，通常长于或等长于萼筒；花萼长管状，长 6 ~ 7 mm，外被微柔毛，萼齿 5，三角形，先端具刺尖；花冠紫白色或白色，几不伸出萼筒外，外被柔毛，冠檐二唇形，外被疏柔毛，上唇直伸，卵圆形，下唇 3 裂，中裂片较大，圆形，侧裂片卵圆形；雄蕊 4，近等长，花丝短，着生于花冠筒上部，花药卵圆形，2 室；花柱丝状，先端 2 浅裂，子房黑褐色，先端被微柔毛。小坚果椭圆状三棱形，具微柔毛，基部楔形。花期 6 ~ 7 月，果期 8 月。

| **生境分布** | 生于绿洲田边及水旁。分布于新疆昌吉回族自治州及石河子市、塔城市等。

| **资源情况** | 野生资源一般。药材来源于野生。

| **采收加工** | 夏、秋季采收，晒干。

| **功能主治** | 清暑化湿，和胃止呕，行气。

唇形科 Lamiaceae 青兰属 Dracocephalum

羽叶枝子花

Dracocephalum bipinnatum Rupr.

| 药 材 名 |

青兰（药用部位：茎、叶、花）。

| 形 态 特 征 |

多年生草本。根茎先端多分枝。茎高 20 ～ 60 cm，无主茎，多分枝，常在基部或中部分枝，四棱形，被稀疏的短柔毛，上部毛较密集或无毛，叶腋生有不育的短枝。叶卵形或长卵形，先端钝，基部楔形，边缘向下反卷，羽状浅裂或深裂至中脉，裂片 1 ～ 4，披针形或阔线形，先端具小尖刺齿，通常无毛。轮伞花序生于茎顶部，有时间断，具花 2 ～ 4；花具短梗；苞片倒卵状椭圆形或披针形，基部楔形，被短柔毛及睫毛，边缘具 2 ～ 3 对齿，齿端皆延伸成细芒；花萼紫红色，被短柔毛，长 12 ～ 15 mm，二唇形，上唇 3 裂至 1/4 或 1/3 处，萼齿近三角状，中萼齿稍宽或 3 萼齿近等大，齿端皆具短尖头，下唇 2 裂至近基部，萼齿披针状，先端具短尖芒，萼齿间形成小瘤状结；花冠蓝紫色，长 3 ～ 4 cm，外面被短柔毛，冠檐二唇形，上唇直立，长约 10 mm，宽约 8 mm，先端 2 裂，下唇稍长于上唇，中裂片较小，长圆形，侧裂片钝三角形；雄蕊 4，皆短于花冠，花药平叉开，花丝光滑。花期 6 ～ 7 月，果

期 8 月。

| **生境分布** | 生于山地草原带中。分布于新疆伊犁哈萨克自治州及塔城市、和布克赛尔蒙古自治县、阿合奇等。

| **资源情况** | 野生资源一般。药材来源于野生。

| **采收加工** | 夏、秋季采收，切段，晒干。

| **功能主治** | 止咳平喘，清热解毒。

唇形科 Lamiaceae 青兰属 *Dracocephalum*

大花毛建草

Dracocephalum grandiflorum L.

| 药 材 名 | 青兰（药用部位：全草或果实、根皮、叶）。

| 形态特征 | 多年生草本。根茎斜，直径 5 ~ 10 cm，密生根，顶部生数茎。茎高 15 ~ 26 cm，不分枝，四棱形，密被倒向的短柔毛，下部常变无毛，基部以上 2 ~ 3 节最长，长 4 ~ 7.5 cm，上部生花序处之 2 ~ 3 节极为缩短。基生叶花后多数不存在，具长柄，叶柄长 2.5 ~ 6 cm，疏被伸展的柔毛，叶片通常长圆形或椭圆形，稀卵形，先端钝，基部心形，长 1.8 ~ 4.8 cm，宽 1.4 ~ 3.6 cm，边缘具圆锯齿，两面疏被贴伏的短柔毛；茎中部的叶具鞘状短柄，叶柄长 4 ~ 7 mm，叶片宽卵形，基部心形或宽楔形，长 2.2 ~ 3.2 cm，边缘具圆锯齿，有时具锐齿；苞叶具粗牙齿。轮伞花序密集，头状；大苞片倒卵形，

长约 2.3 cm，宽约 1.2 cm，被绢状柔毛及长睫毛，每侧具 4 锯齿，齿披针形或狭披针形，先端锐渐尖，小苞片长约 1.5 cm，倒披针形，每侧具 1 ~ 2 锯齿，齿先端渐狭成刺，刺长 2 ~ 3 mm；花萼长 1.5 ~ 2 cm，外面被小毛及长柔毛，杂有金黄色腺点，上部带紫色，2 裂至近中部，上唇 3 裂至约 3/4 处，中齿窄长圆形，先端钝，具长约 0.5 mm 的短尖头，宽约为侧齿的 1.5 倍，侧齿披针形，先端锐尖，下唇 2 裂至基部，齿与上唇侧齿相似，但稍窄；花冠蓝色，长 3 ~ 4 cm，最宽处宽 1 ~ 1.2 cm，外面被柔毛，下唇宽大，颚上有深色斑点及白色长柔毛，花丝疏被毛，先端具钝的突起。花期 7 ~ 8 月。果期 9 月。

| **生境分布** | 生于天山、阿尔泰山、帕米尔高原及昆仑山海拔 2 000 ~ 3 000 m 的山地草甸和森林带阳坡。新疆各地均有分布。

| **资源情况** | 野生资源较少，栽培资源稀少。药材来源于野生和栽培。

| **采收加工** | 夏、秋季采收，切段，晒干。

| **功能主治** | 清热解毒，祛痰平喘，滋补肝肾，益精明目，降血压。

唇形科 Lamiaceae 青兰属 Dracocephalum

白花枝子花

Dracocephalum heterophyllum Benth.

| 药 材 名 |

青兰（药用部位：全草）。

| 形态特征 |

多年生草本。茎中部以下具长分枝，高 10 ~ 15 cm，有时高达 30 cm，四棱形或钝四棱形，密被倒向的小毛。茎下部的叶具长于或等长于叶片的长柄，叶柄长 2.5 ~ 6 cm，叶片宽卵形至长卵形，长 1.3 ~ 4 cm，宽 0.8 ~ 2.3 cm，先端钝或圆形，基部心形，下面疏被短柔毛或几无毛，边缘被短睫毛及浅圆齿；茎中部的叶与基生叶同形，具等长于或短于叶片的叶柄，边缘具浅圆齿或尖锯齿；茎上部的叶变小，叶柄变短，锯齿常具刺而与苞片相似。轮伞花序生于茎上部的叶腋，长 4.8 ~ 11.5 cm，具 4 ~ 8 花，因上部节间变短而花又长于节间，故各轮花密集；花具短梗；苞片较花萼稍短或为花萼长的 1/2，倒卵状匙形或倒披针形，疏被小毛及短睫毛，边缘每侧具 3 ~ 8 小齿，齿具长刺，刺长 2 ~ 4 mm；花萼长 15 ~ 17 mm，浅绿色，外面疏被短柔毛，下部毛较密，边缘被短睫毛，2 裂几至中部，上唇 3 裂至 1/4 或 1/3 处，萼齿近等大，三角状卵形，先端具刺，刺长约

15 mm，下唇 2 裂至 2/3 处，萼齿披针形，先端具刺；花冠白色，长（1.8 ～）

2.2 ～ 3.4（～ 3.7）cm，外面密被白色或淡黄色短柔毛，二唇近等长；雄蕊无毛。

花期 6 ～ 7 月，果期 8 ～ 9 月。

| 生境分布 | 生于阿尔泰山、准噶尔西部山地、天山、昆仑山、帕米尔高原的山地草原。新疆各地均有分布。

| 资源情况 | 野生资源较少。药材来源于野生。

| 采收加工 | 夏、秋季采收，切段，晒干。

| 功能主治 | 清热解毒，祛痰平喘。

无髭毛建草

Dracocephalum imberbe Bunge

| 药 材 名 | 青兰（药用部位：全草）。

| 形态特征 | 多年生草本。根茎直径 3.5 ~ 9 mm，顶部生数茎。茎直立或渐升，不分枝，长约 25 cm，四棱形，被倒向的小毛，夹以长柔毛，上部毛密，中部以下毛稍稀疏，稀变无毛，中部 2 ~ 3 节最长，上部生花序处之 2 ~ 3 节很短。基生叶多数，具长柄，多被与茎相同的毛，叶片卵圆形或肾形，先端圆形或钝，基部深心形，长 1.7 ~ 3.7 cm，宽 1.5 ~ 4 cm，两面沿脉疏被短柔毛，边缘具圆形波状牙齿，叶柄长 4 ~ 10.5 cm，通常为叶片的 3 ~ 4 倍，疏被倒向的短柔毛；茎中部的叶具鞘状短柄，叶柄长 3 ~ 12 mm，叶片卵圆形或肾形，基部心形。轮伞花序密集，头状；苞片长约为花萼的 1/2，匙状倒卵形，

疏被短毛及睫毛，每侧具 1 ～ 2 齿，齿三角形至披针形，先端具长 1.5 ～ 2.5 mm 的刺；花萼长 1.2 ～ 1.5 cm，常带紫色，外被短毛至绢状长柔毛，边缘被白色睫毛，2 裂至 1/4 处，上唇 3 深裂至近基部，萼齿近等大，卵状三角形，长约 3 mm，先端锐尖，下唇 2 裂至基部，萼齿与上唇萼齿相似，但较狭，长约 3 mm；花冠蓝紫色，长 2.5 ～ 3.7 cm，外被柔毛；雄蕊不伸出，花丝疏被毛。花期 7 月，果期 8 ～ 9 月。

| **生境分布** | 生于阿尔泰山、塔尔巴哈台山、天山亚高山及高山草甸。分布于新疆阿勒泰市、木垒哈萨克自治县、奇台县、玛纳斯县、塔城市、托里县、和静县及伊犁哈萨克自治州等。

| **资源情况** | 野生资源较少。药材来源于野生。

| **采收加工** | 夏、秋季采收，切段，晒干。

| **功能主治** | 清热解毒，祛痰平喘。

唇形科 Lamiaceae 青兰属 *Dracocephalum*

全缘叶青兰

Dracocephalum integrifolium Bunge

| 药 材 名 |　青兰（药用部位：全草）。

| 形 态 特 征 |　多年生草本。根茎近直立，直径约 5 mm。茎多数，不分枝，直立或基部伏地，高 17 ～ 37 cm，紫褐色，钝四棱形，被倒向的小毛。叶几无柄，多少肉质，披针形或卵状披针形，先端钝或微尖，基部宽楔形或圆形，长 1.5 ～ 3 cm，宽 4 ～ 8 mm，两面无毛，边缘被睫毛，全缘。轮伞花序生于茎顶部 3 ～ 6 对叶腋中，疏松或密集成头状；花具短梗；苞片长为花萼的 1/3 ～ 1/2，倒卵形或倒卵状披针形，被睫毛，两侧具 4 ～ 5 小齿，齿具长 2.5 ～ 3 mm 的细刺；花萼红紫色，长 10 ～ 17 mm，筒部密被小毛，上部毛变疏，被睫毛，2 裂至约 1/3 处，5 萼齿近等大，先端均具短刺尖，上唇中齿卵形，较侧齿稍长，

宽为侧齿的 2 倍，侧齿披针形，下唇 2 齿披针形，较上唇侧齿稍窄；花冠蓝紫色，长 14 ～ 17 mm，外面密被白色柔毛；花丝疏被短柔毛。小坚果长圆形，褐色，光滑，长约 2 mm。花期 7 ～ 8 月，果期 9 月。

| 生境分布 | 生于海拔 1 200 ～ 1 700 m 的阿尔泰山、天山、准噶尔西部山地、帕米尔高原、昆仑山的山地草原及针叶林阳坡。新疆各地均有分布。

| 资源情况 | 野生资源较少，栽培资源稀少。药材来源于野生。

| 采收加工 | 夏、秋季采收，切段，晒干。

| 功能主治 | 清热解毒，祛痰平喘，止血消炎。

香青兰 *Dracocephalum moldavica* L.

| 药 材 名 |

香青兰（药用部位：全草）。

| 形态特征 |

多年生草本。高 50 ～ 120 cm，具柠檬香气。地下根茎强烈分枝；茎直立，四棱形，多分枝，具腺毛和单细胞毛。叶具柄；叶片对生，卵形或卵状心形，长 3 ～ 4 cm，宽 1.5 ～ 3 cm，边缘有圆齿状锯齿，被腺毛和柔毛。轮伞花序，生于枝上部的叶腋，每轮有花 6 ～ 10；小苞片长圆形，短于花；花萼狭钟状，花后下垂，二唇形；花冠白色或浅玫瑰红色，凋落。小坚果长卵圆形，栗褐色。花期 6 ～ 8 月，果期 8 ～ 9 月。

| 生境分布 |

生于山坡草地。分布于新疆阿勒泰地区、哈密市及塔什库尔干塔吉克自治县等。新疆和田地区（墨玉县、皮山县、于田县）、昌吉回族自治州（吉木萨尔县）等有栽培。

| 采收加工 |

夏季初花期割下地上部分，摘取叶片，晒干。

| **功能主治** | 生干生热，温补心脏，散寒止痛，除烦安神，净血降压，燥湿养筋，祛寒平喘，消炎解毒。用于寒性心虚，心绞痛，心慌，心烦，高血压，眩晕，湿性瘫痪，面瘫，哮喘，乳腺炎等湿寒性或黏液质性疾病。

| **用法用量** | 内服煎汤，3～9 g，鲜品视患者性别酌情可用 10～60 g。外用适量。可入糖浆剂、膏剂、蒸露剂、煎剂、舔剂、洗剂、敷剂、鼻闻剂、漱口剂等制剂。

| 唇形科 | Lamiaceae | 神香草属 | *Hyssopus*

硬尖神香草 *Hyssopus cuspidatus* Boriss.

| **药 材 名** | 神香草（药用部位：地上部分）。

| **形态特征** | 半灌木。茎基部粗大，木质，褐色，常扭曲，有不规则剥落的皮层；自基部帚状分枝，因而当年生茎多数而密集；幼茎基部带紫色，节间短小，上部绿色，节间伸长，四棱形，上面略具沟，无毛或近无毛。叶线形，大多长于节间，先端锥尖，具近脱落的锥状尖头，基部渐狭，无柄，上面绿色，下面灰绿色，中肋在上面凹陷，在下面隆起，两面无毛，边缘有极短的糙伏毛，不内卷，但多少下弯。穗状花序多花，生于茎顶，由轮伞花序组成；轮伞花序通常具 10 花，具短花梗，常偏向一侧而呈半轮伞状；苞片及小苞片线形，长超过花梗，先端具锥状尖头；花萼管状，喉部稍增大，具明显的 15 脉，外面脉

及萼齿上被微柔毛，散布黄色腺点，内面无毛，齿间凹陷而多少呈瘤状，萼齿 5，等大，长三角状披针形，先端具锥状尖头；花冠紫色，外面被微柔毛及黄色腺点，内面无毛，花冠筒略下弯，向上渐扩大，冠檐二唇形，上唇直伸，先端 2 浅裂，裂片锐尖，下唇长 4 mm，3 裂，中裂片倒心形，先端凹陷，宽不超过两侧的裂片，侧裂片宽卵形；雄蕊 4，前对较长，后对较短，均超出花冠；花丝丝状，无毛；花药 2 室，室极叉开；花柱与雄蕊近等长或稍伸出雄蕊，先端有相等的 2 浅裂，裂片钻形；花盘平顶；子房先端具腺点。小坚果长圆状三棱形，褐色，先端圆，具腺点，基部具 1 白痕。花期 7 ~ 8 月，果期 8 ~ 9 月。

| 生境分布 | 生于海拔 1 000 ~ 1 500 m 的阿尔泰山、塔尔巴哈台山的山地草原及砾石山坡。分布于新疆阿勒泰地区、塔城地区等。新疆伊犁哈萨克自治州（察布查尔锡伯自治县）等有栽培。

| 采收加工 | 7 ~ 8 月开花期割取地上部分，除去杂草和其他杂质，晒干。

| 功能主治 | 清热发表，化痰止咳。用于感冒发热，痰热咳嗽。

| 用法用量 | 内服煎汤，3 ~ 9 g。

阿尔泰兔唇花 *Lagochilus bungei* Benth.

| 药 材 名 | 阿尔泰兔唇花（药用部位：全草）。

| 形态特征 | 多年生植物。茎高可达 24 cm，四棱形，下部无毛，上部有极稀疏的长硬毛。叶三角形，长 1 ~ 1.5 cm，宽 0.5 ~ 2 cm，羽状深裂，裂片长圆形，长 2 ~ 7 mm，先端圆形或有小凸尖，纸质，两面均有透明腺点，无毛；生于上部的叶几无柄，生于下部的叶基部渐狭，下延形成具翅的长柄，叶柄长达 2.5 cm。轮伞花序具约 6 花；苞片细针状，长达 7 mm，无毛；花萼钟形，长约 1 cm，宽约 6 mm，无毛，萼齿近等长，三角形，长约 2 mm，先端有刺状芒尖，芒尖长 1.5 ~ 2 mm；花冠粉红色，长为花萼的 2.5 倍，外面被白色长柔毛，内面在花冠筒中部以下有疏柔毛毛环，上唇直立，长 1.7 ~ 1.9 cm，

宽 0.7 cm，2 深裂至近 1/2 处，裂片先端近截形，下唇略短，长 1 ~ 1.1 cm，内面被短柔毛，3 裂，中裂片大，倒心形，长 4 mm，宽 9 mm，侧裂片三角形，长约 3 mm；雄蕊短，前对雄蕊长约 11 mm，后对雄蕊长 8 ~ 9 mm，花丝扁平，基部有短柔毛；花柱纤细，无毛，先端 2 浅裂，子房无毛；花盘环状，具 4 浅裂。小坚果扁倒圆锥形，长 2.5 mm，直径 1.7 mm，先端平截。花期 7 月，果期 9 月。

| 生境分布 |　生于萨吾尔山、阿尔泰山的低山带砾石山坡。分布于新疆富蕴县、福海县、阿勒泰市、布尔津县、和布克赛尔蒙古自治县等。

| 资源情况 |　野生资源一般。药材来源于野生。

| 功能主治 |　清热解毒，消炎。

唇形科 Lamiaceae 兔唇花属 *Lagochilus*

二刺叶兔唇花 *Lagochilus diacanthophyllus* (Pall.) Benth.

| **药 材 名** | 二刺叶兔唇花（药用部位：全草）。

| **形态特征** | 多年生草本。高 10 ～ 30 cm，具不大的垂直根。茎自基部多少分枝，密具叶，被柔毛。下部的叶具柄，叶柄长 5 ～ 10 mm，上部的叶多数无柄；叶片宽卵圆形，基部楔状渐狭成短柄，3 分裂，裂片半裂成多数小裂片，小裂片长圆形，先端具短刺尖，上面被刺状毛茸，下面被腺体。轮伞花序具约 6 花；苞片白色，先端锥状渐尖，边缘具稀疏的具节毛茸，长 3 ～ 15 mm；花萼狭管状钟形，喉部微斜，下部被具节的毛或无毛，萼齿长圆形，长 9 ～ 12 mm，宽 3 ～ 5 mm，与萼筒等长或为萼筒长的 1.5 倍；花冠淡粉红色，上唇外面被短柔毛，边缘被短而柔软的毛茸，先端短缺，裂片椭圆形，下唇中裂片不深

地弯缺，中裂片有 2 宽倒卵圆形小裂片，侧裂片长圆形。小坚果先端具腺点。花期 7 ~ 8 月，果期 9 月。

| 生境分布 | 生于天山、阿尔泰山和准噶尔西部山地的干旱砾石质坡地及平原、戈壁。分布于新疆阿勒泰市、奇台县、吉木萨尔县、乌鲁木齐县、昌吉市、塔城市、乌苏市、精河县、博乐市、温泉县、霍城县、巩留县、特克斯县等。

| 资源情况 | 野生资源一般。药材来源于野生。

| 功能主治 | 清热解毒，消炎。

唇形科 Lamiaceae 兔唇花属 *Lagochilus*

硬毛兔唇花 *Lagochilus hirtus* Fisch. et C. A. Mey.

| **药 材 名** | 硬毛兔唇花（药用部位：全草或根茎）。

| **形态特征** | 多年生草本。高 15 ~ 20 cm。茎自基部木质化，多数，铺散，下部无毛或被稀疏的毛茸，具花部分有长毛茸。叶楔状，无毛，3 ~ 5浅裂，裂片卵圆形，仅上部的叶片先端渐尖。苞片长 8 ~ 10 mm，先端具钻状刺尖，密被长糙伏毛及具 2 ~ 3 节的粗毛茸和头状腺体；轮伞花序具 6 ~ 8 花；花萼管状钟形，密被毛茸，萼齿狭三角形，长 3 ~ 4 mm，等长，直立，长为萼筒的 1/3 ~ 1/2；花冠粉红色，长为花萼的 2 倍，上唇深裂至 1/3 处，具 2 长圆形裂片，下唇 3 裂，中裂片短而微缺，具 2 宽卵圆形裂片，侧裂片卵圆形；花丝比花冠短。小坚果无腺点。花期 7 月，果期 8 月。

| 生境分布 | 生于阿尔泰山、萨吾尔山的低山带砾石山坡。分布于新疆富蕴县、阿勒泰市、布尔津县、哈巴河县、和布克赛尔蒙古自治县等。

| 资源情况 | 野生资源较少。药材来源于野生。

| 功能主治 | 调经活血，消炎止痛。

唇形科 Lamiaceae 兔唇花属 *Lagochilus*

毛节兔唇花

Lagochilus lanatonodus C. Y. Wu et Hsuan

| 药 材 名 | 毛节兔唇花（药用部位：全草）。

| 形态特征 | 多年生草本。根木质，粗厚，垂直。茎高 15 ~ 25 cm，多分枝，木质，四棱形，被小刚毛，节多少膨大，被绒毛，下部的节上被绵毛，为宿存叶鞘所包被。叶楔状菱形，长 10 ~ 16 mm，宽 7 ~ 14 mm，先端 3 浅裂，裂片再 3 ~ 5 浅裂，小裂片及裂片先端具刺状芒尖，基部楔形，革质，下面榄绿色，无毛或被极疏的小刚毛，叶片下面色较淡，被短柔毛或两面均无毛。轮伞花序具 2 花；苞片针状，长 4 ~ 12 mm，无毛；花萼管状钟形，长 18 mm，宽 8 mm，表面有横出凸起的网脉，萼齿稍短于或等长于萼筒，稀略长于萼筒，狭长圆状披针形，先端钝，具短刺尖，硬革质；花冠淡红色，长约 3 cm，

外面被短柔毛，内面在基部有短柔毛及疏柔毛毛环，上唇直立，长约 2 cm，宽约 7 mm，外面被白色长柔毛，先端 2 圆裂，下唇长约 1.7 cm，宽约 9 mm，3 深裂，中裂片倒心形，先端深凹，长、宽均约 8 mm，侧裂片披针形，长约 4 mm，宽约 2 mm，先端具 2 齿缺；雄蕊着生于花冠筒中部以上，花丝扁平，边缘膜质，被微柔毛，前对雄蕊长 18 mm，后对雄蕊长 15 mm；花柱细长，两端稍粗，先端 2 浅裂，子房有突起；花盘狭。小坚果倒扁圆锥形，长 4 mm，宽 2 mm，黑褐色，被尘状毛被，先端截形。花期 6 ~ 8 月。

| 生境分布 | 生于天山北坡和准噶尔西部山地的前山砾石质坡地及丘陵地。分布于新疆木垒哈萨克自治县、奇台县、乌鲁木齐县、昌吉市、石河子市、塔城市、沙湾市、精河县、温泉县等。

| 资源情况 | 野生资源一般。药材来源于野生。

| 功能主治 | 消炎止血，安神。

唇形科 Lamiaceae 兔唇花属 *Lagochilus*

大齿兔唇花
Lagochilus macrodontus Knorring

| 药 材 名 | 大齿兔唇花（药用部位：全草）。

| 形态特征 | 多年生草本。高 20 ~ 30 cm。茎淡褐色，自基部分枝，四棱形，疏被小刚毛及具节的柔毛，基部光滑。叶三角状菱形或卵圆形，长 2 ~ 3 cm，宽 2.1 ~ 3 cm，淡绿色，两面均被稀疏的白柔毛，无柄或基部骤然收缩而变成具狭翅的短柄；叶片三出，羽状深裂，裂片及小裂片卵圆形至长圆形，先端圆形，具小刺尖，长约 1.5 mm。花序轮伞形，具 2 ~ 4 花；苞片钻形，长 5 ~ 13 mm，上部被平展且具节的刚毛，下部毛脱落；花萼钟形，长约 1.6 cm，萼齿 5，宽卵圆形，长约 8 mm，宽约 7 mm，先端圆形，具短小刺尖，萼筒密被具节柔毛；花冠紫红色，长 3 ~ 4.3 cm，外面基部无毛，余部密被白柔

毛，内面疏被短柔毛，近基部有疏柔毛毛环，上唇直立，长约 2.5 cm，宽约 1.2 cm，先端中部等 2 裂，每个小裂片又分裂成不等 2 裂片或多裂片，边缘被长柔毛，下唇略短，长约 1.8 cm，3 裂，中裂片倒心形，长约 1 cm，先端 2 裂，裂片卵圆形，长约 6 mm，宽约 5 mm，两侧裂片长卵圆形，先端微裂；雄蕊 4，前对雄蕊长约 2.4 cm，后对雄蕊长约 2.1 cm，花丝扁平，边缘膜质，具白柔毛，花药略被疏柔毛；花柱与后对雄蕊等长，先端 2 裂；花盘浅杯状；子房先端有白色小突起。花期 7 月，果期 8 ～ 9 月。

| 生境分布 | 生于天山山地草原带及砾石质坡地。分布于新疆察布查尔锡伯自治县、巩留县、特克斯县等。

| 资源情况 | 野生资源一般。药材来源于野生。

| 功能主治 | 消炎止血，安神。

唇形科 Lamiaceae 兔唇花属 *Lagochilus*

阔刺兔唇花

Lagochilus platyacanthus Rupr.

| 药 材 名 | 阔刺兔唇花（药用部位：全草）。

| 形态特征 | 多年生草本。高 15 ～ 25 cm。茎被糙伏毛。叶三出式羽状分裂，具线形或卵圆形小裂片，边缘具小缘毛，先端渐尖，下部的叶片菱形，上部的叶片圆形，均具长 5 ～ 17 mm 的叶柄。轮伞花序具 4 ～ 8 花；苞片长 7 ～ 12 mm，披针形，先端锐利，具明显的肋，密被具 2 ～ 5 节的毛茸及具柄的头状腺体；花萼被具 2 ～ 3 节的紧密绒毛状毛被和无柄的头状腺体，萼齿卵圆形，先端近三角形，长 6 ～ 7 mm，宽 4 ～ 5 mm，与萼筒等长或比萼筒短；花冠长为花萼的 2 倍，上唇 2 ～ 3 深裂，裂片披针形，下唇中裂片短缺，侧裂片长圆形。花期 7 月，果期 8 月。

| **生境分布** | 生于天山、准噶尔西部山地和帕米尔高原的干旱砾石质坡地上。分布于新疆塔城市、博乐市、特克斯县、库车市、乌恰县等。

| **资源情况** | 野生资源一般。药材来源于野生。

| **功能主治** | 消炎止血，安神。

毛穗夏至草

Lagopsis eriostachys (Benth.) Ik.-Gal. ex Knorr.

| 药 材 名 | 毛穗夏至草（药用部位：地上部分）。

| 形态特征 | 多年生草本。具圆锥形主根。茎直立，自基部稍分枝，高 25 ~
30 cm，四棱形，紫色，多少被卷曲的绵毛。叶肾状圆形，通常长
2.5 ~ 3 cm，宽 3 ~ 4 cm，掌状 5 深裂，裂片卵形或阔椭圆形，先
端有钝圆齿，基部心形，边缘有 1 ~ 2 圆齿；苞叶常较小，通常 3
裂；叶两面均绿色，上面多少被柔毛，脉纹凹陷，下面疏被柔毛及
腺点，脉纹隆起；中下部的叶叶柄长 2 ~ 4 cm，上部的叶叶柄长不
及 1 cm。轮伞花序腋生，具多花，多数密集组成顶生长卵形穗状
花序，密被白色绵毛；小苞片针刺状，长约 5 mm，密被绵毛；花
梗无；花萼管状钟形，连齿长约 1 cm，外面密被绵毛，内面除齿上

被绵毛外，余均被短柔毛，脉 5，花时不明显，果时多少明显，萼齿 5，近等大，长 3 ～ 4 mm，其中 2 齿稍长，三角形，先端具刺状尖头；花冠褐紫色，长约 8 mm，外面于冠檐处被柔毛，内面无毛，花冠筒圆柱形，长约 6 mm，直径约 1.5 mm，不伸出萼筒外，冠檐二唇形，上唇卵圆形，与下唇近等长，下唇 3 浅裂，中裂片阔卵圆形，先端明显微凹，侧裂片椭圆形；雄蕊 4，着生于花冠筒中部，前对雄蕊较长，花丝扁平，花药卵圆形，2 室，药室叉开；花柱扁平，先端 2 浅裂。未成熟的小坚果卵状三棱形，褐色。花期 7 ～ 8 月。

| **生境分布** | 生于阿尔泰山、天山北坡的中山带、针叶林阳坡及河谷。分布于新疆青河县、奇台县、吉木萨尔县、乌鲁木齐县、霍城县、伊宁县、伊吾县、巴里坤哈萨克自治县等。

| **资源情况** | 野生资源一般。药材来源于野生。

| **功能主治** | 活血调经，消炎利水。

黄花夏至草 *Lagopsis* flava Kar. et Kir.

| 药 材 名 | 黄花夏至草（药用部位：地上部分）。

| 形态特征 | 多年生草本。披散于地面或上升，具圆锥形主根。茎常在基部分枝，高 7 ~ 20 cm，四棱形，多少被卷曲的绵毛。叶心形，通常长 1 ~ 1.5 cm，宽 1.2 ~ 2 cm，两面均有绵柔毛，下面毛较为密集，掌状 3 ~ 5 深裂，裂片阔椭圆形或卵形，边缘具硬尖的圆齿；叶柄扁平，具绵毛，茎下部者长 2 ~ 3.5 cm，茎上部者长 1 cm。轮伞花序腋生，具多花，常多数密集组成顶生卵形穗状花序，密被白色绵毛；小苞片与萼筒等长或仅为萼筒长的一半，针刺状，密被绵毛；花梗无；花萼管状钟形，连齿长 8 ~ 9 mm，外面密被绵毛，内面除齿上被绵毛外，余均被短柔毛，脉 5，毛被不明显，果时毛被脱落，肋

及其间的网脉均明显凸起，萼齿5，近等大，其中2齿稍长，长约4 mm，三角形，先端具刺状尖头；花冠黄色，花冠筒基部褐色，长约7 mm，外面仅冠檐被柔毛，内面于筒部疏生微柔毛，无毛环，花冠筒圆柱形，长约5 mm，直径1～1.5 mm，不伸出萼筒外，冠檐二唇形，上唇卵圆形，稍长于下唇，下唇3浅裂，中裂片阔椭圆形，先端近全缘或微凹，侧裂片椭圆形；雄蕊4，着生于花冠筒中部，前对雄蕊较长，花丝扁平，基部具微柔毛，花药卵圆形，2室，药室叉开；花柱扁平，先端2浅裂；花盘平顶，波状。小坚果卵状三棱形，长2 mm，黄褐色。花期6～7月，果期7～8月。

| **生境分布** | 生于天山北坡海拔1 500～2 400 m的山地草原及林带阳坡。分布于新疆吉木萨尔县、乌鲁木齐县、昌吉市、托里县、乌苏市、和静县等。

| **资源情况** | 野生资源一般。药材来源于野生。

| **功能主治** | 活血调经，消炎利水。

唇形科 Lamiaceae 夏至草属 Lagopsis

夏至草

Lagopsis supina (Steph.) Ik.-Gal.

| 药 材 名 | 夏至草（药用部位：地上部分）。

| 形态特征 | 多年生草本。披散于地面或上升，具圆锥形主根。茎高 15 ~ 35 cm，四棱形，具沟槽，带紫红色，密被微柔毛，常在基部分枝。叶圆形，长、宽均 1.5 ~ 2 cm，先端圆形，基部心形，3 深裂，裂片有圆齿或长圆形牙齿，有时叶片为卵圆形，3 浅裂或深裂，裂片无齿或有稀疏的圆齿，通常基部越冬叶较宽大，叶片两面均绿色，上面疏生微柔毛，下面沿脉被长柔毛，其余部分具腺点，边缘具纤毛，脉掌状，3 ~ 5 出；基生叶的叶柄长 2 ~ 3 cm，上部叶的叶柄较短，通常长约 1 cm，扁平，上面微具沟槽。轮伞花序具疏花，直径约 1 cm，枝条上部者较密集，枝条下部者较疏松；小苞片长约

4 mm，稍短于萼筒，弯曲，刺状，密被微柔毛；花萼管状钟形，长约 4 mm，外面密被微柔毛，内面无毛，脉 5，凸出，萼齿 5，不等大，长 1 ~ 1.5 mm，三角形，先端具刺尖，边缘有细纤毛，毛在果时明显展开，2 齿稍大；花冠白色，稀粉红色，稍伸出萼筒外，长约 7 mm，外面被绵状长柔毛，内面被微柔毛，花丝基部有短柔毛，花冠筒长约 5 mm，直径约 1.5 mm，冠檐二唇形，上唇直伸，比下唇长，长圆形，全缘，下唇斜展，3 浅裂，中裂片扁圆形，侧裂片椭圆形；雄蕊 4，着生于花冠筒中部稍下，不伸出，后对雄蕊较短，花药卵圆形，2 室；花柱先端 2 浅裂；花盘平顶。小坚果长卵形，长约 1.5 mm，褐色，有鳞秕。花期 6 ~ 7 月，果期 7 ~ 8 月。

| **生境分布** | 生于天山北坡山地草原、河谷、绿洲、田边、渠边、路旁。分布于新疆天山北部各县市。

| **资源情况** | 野生资源丰富。药材来源于野生。

| **功能主治** | 活血调经，消炎利水。用于贫血性头晕，半身不遂。

大扁柄草

Lallemantia peltata (L.) Fisch. & C. A. Mey.

| 药 材 名 | 扁柄草（药用部位：全草）。

| 形态特征 | 一年生草本。茎高 30 ～ 40 cm，直立，少分枝，多数上部分叉，四棱形，灰白色，光滑或被稀疏的柔毛。叶具长柄，叶柄长约 2 cm；下部的叶对生，卵形或长圆形，长 4 ～ 4.5 cm，宽 1.5 ～ 2 cm，先端钝圆，基部楔形，边缘具稀疏的圆齿，两面光滑；苞叶狭长圆形或宽披针形，长 1.5 ～ 4 cm，宽 0.5 ～ 1 cm，边缘具细齿，近无柄或具短柄。花轮生，6 ～ 10 花形成长 5 ～ 20 cm 的圆锥花序；苞片卵形或圆形，长 0.4 ～ 1 cm，宽 0.2 ～ 0.5 cm，边缘具齿，齿尖为芒状刺，上具长睫毛；花萼管形，长 1.2 ～ 1.3 cm，宽 2 ～ 2.5 mm，脉纹明显，具短柔毛，内面被柔毛，萼齿 5，较大，各齿间有疣，

上唇卵形，先端具芒尖，两侧的齿长圆形，长约 3 mm，宽约 2 mm，下唇披针形；花冠紫蓝色，长 1.4 ~ 1.8 cm，外面被柔毛，冠檐二唇形，上唇宽 2.5 ~ 3 mm，先端微凹，下唇 3 裂，长约 3 mm，中裂片长 1.5 ~ 2 mm，宽 3.5 ~ 4 mm，先端钝裂，先端及边缘具小锯齿，侧裂片圆状长圆形；花柱先端 2 裂。小坚果长圆状卵形，先端具柔毛。花期 6 月，果期 7 ~ 8 月。

| 生境分布 | 生于平原荒漠中。分布于新疆察布查尔锡伯自治县、特克斯县等。

| 采收加工 | 夏、秋季采收，除去杂质，晾干。

| 资源情况 | 野生资源丰富。药材来源于野生。

| 功能主治 | 解毒，消积，祛风利湿，泻热，通便，行水，破瘀，活血，清热解毒，消肿止痛。

唇形科 Lamiaceae 扁柄草属 Lallemantia

扁柄草

Lallemantia royleana (Benth.) Benth.

| 药 材 名 | 扁柄草（药用部位：全草）。

| 形态特征 | 一年生草本。茎高 15 ～ 20.5 cm，密被灰白色平展或倒向的短柔毛，
不分枝或自基部分枝，四棱形，最下部 1 ～ 2 节近圆柱形。叶卵形，
长 1.5 ～ 2.5 cm，宽 0.8 ～ 1 cm，先端钝，基部楔形，两面被疏短
柔毛，边缘具圆齿，叶柄长 5 ～ 10 mm；叶卵形或长圆状楔形，长
0.8 ～ 1.7 cm，宽 0.5 ～ 0.7 cm，具短柄，边缘具疏齿或下部每侧有
具长芒的 1 ～ 2 齿。轮伞花序（4 ～）6 花，在主茎及侧枝上组成
顶生穗状花序，穗状花序长 2 ～ 18.5 cm，花时宽 1.4 cm，果时宽仅
0.8 cm，直立；苞片倒卵状楔形，长 4 ～ 7 mm，宽 2 ～ 5 mm，每
边有 2 ～ 4 牙齿，牙齿具长 2 ～ 6 mm 的长芒，苞叶及苞片的毛被

与叶相同，下面疏生黄色腺点；花萼管状，长约 5 mm，宽 1 ~ 1.2 mm，果时增大，外被平展的短毛及混生微柔毛，有时有黄色腺体；脉纹明显，在各齿缺处 2 纵向脉相会成小疣，喉部微斜，萼齿 5，小，后 3 齿卵形，长约 1.3 mm，中间 1 齿具针尖，前 2 齿长圆形，较狭，长约 1.5 mm，果时后齿将其余 4 齿包裹；花冠紫蓝色，略超出花萼，长约 5.5 mm，外面中部被白色疏柔毛，冠檐二唇形，上唇长 0.7 mm，略内凹，先端 2 圆裂，内面具与边缘平行的弧形褶襞，下唇 3 裂，中裂片肾形，长约 1.2 mm，宽约 2.8 mm，先端微缺，边缘微起伏，侧裂片圆形，极小；雄蕊 4，内藏，花丝具疏柔毛；花柱长约 4.6 mm，先端 2 裂，前裂片下弯，子房裂片狭长圆形，长 0.8 ~ 1 mm，宽 0.2 mm；花盘黄色，环状，具 4 与子房裂片互生的小裂片。小坚果狭长圆形，腹面具棱，长 2.3 mm，宽约 1 mm，深褐色，无毛。花期 6 月，果期 7 ~ 8 月。

| 生境分布 |　生于准噶尔盆地沙漠边缘。分布于新疆玛纳斯县、沙湾县、奎屯市、乌鲁木齐县等。

| 资源情况 |　野生资源一般。药材来源于野生。

| 功能主治 |　活血破瘀，消肿止痛。

唇形科 Lamiaceae 野芝麻属 Lamium

短柄野芝麻 *Lamium album* L.

| 药 材 名 | 短柄野芝麻（药用部位：全草或根、花）。

| 形态特征 | 多年生植物。茎高 30 ～ 60 cm，四棱形，毛被刚毛状或几无毛，中空。茎下部的叶较小，茎上部的叶卵圆形或卵圆状长圆形至卵圆状披针形，长 2.5 ～ 6 cm，宽 1.5 ～ 4 cm，先端急尖至长尾状渐尖，基部心形，边缘具牙齿状锯齿，草质，上面榄绿色，被稀疏而贴生的短硬毛，毛在叶缘上较密集，下面色较淡，被稀疏的短硬毛，叶柄长 1 ～ 6 cm，基部边缘具睫毛；苞叶叶状，近无柄。轮伞花序具 8 ～ 9 花；苞片线形，长约为花萼的 1/6；花萼钟形，长 0.9 ～ 1.3 cm，直径 2 ～ 3 mm，基部有时紫红色，具疏刚毛及短硬毛，萼齿披针形，长约为花萼的一半，先端具芒尖，边缘具睫毛；

花冠浅黄色或污白色，长 2 ~ 2.5 cm，基部直径 2 ~ 2.5 mm，外面被短柔毛，
毛在上部尤为密集，内面近基部有斜向的毛环，花冠筒长于或等长于花萼，喉
部扩展，冠檐二唇形，上唇倒卵圆形，长 0.7 ~ 1 cm，宽 0.6 cm，先端钝，下
唇长 1 ~ 1.2 cm，3 裂，中裂片长 4 ~ 6 mm，宽 3 ~ 4 mm，倒肾形，先端深凹，
基部收缩，边缘具长睫毛，侧裂片圆形，长约 2 mm，具长约 1 mm 的钻形小齿；
花丝扁平，上部被长柔毛，花药黑紫色，被长柔毛。小坚果长卵圆形，近三棱状，
长 3 ~ 3.5 mm，直径 1.5 ~ 1.7 mm，深灰色，无毛，有小突起。花期 7 ~ 8 月，
果期 9 月。

| 生境分布 | 生于阿尔泰山、准噶尔西部山地、天山、帕米尔高原及昆仑山的山地草甸及亚
高山草甸、灌丛、河谷。新疆各地均有分布。

| 资源情况 | 野生资源一般。药材来源于野生。

| 功能主治 | 活血破瘀，消肿止痛。

唇形科 Lamiaceae 野芝麻属 Lamium

宝盖草

Lamium amplexicaule L.

| 药 材 名 | 宝盖草（药用部位：全草）。

| 形态特征 | 一至二年生植物。茎高 10 ~ 30 cm，基部多分枝，上升，四棱形，具浅槽，常为深蓝色，几无毛，中空。茎下部的叶具长柄，叶柄等长于或长于叶片，茎上部的叶无柄；叶片圆形或肾形，长 1 ~ 2 cm，宽 0.7 ~ 1.5 cm，先端圆形，基部截形或截状阔楔形，半抱茎，边缘具极深的圆齿，顶部的齿通常较其余齿大，上面暗榄绿色，下面色稍淡，两面均疏生小糙伏毛。轮伞花序具 6 ~ 10 花；苞片披针状钻形，长约 4 mm，宽约 0.3 mm，具缘毛；花萼管状钟形，长 4 ~ 5 mm，宽 1.7 ~ 2 mm，外面密被白色直伸的长柔毛，内面除萼上被白色直伸长的柔毛外，余均无毛，萼齿 5，披针状锥形，长 1.5 ~

2 mm，边缘具缘毛；花冠紫红色或粉红色，长 1.7 cm，外面除上唇被较密的带紫红色的短柔毛外，余均被微柔毛，内面无毛环，花冠筒细长，长约 1.3 cm，直径约 1 mm，筒口宽约 3 mm，冠檐二唇形，上唇直伸，长圆形，长约 4 mm，先端微弯，下唇稍长，3 裂，中裂片倒心形，先端深凹，基部收缩；花丝无毛，花药被长硬毛；花柱丝状，先端 2 浅裂，子房无毛；花盘杯状，具圆齿。小坚果倒卵圆形，具 3 棱，先端近截状，基部收缩，长约 2 mm，宽约 1 mm，淡灰黄色，表面有白色大疣状突起。花期 6 ~ 8 月，果期 9 月。

| **生境分布** | 生于平原绿洲、田野、弃地。分布于新疆阿勒泰市、乌鲁木齐市、石河子市、塔城市、伊宁市、伊州区等。

| **资源情况** | 野生资源一般。药材来源于野生。

| **功能主治** | 用于外伤骨折，跌打损伤，毒疮，瘫痪，半身不遂，高血压，小儿肝热等。

唇形科 Lamiaceae 薰衣草属 Lavandula

薰衣草 *Lavandula angustifolia* Mill.

| **药 材 名** | 薰衣草（药用部位：全草或种子）。

| **形态特征** | 半灌木或矮灌木。分枝，被星状绒毛，幼嫩部分毛较密；老枝灰褐色或暗褐色，皮层作条状剥落，具长的花枝及短的更新枝。叶线形或披针状线形，花枝上的叶较大，疏离，长3～5 cm，宽0.3～0.5 cm，被密或疏的灰色星状绒毛，干时灰白色或榄绿色，更新枝上的叶小，簇生，长不超过1.7 cm，宽约0.2 cm，密被灰白色星状绒毛，干时灰白色，先端钝，基部渐狭成极短的柄，全缘，边缘外卷，中脉在下面隆起，侧脉及网脉不明显。轮伞花序通常具6～10花，多数，在枝顶聚集成间断或近连续的穗状花序；穗状花序长约3(～5) cm；花序梗长约为花序的3倍，密被星状绒毛；苞片菱状卵圆形，先端

渐尖成钻状，具 5 ~ 7 脉，干时常带锈色，被星状绒毛；小苞片不明显；花具短梗，蓝色，密被分枝或不分枝的灰色绒毛；花萼卵状管形或近管形，长 4 ~ 5 mm，具 13 脉，内面近无毛，二唇形，上唇 1 齿较宽而长，下唇具 4 短齿，齿等大而明显；花冠长约为花萼的 2 倍，具 13 脉纹，外面毛被同花萼，基部近无毛，内面在喉部及冠檐部分被腺状毛，中部具毛环，冠檐二唇形，上唇直伸，2 裂，裂片较大，圆形，彼此稍重叠，下唇开展，3 裂，裂片较小；雄蕊 4，着生于毛环上方，不外伸，前对雄蕊较长，花丝扁平，无毛，花药被毛；花柱被毛，先端压扁，卵圆形；花盘 4 浅裂，裂片与子房裂片对生。小坚果 4，光滑。花期 6 月。

| 生境分布 | 生于林下及山谷阴湿地带。新疆伊犁哈萨克自治州及泽普县、昌吉市等有栽培。

| 资源情况 | 栽培资源丰富。药材来源于栽培。

| 功能主治 | 清热解毒，散风止痒。

绵毛益母草

Leonurus pseudopanzerioides Krestovsk.

| **药 材 名** | 绵毛益母草（药用部位：全草）。

| **形态特征** | 多年生草本。根茎木质。茎直立，高 50 ～ 100 cm，少数，不分枝
或在上部分枝，基部干时多少带紫红色，钝四棱形，微具槽，有时
平滑，被贴生的微柔毛，其间疏生平展的具节疏柔毛。茎最下部的
叶脱落，花时不存在；茎中部的叶圆形，直径 4 ～ 5 cm，基部心形，
5 裂，裂片几达叶片基部，菱形，其上羽状分裂成线状披针形小裂
片，叶片上面深绿色，下面淡绿色，两面疏被微柔毛及腺点，下面
腺点较多，叶脉在上面下陷，在下面突出，叶柄长 1.5 ～ 2.5 cm，
腹面具沟，背面圆形，被微柔毛；苞叶狭菱形，长 1 ～ 2.5 cm，3 裂，
裂片全缘或有齿，叶柄长 1 ～ 2 cm。轮伞花序腋生，圆球形，花时

直径达 2 cm，具 12 ～ 18 花，各部均被绵状疏柔毛，多数紧密靠合组成长 5 ～ 10 cm 的穗状花序，有时主茎上的花序长超过 15 cm；小苞片刺状，弯曲，向上伸，比花萼稍短，长 5 mm，有长柔毛；花萼倒圆锥形，长 6 ～ 7 mm，外面尤其是上部被绵状疏柔毛，内面除齿上被微柔毛外，余均无毛，脉 5，不明显，萼筒长约 5 mm，萼齿 5，宽三角形，前 2 齿稍靠合，开展，长 2.5 mm，后 3 齿等大，直伸，长 1.5 mm，先端具刺尖；花冠粉红色或紫红色，长约 12 mm，花冠筒长约 6 mm，在毛环上膨大，外面除基部 1/3 处无毛外，余均被疏柔毛，内面在基部 1/3 处明显有长柔毛毛环，余均无毛，冠檐二唇形，上唇直伸，内凹，长圆状卵圆形，外面密被疏柔毛，内面无毛，全缘，下唇水平开展，宽大，外被疏柔毛，内面无毛，3 裂，裂片卵圆形，中裂片稍大；雄蕊 4，前对雄蕊较长，向前弯曲，后对雄蕊上升至上唇片之下，花丝丝状，扁平，被微柔毛，着生于花冠喉部，花药卵圆形，2 室，药室平行；花柱丝状，长于雄蕊，先端向前弯曲，2 浅裂，子房褐色，先端被长柔毛；花盘平顶。未成熟的小坚果黄褐色，长圆状三棱形，先端平截，被柔毛，基部楔形。花期 7 ～ 8 月，果期 8 月。

| **生境分布** | 生于阿尔泰山的山地草甸及亚高山草甸。分布于新疆阿勒泰市、布尔津县、哈巴河县等。

| **资源情况** | 野生资源一般。药材来源于野生。

| **功能主治** | 调经活血，祛瘀生新，利水消肿。

唇形科 Lamiaceae 益母草属 Leonurus

突厥益母草

Leonurus turkestanicus V. Krecz. et Kuprian.

| 药 材 名 |

突厥益母草（药用部位：全草）。

| 形态特征 |

多年生草本。根茎木质；主根圆锥形，密生须根。茎多数，稀单一，多分枝，高 70 ~ 150（~ 200）cm，钝四棱形，紫红色，无毛。最下部茎生叶脱落，花时不存在；其余茎生叶圆形或卵状圆形，长 6 ~ 10 cm，宽 4 ~ 6 cm，先端钝形，基部宽楔形、截形或微心形，5 裂至叶片 2/3 处，裂片多少呈宽楔形，其上再分裂成宽披针形小裂片，叶片上面暗绿色，下面淡绿色，两面疏被柔毛，下面尚布腺点，叶脉在上面微下陷，在下面突出，叶柄长 2 ~ 5 cm，通常不及叶片长的一半，间或与叶片等长；苞叶长菱形，基部楔形，3 裂，裂片披针形，叶柄较短小。轮伞花序腋生，具 15 ~ 20 花，圆球形，花时直径达 2 cm，远离而向顶部靠近组成长 10 ~ 30 cm 的穗状花序；小苞片刺状，平展或向下弯，有极细的柔毛，长 4 ~ 6 cm；花梗无；花萼钟形，上部稍为囊状增大，外面贴生极细的微柔毛，上部呈灰绿色，下部呈麦秆黄色，内面无毛，脉 5，稍突出，萼筒长 6 mm，萼齿 5，前 2 齿靠合，向外开张，长 5 mm，长三角形，先端具刺尖，后 3 齿等大，三角形，长 3 mm，先端具刺尖；花冠粉红色，长约 10 mm，外面在中部以上被长柔毛，下部无毛，内面在花冠筒中部有斜向的柔毛毛环，其余部分无毛，毛环上方膨大，花冠筒长约 6 mm，冠檐二唇形，上唇倒卵圆形，内凹，向前弯曲，下唇 3 裂，裂片卵圆形，中裂片稍大；雄蕊 4，前对雄蕊较长，花丝丝状，微被柔毛，花药卵圆形，2 室，药室平行；花柱丝状，略长于雄蕊，先端 2 浅裂，子房黑褐色，先端平截，密被柔毛；花盘平顶。小坚果三棱形，长约 2 mm，灰褐色，先端平截，被微柔毛，基部楔形。花期 7 月，果期 9 月。

| 生境分布 | 生于阿尔泰山、准噶尔西部山地的山地草甸及亚高山草甸。分布于新疆阿勒泰地区、塔城地区。

| 资源情况 | 野生资源丰富。药材来源于野生。

| 功能主治 | 调经活血，祛瘀生新，利水消肿。

唇形科 Lamiaceae 扭藿香属 Lophanthus

阿尔泰扭藿香 Lophanthus krylovii Lipsky

| 药 材 名 |　阿尔泰扭藿香（药用部位：全草）。

| 形态特征 |　多年生草本。茎多数，直立或上升，高 20 ~ 30 cm，分枝或不分枝，有时从基部长出与茎近等长的枝，茎、枝均四棱形，被微柔毛及腺毛。叶卵圆形或卵状心形，长 1 ~ 2.5 cm，宽 0.8 ~ 2（~ 3）cm，先端钝或近急尖，基部多数心形，稀近截形或圆形，边缘具圆齿，两面密被短柔毛及腺点，网脉在下面凸起；叶柄短，长大多不超过 1 cm，稀长达 1.5 cm；茎上部的叶近无柄，茎下部的叶极小，茎基部的叶退化成苞片状，干时带褐色。聚伞花序腋生；总梗极短，长 5 mm 至近无；苞片小，线状披针形，被短柔毛；花萼管状钟形或近管形，向上略扩大，长 8 ~ 9 mm，具 12 ~ 15 脉，外密被短柔毛及

腺点，内面在喉部具毛环，萼檐二唇形，萼齿狭卵圆形或长圆状卵圆形，先端急尖，上唇 3 齿较高；花冠蓝色，长 16 ~ 18 mm，外被短柔毛，毛在冠檐部分较密，花冠筒外伸，向上扩大，冠檐二唇形，上唇 3 裂，中裂片较大，先端微凹或 2 浅裂，侧裂片阔椭圆形，下唇 2 深裂，裂片近圆形；雄蕊 4，仅前对雄蕊外伸；花柱外伸，先端 2 裂，裂片近等大。小坚果长圆状椭圆形，长约 2 mm，暗褐色。花期 6 ~ 8 月。

| 生境分布 | 生于阿尔泰山、天山北坡山地草原及针叶林阳坡。分布于新疆阿尔泰市、哈巴河县、木垒哈萨克自治县、奇台县、吉木萨尔县、阜康市、乌鲁木齐县、米东区、伊州区、巴里坤哈萨克自治县等。

| 资源情况 | 野生资源一般。药材来源于野生。

| 功能主治 | 祛风湿，消暑止呕，行气止泻。

唇形科 Lamiaceae 扭藿香属 Lophanthus

天山扭藿香
Lophanthus schrenkii Levin

| 药 材 名 | 天山扭藿香（药用部位：全草）。

| 形态特征 | 多年生草本。茎直立，分枝，四棱形，被疏柔毛。叶卵圆形或狭卵圆形，长 1.5 ~ 3 cm，宽 0.9 ~ 2.1 cm，先端钝或近急尖，基部浅心形或截形至圆形，边缘具圆齿，两面均被柔毛，下面毛较长，疏被腺点，干时多少具皱纹，网脉在上面明显凹陷，在下面凸起；茎中部叶的叶柄长约 1 cm，茎上部的叶近无柄。聚伞花序具 3 至多花，腋生；总梗通常长 0.8 ~ 1.5 cm，被较密的柔毛；花萼管状钟形，向上扩大，长 1 ~ 1.2 cm，具 15 脉，外被较长的柔毛，内面在中部以上具毛环，萼筒口斜形，萼檐二唇形，上唇较长，萼齿披针形或卵状披针形，上唇 3 齿较宽；花冠蓝色，长 1.7 ~ 2.1 cm，外面多

少被短柔毛，花冠筒伸出花萼外，冠檐二唇形，上唇 3 裂，中裂片较大，先端微凹，边缘具浅齿，侧裂片较小，近圆形，下唇 2 深裂，裂片阔椭圆状长圆形；雄蕊 4，前对雄蕊外伸，花药稍叉开；花柱外伸。花期 7 ~ 8 月，果期 9 月。

| 生境分布 | 生于天山北坡山地草原、针叶林阳坡及河谷。分布于新疆阜康市、米东区、乌鲁木齐县、伊州区、巴里坤哈萨克自治县、裕民县等。

| 资源情况 | 野生资源一般。药材来源于野生。

| 功能主治 | 祛风湿，消暑止呕，行气止泻。

唇形科 Lamiaceae 地笋属 Lycopus

欧地笋 *Lycopus europaeus* L.

| 药 材 名 |

欧地笋（药用部位：根茎）。

| 形态特征 |

多年生草本。高 15 ～ 80 cm。根茎横走，节上生须根，有先端逐渐肥大、被鳞叶的地下长匍匐枝。茎直立，四棱形，具槽，节上多少被柔毛，节间无毛或微被柔毛，通常不分枝或上部分枝。叶长圆状椭圆形或披针状椭圆形，长 3 ～ 9 cm，宽 1 ～ 3 cm，先端渐尖，基部渐狭，下延至叶柄，叶缘齿刻多变，下部及中部的叶基部两侧近对称地羽状深裂，裂片单脉，全缘，深不达叶中部，先端渐次为粗牙齿，上部叶大多具粗牙齿，叶片两面绿色，上面近无毛或疏生短柔毛，下面沿脉被短柔毛，其余部分具腺点，侧脉 6 ～ 10 对，与中肋在上面凹陷，在下面隆起；叶柄短，长 0 ～ 5 mm；上部的苞叶近无柄。轮伞花序无梗，圆球形，具多花，密集，花时直径 8 ～ 10 mm，下有小苞片；小苞片线状钻形，具肋，被微柔毛，外方长达 4 mm，内方通常长 3 mm，先端具刺尖；花梗无；花萼钟形，长约 3 mm，外面被微柔毛，内面无毛，具 10 ～ 15 脉，脉多少显著，萼齿 4 ～ 5，长约 2 mm，直伸，线状披针形，先端具硬刺尖；花冠白色，下唇具红色小斑点，钟状，几不超出花萼，长约 3 mm，外面被微柔毛，内面于花丝着生的花冠筒中部具白色交错的纤毛，花冠筒长 2.5 mm，冠檐呈不明显的二唇形，唇片长约 0.5 mm，上唇圆形，先端微凹，下唇 3 裂，裂片近等大；前对雄蕊能育，伸出，先端略下弯，花丝丝状，无毛，花药卵圆形，2 室，室略叉开，后对雄蕊通常不存在或退化成丝状；花柱略伸出花冠而与雄蕊等长，先端相等地 2 浅裂，裂片钻形。小坚果背腹扁平，四边形，基部略狭，先端圆形，长 1.5 mm，宽 1 mm，棕褐色，边缘加厚，腹面中央略隆起而具腺点，基部有 1 小白痕。花期 6 月，果期 8 ~ 9 月。

| **生境分布** | 生于平原绿洲、渠边、潮湿地及沼泽。新疆各地均有分布。

| **资源情况** | 野生资源丰富。药材来源于野生。

| **功能主治** | 通经利水，凉血散瘀。

欧夏至草 *Marrubium vulgare* L.

| **药 材 名** | 欧夏至草（药用部位：全草）。

| **形态特征** | 多年生草本。根茎直伸，其上疏生纤细的须根。茎直立，分枝或不分枝，高 30 ~ 40 cm，钝四棱形，基部木质，密被贴生的绵柔毛。叶卵形、阔卵形至圆形，向枝条上端渐小，长 2 ~ 3.5 cm，宽 1.8 ~ 3 cm，先端钝或近圆形，基部宽楔形至圆形，边缘有粗齿状锯齿，上面亮绿色，具皱纹，疏生长柔毛，下面灰绿色，密被粗糙的平伏长柔毛，侧脉 2 ~ 3 对，与中脉在上面凹陷，在下面隆起；叶柄长 0.7 ~ 1.5 cm。轮伞花序腋生，具多花，在枝条上部者紧密，在枝条下部者较疏松，圆球状，直径 1.5 ~ 2.3 cm；苞片钻形，等长于或稍长于萼筒，向外反曲，密被长柔毛；花萼管状，长约 7 mm，外面

沿肋有糙硬毛，其余部分有腺点，内面在萼檐处密生长柔毛；脉 10，凸出，萼齿通常 10，其中 5 主齿较长，副齿较短且数目不定，长 1 ~ 4 mm，钻形，先端呈钩吻状弯曲；花冠白色，长约 9 mm，花冠筒长约 6 mm，外面密被短柔毛，内面在中部有 1 毛环，其余部分无毛，冠檐二唇形，上唇与下唇等长或稍短于下唇，直伸或开张，先端 2 裂，下唇开张，3 裂，中裂片最宽大，肾形，先端波状而 2 浅裂；雄蕊 4，着生于花冠筒中部，均内藏，前对雄蕊较长，花丝极短，花药卵圆形，2 室；花柱丝状，先端 2 浅裂。小坚果卵圆状三棱形，有小疣点。花果期 6 ~ 8 月。

| **生境分布** | 生于天山北坡、阿拉套山的山地草原、针叶林阳坡及北疆平原的田边路旁等。分布于新疆乌鲁木齐市、博乐市、霍城县、伊宁县、察布查尔锡伯自治县、尼勒克县、新源县、巩留县、特克斯县、昭苏县等。

| **资源情况** | 野生资源丰富。药材来源于野生。

| **功能主治** | 健脾和胃，祛痰。

薄荷
Mentha canadensis L.

| **药 材 名** | 薄荷（药用部位：地上部分）。

| **形态特征** | 多年生草本。茎直立，高 30 ~ 60 cm，下部数节具纤细的须根及水平匍匐根茎，锐四棱形，具 4 槽，上部被倒向的微柔毛，下部仅沿棱上被微柔毛，多分枝。叶片长圆状披针形、披针形、椭圆形或卵状披针形，稀长圆形，长 3 ~ 5（~ 7）cm，宽 0.8 ~ 3 cm，先端锐尖，基部楔形至近圆形，边缘在基部以上疏生粗大的牙齿状锯齿，侧脉 5 ~ 6 对，与中肋在上面微凹陷，在下面显著，上面绿色，脉上密生微柔毛，其余部分疏生微柔毛，或除脉外其余部分近无毛；叶柄长 2 ~ 10 mm，腹凹背凸，被微柔毛。轮伞花序腋生，球形，花时直径约 18 mm，具梗或无梗，具梗时梗长可达 3 mm，被微柔毛；

花梗纤细，长 2.5 mm，被微柔毛或近无毛；花萼管状钟形，长约 2.5 mm，外被微柔毛及腺点，内面无毛，具 10 脉，脉不明显；萼齿 5，狭三角状钻形，先端长锐尖，长 1 mm；花冠淡紫色，长 4 mm，外面略被微柔毛，内面在喉部以下被微柔毛，冠檐 4 裂，上裂片先端 2 裂，较大，其余 3 裂片近等大，长圆形，先端钝；雄蕊 4，前对较长，长约 5 mm，均伸出花冠外，花丝丝状，无毛，花药卵圆形，2 室，药室平行；花柱略超出雄蕊，先端近相等地 2 浅裂，裂片钻形；花盘平顶。小坚果卵珠形，黄褐色，具小腺窝。花期 7 月，果期 8 ~ 9 月。

| 生境分布 | 生于平原绿洲、农田附近湿地及水沟边。新疆各地均有分布。

| 资源情况 | 野生资源丰富，栽培资源丰富。药材主要来源于栽培。

| 采收加工 | 6 月下旬至 7 月上旬第一次采收，10 月上旬开花前第二次采收，摊开，晒干。

| 功能主治 | 疏风解表，清热明目，解毒利咽。用于感冒发热，咽痛，头痛，目赤肿痛，风疹瘙痒，麻疹不透，痈疽，疥癣，漆疮等。

留兰香
Mentha spicata L.

| 药 材 名 | 留兰香（药用部位：全草）。

| 形态特征 | 多年生草本。茎直立，高 40 ~ 130 cm，无毛或近无毛，绿色，钝四棱形，具槽及条纹，不育枝仅贴地面。叶无柄或近无柄，卵状长圆形或长圆状披针形，长 3 ~ 7 cm，宽 1 ~ 2 cm，先端锐尖，基部宽楔形至近圆形，边缘具尖锐而不规则的锯齿，草质，上面绿色，下面灰绿色，侧脉 6 ~ 7 对，中脉在上面多少凹陷，在下面明显隆起且带白色。轮伞花序生于茎及分枝先端，长 4 ~ 10 cm，呈间断但向上密集的圆柱形穗状花序；小苞片线形，长于花萼，长 5 ~ 8 mm，无毛；花梗长 2 mm，无毛；花萼钟形，花时连萼齿长 2 mm，外面无毛，具腺点，内面无毛，具 5 脉，脉不显著，萼齿 5，三角状披针形，

长 1 mm；花冠淡紫色，长 4 mm，两面无毛，花冠筒长 2 mm，冠檐具 4 裂片，裂片近等大，上裂片微凹；雄蕊 4，伸出，近等长，花丝丝状，无毛，花药卵圆形，2 室；花柱伸出花冠外，先端相等地 2 浅裂，裂片钻形，子房褐色，无毛；花盘平顶。花期 7 ~ 9 月。

| 生境分布 | 生于光照充足、温暖、湿润的地区。分布于新疆塔城地区、阿勒泰地区。

| 资源情况 | 野生资源较少，栽培资源丰富。药材来源于栽培。

| 功能主治 | 祛风散寒，止咳，消肿解毒。用于感冒发热，咳嗽，伤风感冒，头痛，咽痛，胃肠胀气；外用于跌打瘀痛，目赤肿痛，鼻衄，全身麻木，小儿疮疖。

唇形科 Lamiaceae 荆芥属 Nepeta

荆芥
Nepeta cataria L.

| 药 材 名 | 荆芥（药用部位：全草）。

| 形态特征 | 多年生植物。茎坚强，基部木质化，多分枝，高 40 ~ 150 cm，基部近四棱形，上部钝四棱形，具浅槽，被白色短柔毛。叶卵状至三角状心形，长 2.5 ~ 7 cm，宽 2.1 ~ 4.7 cm，先端钝至锐尖，基部心形至截形，边缘具粗圆齿或牙齿，草质，上面黄绿色，被极短的硬毛，下面略发白，被短柔毛，毛在脉上较密，侧脉 3 ~ 4 对，斜上升，在上面微凹陷，在下面隆起；叶柄长 0.7 ~ 3 cm，细弱；苞叶叶状或上部的变小而呈披针状。花序聚伞状，下部的花序腋生，上部的花序组成连续或间断的、较疏松或极密集的顶生分枝圆锥花序，聚伞花序呈二叉分枝；苞片、小苞片钻形，细小；花时花萼管

状，长约 6 mm，直径 1.2 mm，外被白色短柔毛，内面仅萼齿被疏硬毛，萼齿锥形，长 1.5 ～ 2 mm，后齿较长，花后花萼增大成瓮状，纵肋十分清晰；花冠白色，下唇有紫点，外被白色柔毛，内面在喉部被短柔毛，长约 7.5 mm，花冠筒极细，直径约 0.3 mm，自萼筒内骤然扩展成宽喉，冠檐二唇形，上唇短，长约 2 mm，宽约 3 mm，先端具浅凹，下唇 3 裂，中裂片近圆形，长约 3 mm，宽约 4 mm，基部心形，边缘具粗牙齿，侧裂片圆裂片状；雄蕊内藏，花丝扁平，无毛。花柱线形，先端 2 裂，子房无毛；花盘杯状，裂片明显。小坚果卵形，近三棱状，灰褐色，长约 1.7 mm，直径约 1 mm。花期 7 ～ 9 月，果期 9 月。

| **生境分布** | 生于阿尔泰山、天山、昆仑山的山地草原、林带阳坡及河谷。分布于新疆阿勒泰市、奇台县、吉木萨尔县、乌鲁木齐县、伊宁县、库尔勒市、阿克苏市。新疆喀什地区及和田地区有栽培。

| **资源情况** | 野生资源丰富，栽培资源丰富。药材来源于栽培。。

| **采收加工** | 晴天露水干后采收，阴干。

| **功能主治** | 祛风，解表，透疹，止血。用于感冒发热，头痛，目痒，咳嗽，咽喉肿痛，麻疹，痈肿，疗疮，衄血，吐血，便血，崩漏，产后血晕。

小花荆芥

Nepeta micrantha Bunge

| **药 材 名** | 荆芥（药用部位：全草）。

| **形态特征** | 一年生草本。高（2.5 ~ ）5 ~ 30（ ~ 35） cm，具细而垂直的主根。茎直立，简单或分枝，钝四棱形，具浅槽，密被白色短微柔毛及混生的具腺微柔毛。下部及中部的茎生叶卵形、长圆状椭圆形至披针形，长 0.8 ~ 4 cm，宽 0.7 ~ 3.5 cm，先端钝，基部阔楔形或圆形，近全缘或具 3 ~ 5 疏齿，薄纸质，上面橄绿色，被微柔毛，下面色较淡，被具腺短柔毛及混生的小黄色腺点，侧脉 4 ~ 5 对，叶基部的 2 ~ 3 对侧脉相距较近，与中肋在上面微凸起，在下面明显隆起；叶柄长 1 ~ 3 cm，扁平，具狭翅，被毛同茎；上部的茎生叶较小而狭，披针形或长圆形至线形，先端锐尖或渐尖，基部楔形，具短柄至无柄。

聚伞花序生于渐小的叶腋内，于主茎及侧枝顶部组成顶生圆锥花序；较大植株下部的聚伞花序分枝三级，长约 6.5 cm，较小植株下部的聚伞花序分枝一级或二级，长仅 1 ~ 2.5 cm，上部的聚伞花序具长 5 ~ 10 mm 的总梗；总梗及花序轴被毛同茎；苞片线形，长 2.5 ~ 3 mm；花时花萼管形，长 3.5 ~ 4 mm，宽 1 ~ 1.2 mm，喉部斜，绿色或浅紫色，外密被平展的白色柔毛及混生的黄色小腺点，后 3 齿三角形或长圆状三角形，先端锐尖或渐尖，长 0.7 ~ 1.1 mm，中间 1 齿最长，两侧的齿较短，微斜倾，前 2 齿狭披针形，长 1.2 mm，先端长渐尖，花萼上部均染淡紫色，果时花萼增大，瓶状，长 4.5 ~ 6.5 mm，宽约 2 mm；花冠淡紫色，长 4.5 ~ 6 mm，略超出花萼，外面被疏柔毛，花冠筒纤细，长约 2.5 mm，宽约 0.7 mm，向上扩展成长 1 mm、宽 1.2 mm 的喉，冠檐二唇形，上唇直立，长约 0.8 mm，先端深裂成 2 圆裂片，下唇长约为上唇的 2 倍，平伸，中裂片心形，长 1.1 mm，宽 1.3 mm，先端微凹，边缘波状，侧裂片半圆形，长 0.3 mm，宽 0.7 mm；雄蕊略短于上唇或与之等长。小坚果长圆状卵形，长约 1.5 mm，宽约 0.7 mm，腹部具钝棱，暗褐色，具小疣。花果期 5 ~ 7 月。

| **生境分布** | 生于沙地上。分布于新疆北部等。

| **资源情况** | 野生资源丰富。药材来源于野生。

| **采收加工** | 晴天露水干后采收，阴干。

| **功能主治** | 解毒透疹，祛风湿。

直齿荆芥 *Nepeta nuda* L.

| 药 材 名 | 荆芥（药用部位：全草）。

| 形态特征 | 多年生草本。根偏斜，圆锥状，粗大，木质，具分叉。茎多数，直立，高 50 ~ 120 cm，直径 3 ~ 5 mm，质坚硬，四棱形，具槽，白绿色或上部微紫色，下部近无毛，上部被微柔毛，节间长 4.5 ~ 10 cm，下部通常不分枝或具纤弱不育的枝条，上部帚状分枝。茎生叶长圆状卵形或长圆状椭圆形至披针形，长 3.8 ~ 6.5 cm，宽 1.8 ~ 2.5 cm，先端钝、锐尖或渐尖，基部截形或浅心形，边缘具圆齿或锯齿，草质，上面浅绿色，被疏微短柔毛或几无毛，网脉下陷，下面色淡，被短柔毛，毛在脉上尤为显著，满布小的凹陷腺点，脉纹隆起；下部叶的叶柄长 5 ~ 10 mm，向上叶柄渐短至无。聚伞花序多数，腋生于主茎及

侧枝上，组成长 3 ~ 8.5 cm、宽 2.5 cm 的顶生圆锥花序，具多花，下部的花序具 11 花，二叉分枝，上部的花序具 2 ~ 5 花，分枝不明显；总梗长 1 ~ 11 mm；下部花叶与茎生叶相似，较小，向上变为苞片状，均呈线形，长 4 ~ 12 mm；苞片、小苞片线形，长 1.5 ~ 2.5 mm；花梗短，长 0.3 ~ 0.5 mm；花时花萼管状，长 3 ~ 4 mm，宽 1 ~ 1.2 mm，绿色，多少带紫色，外面被短柔毛，内面被具腺微柔毛，萼齿 5，锥形，近等大，长 1.1 ~ 1.3 mm，具狭的膜质边缘；花冠淡紫色，长 6.5 ~ 8.5 cm，外被疏短柔毛，花冠筒基部宽 0.9 mm，至 3 ~ 3.8 mm 处突然扩展成长 1.5 ~ 2 mm、宽约 2.5 mm 的喉，喉部以下或略上部藏于花萼内，冠檐二唇形，上唇直立，长 1.8 ~ 2 mm，先端深裂成 2 卵形裂片，下唇平伸，长 4 ~ 6 mm，3 裂，中裂片大，阔卵圆状心形，先端凹陷，边缘微波状，侧裂片半圆形，长 1 ~ 1.1 mm，宽 2 ~ 2.5 mm；雌花花冠长约 5.5 mm，几在冠檐以下藏于花萼内，下唇不发达，退化雄蕊具圆形膜质的不育花药残留物，内藏于喉部，花柱长于花冠上唇 2 倍，具大而拳卷的 2 裂片。小坚果长圆形，腹部具棱，长约 1.6 mm，宽约 1.1 mm，褐色，无毛，仅顶部具锐尖的乳头状突起及疏毛茸。花期 7 ~ 8 月，果期 9 月。

| 生境分布 | 生于海拔 1 400 ~ 1 800 m 的阿尔泰山、天山北坡山地草甸、云杉林中。分布于新疆阿勒泰地区、伊犁哈萨克自治州等。

| 采收加工 | 晴天露水干后采收，阴干。

| 功能主治 | 解毒透疹，活血，祛风湿。

唇形科 Lamiaceae 荆芥属 Nepeta

刺尖荆芥 *Nepeta pungens* (Bunge) Benth.

| 药 材 名 |

荆芥（药用部位：全草）。

| 形态特征 |

一年生草本。茎高 5 ~ 25 cm，直立，纤细而坚韧，四棱形，具细条纹，被短柔毛，上部尚有具短柄或无柄的腺体，通常具 1 ~ 2 对不长的分枝。下部的茎生叶卵形，长 1.4 ~ 1.9 cm，宽 1 ~ 1.2 cm，先端钝或急尖，基部阔楔形，边缘具疏牙齿，坚纸质，干后榄绿色，上面疏被微柔毛，下面被短柔毛，尚有具短柄及无柄的腺体，侧脉 3 对，与中肋在两面稍明显，具长 8 ~ 15 mm、扁平、被短柔毛的叶柄；中部的茎生叶与下部的茎生叶相似或为椭圆形，先端急尖，具长约 6 mm 的叶柄；上部的茎生叶近全缘，先端刺状渐尖，几无柄。聚伞花序具 3 ~ 5 花，通常顶部的 2 ~ 3 对聚伞花序无梗而于茎顶组成卵形头状花序，下部的聚伞花序分离；总梗长 3 ~ 13 mm；苞片椭圆状披针形至披针状线形，长 8 ~ 12 mm，质坚硬，具粗而硬的离基三出脉，先端长刺状渐尖，全缘，两面被微柔毛，尚有具短柄及无柄的腺体，边缘具短缘毛，具柄；花萼长 5.5 ~ 7 mm，具（13 ~ ）15 脉，外被柔毛，混生有腺体，齿缘有短而硬的缘毛，内面在齿及凹缺边缘被向上的长糙伏毛，萼齿 5，近等大，长为花萼的 2/5 ～ 1/2，直立，先端长渐尖，具刺状尖头；花冠长 7 ～ 8.5 mm，淡红色或白色，下唇具红色小点，外面微被疏柔毛，花冠筒细长，长 4.5 ～ 5.8 mm，微弯，急骤扩展成长 1 ～ 1.5 mm 的喉，喉基部以下藏于花萼内，冠檐二唇形，上唇长 1.3 ～ 1.7 mm，内凹，先端 2 浅裂，下唇 3 裂，中裂片肾形，长 0.7 ～ 1 mm，宽 1.5 ～ 1.7 mm，内凹，边缘微波状，中央隆起，侧裂片斜卵形，长 0.7 ～ 1 mm，宽 0.6 ～ 0.8 mm，稍开展；后对雄蕊短于上唇，长为上唇的 1/3，前对雄蕊刚刚超出上唇基部，花药比后对者小。小坚果倒卵形，长 1.5 mm，宽 1 mm，褐黄色，腹部具略明显的棱。花期 5 ～ 6 月，果期 6 ～ 7 月。

| 生境分布 |　生于海拔 1 200 ～ 1 500 m 的岩石上及山地、山麓的河岸坡上。分布于新疆北部等。

| 采收加工 |　随采随用。

| 资源情况 |　野生资源一般。药材来源于野生。

| 功能主治 |　解毒透疹，祛风湿。

唇形科 Lamiaceae 荆芥属 Nepeta

大花荆芥 *Nepeta sibirica* L.

| 药 材 名 | 荆芥（药用部位：根）。

| 形态特征 | 多年生草本。根茎木质，长，匍匐状，具萌枝，先端有粗糙纤维。茎多数，上升，高约 40 cm，常在下部具分枝，四棱形，下部常带紫红色，被微柔毛，混生有小腺点。叶三角状长圆形至三角状披针形，长 3.4 ~ 9 cm，宽 1.2 ~ 2.2 cm，先端急尖，基部近截形，常呈浅心形，上面疏被微柔毛，下面密被黄色腺点，沿网脉被短柔毛，边缘通常密具小牙齿，坚纸质，脉在上面稍下陷，在下面明显隆起；茎下部的叶具较长的柄，叶柄长 1.5 ~ 1.7 cm；茎中部叶的叶柄变短，长 3 ~ 7 mm；苞叶叶状，向上变小，具极短的柄，上部的苞叶呈苞片状，披针形。轮伞花序稀疏排列于茎顶部，长 9 ~ 15 cm，下部

的花序具长 5 ~ 8 mm 的总梗，上部的花序具短梗或近无梗；苞片长约为花萼的 1/4 ~ 1/3，线形，被短柔毛及睫毛；花梗短，长约 1 mm，密被腺点；花萼长 9 ~ 10 mm，外密被具腺短柔毛及黄色腺点；喉部极斜，上唇 3 裂，披针状三角形，先端渐尖，下唇 2 裂至基部，较长而狭，先端锐尖；花冠蓝色或淡紫色，长 2 ~ 2.9 cm，外疏被短柔毛，花冠筒近直立，狭窄部分伸出花萼 1/2，向上骤然扩展成长、宽均约 6 mm 的喉部，冠檐二唇形，上唇 2 裂至中部以下成椭圆形钝裂片，下唇 3 裂，中裂片肾形，先端具深弯缺，边缘具大圆齿，侧裂片卵状三角形或卵形；雄蕊 4，后对雄蕊稍短于或略长于上唇；花柱等长于或略长于上唇。成熟小坚果未见。花期 6 ~ 8 月，果期 8 ~ 9 月。

| 生境分布 |　生于阿尔泰山及准噶尔西部山地的草原带。分布于新疆阿勒泰市、哈巴河县及塔城市等。

| 资源情况 |　野生资源一般。药材来源于野生。

| 功能主治 |　逐水消肿，散结。

罗勒
Ocimum basilicum L.

| **药 材 名** | 罗勒（药用部位：全草）。

| **形态特征** | 一年生草本。高 20 ~ 80 cm，具圆锥形主根及自其上生出的密集须根。茎直立，钝四棱形，上部微具槽，基部无毛，上部被倒向的微柔毛，绿色，常染有红色，多分枝。叶卵圆形至卵圆状长圆形，长 2.5 ~ 5 cm，宽 1 ~ 2.5 cm，先端微钝或急尖，基部渐狭，近全缘或具不规则的牙齿，两面近无毛，下面具腺点，侧脉 3 ~ 4 对，与中脉在上面平坦，在下面多少明显；叶柄伸长，长约 1.5 cm，近扁平，多少具狭翅，被微柔毛。总状花序顶生，被微柔毛，通常长 10 ~ 20 cm，由多数具 6 花交互对生的轮伞花序组成，下部的轮伞花序远离，彼此相距可达 2 cm，上部的轮伞花序靠近；苞片细小，

倒披针形，长 5 ~ 8 mm，短于轮伞花序，先端锐尖，基部渐狭，无柄，边缘具纤毛，常具色泽；花梗明显，花时长约 3 mm，果时伸长，长约 5 mm，先端明显下弯；花萼钟形，长 4 mm，宽 3.5 mm，外面被短柔毛，内面在喉部被疏柔毛，萼筒长约 2 mm，萼齿 5，呈二唇形，上唇具 3 齿，中齿最宽大，长 2 mm，宽 3 mm，近圆形，内凹，具短尖头，边缘下延至萼筒，侧齿宽卵圆形，长 1.5 mm，先端锐尖，下唇具 2 齿，齿披针形，长 2 mm，具刺尖头，萼齿边缘均具缘毛，果时花萼宿存，明显增大，长达 8 mm，宽 6 mm，明显下倾，脉纹显著；花冠淡紫色，或上唇白色、下唇紫红色，伸出花萼外，长约 6 mm，外面在唇片上被微柔毛，内面无毛，花冠筒内藏，长约 3 mm，喉部多少增大，冠檐二唇形，上唇宽大，长 3 mm，宽 4.5 mm，4 裂，裂片近等大，近圆形，常具波状皱曲，下唇长圆形，长 3 mm，宽 1.2 mm，下倾，全缘，近扁平；雄蕊 4，分离，略超出花冠，插生于花冠筒中部，花丝丝状，后对花丝基部具齿状附属物，其上有微柔毛，花药卵圆形，汇合成 1 室；花柱长于雄蕊，先端 2 浅裂；花盘平顶，具 4 齿，齿不超出子房。小坚果卵珠形，长 2.5 mm，宽 1 mm，黑褐色，有具腺的穴陷，基部有 1 白色果脐。花期通常 7 ~ 9 月，果期 9 ~ 12 月。

| **生境分布** | 栽培种。栽培于光照充足、气候温暖、土壤肥沃处。新疆伊宁市、和布克赛尔蒙古自治县、沙雅县、温泉县等有栽培。

| **资源情况** | 栽培资源丰富。药材来源于栽培。

| **采收加工** | 7 ~ 8 月采收，除去细根和杂质，晒干。

| **功能主治** | 消肿止痛，活血通经，解热消暑，调中和胃

唇形科 Lamiaceae 牛至属 *Origanum*

牛至 *Origanum vulgare* L.

| 药 材 名 | 牛至（药用部位：全草）。

| 形态特征 | 多年生草本或半灌木。芳香。根茎斜生，节上具纤细的须根，多少木质。茎直立或近基部伏地，通常高 25 ~ 60 cm，多少带紫色，四棱形，具倒向或微卷曲的短柔毛，多数，自根茎发出，中上部各节有具花的分枝，下部各节有不育的短枝，近基部常无叶。叶柄长 2 ~ 7 mm，腹面具槽，背面近圆形，被柔毛；叶片卵圆形或长圆状卵圆形，长 1 ~ 4 cm，宽 0.4 ~ 1.5 cm，先端钝或稍钝，基部宽楔形至近圆形或微心形，全缘或有远离的小锯齿，上面亮绿色，常带紫晕，具不明显的柔毛及凹陷的腺点，下面淡绿色，明显被柔毛及凹陷的腺点，侧脉 3 ~ 5 对，与中脉在上面不显著，在下面多少突出；苞叶大多无柄，

常带紫色。伞房状圆锥花序，开张，由多数长圆状在果时多少伸长的小穗状花序组成；多花，密集；苞片长圆状倒卵形至倒卵形或倒披针形，先端锐尖，绿色或带紫晕，长约 5 mm，具平行脉，全缘；花萼钟状，连齿长 3 mm，外面被小硬毛或近无毛，内面在喉部有白色柔毛环，脉 13，多少显著，萼齿 5，三角形，等大，长 0.5 mm；花冠紫红色、淡红色至白色，管状钟形，长 7 mm，两性花的花冠筒长 5 mm，显著长于花萼，雌花的花冠筒短于花萼，长约 3 mm，外面被疏短柔毛，内面在喉部被疏短柔毛，冠檐明显二唇形，上唇直立，卵圆形，长 1.5 mm，先端 2 浅裂，下唇开张，长 2 mm，3 裂，中裂片较大，侧裂片较小，均呈长圆状卵圆形；雄蕊 4，在两性花中，后对雄蕊短于上唇，前对雄蕊略伸出花冠外，花丝丝状，扁平，无毛，花药卵圆形，2 室，两性花由三角状楔形药隔分隔，药室叉开；花盘平顶；花柱略长于雄蕊，先端 2 浅裂，裂片钻形。小坚果卵圆形，长约 0.6 mm，先端圆形，基部骤狭，微具棱，褐色，无毛。花期 6 月，果期 8 月。

| **生境分布** | 生于天山、阿尔泰山、准噶尔西部山地的山地草甸、林缘、河谷及亚高山草原、河谷。分布于北疆山区。

| **资源情况** | 野生资源丰富，栽培资源较少。药材来源于野生和栽培。

| **功能主治** | 发汗解表，活血祛瘀，止痛。

唇形科 Lamiaceae 脓疮草属 Panzerina

小花脓疮草

Panzerina lanata var. *parviflora* (C. Y. Wu & H. W. Li) H. W. Li

| 药 材 名 | 脓疮草（药用部位：全草）。

| 形态特征 | 多年生草本。具木质主根。茎高 25 ～ 40 cm，单一或多数自基部生出，自基部向上具能育的短枝，四棱形，被极密的白色绵绒毛。茎生叶的叶柄长 2.5 ～ 4.5 cm，扁平，腹面具沟，背面凸起，被极密的白色绵状绒毛，叶片圆形，直径 4 ～ 6 cm，先端钝，基部心形，边缘内卷，掌状 5 裂至中部，裂片宽楔形，疏生 1 ～ 2 齿，两面密被柔毛，下面散布有浅黄色腺点，叶脉在上面下陷，在下面显著而变白色；苞叶较小，叶柄长 1 ～ 1.5 cm，叶片宽 1 ～ 3.5 cm，常掌状 3 深裂。轮伞花序腋生，具 8 ～ 12 花，在茎及枝顶组成短穗状花序；苞片质坚硬，线状钻形，扁平，具刺芒状尖头，平伸，长约 8 mm，

被白色绒毛；花萼管状钟形，口部略偏斜，开张，不连齿长约 1 cm，外面密被白色短柔毛，内面无毛，具 5 脉，脉在上部略明显，在下部消失，萼齿 5，狭三角形，先端具长刺状尖头，不等长，前 2 齿明显伸长，长 5 mm，后 3 齿较短，长 3 mm；花冠长 2 ~ 2.2 cm，花冠筒长 1 cm，内藏，外面在上部被丝状柔毛，内面无毛，冠檐二唇形，上唇长圆形，长约 1.1 cm，宽 3 mm，盔状，直伸，外面被极密的丝状柔毛，内面无毛，下唇长圆形，长 1 cm，宽 5 mm，近平展，3 浅裂，中裂片较大，扁倒心形，先端 2 浅裂，侧裂片卵圆形；雄蕊 4，前对雄蕊略长，均延伸至上唇片之下，着生于花冠喉部下方，花丝丝状，略被微柔毛，花药卵圆形，2 室，药室平行，横裂；花柱丝状，略短于雄蕊，先端 2 浅裂，裂片钻形，子房无毛；花盘平顶。花期 6 ~ 7 月，果期 8 月。

| **生境分布** | 生于阿尔泰、天山东部低山带石质山坡。分布于新疆阿勒泰市、奇台县等。

| **资源情况** | 野生资源较少。药材来源于野生。

| **功能主治** | 发汗解表，活血祛瘀，止痛。

唇形科 Lamiaceae 紫苏属 Perilla

紫苏

Perilla frutescens (L.) Britton

| 药 材 名 | 紫苏（药用部位：茎、叶、种子）。

| 形态特征 | 一年生直立草本。茎高 0.3 ~ 2 m，绿色或紫色，钝四棱形，具 4 槽，密被长柔毛。叶阔卵形或圆形，长 7 ~ 13 cm，宽 4.5 ~ 10 cm，先端短尖或突尖，基部圆形或阔楔形，边缘在基部以上有粗锯齿，膜质或草质，两面绿色或紫色，或仅下面紫色，上面被疏柔毛，下面被贴生的柔毛，侧脉 7 ~ 8 对，位于下部者稍靠近，斜上升，与中脉在上面微凸起，在下面明显凸起，色稍淡；叶柄长 3 ~ 5 cm，背腹扁平，密被长柔毛。轮伞花序具 2 花，组成长 1.5 ~ 15 cm、密被长柔毛、偏向一侧的顶生及腋生总状花序；苞片宽卵圆形或近圆形，长、宽均约 4 mm，先端具短尖头，外被红褐色腺点，无毛，边缘膜质；花梗长 1.5 mm，密被柔毛；花萼钟形，具 10 脉，长约 3 mm，直伸，

下部被长柔毛，夹有黄色腺点，内面喉部有疏柔毛环，结果时花萼增大，长达 1.1 cm，平伸或下垂，基部一侧肿胀，萼檐二唇形，上唇宽大，具 3 齿，中齿较小，下唇比上唇稍长，具 2 齿，齿披针形；花冠白色至紫红色，长 3 ~ 4 mm，外面略被微柔毛，内面在下唇片基部略被微柔毛，花冠筒短，长 2 ~ 2.5 mm，喉部斜钟形，冠檐近二唇形，上唇微缺，下唇 3 裂，中裂片较大，侧裂片与上唇相似；雄蕊 4，几不伸出，前对雄蕊稍长，离生，插生于喉部，花丝扁平，花药 2 室，药室平行，其后略叉开或极叉开；花柱先端 2 浅裂；花盘前方呈指状膨大。小坚果近球形，灰褐色，直径约 1.5 mm，具网纹。花期 7 月，果期 9 月。

| 生境分布 | 新疆各地均有栽培。

| 资源情况 | 栽培资源丰富。药材来源于栽培。

| 采收加工 | 茎、叶，未开花时采收。种子，9 月采收成熟果实，晒干，脱下种子，晒干。

| 功能主治 | 茎，顺气安胎，发散风寒。叶，发汗行气，健胃镇痛。种子，化痰镇咳。

唇形科 Lamiaceae 糙苏属 Phlomoides

耕地糙苏
Phlomoides agraria (Bunge) Adylov, Kamelin & Makhm.

| 药 材 名 | 糙苏（药用部位：根）。

| 形态特征 | 多年生草本。高 40 ~ 60 cm，具绳索状增粗的根。茎简单或分枝，被贴生或向下的毛茸，花序下的部分被具腺的毛茸。基生叶三角状心形，长 8 ~ 10 cm，宽 4 ~ 6 cm，叶柄长 5 ~ 8 cm；下部的茎生叶长 5.5 cm，宽 3 ~ 3.5 cm，上部的茎生叶与下部的茎生叶同形，但较小；最上部的叶长 1.5 cm，宽 6 ~ 8 mm，先端渐尖；下部的苞叶长于轮伞花序，上部的苞叶短于轮伞花序；叶片边缘为钝圆牙齿状，上面绿色，被单毛茸，下面被星状毛及单毛。轮伞花序具 10 ~ 12 花，下部的花彼此分离，上部的花靠近；苞片线状钻形，先端刺状，长 8 ~ 9 mm，被平展的具节毛茸；花萼管状钟形，长

10 ~ 12 mm，外面在齿上被星状微柔毛，脉上被长或短的具节毛茸，萼齿半圆形或圆形，先端刺状渐尖；花冠粉红色，稀白色，长为花萼的 2 倍，花冠筒外面无毛，喉部以下及其上连同冠檐被具节毛茸，冠檐二唇形，上唇卵形，边缘为锐牙齿状，内面密被髯毛，下唇中裂片圆肾状心形，侧裂片卵形；后对雄蕊的花丝具距状附属器；花柱先端具不等的 2 裂片。小坚果先端被毛。花期 7 月，果期 8 ~ 9 月。

| **生境分布** | 生于塔尔巴哈台山、天山的山地草原及灌丛中。分布于新疆托里县、塔城市、伊犁哈萨克自治州等。

| **资源情况** | 野生资源一般。药材来源于野生。

| **功能主治** | 止泻。用于麻风。

唇形科 Lamiaceae 糙苏属 Phlomoides

高山糙苏 *Phlomoides alpina* (Pall.) Adylov, Kamelin & Makhm.

| 药 材 名 | 糙苏（药用部位：根）。

| 形态特征 | 多年生草本。高 20 ~ 50 cm，具绳索状根。茎单生，多少直立，下部无毛或被短疏柔毛，上部被向下的长柔毛或星状毛。基生叶及下部的茎生叶心形，长 13 ~ 15 cm，宽 10 cm，叶柄长于叶片，花序下的叶具短柄；茎生叶长 10 cm，宽 3 ~ 4 cm；下部的苞叶卵状长圆形或长圆状披针形，长 7 ~ 11 cm，宽 2 ~ 4 cm，具圆齿，上部的苞叶线状披针形，全缘或具钝齿，长于轮伞花序；叶上面及下面均疏被单节茸毛。轮伞花序具多花，下部分离，向上靠近；苞片长 9 ~ 11 mm，微弯曲，狭线形，被长而平展的具节茸毛；花萼钟形，被短柔毛，常混生具节长茸毛，下半部被疏短柔毛，萼齿卵圆形，

向上渐成长 2 ~ 3 mm 的刺尖；花冠粉红色，长为花萼的 2 倍，外面被具节的茸毛及射线不等长的星状茸毛，花冠筒无毛，上唇上边呈不整齐的锐牙齿状，边缘内面具髯毛，下唇具阔圆形的中裂片及长圆状圆形的侧裂片；花丝不伸出花冠外，具短距状附属器；花柱裂片不等长。小坚果先端被毛。

| 生境分布 | 生于亚高山草甸、山地草甸及针叶林阳坡。分布于新疆南部、北部等。

| 资源情况 | 野生资源丰富。药材来源于野生。

| 功能主治 | 清热解毒，收敛，止血，止泻。用于麻风。

唇形科 Lamiaceae 糙苏属 *Phlomoides*

青河糙苏

Phlomoides chinghoensis (C. Y. Wu) Kamelin & Makhm.

| 药 材 名 | 糙苏（药用部位：根）。

| 形态特征 | 多年生草本。高 20 ～ 50 cm。茎不分枝，密被星状微柔毛。基生叶及下部的茎生叶箭状卵形，基生叶长 8 ～ 12.5 cm，宽 5 ～ 7 cm，茎生叶长 5.5 ～ 7 cm，宽 2.5 ～ 3 cm；下部的苞叶卵状长圆形或长圆状披针形，长 4.5 ～ 7 cm，宽 2 ～ 3 cm，具圆齿，上部的苞叶线状披针形至线形，近全缘或具钝牙齿，苞叶远较轮伞花序长；叶片两面均被星状微柔毛；基生叶叶柄长 6 ～ 15 cm，茎生叶叶柄长 3 ～ 3.5 cm，苞叶叶柄短至无。轮伞花序具多花，下部的花序彼此远离，上部的花序靠近；苞片长 7 ～ 12 mm，微内弯，针状，密被白色具节长柔毛；花萼钟形，长约 9 mm，外面在上部及肋上被白色具节长

柔毛，余均密被白色微柔毛，内面在上半部被短硬毛，萼齿卵圆形，长约 2.5 mm，先端具刺状芒尖；花冠长为花萼的 2 倍，外面除花冠筒近无毛外，余均被白色绵毛，内面花冠筒有毛环，上唇长约 8 mm，边缘具不等大的小牙齿，内面被髯毛，下唇长与宽均约 6 mm，中裂片较大，长圆形，侧裂片较小，卵形；雄蕊内藏，后对雄蕊花丝基部无附属器；花柱先端不等地 2 裂。小坚果无毛。花期 7 月，果期 8 ~ 9 月。

| **生境分布** | 生于阿尔泰山、塔尔巴哈台山的山地草原及林间空地。分布于新疆青河县、阿勒泰市、塔城市、托里县等。

| **资源情况** | 野生资源一般。药材来源于野生。

| **功能主治** | 止泻。用于麻风。

唇形科 Lamiaceae 糙苏属 Phlomoides

山地糙苏 *Phlomoides oreophila* (Kar. et Kir.) Adylov, Kamelin & Makhm.

| 药 材 名 | 糙苏（药用部位：根）。

| 形态特征 | 多年生草本。高 30 ~ 80 cm。茎直立，四棱形，被向下的贴生长柔毛。基生叶卵形或宽卵形，长 6.5 ~ 13 cm，宽 5 ~ 10 cm，先端钝，基部心形，边缘具圆齿；茎生叶圆形，较小，长 6 ~ 11 cm，宽 3.2 ~ 7 cm；苞叶卵状披针形或披针状线形，长 3 ~ 6 cm，宽 0.4 ~ 2 cm，上部的苞叶狭，近全缘，长于轮伞花序；叶片上面榄绿色，密被短糙伏毛，下面色较淡，密被疏柔毛；基生叶的叶柄长 6 ~ 15 cm，茎生叶的叶柄长 2 ~ 6 cm，苞叶无柄。轮伞花序具多花，生于茎端，彼此靠近；苞片纤细，长约 15 mm，丝状，密被长柔毛，有时混生具腺长柔毛；花萼长约 12 mm，管状，外面密被星状微柔毛，脉上

被细长柔毛，萼齿宽卵形，先端钻状渐尖，尖长 1.5 ~ 2 mm；花冠紫色，长于花萼 1 倍，外面上唇及其稍下部分密被短柔毛及混生的长柔毛，筒部近无毛，内具毛环，上唇边缘自内面被髯毛，具不等大的牙齿，下唇中裂片倒卵状宽心形，侧裂片宽卵形；花丝插生于喉部，具长柔毛，基部无附属器；花柱具不等大的裂片。小坚果先端被星状微柔毛。花期 7 ~ 8 月，果期 9 月。

| 生境分布 | 生于阿尔泰山、天山、帕米尔高原及昆仑山的山地草原，高山或亚高山草甸，林缘，河谷中。新疆各地均有分布。

| 资源情况 | 野生资源丰富。药材来源于野生。

| 功能主治 | 止泻。用于麻风。

唇形科 Lamiaceae 糙苏属 *Phlomoides*

草原糙苏 *Phlomoides pratensis* (Kar. et Kir.) Adylov, Kamelin 8l Makhm.

| **药 材 名** | 糙苏（药用部位：根）。

| **形态特征** | 多年生草本。茎简单或具分枝，四棱形，具槽，下部及花序下面常被长柔毛，有时具混生的星状毛，其余部分通常被星状疏柔毛及单毛。基生叶及下部的茎生叶心状卵圆形或卵状长圆形，长 10 ~ 17 cm，宽 3.5 ~ 12 cm，先端急尖或钝，基部浅心形，边缘具圆齿；茎生叶圆形，较小；上部的苞叶卵状长圆形，向上渐小，边缘具牙齿，有时最上部的苞片近全缘，上面橄绿色，被疏柔毛，有时兼被混生的星状疏柔毛，下面色较淡，被星状疏柔毛及单毛或星状短柔毛；基生叶及下部的茎生叶的叶柄长 3 ~ 22 cm，茎生叶的叶柄长 1 ~ 3 cm，上部的苞叶无柄。轮伞花序具多花，排列于主茎及分枝上部；总花

梗短或近无；苞片在基部彼此接连，较粗，长 8 ~ 15 mm，线状钻形，等长于或短于花萼，被星状或成束的疏柔毛；花萼管状，长 10 ~ 15 mm，具粗脉，被单毛及星状疏柔毛，萼齿微缺，先端具长 2 ~ 3 mm 的芒尖；花冠紫红色，长为花萼的 1.5 ~ 2 倍，花冠筒外面下部无毛，其余部分被长柔毛，内面有斜升、间断的毛环，冠檐外被长柔毛，上唇边缘呈不整齐的锯齿状，内面密被髯毛，下唇中裂片宽倒卵形，侧裂片较短，卵形；后对雄蕊花丝基部具纤细向下的附属器，花药微伸出花冠外。小坚果无毛。

| 生境分布 |　生于海拔 1 500 ~ 2 500 m 的阿尔泰山、天山、准噶尔西部山地、帕米尔高原、昆仑山的山地草甸及亚高山草甸。新疆各地均有分布。。

| 资源情况 |　野生资源丰富。药材来源于野生。

| 功能主治 |　止泻。用于麻风。

唇形科 Lamiaceae 糙苏属 Phlomoides

块根糙苏
Phlomoides tuberosa (L.) Moench

| 药材名 | 糙苏（药用部位：全草或根）。

| 形态特征 | 多年生草本。高 40 ~ 150 cm。根块状增粗。茎具分枝，上部近无毛，下部被疏柔毛，染紫红色或绿色。基生叶或下部的茎生叶三角形，长 5.5 ~ 19 cm，宽 5 ~ 13 cm，先端钝或急尖，基部深心形，边缘呈不整齐的粗圆齿状；中部的茎生叶三角状披针形，长 5 ~ 9.5 cm，宽 2.2 ~ 6 cm，基部心形，边缘呈粗牙齿状，稀为不整齐的波状；苞叶披针形，稀卵圆形，向上渐小，略长于轮伞花序，边缘呈锐牙齿状；叶片上面橄绿色，被极疏的具节刚毛或近无毛，下面色较淡，无毛或仅脉上被极疏的具节刚毛；基生叶及下部茎生叶的叶柄长 4 ~ 25 cm，中部茎生叶的叶柄长 1.5 ~ 3.5 cm，上部茎生叶及苞叶

的叶柄短至无，均被具节刚毛或无毛。轮伞花序多数，3 ~ 10 生于主茎及分枝上，彼此分离；花多，密集；苞片线状钻形，长约 10 mm，有的分离，有的 2 ~ 4 合生，等长于或长于花萼，被具节的长缘毛；花萼管状钟形，长 8 ~ 10 mm，仅靠近萼齿部分被极疏的具节刚毛，其余部分无毛，萼齿半圆形，长 0.5 ~ 0.7 mm，先端微凹，具长 1.8 ~ 2.5 mm 的刺尖；花冠紫红色，长 1.8 ~ 2 cm，外面唇瓣上密被具长射线的星状绒毛，筒部无毛，内面在花冠筒近中部具毛环，冠檐二唇形，上唇边缘呈不整齐的牙齿状，内面密被髯毛，下唇卵形，长约 6 mm，宽约 5 mm，3 圆裂，中裂片倒心形，较大，侧裂片卵形，较小；后对雄蕊花丝基部在毛环上方具向上的短距状附属器；花柱先端不等地 2 裂。小坚果先端被星状短毛。花期 6 月下旬至 7 月中旬，果期 8 ~ 9 月。

| **生境分布** | 生于阿尔泰山、天山、塔尔巴哈台山的山地草原及山谷滩地。分布于新疆阿勒泰市、昌吉市、塔城市、伊犁哈萨克自治州等。

| **资源情况** | 野生资源丰富。药材来源于野生。

| **采收加工** | 夏季采收，除去杂质，洗净泥土，晒干。

| **功能主治** | 用于月经失调，梅毒，化脓性创伤。

唇形科 Lamiaceae 夏枯草属 Prunella

夏枯草
Prunella vulgaris L.

| 药 材 名 | 夏枯草（药用部位：全草）。

| 形态特征 | 多年生草本。根茎匍匐，节上生须根。茎高 20 ～ 30 cm，上升，下部伏地，自基部多分枝，钝四棱形，具浅槽，紫红色，被稀疏的糙毛或近无毛。茎生叶卵状长圆形或卵圆形，大小不等，长 1.5 ～ 6 cm，宽 0.7 ～ 2.5 cm，先端钝，基部圆形、截形至宽楔形，下延至叶柄成狭翅，近全缘或具不明显的波状齿，草质，上面榄绿色，具短硬毛或几无毛，下面淡绿色，几无毛，侧脉 3 ～ 4 对，在下面略突出，叶柄长 0.7 ～ 2.5 cm，自下部向上渐短；花序下方的 1 对苞叶似茎生叶，近卵圆形，无柄或具不明显的短柄。轮伞花序密集组成顶生长 2 ～ 4 cm 的穗状花序，每轮伞花序下有苞片；苞片宽心形，通常

长约 7 mm，宽约 11 mm，先端具长 1 ~ 2 mm 的骤尖头，脉纹放射状，外面在中部以下沿脉疏生刚毛，内面无毛，边缘具睫毛，膜质，浅紫色；花萼钟形，连齿长约 10 mm，萼筒长 4 mm，倒圆锥形，外面疏生刚毛，二唇形，上唇扁平，宽大，近扁圆形，先端几平截，具 3 不甚明显的短齿，中齿宽大，齿尖均呈刺状微尖，下唇较狭，2 深裂，裂片达唇片的一半或以下，边缘具缘毛，先端渐尖，尖头微刺状；花冠紫色、蓝紫色或红紫色，长约 13 mm，略长于花萼，花冠筒长 7 mm，基部宽约 1.5 mm，其上向前方膨大，喉部宽约 4 mm，外面无毛，内面近基部 1/3 处具鳞毛毛环，冠檐二唇形，上唇近圆形，直径约 5.5 mm，内凹，多少呈盔状，先端微缺，下唇长约为上唇的 1/2，3 裂，中裂片较大，近倒心形，先端边缘具流苏状小裂片，侧裂片长圆形，垂向下方，细小；雄蕊 4，前对雄蕊长很多，均上升至上唇片之下，彼此分离，花丝略扁平，无毛，前对花丝先端 2 裂，1 裂片能育，具花药，另 1 裂片钻形，长于花药，稍弯曲或近直立，后对花丝的不育裂片微呈瘤状突出，花药 2 室，药室极叉开；花柱纤细，先端 2 裂，裂片钻形，外弯，子房无毛；花盘近平顶。小坚果黄褐色，长圆状卵珠形，长 1.8 mm，宽约 0.9 mm，微具沟纹。花期 4 ~ 6 月，果期 7 ~ 9 月。

| 生境分布 | 生于阿尔泰山、塔尔巴哈台山、天山的草原、河谷、沟旁及山坡。分布于新疆阿勒泰市、塔城市、伊犁哈萨克自治州等。

| 资源情况 | 野生资源一般。药材来源于野生。

| 采收加工 | 6 月果穗渐变成棕褐色时选择晴天采收，晒干。

| 功能主治 | 疏肝解郁，补血，降血压，清火，明目，散结，消肿。用于目赤肿痛，目珠夜痛，头痛眩晕，瘰疬，瘿瘤，乳痈肿痛，乳腺增生症，高血压。

丹参
Salvia miltiorrhiza Bunge

| 药 材 名 | 丹参（药用部位：根）。

| 形态特征 | 多年生直立草本。根肥厚，肉质，外面朱红色，内面白色，长 5 ~ 15 cm，直径 4 ~ 14 mm，疏生支根。茎直立，高 40 ~ 80 cm，四棱形，具槽，密被长柔毛，多分枝。叶常为奇数羽状复叶；叶柄长 1.3 ~ 7.5 cm，密被向下的长柔毛；小叶 3 ~ 5 (~ 7)，长 1.5 ~ 8 cm，宽 1 ~ 4 cm，卵圆形、椭圆状卵圆形或宽披针形，先端锐尖或渐尖，基部圆形或偏斜，边缘具圆齿，草质，两面被疏柔毛，下面毛较密；小叶柄长 2 ~ 14 mm，与叶轴密被长柔毛。轮伞花序具 6 花或多花，下部者疏离，上部者密集，组成长 4.5 ~ 17 cm、具长梗的顶生或腋生总状花序；苞片披针形，先端渐尖，基部楔形，全缘，上面无毛，

下面略被疏柔毛，比花梗长或短；花梗长 3 ~ 4 mm；花序轴密被长柔毛或具腺长柔毛；花萼钟形，带紫色，长约 1.1 cm，花后稍增大，外面被疏长柔毛及具腺长柔毛，具缘毛，内面中部密被白色长硬毛，具 11 脉，二唇形，上唇全缘，三角形，长约 4 mm，宽约 8 mm，先端具 3 小尖头，侧脉外缘具狭翅，下唇与上唇近等长，具 2 齿，齿三角形，先端渐尖；花冠紫蓝色，长 2 ~ 2.7 cm，外被具腺短柔毛，毛尤以上唇为密，内面距花冠筒基部 2 ~ 3 mm 处有斜生的不完全小疏柔毛毛环，花冠筒外伸，比冠檐短，基部宽 2 mm，向上渐宽，喉部宽达 8 mm，冠檐二唇形，上唇长 12 ~ 15 mm，镰状，向上竖立，先端微缺，下唇短于上唇，3 裂，中裂片长 5 mm，宽达 10 mm，先端 2 裂，裂片先端具不整齐的尖齿，侧裂片短，先端圆形，宽约 3 mm；能育雄蕊 2，伸至上唇片，花丝长 3.5 ~ 4 mm，药隔长 17 ~ 20 mm，中部关节处略被小疏柔毛，上臂十分伸长，长 14 ~ 17 mm，下臂短而增粗，药室不育，先端连合；退化雄蕊线形，长约 4 mm；花柱远外伸，长达 40 mm，先端 2 裂，后裂片极短，前裂片线形；花盘前方稍膨大。小坚果黑色，椭圆形，长约 3.2 cm，直径 1.5 mm。花期 6 月，果期 8 月。

| **生境分布** | 新疆阿克苏地区、伊犁哈萨克自治州等有栽培。

| **资源情况** | 栽培资源丰富。药材来源于栽培。

| **采收加工** | 12 月中旬地上部分枯萎或翌年春季萌芽前采挖，剪去残茎，晒干。

| **功能主治** | 祛瘀止痛，活血通经，清心除烦。用于月经不调，经闭，痛经，症瘕积聚，胸腹刺痛，热痹疼痛，疮疡肿痛，心烦不眠，肝脾肿大，心绞痛。

▮唇形科▮ Lamiaceae ▮裂叶荆芥属▮ *Schizonepeta*

小裂叶荆芥
Schizonepeta annua (Pall) Schischk.

| 药 材 名 | 小裂叶荆芥（药用部位：花序）。

| 形态特征 | 一年生草本。茎高 13 ~ 26 cm，通常自基部分枝，分枝常较主茎短，有时与茎近等长，顶部均具花序，茎、枝均呈钝四棱形，棱常浅紫褐色，茎下部的紫红色，被白色疏柔毛。叶片宽卵形至长圆状卵形，长 1 ~ 2.3 cm，宽 0.7 ~ 2.1 cm，2 回羽状深裂，裂片线状长圆形至卵状长圆形，全缘或少数具 1 ~ 2 齿，先端钝或圆形，草质，上面榄绿色，被白色疏柔毛，下面色稍浅，被较密的白色疏柔毛，两面均偶见黄色树脂腺点；茎下部的叶叶柄等长于或长于叶片，茎上部的叶叶柄较短。花序为多数轮伞花序组成的顶生穗状花序，被白色疏柔毛，长（1 ~ ）2 ~ 8 cm，直径 1.2 ~ 1.4 cm，生于主茎上的花

序较长，生于侧枝上的花序较短；穗状花序上部的轮伞花序连续，下部的轮伞花序间断，具 4 ~ 10 花；穗状花序下方的 1 ~ 2 对苞叶大，与茎生叶近似，向上渐小，由羽状深裂至全裂而呈线状披针形，先端渐尖，与花萼近等长；苞片线状钻形，小；花梗长 1 ~ 4 mm；花萼长 5 ~ 6 mm，直径 3.5 mm，外被白色疏柔毛，内面无毛，喉部斜向，具 15 脉，于齿间弯缺处 2 脉相会成结，自结再分为 2 叉，沿萼齿边缘向上至齿端会合成 1 短芒尖，萼齿 5，卵形，后 3 齿长约 1.8 mm，前 2 齿较小，边缘均干膜质；花冠淡紫色，略长于花萼，长 6.5 ~ 8 mm，外面被具节长柔毛，内面无毛，花冠筒长 5 ~ 6 mm，向上渐扩大，冠檐二唇形，上唇短，直立，2 浅裂，下唇 3 裂，中裂片较大，先端微凹，基部爪状变狭，边缘具不规则的齿缺，侧裂片较小；雄蕊 4，后对雄蕊略长于上唇；花柱先端 2 浅裂。小坚果长圆状三棱形，长 1.7 ~ 2 mm，宽 0.8 ~ 1 mm，褐色，先端圆形，微被小毛或无毛，基部急尖。花期 6 ~ 8 月，果期 8 月以后。

| 生境分布 | 生于天山、塔尔巴哈台山的前山带的针茅草原带及石质坡上。分布于新疆木垒哈萨克自治县、奇台县、吉木萨尔县、阜康市、和布克赛尔蒙古自治县、塔城市、克拉玛依市、精河县、高昌区、伊吾县等。

| 资源情况 | 栽培资源丰富。药材来源于栽培。

| 功能主治 | 发汗，散风，透疹。用于感冒，头痛，咽痛，皮肤瘙痒。

唇形科 Lamiaceae 黄芩属 Scutellaria

黄芩

Scutellaria baicalensis Georgi

| 药 材 名 |

黄芩（药用部位：根）。

| 形态特征 |

多年生草本。根茎肥厚，肉质，直径达 2 cm，伸长而分枝。茎基部伏地，上升，高（15 ~）30 ~ 120 cm，基部直径 2.5 ~ 3 mm，钝四棱形，具细条纹，近无毛或被上曲至开展的微柔毛，绿色或带紫色，自基部多分枝。叶坚纸质，披针形至线状披针形，长 1.5 ~ 4.5 cm，宽（0.3 ~）0.5 ~ 1.2 cm，先端钝，基部圆形，全缘，上面暗绿色，无毛或疏被贴生至开展的微柔毛，下面色较淡，无毛或沿中脉疏被微柔毛，密被下陷的腺点，侧脉 4 对，与中脉在上面下陷，在下面凸出；叶柄短，长 2 mm，腹凹背凸，被微柔毛。花序在茎及枝上顶生，总状，长 7 ~ 15 cm，常于茎顶聚成圆锥花序；花梗长 3 mm，与花序轴均被微柔毛；下部的苞片似叶，上部的苞片较小，卵圆状披针形至披针形，长 4 ~ 11 mm，近无毛；开花时花萼长 4 mm，盾片高 1.5 mm，外面密被微柔毛，萼缘被疏柔毛，内面无毛，果时花萼长 5 mm，有高 4 mm 的盾片；花冠紫色、紫红色至蓝色，长 2.3 ~ 3 cm，外面密被具腺的短柔毛，内面在囊状膨大处被短柔毛，花冠筒近基部明显膝曲，中部直径 1.5 mm，喉部宽达 6 mm，冠檐二唇形，上唇盔状，先端微缺，下唇中裂片三角状卵圆形，宽 7.5 mm，侧裂片向上唇靠合；雄蕊 4，稍露出，前对雄蕊较长，具半药，退化半药不明显，后对雄蕊较短，具全药，药室裂口具白色髯毛，背部具泡状毛，花丝扁平，前对内侧、后对两侧中部以下被小的疏柔毛；花柱细长，先端锐尖，微裂，子房褐色，无毛；花盘环状，高 0.75 mm，前方稍增大，后方延伸成极短的子房柄。小坚果卵球形，高 1.5 mm，直径 1 mm，黑褐色，具瘤，腹面近基部具果脐。花期 7 ~ 8 月，果期 8 ~ 9 月。

| **生境分布** | 栽培种。栽培于海拔 60 ~ 1 300（~ 2 000）m 的向阳草地、荒地上。新疆多地有栽培。

| **资源情况** | 栽培资源丰富。药材来源于栽培。

| **功能主治** | 清热燥湿，泻火解毒，止血，安胎。用于湿温，暑湿，胸闷呕恶，湿热痞满，泻痢，黄疸，肺热咳嗽，高热烦渴，血热吐衄，痈肿疮毒，胎动不安。

唇形科 Lamiaceae 黄芩属 *Scutellaria*

半枝莲
Scutellaria barbata D. Don

| 药 材 名 | 半枝莲（药用部位：全草）。

| 形态特征 | 根茎短粗，簇生须状根。茎直立，高 12 ~ 35（ ~ 55）cm，四棱形，基部直径 1 ~ 2 mm，无毛或在花序轴上部疏被紧贴的小毛，不分枝或多少分枝。叶具短柄或近无柄，叶柄长 1 ~ 3 mm，腹凹背凸，疏被小毛；叶片三角状卵圆形或卵圆状披针形，有时卵圆形，长 1.3 ~ 3.2 cm，宽 0.5 ~ 1（ ~ 1.4）cm，先端急尖，基部宽楔形或近截形，边缘有疏而钝的浅牙齿，上面榄绿色，下面淡绿色有时带紫色，两面沿脉疏被紧贴的小毛或几无毛，侧脉 2 ~ 3 对，与中脉在上面凹陷，在下面凸起；下部的苞叶似叶，较小，长达 8 mm，上部的苞叶更小，长 2 ~ 4.5 mm，椭圆形至长椭圆形，全缘，上面

散生小毛，下面沿脉疏被小毛。花单生于茎或分枝上部的叶腋内，具花的茎长 4 ~ 11 cm；花梗长 1 ~ 2 mm，被微柔毛，中部有 1 对长约 0.5 mm、具纤毛的针状小苞片；开花时花萼长约 2 mm，外面沿脉被微柔毛，边缘具短缘毛，盾片高约 1 mm，果时花萼长 4.5 mm，盾片高 2 mm；花冠紫蓝色，长 9 ~ 13 mm，外被短柔毛，喉部疏被柔毛，花冠筒基部呈囊状膨大，宽 1.5 mm，向上渐宽，喉部宽达 3.5 mm，冠檐二唇形，上唇盔状，半圆形，长 1.5 mm，先端圆形，下唇中裂片梯形，全缘，长 2.5 mm，宽 4 mm，侧裂片三角状卵圆形，宽 1.5 mm，先端急尖；雄蕊 4，前对较长，微露出，具能育半药，退化半药不明显，后对较短，内藏，具全药，药室裂口具髯毛，花丝扁平，前对内侧、后对两侧下部被小的疏柔毛；花柱细长，先端锐尖，微裂，子房 4 裂，裂片等大；花盘盘状，前方隆起，后方延伸成短子房柄。小坚果褐色，扁球形，直径约 1 mm，具小疣状突起。花期 5 ~ 6 月，果期 6 ~ 7 月。

| **生境分布** | 栽培于海拔 2 000 m 以下的水田边、溪边或湿润草地上。新疆多地有栽培。

| **资源情况** | 栽培资源丰富。药材来源于栽培。

| **功能主治** | 用于各种炎症，咯血，尿血，胃痛，疮痈肿毒，跌打损伤，蛇虫咬伤。

唇形科 Lamiaceae 黄芩属 *Scutellaria*

盔状黄芩
Scutellaria galericulata L.

| 药 材 名 | 黄芩（药用部位：全草）。

| 形态特征 | 多年生草本。根茎匍匐，节上生纤维状须根。茎直立，高 35 ~
40 cm，锐四棱形，微具槽，沿棱角疏被下曲的短柔毛，其余部分均
无毛，中部以上多分枝，下部常无叶，节间常比叶短。叶具短柄，
叶柄长 2 ~ 7 mm，腹凹背凸，背面密被短柔毛；叶片长圆状披针形，
长 1.5 ~ 6 cm，宽 0.8 ~ 3 cm，茎下部者较大，向茎顶渐小，先端
锐尖，基部浅心形，边缘具圆齿状锯齿，膜质至坚纸质，上面绿色，
疏被短柔毛，下面淡绿色，密被短柔毛，侧脉约 4 对，在上面凹陷，
在下面明显隆起。花单生于茎中部以上的叶腋内，偏向一侧；花梗
长 2 mm，密被下曲的短柔毛，近基部有 1 对无毛的线形小苞片；开

花时花萼长约 3.5 mm，外面密被白色短柔毛，盾片着生于萼筒中部稍下方，高约 0.75 mm，果时花萼长 5 mm，盾片直伸，高 1.5 mm；花冠紫色、紫蓝色至蓝色，长约 1.8 cm，外被具腺短柔毛，内面上唇及下唇侧裂片间被微柔毛，花冠筒基部呈微囊状，宽约 1.5 mm，向上渐增大，喉部宽 3.5～5 mm，冠檐二唇形，上唇半圆形，宽 2.5 mm，盔状，内凹，先端微缺，下唇中裂片三角状卵圆形，先端微缺，基部宽 6 mm，侧裂片长圆形，宽 1.5 mm；雄蕊 4，均内藏，前对较长，具能育半药，退化半药不明显，后对较短，具全药，药室裂口具髯毛，花丝扁平，前对内侧、后对两侧中部以下被疏柔毛；花柱细长，先端锐尖，微裂，子房 4 裂，裂片等大；花盘前方隆起，后方延伸成长 0.5 mm 的子房柄。小坚果黄色，三棱状卵圆形，直径 1 mm，具小瘤突，腹面中央具果脐。花期 6～7 月，果期 7～8 月。

| **生境分布** | 生于平原绿洲、水渠旁、湖边及潮湿的草丛中。分布于新疆阿尔泰市、奇台县、阜康市、乌鲁木齐县、玛纳斯县、塔城市、托里县、沙湾市、霍城县、察布查尔锡伯自治县等。

| **资源情况** | 野生资源丰富。药材来源于野生。

| **采收加工** | 9 月中、下旬采收，去净残茎和泥土，晒干。

| **功能主治** | 清热燥湿，泻火解毒，止血，安胎。用于湿温，暑湿，胸闷呕恶，湿热痞满，泻痢，黄疸，肺热咳嗽，高热烦渴，血热吐衄，痈肿疮毒，胎动不安。

唇形科 Lamiaceae 黄芩属 *Scutellaria*

展毛黄芩

Scutellaria orthotricha C. Y. Wu et H. W. Li

| **药 材 名** | 黄芩（药用部位：全草）。

| **形态特征** | 多年生半灌木。高 10 ~ 15（~ 20）cm。根茎木质，直径达 7 mm，平卧，极分枝，褐色。茎多数，斜上升，弯曲，钝四棱形，密被平展的疏柔毛及短柔毛，绿色或带紫色。叶片卵圆形，长（0.7 ~）1.3 ~ 2 cm，宽（0.4 ~）0.8 ~ 1.5 cm，先端具钝头，基部宽楔形，边缘每侧具 2 ~ 5 不等大的圆锯齿，齿自下向上渐大，具钝头，上面绿色，疏被伏贴的疏柔毛，下面色较淡，沿脉疏被短柔毛，其余部分近无毛，具腺点，侧脉 2 ~ 4 对，与中脉在上面凹陷，在下面凸出；叶柄长 0.5 ~ 1.7 cm，下部者最长，向上渐短，背腹扁平，密被平展的柔毛。花序开花时长 2.5 ~ 3 cm；苞片卵圆形至宽倒卵

圆形，最下部者长达 1.7 cm，宽达 1.2 cm，下部者边缘在中部以上常具 2 ~ 3 齿，上部者全缘，先端短渐尖，纵脉多少凸起，边缘及脉上多少密被平展的柔毛及多数具短柄的腺毛，其余部分近无毛，具腺点，淡绿色或带紫色；花梗长约 3 mm，扁平，与花序轴密被平展的柔毛及具柄的腺毛；开花时花萼长 2 mm，密被柔毛及具短柄的腺毛，盾片高 3 mm，果时花萼长 4 mm，盾片高 3.5 mm；花冠长约 3 cm，淡黄色，带紫斑，外被短柔毛及具柄的腺毛，花冠筒基部膝曲，宽约 1.5 mm，向上渐宽，喉部宽达 6 mm，冠檐二唇形，上唇盔状，宽 6 mm，先端微缺，下唇中裂片宽卵圆形，宽约 1 cm，先端微缺，侧裂片短小，卵圆形，宽 3 mm；雄蕊 4，均内藏，前对较长，具能育半药，后对较短，具全药，药室裂口具髯毛，花丝前对内侧、后对两侧中部被短柔毛；花柱细长，先端锐尖，微裂，子房 4 裂，裂片等大；花盘前方呈指状隆起，后方延伸成短子房柄。成熟小坚果三棱状卵球形，长 1.25 mm，宽 1 mm，腹面基部具小果脐，被白色绒毛。花期 6 ~ 8 月，果期 9 月。

| **生境分布** | 生于阿尔泰山、天山北坡山地草原及林带阳坡。分布于新疆富蕴县、福海县、阿尔泰市、乌鲁木齐县、青河县等。

| **资源情况** | 野生资源丰富。药材来源于野生。

| **采收加工** | 9 月中、下旬采收。

| **功能主治** | 用于湿温，黄疸，泻痢，热淋，高热烦渴，肺热咳嗽，血热吐衄，痈肿疮毒，胎动不安。

唇形科 Lamiaceae 黄芩属 *Scutellaria*

深裂叶黄芩 *Scutellaria przewalskii* Juz.

| **药 材 名** | 黄芩（药用部位：全草）。

| **形态特征** | 多年生半灌木。根茎木质，直径可达 1.5 cm，斜行或直伸，多弯拐。茎多数，高 6 ~ 22 cm，上升或近平卧，曲折，钝四棱形，直径约 1.5 mm，疏被短而细的绒毛，常呈紫色。叶片卵圆形或椭圆形，长（0.6 ~）1.2 ~ 2.2 cm，宽（0.4 ~）0.8 ~ 1.5（~ 2.2）cm，先端钝，基部近截形，边缘羽状深裂，每侧具 4 ~ 7 指状、长 2 ~ 6（~ 8）mm、宽约 1 mm 的裂片，下部裂片大都平展或向上弯曲，上部裂片斜向上，上面淡绿色或灰绿色，疏被细绒毛，下面灰白色，密被细绒毛，侧脉与中脉在上面明显凹陷，在下面不明显或微突出；叶柄长（1.5 ~）5 ~ 10（~ 14）mm，背腹扁平，具狭翅，被绒毛。

花序总状，长 2.5 ～ 5 cm，果时长达 7 cm；苞片近膜质，宽卵圆形，长（8 ～）12 ～ 15 mm，宽 6 ～ 10 mm，先端急尖或渐尖，具明显的中脉，侧脉多少明显，疏被或稍密被长柔毛，有时间杂有具柄短腺毛，上部常带紫色；花梗扁平，长约 5 mm，被长柔毛；开花时花萼长 2 mm，盾片高 1.5 mm，均被长柔毛，杂有具柄腺毛，果时花萼长 4 mm，盾片高约 4 mm；花冠长 2.5 ～ 3.3 cm，黄色，有时上唇及下唇侧裂片处带紫色，外被疏柔毛及具柄短腺毛，花冠筒基部微囊大，宽约 1.5 mm，中部以上渐宽，喉部宽达 7 mm，冠檐二唇形，上唇盔状，先端微缺，下唇中裂片宽卵圆形，先端微缺，侧裂片短小，卵圆形；雄蕊 4，前对较长，具能育半药，后对较短，具全药，药室裂口具白色髯毛，花丝丝状，扁平，近无毛；花柱扁平，细长，先端锐尖，微裂，子房 4 裂，裂片等大；花盘前方呈指状凸起，后方延伸成长 0.5 mm 的子房柄。小坚果三棱状卵圆形，长 1.5 mm，宽 1 mm，腹面近基部 1/3 处具黑色果脐，密被灰白色绒毛。花期 6 ～ 8 月，果期 8 ～ 9 月。

| **生境分布** | 生于天山北坡中山带山地草原及砾石山坡。分布于新疆天山北坡各县。

| **资源情况** | 野生资源丰富。药材来源于野生。

| **采收加工** | 种植后第 3 年 9 月中、下旬采收，去净残茎和泥土，晒干。

| **功能主治** | 清热燥湿，泻火解毒，止血，安胎。用于湿温，暑温，胸闷呕恶，湿热痞满，泻痢，黄疸，肺热咳嗽，高热烦渴，血热吐衄，痈肿疮毒，胎动不安。

唇形科 Lamiaceae 黄芩属 *Scutellaria*

并头黄芩
Scutellaria scordiifolia Fisch. ex Schrank

| **药 材 名** | 黄芩（药用部位：全草）。

| **形态特征** | 根茎斜行或近直伸，节上生须根。茎直立，高 12 ~ 36 cm，四棱形，基部直径 1 ~ 2 mm，常带紫色，棱上疏被上曲的微柔毛或几无毛，不分枝或多少分枝。叶具很短的柄或近无柄，叶柄长 1 ~ 3 mm，腹凹背凸，被小柔毛；叶片三角状狭卵形、三角状卵形或披针形，长 1.5 ~ 3.8 cm，宽 0.4 ~ 1.4 cm，先端大多钝，稀微尖，基部浅心形或近截形，边缘大多具浅锐牙齿，稀生少数不明显的波状齿，极少近全缘，上面绿色，无毛，下面色较淡，沿中脉及侧脉疏被小柔毛，有时几无毛，有时具多数凹点，侧脉约 3 对，在上面凹陷，在下面明显凸起。花单生于茎上部叶腋内，偏向一侧；花梗长 2 ~ 4 mm，

被短柔毛，近基部有 1 对长约 1 mm 的针状小苞片；开花时花萼长 3 ～ 4 mm，被短柔毛及缘毛，盾片高约 1 mm，果时花萼长 4.5 mm，盾片高 2 mm；花冠蓝紫色，长 2 ～ 2.2 cm，外面被短柔毛，内面无毛，花冠筒基部浅囊状膝曲，宽约 2 mm，向上渐宽，喉部宽达 6.5 mm，冠檐二唇形，上唇盔状，内凹，先端微缺，下唇中裂片圆状卵圆形，先端微缺，最宽处宽 7 mm，侧裂片卵圆形，先端微缺，宽 2.5 mm；雄蕊 4，均内藏，前对较长，具能育半药，退化半药明显，后对较短，具全药，药室裂口具髯毛，花丝扁平，前对内侧、后对两侧下部被疏柔毛；花柱细长，先端锐尖，微裂，子房 4 裂，裂片等大；花盘前方隆起，后方延伸成短子房柄。小坚果黑色，椭圆形，长 1.5 mm，直径 1 mm，具瘤状突起，腹面近基部具果脐。花期 6 ～ 7 月，果期 7 ～ 8 月。

| **生境分布** | 生于阿尔泰山山地草甸。分布于新疆布尔津县等。

| **资源情况** | 野生资源较少。药材来源于野生。

| **采收加工** | 9 月中、下旬采收，去净残茎和泥土，晒干。

| **功能主治** | 清热解毒，泻热利尿。用于各种热毒病证。

唇形科 Lamiaceae 黄芩属 Scutellaria

仰卧黄芩 *Scutellaria supina* L.

药材名

黄芩（药用部位：全草）。

形态特征

多年生半灌木。根茎木质，斜行或伏地。茎多数，高 10 ~ 45 cm，上升或近直立，不分枝或甚分枝，被多少贴生而下向的短柔毛，杂有疏生平展的长柔毛，淡黄绿色或稍带紫色。叶长圆状卵圆形或卵圆形，长 1 ~ 4 cm，宽 0.6 ~ 2 cm，先端钝或微钝，上部叶有时先端微尖，边缘具浅而相当大的 4 ~ 7 对圆齿状锯齿，上面散生或被稍多下弯而基部瘤状的短硬毛或长硬毛，下面有腺点，被硬毛或仅沿脉有长或短的疏柔毛；下部叶的叶柄长达 1.5 cm，长约为叶片全长的一半，毛被同茎，上部叶近无柄。花序短而紧密，果时微伸长，长 2.5 ~ 4 cm；苞片宽大，卵圆形，稀长圆状卵圆形，下部者长 1.5 ~ 2 cm，宽 0.5 ~ 1.2 cm，先端稍钝或甚锐尖，淡绿色或带紫色，被疏柔毛，杂有具短柄的腺毛，有时近无毛，边缘具长纤毛；花萼长约 2 mm，被具腺疏柔毛；花冠通常较大，长 2.2 ~ 3.5 cm，黄色，外被具腺短柔毛。小坚果长约 1.5 mm，三棱状卵圆形，被短星毛。花期 7 ~ 8 月，果期 8 ~ 9 月。

| **生境分布** | 生于阿尔泰山、天山北坡中山带山地草原、针叶林阳坡及河谷。分布于新疆阿尔泰市、哈巴河县、额敏县、塔城市、托里县等。

| **资源情况** | 野生资源一般。药材来源于野生。

| **功能主治** | 清热解毒，消肿止痛，抗肿瘤。

唇形科 Lamiaceae　假水苏属 Stachyopsis

多毛假水苏
Stachyopsis marrubioides (Regel) Ikonn.-Gal.

药材名

水苏（药用部位：全草）。

形态特征

多年生草本。茎直立，高约50 cm，多分枝，钝四棱形，具槽，被微柔毛。叶无柄；上部的茎生叶长圆状卵圆形，长3.5～5 cm，宽约1.5 cm，先端渐尖，基部宽楔形至近圆形，边缘在基部或中部以上有锯齿，两面被灰色微柔毛，侧脉3～4对，在上面不显著，在下面凸起；花序上的苞叶披针形，长3～3.5 cm，锯齿、毛被同上部的茎生叶。轮伞花序腋生，圆球形，开花时直径2～2.5 cm，多数远离而组成穗状花序；花多，密集；小苞片质坚硬，直伸，线形至刺状，长约1 cm，宽约1 mm，密被长柔毛；花萼倒圆锥形，连萼齿长9 mm，外面在萼筒上部及萼齿处被丝状长柔毛，内面在萼齿处被微柔毛，余皆无毛，具10脉，居间脉不明显，萼齿5，等大，三角形，长4 mm，先端刺状，长渐尖；花冠粉红色，长约1.7 cm，外面仅上唇疏被白色长柔毛，内面在花冠筒近基部1/3处具柔毛环，花冠筒长8 mm，冠檐二唇形，上唇卵圆形，内凹，长8 mm，宽6 mm，下唇开张，3裂，中裂片特大，倒卵形，长约 7 mm，宽约 5 mm，先端微缺，基部收缩，侧裂片宽卵形，长不及中裂片的 1/3；雄蕊 4，前对较长，均延伸至上唇片之下，花丝丝状，扁平，后对被微柔毛，前对无毛；花柱丝状，先端略向前弯曲，2 浅裂，裂片钻形，子房棕褐色，无毛；花盘平顶，波状。花期 7 月，果期 8 月。

| 生境分布 | 生于海拔 1 500 ～ 3 000 m 的山地草甸、林缘、灌丛、河谷。分布于新疆博乐市、伊宁县、昭苏县等。

| 资源情况 | 野生资源一般。药材来源于野生。

| 功能主治 | 抗肿瘤，清热解毒，消肿止痛。

唇形科 Lamiaceae 假水苏属 *Stachyopsis*

假水苏 *Stachyopsis oblongata* (Schrenk) Popov et Vved.

| **药材名** | 水苏（药用部位：全草）。

| **形态特征** | 多年生草本。茎通常单一，直立，高 25～90 cm，中部及上部多分枝，钝四棱形，具槽，被短柔毛。叶除花序上的苞叶外均有柄，叶柄长 0.5～3 cm，背腹扁平，密被短柔毛；中部的茎生叶叶片长圆状卵形，长 6～11 cm，宽 2～4.5 cm，先端长渐尖，基部宽截形，边缘有粗大的锐尖锯齿，两面疏被短柔毛，侧脉 4～5 对，在上面凹陷，在下面突出；花序上的苞叶长圆状披针形，长 4～6 cm，宽 1～1.8 cm，毛被、锯齿同中部的茎生叶。轮伞花序腋生，具多花，花时直径 3～3.5 cm，多数远离而组成穗状花序；小苞片质坚硬，刺状，长 0.8～1 cm，宽 0.5 mm，被微柔毛，边缘具缘毛；花梗无；

花萼倒圆锥形，连萼齿长约 1 cm，外面在萼筒上部及萼齿处被微柔毛，内面无毛，具 10 脉，居间脉不明显，萼齿 5，等大，长 5 mm，基部三角形，先端刺状渐尖；花冠紫红色，长约 2 cm，外面在上唇片及下唇片中部疏被白色长柔毛，内面在花冠筒近基部 1/3 处有疏柔毛毛环，花冠筒长约 1 cm，冠檐二唇形，上唇卵圆形，内凹，长约 1 cm，宽约 0.8 cm，下唇开张，卵圆形，长 9 mm，宽 8 mm，3 裂，中裂片近圆形，先端近全缘，长、宽均约 4 mm，侧裂片卵圆形，长约 2.5 mm；雄蕊 4，前对较长，均延伸至上唇片之下，花丝丝状，扁平，后对被微柔毛，前对无毛，花药卵圆形，2 室，药室叉开，边缘近无毛；花柱丝状，略超出雄蕊，先端 2 浅裂，裂片钻形，子房棕褐色，无毛；花盘平顶，波状。小坚果卵圆状三棱形，长 3 mm，宽 2 mm，先端斜向平截，基部楔形，无毛。花期 7 月，果期 8 月。

| **生境分布** | 生于天山的山地草甸、林缘及林间。分布于新疆伊宁县、尼勒克县、新源县、特克斯县、昭苏县等。

| **资源情况** | 野生资源一般。药材来源于野生。

| **功能主治** | 抗肿瘤，清热解毒，消肿止痛。

唇形科 Lamiaceae 水苏属 Stachys

沼生水苏
Stachys palustris L.

| **药 材 名** | 水苏（药用部位：全草）。

| **形态特征** | 多年生草本。高 60 ~ 110 cm，具匍匐生根的粗大根茎。茎多分枝或单一，四棱形，具槽，密被倒向的柔毛，在节及棱上疏被刚毛。茎生叶长圆状披针形或卵圆状披针形，长 3 ~ 8 cm，宽 1.2 ~ 1.5 cm，先端锐尖至渐尖，基部圆形至浅心形，边缘有锯齿状圆齿，两面被贴生的微柔毛，下面及脉上毛较密集，叶柄极短，长 2 ~ 3 mm，腹凹背凸，被微柔毛；上部的苞叶卵圆状披针形，全缘，先端长渐尖，常较轮伞花序短，下部的苞叶与茎生叶同形，近无柄。轮伞花序通常具 6 花，下部者远离，上部者向上密集组成长穗状花序；小苞片微小，长约 1 mm，线形，被微柔毛，早落；花梗极短，长约

1 mm，被微柔毛；开花时花萼管状钟形，连齿长约 7 mm，外面具槽，被长柔毛及具腺微柔毛，内面被微柔毛，具 10 脉，肋间次脉不明显，萼齿 5，三角状披针形，长约 3 mm，先端具刺尖头，近反折，果时花萼明显膨大，呈钟形；花冠紫色或红紫色，长 1.3 cm，外面在冠檐处疏被微柔毛，内面在喉部被微柔毛，近花冠筒基部 1/3 处有不明显的微柔毛毛环，花冠筒长约 7 mm，冠檐二唇形，上唇直立，宽卵圆形，稍短于下唇，长约 3 mm，宽 2 mm，下唇略张开，长、宽均约 6 mm，3 裂，中裂片较大，肾形，先端圆形，侧裂片卵圆形，短小；雄蕊 4，前对雄蕊较长，均延伸至上唇片之下，花丝丝状，扁平，中部以下被微柔毛，花药卵圆形，2 室，药室极叉开；花盘平顶；子房棕褐色，无毛。小坚果卵圆状三棱形，褐色，无毛。花期 7 ~ 8 月，果期 9 ~ 10 月。

| 生境分布 | 生于阿尔泰山、天山的山地草甸、林间空地及林缘。分布于新疆阿勒泰市、奇台县、博乐市、伊宁县、新源县、特克斯县、昭苏县等。

| 资源情况 | 野生资源一般。药材来源于野生。

| 功能主治 | 清热解毒，消肿止痛，抗肿瘤。

唇形科 Lamiaceae 水苏属 Stachys

林地水苏 *Stachys sylvatica* L.

| 药 材 名 |

水苏（药用部位：全草或块茎）。

| 形态特征 |

多年生草本。高 30 ~ 120 cm。茎直立或稍曲折，上部分枝，分枝先端均具花序，茎、枝均四棱形，具槽，沿棱被具节的刚毛及具腺的微柔毛。茎生叶卵圆状心形，长 8 ~ 12 cm，宽 5 ~ 9.5 cm，先端渐尖，基部心形，边缘有粗大的具胼胝尖的圆齿状锯齿，纸质，上面亮绿色，被贴生的柔毛状刚毛，下面灰绿色，沿脉被柔毛状刚毛，其余部分具浅黄色腺点，叶柄纤细，长 3 ~ 6.5 cm，近扁平，被平展的柔毛状刚毛；最下部的苞叶与茎生叶同形，具柄，细小，长约 3 cm，宽 3 cm，边缘具齿，上部的苞叶无柄，极小，长圆状披针形，长 1 ~ 1.5 cm，宽 2 ~ 4 mm，稍长于轮伞花序，全缘。轮伞花序通常具 6 花，偶具 8 花，远离而组成长 10 ~ 20 cm 的长穗状花序；小苞片极小或无，线形，长约 1 mm，被小刺毛；花梗短，长约 1 mm，被小刺毛；花萼管状钟形，连齿长约 7 mm，外面被平展的刚毛及具腺的微柔毛，内面无毛，具 10 脉，次脉不明显，萼齿 5，三角状披针形，长 2 ~ 3 mm，

近等大，先端具刺尖头，果时稍呈囊状增大；花冠红色至紫色，长 1.4 cm，外面仅唇片上疏被微柔毛，内面在下唇片中部疏被微柔毛，花冠筒近基部 1/3 处具斜向微柔毛环，花冠筒直伸，在柔毛环上方向前呈浅囊状膨大，冠檐二唇形，上唇直伸，长圆形，长近 5 mm，宽 3 mm，下唇平展，长 7 mm，宽 6 mm，3 裂，中裂片较大，近圆形，先端微缺，侧裂片卵圆形，微小；雄蕊 4，前对雄蕊较长，均延伸至上唇之下，花丝丝状，扁平，中部以下借丝状柔毛而连接，花药卵圆形，2 室，药室极叉开；花柱丝状，略长于雄蕊，先端 2 浅裂，裂片钻形；花盘平顶。小坚果卵圆状三棱形，暗褐色，无毛。花期 7 月，果期 9 月。

| **生境分布** | 生于天山的山地草甸及林缘、灌丛。分布于新疆霍城县、新源县、巩留县、特克斯县等。

| **资源情况** | 野生资源一般。药材来源于野生。

| **功能主治** | 清热滋阴，活血祛风，止咳止痛。

唇形科 Lamiaceae 香科科属 Teucrium

沼泽香科科
Teucrium scordioides Schreb.

药材名

沼泽香科（药用部位：全草或块茎）。

形态特征

多年生草本。具匍匐根茎，其上有多数须根及匍匐枝。茎通常直立，高达60 cm，中部以上多分枝，被密而长的绵状长柔毛，毛长达2 mm，四棱形，具细条纹。叶无柄，叶片倒卵圆形至长圆形，长1～3.2 cm，宽0.4～1.2 cm，先端钝，主茎上的叶基部耳状抱茎，茎上部的茎生叶基部圆形，上面在中脉上有长达2 mm的极密的绵状长柔毛，其余部分及叶下面均被不甚均匀的明显的长柔毛，边缘每侧具5～12圆齿。轮伞花序具2～6花，除主茎基部外，遍布全体；花梗长4～5 mm；花萼筒状钟形，长不及3 mm，前方基部极膨大，与花梗均被夹生腺毛的长柔毛，萼齿5，三角形，近等大，长约为萼筒的1/2；花冠紫色，长不及6 mm，约为花萼的2倍，外面被微柔毛，唇片内具簇生的短柔毛，中裂片圆形，全缘，侧裂片狭卵状斜三角形；雄蕊稍露出；花盘小，全缘；子房圆球形，被白色泡状毛。成熟小坚果淡褐色，卵圆形。花期7～8月，花期8～9月。

| **生境分布** | 生于沼泽边及湿草地。分布于新疆北部等。

| **资源情况** | 野生资源一般。药材来源于野生。

| **功能主治** | 清热滋阴，活血祛风，止咳止痛。

唇形科 Lamiaceae 香科科属 Teucrium

蒜味香科科
Teucrium scordium L.

药材名

蒜味香科（药用部位：全草或块茎）。

形态特征

多年生草本。具根茎。茎上升，高 25 ～ 35 cm，上部直立，基部分枝，被绵状长柔毛。茎下部的叶近无柄，茎上部的叶无柄，叶片倒卵圆形至长圆形，长 1.2 ～ 3 cm，宽 0.4 ～ 1.2 cm，先端钝，基部圆形至阔楔形，边缘每侧具 3 ～ 6 疏生的圆齿或粗锯齿，上面被短而平贴的长柔毛，下面主要沿脉被开展的长柔毛，其余部分散布腺点。轮伞花序具 2 ～ 6 花，除主茎基部外，遍布全体；花梗长 4 ～ 5 mm；花萼筒状钟形，长约 2.8 mm，前方基部极膨大，与花梗均被夹生腺毛的长柔毛，萼齿 5，三角形，近等大，前 2 齿稍狭，长约为萼筒的 1/2；花冠淡紫色，长约 6 mm，约为花萼的 2 倍，外面微被毛，唇片内具一簇短柔毛，中裂片长圆形，前缘微呈波状，侧裂片卵状斜三角形；雄蕊稍露出；花盘小，全缘；子房圆球形，被白色泡状毛。小坚果卵圆形，长约 1 mm，微显网纹，合生面长为果实的 1/2。花期 7 ～ 8 月，果期 8 ～ 9 月。

| **生境分布** | 生于绿洲、平原、沼泽地或水渠旁。分布于新疆玛纳斯县、塔城市、库尔勒市、泽普县等。

| **资源情况** | 野生资源一般。药材来源于野生。

| **功能主治** | 清热滋阴，活血祛风，止咳止痛。

唇形科 Lamiaceae 百里香属 Thymus

异株百里香
Thymus marschallianus Willd.

| 药 材 名 | 百里香（药用部位：全株）。

| 形态特征 | 半灌木。茎短，近直立或斜上升，多分枝；不育枝不发达，多从茎
顶或侧边长出，通常比花枝短而少，被短柔毛；花枝发达，高可
达 30 cm，近直立或上升，稀弯曲，在较大的枝上常有分枝长出，
具花部分被开展或向下的长柔毛，不具花部分通常被短柔毛；在叶
腋中常长出具丛生小叶的短枝。叶长圆状椭圆形或线状长圆形，
长 1 ~ 2.8 cm，宽 1 ~ 6.5 mm，先端锐尖或钝，基部渐狭成短柄，
全缘或在上部具 1 ~ 2 对不明显的小齿，扁平或稍背卷，绿色，两
面无毛或稀被微柔毛，中脉及 2 对侧脉在上面不明显，但在下面
微凸起，纤细，腺点小而在下面明显。轮伞花序沿着花枝的上部

排成间断或近连续的穗状花序；两性花，雌雄异株，两性花发育正常，雌性花较退化；花冠较短小，下唇裂片较两性花的短；雄蕊不发育；花梗长 2 ~ 4.5（~ 5）mm，密被短柔毛；花萼管状钟形，长 2.5 ~ 3.5（~ 4）mm，外被开展的疏柔毛，腺点在果期明显，上唇具缘毛；花冠红紫色、紫色或白色，两性花的花冠长约 5 mm，伸出花萼外，下唇开裂，雌性花的花冠与花萼近等长或微伸出花萼外，下唇近伸直，外被短柔毛；雄蕊 4，在雌性花中不发育，极短。小坚果卵圆形，黑褐色，长约 1 mm，光滑。花果期 7 ~ 9 月。

| 生境分布 | 生于阿尔泰山及天山中部的山地砾石质坡地。分布于新疆各山区。

| 资源情况 | 野生资源丰富。药材来源于野生。

| 采收加工 | 8 ~ 9 月采收，洗净，晒干。

| 功能主治 | 辛、苦，凉。发表清热，和中祛湿。用于感冒，头痛，肺热咳喘，消化不良，胃痛，腹痛吐泻，风湿痹痛。

| 用法用量 | 内服煎汤，6 ~ 10 g。外用适量。

唇形科 Lamiaceae 百里香属 Thymus

拟百里香 *Thymus proximus* Serg.

| 药 材 名 |

百里香（药用部位：全株）。

| 形态特征 |

半灌木。茎匍匐，不粗壮，圆柱形；花枝四棱形或近四棱形，密被下弯的柔毛，毛在节间多少两面交互对生，高 2 ~ 8 cm，有时分枝。叶椭圆形，稀卵圆形，花枝上的叶大多数长 8 ~ 12 mm，宽 3 ~ 5 mm，先端钝，基部渐狭成柄，全缘或具不明显的小锯齿，腺点在下面明显；苞叶卵圆形或宽卵圆形，无柄，边缘在基部被少数缘毛。花序头状或稍伸长，有时在下面具不发育的轮伞花序；花梗长 1 ~ 4 mm，密被下弯的柔毛；花萼钟形，长 3.5 ~ 4.5 mm，下部被疏柔毛，上部无毛，上唇齿三角形或狭三角形，被缘毛；花冠长约 7 mm，外被短柔毛；雄蕊稍外伸；花柱外伸，先端 2 浅裂，裂片近等大。花期 6 ~ 7 月，果期 8 月。

| 生境分布 |

生于天山、阿尔泰山的山地草原及亚高山草甸。分布于新疆青河县、阿勒泰市、吉木乃县、木垒哈萨克自治县、奇台县、吉木萨尔县、乌鲁木齐县、石河子市、和布克赛尔蒙古自治县、塔城市、沙湾市、裕民县、温泉县、霍城县、新源县、特克斯县、昭苏县等。

| **资源情况** | 野生资源一般。药材来源于野生。

| **采收加工** | 7 ~ 9 月采收，洗净，晒干。

| **功能主治** | 辛、苦，凉。发表清热，和中祛湿。用于感冒，头痛，肺热咳喘，消化不良，胃痛，腹痛吐泻，风湿痹痛。

| **用法用量** | 内服煎汤，6 ~ 10 g。外用适量。

唇形科 Lamiaceae 百里香属 Thymus

玫瑰百里香
Thymus roseus Schipcz.

| 药 材 名 | 百里香（药用部位：全株）。

| 形态特征 | 半灌木。茎匍匐，先端具不育枝条；花枝直立，高 2 ~ 4 cm，细弱，四棱形或呈微圆柱状，褐色，被较密的白毛，毛平展或向下伏生。叶对生，长圆状椭圆形或卵圆形，长 3 ~ 10 mm，宽 1 ~ 3 mm，基部边缘具稀疏的睫毛，两面光滑，先端钝，基部收缩，背面具稀疏黄色腺点，叶脉 2，凸起，具长柄，被白毛；苞叶椭圆形或卵状菱形，边缘具睫毛。花着生于花枝先端，形成头状花序；小花具短梗，被白色柔毛；花萼狭钟状，长 3 ~ 4 mm，上面紫色，下面绿色，外面光滑，内面密具白色长柔毛，具 5 齿，上面 3 齿狭披针形，先端渐尖，边缘光滑，下面 2 齿锥状，具白色长刚毛；花冠紫红色，外面光滑，

内面具稀疏的白色柔毛，冠檐二唇形，上唇先端 2 微裂，下唇 3 裂，裂片几相等；雄蕊 4，前对伸出花冠外；花柱长于雄蕊，先端 2 裂。花期 6 ~ 7 月，果期 8 月。

| 生境分布 | 生于山地草原及灌木林下。分布于阿勒泰市、布尔津县、伊宁县、巩留县、特克斯县、察布查尔锡伯自治县等。

| 资源情况 | 野生资源一般。药材来源于野生。

| 采收加工 | 夏季枝叶茂盛时采收，洗净，晒干。

| 功能主治 | 辛，微温。祛风解表，行气止痛，止咳，降血压。用于感冒，咳嗽，头痛，牙痛，消化不良，急性胃肠炎，高血压。

| 用法用量 | 内服煎汤，10 ~ 25 g。

唇形科 Lamiaceae 新塔花属 Ziziphora

小新塔花 *Ziziphora tenuior* L.

| 药 材 名 |

小新塔花（药用部位：地上部分）。

| 形态特征 |

一年生草本。纤细，直立，高 5 ~ 15（ ~ 25）cm，不分枝或自近基部分枝，茎、枝均被向下弯曲的短柔毛。叶线状披针形或披针形，长 0.7 ~ 1.5（ ~ 2.5）cm，宽 1 ~ 4 mm，先端渐尖，基部渐狭成短柄，无毛或被极短的粗糙毛，多少有不明显的腺点，全缘，边缘在下部多少被脱落的缘毛；苞叶与叶同形，下面具明显突出的脉；叶及苞叶至结果时全部脱落。轮伞花序腋生，具 2 ~ 6 花，疏松或紧密的排成长 2 ~ 11（ ~ 15）cm 且具叶的长圆状假穗状花序；花梗长 1.5 ~ 4 mm，被向下弯曲的短柔毛；花萼近管状，稍向下弯，长 5 ~ 7 mm，果时基部膨大成囊状，被开展的硬毛，萼齿 5，短，卵状三角形，靠合；花冠长约 1 cm，花冠筒稍伸出花萼外；能育雄蕊 2，不伸出花冠外，花药基部具向下的卵圆状附属物。小坚果卵圆形。花期 6 月，果期 8 月。

| 生境分布 |

生于阿尔泰山、天山、准噶尔西部山地、帕

米尔高原、昆仑山的低山砾石质山坡及荒漠草原。新疆各地均有分布。

| **资源情况** | 野生资源较丰富。药材来源于野生。

| **采收加工** | 7 月采收，洗净，切段，阴干。

| **功能主治** | 辛，凉。疏散风热，清利头目，安神强壮。用于风热感冒，头痛，咽痛，失眠，多梦，维生素 D 缺乏性佝偻病，阳痿。

| **用法用量** | 内服煎汤，6 ~ 10 g。

茄科 Solanaceae 曼陀罗属 Datura

曼陀罗
Datura stramonium L.

| **药 材 名** | 曼陀罗子（药用部位：种子）、曼陀罗叶（药用部位：叶）、曼陀罗根（药用部位：根）。

| **形态特征** | 草本或半灌木状。高 0.5 ~ 1.5 m，全体近平滑或幼嫩部分被短柔毛。茎粗壮，圆柱状，淡绿色或带紫色，下部木质化。叶广卵形，先端渐尖，基部呈不对称的楔形，边缘不规则地波状浅裂，裂片先端急尖，有时具波状牙齿，侧脉每边 3 ~ 5，直达裂片先端，长 8 ~ 17 cm，宽 4 ~ 12 cm；叶柄长 3 ~ 5 cm。花单生于枝杈间或叶腋，直立，有短梗；花萼筒状，长 4 ~ 5 cm，筒部有 5 棱角，两棱间稍向内陷，基部稍膨大，先端紧围花冠筒，5 浅裂，裂片三角形，花后自近基部断裂，宿存部分随果实而增大并向外反折；花冠漏斗状，下半部

带绿色，上部白色或淡紫色，檐部 5 浅裂，裂片有短尖头，长 6 ～ 10 cm，檐部直径 3 ～ 5 cm；雄蕊不伸出花冠外，花丝长约 3 cm，花药长约 4 mm；子房密生柔针毛，花柱长约 6 cm。蒴果直立，卵状，长 3 ～ 4.5 cm，直径 2 ～ 4 cm，表面有坚硬针刺或无刺而近平滑，成熟后淡黄色，4 瓣裂；种子卵圆形，稍扁，长约 4 mm，黑色。花期 6 ～ 8 月，果期 7 ～ 8 月。

| **生境分布** | 生于平原绿洲、水边、路边、田野。新疆各地均有分布。

| **资源情况** | 野生资源较丰富。药材来源于野生。

| **采收加工** | **曼陀罗子**：夏、秋季采收成熟果实，晒干，取出种子。
曼陀罗叶：7 ～ 8 月采收，鲜用、晒干或烘干。
曼陀罗根：夏、秋季采挖，洗净，晒干或鲜用。

| **功能主治** | **曼陀罗子**：辛、苦，温；有毒。归肝、脾经。平喘，祛风，止痛。用于喘咳，惊痫，风寒湿痹，脱肛，跌打损伤，疮疖。
曼陀罗叶：苦、辛，温；有毒。镇咳平喘，止痛拔脓。用于喘咳，痹痛，脚气病，脱肛，痈疽疮疖。
曼陀罗根：辛、苦，温；有毒。镇咳，止痛，拔脓。用于喘咳，风湿痹痛，疥癣，恶疮，狂犬咬伤。

| **用法用量** | **曼陀罗子**：内服煎汤，0.15 ～ 0.3 g；或浸酒。外用适量，煎汤洗；或浸酒涂擦。
曼陀罗叶：内服煎汤，0.3 ～ 0.6 g；或浸酒。外用适量，煎汤洗；或捣汁涂。
曼陀罗根：内服煎汤，0.9 ～ 1.5 g。外用适量，煎汤熏洗；或研末调涂。

茄科 Solanaceae 天仙子属 Hyoscyamus

天仙子

Hyoscyamus niger L.

药材名

天仙子、莨菪子（药用部位：根、叶、种子）。

形态特征

二年生草本。高达约 1 m，全体被黏性腺毛。根较粗壮，肉质，后变纤维质，直径 2 ~ 3 cm。一年生茎极短，自根茎发出莲座状叶丛。叶卵状披针形或长矩圆形，长可达 30 cm，宽约达 10 cm，先端锐尖，边缘有粗牙齿或羽状浅裂，主脉扁宽，侧脉 5 ~ 6，直达裂片先端，叶柄宽而扁平，翼状，基部半抱茎，翌年春季茎伸长而分枝，下部逐渐木质化；茎生叶卵形或三角状卵形，先端钝或渐尖，无叶柄而基部半抱茎或呈宽楔形，边缘羽状浅裂或深裂；茎先端的叶呈浅波状，裂片多为三角形，先端钝或锐尖，两面生黏性腺毛，沿叶脉并生柔毛，长 4 ~ 10 cm，宽 2 ~ 6 cm。花单生于茎中部以下的叶腋，在茎上端则单生于苞状叶腋内而聚集成蝎尾状总状花序，通常偏向一侧，近无梗或仅有极短的花梗；花萼筒状钟形，生细腺毛和长柔毛，长 1 ~ 1.5 cm，5 浅裂，裂片大小稍不等，花后增大成坛状，基部圆形，长 2 ~ 2.5 cm，直径 1 ~ 1.5 cm，有 10 纵肋，裂片张开，先端针刺状；花冠钟状，长约为花萼的 1 倍，黄色，脉纹紫堇色；雄蕊稍伸出花冠外；子房直径约 3 mm。蒴果包藏于宿存花萼内，长卵圆状，长约 1.5 cm，直径约 1.2 cm；种子近圆盘形，直径约 1 mm，淡黄棕色。花期 6 ~ 8 月，果期 8 ~ 10 月。

| **生境分布** | 生于天山北坡固定沙丘边缘、梭梭林下、碎石山坡、山前平原。新疆各地均有分布。

| **资源情况** | 野生资源较丰富。药材来源于野生。

| **采收加工** | 夏、秋季果皮变黄时采摘果实，暴晒，打下种子，筛去果皮、枝梗，晒干。

| **功能主治** | 苦、辛，温；有大毒。归心、胃、肝经。解痉止痛，平喘，安神。用于胃脘挛痛，喘咳，癫狂病。

| **用法用量** | 内服煎汤，0.06 ~ 0.6 g。

茄科 Solanaceae 天仙子属 Hyoscyamus

中亚天仙子 Hyoscyamus pusillus L.

| 药 材 名 |

天仙子（药用部位：种子）。

| 形态特征 |

一年生草本。高6～35（～60）cm。根细瘦，木质。茎直立或斜升，具腺毛或多少杂生长柔毛，有时近无毛，不分枝或在近基部分枝。叶披针形、菱状披针形或长椭圆状披针形，先端钝或锐尖，基部下延至叶柄成楔形，全缘或有少数牙齿，有时具羽状缺刻或羽状深裂，裂片2～4对，三角形，两面生腺毛，沿叶脉有长柔毛，有时近无毛，长3～10 cm，宽0.5～3 cm；茎下部叶的叶柄与叶片近等长，向茎先端渐变短。花单生于叶腋，近无梗或茎下部的花有长3～5 mm的梗；花萼倒锥状，生密毛，长0.8～1.3 cm，果时增大成筒状漏斗形，长1.5～2.5 cm，裂片开张，三角形，先端针刺状；花冠漏斗状，黄色，喉部暗紫色，长1～1.5 cm，裂片先端钝，稍不等大；雄蕊不伸出花冠外，花丝紫色，生柔毛。蒴果圆柱状，长约7 mm；种子扁肾形，长约1 mm。花果期4～8月。

| 生境分布 |

生于干燥砾质丘陵、固定沙丘边缘、荒漠草

原的黏土上以及河湖沿岸。分布于新疆乌鲁木齐市、伊犁哈萨克自治州（察布查尔锡伯自治县、奎屯市、巩留县）、塔城地区（乌苏市、裕民县、托里县）、阿勒泰地区（青河县、富蕴县）、博尔塔拉蒙古自治州（博乐市）、克拉玛依市、哈密市（巴里坤哈萨克自治县）等。

| **资源情况** | 野生资源较丰富。药材来源于野生。

| **采收加工** | 种子成熟时采收全草，搓下种子，晒干。

| **功能主治** | 苦、辛，温；有大毒。归心、胃、肝经。解痉止痛，平喘，安神。用于胃脘挛痛，喘咳，癫狂病。

| **用法用量** | 内服煎汤，1 ~ 2 g。

茄科 Solanaceae 枸杞属 *Lycium*

宁夏枸杞
Lycium barbarum L.

| 药 材 名 | 枸杞子（药用部位：果实）、地骨皮（药用部位：根皮）、枸杞叶（药用部位：叶）。

| 形态特征 | 灌木，或因人工整枝而成大灌木。高 0.8 ~ 2 m，栽培者茎粗，直径 10 ~ 20 cm；分枝细密，野生者多开展而略斜升或弓曲，栽培者小枝弓曲而树冠多呈圆形，有纵棱纹，灰白色或灰黄色，无毛而微有光泽，有不生叶的短棘刺和生叶、花的长棘刺。叶互生或簇生，披针形或矩圆状披针形，先端短渐尖或急尖，基部楔形，长 2 ~ 3 cm，宽 4 ~ 6 mm，栽培时长达 12 cm，宽 1.5 ~ 2 cm，略带肉质，叶脉不明显。在长枝上 1 ~ 2 花生于叶腋，在短枝上 2 ~ 6 花同叶簇生；花梗长 1 ~ 2 cm，向先端渐增粗；花萼钟状，长 4 ~ 5 mm，通常 2

中裂，裂片有小尖头或其中 1 裂片再 2 齿裂；花冠漏斗状，淡紫红色，花冠筒长 8 ~ 10 mm，自下向上渐扩大，明显长于檐部裂片，裂片长 5 ~ 6 mm，卵形，先端圆钝，基部有耳，无缘毛，花开放时平展；花丝基部稍上处及花冠筒内壁生 1 圈密绒毛；花柱由于花冠裂片平展而稍伸出花冠外。浆果红色，果皮肉质，多汁液，广椭圆状、矩圆状、卵状或近球状，先端凸起，长 8 ~ 20 mm，直径5 ~ 10 mm；种子 20 余，近肾形，扁压，棕黄色，长约 2 mm。花果期较长，一般从 5 月至 10 月边开花边结果。

| **生境分布** | 生于土层深厚的沟岸、山坡、田梗和宅旁。分布于新疆昌吉回族自治州、巴音郭楞蒙古自治州、博尔塔拉蒙古自治州、塔城地区、伊犁哈萨克自治州、克拉玛依市、喀什地区、吐鲁番市、阿克苏地区等。

| **资源情况** | 野生资源较丰富，栽培资源较丰富。药材来源于野生和栽培。

| **采收加工** | **枸杞子：**果实陆续成熟时分批采收，摊在竹蓆上，厚不超过 3 cm，一般以 1.5 cm 为宜，放阴凉处晾至皮皱，然后暴晒至果皮起硬、果肉柔软时除去果柄，再晒干，晒干时切忌翻动，以免影响质量，遇多雨时宜用烘干法，先用 45 ~ 50 ℃烘至七八成干，再用 55 ~ 60 ℃烘至全干。
地骨皮：早春或晚秋采挖根，洗净泥土，剥取皮部，晒干；或切成长 6 ~ 10 cm 长的小段，再纵剖至木部，置蒸笼中略加热，待皮易剥离时取出，剥下皮部，

晒干。

枸杞叶：春季至初夏采摘，洗净，鲜用。

| 功能主治 | 枸杞子：甘，平。归肝、肾、肺经。养肝滋肾，益精明目。用于肝肾亏虚，头晕目眩，目视不清，腰膝酸软，阳痿遗精，虚劳咳嗽，消渴引饮。

地骨皮：甘、淡，寒。清虚热，泻肺火，凉血。用于阴虚劳热，骨蒸盗汗，疳积发热，肺热喘咳，吐血，衄血，尿血，消渴。

枸杞叶：甘、苦，凉。消热毒，散疮肿，明目。

| 用法用量 | 枸杞子：内服煎汤，6 ~ 12 g；或入丸、散、膏、酒剂。

地骨皮：内服煎汤，9 ~ 15 g；或入丸、散剂。外用适量，煎汤含漱或淋洗；或研末撒或调敷。

茄科 Solanaceae 枸杞属 Lycium

新疆枸杞
Lycium dasystemum Pojark.

药材名

枸杞子（药用部位：果实）、地骨皮（药用部位：根皮）、枸杞叶（药用部位：叶）。

形态特征

多分枝灌木。高达 1.5 m，枝条坚硬，稍弯曲，灰白色或灰黄色，嫩枝细长，老枝有坚硬的棘刺，棘刺长 0.6 ~ 6 cm，裸露或生叶、花。叶形状多变，倒披针形、椭圆状倒披针形或宽披针形，先端急尖或钝，基部楔形，下延至极短的叶柄上，长 1.5 ~ 4 cm，宽 5 ~ 15 mm。花 2 ~ 3 同叶簇生于短枝上或在长枝上单生于叶腋；花梗长 1 ~ 1.8 cm，向先端渐增粗；花萼长约 4 mm，常 2 ~ 3 中裂；花冠漏斗状，长 9 ~ 1.2 cm，花冠筒长约为檐部裂片的 2 倍，裂片卵形，边缘有稀疏的缘毛；花丝基部稍上处与花冠筒内壁同一水平上都有极稀疏的绒毛，由于花冠裂片外展而花药稍露出花冠外；花柱亦稍伸出花冠外。浆果卵圆状或矩圆状，长约 7 mm，红色；种子 20 或更多，肾形，长 1.5 ~ 2 mm。花果期 6 ~ 7 月。

生境分布

生于海拔 1 200 ~ 2 700 m 的山坡、沙滩或

绿洲。分布于新疆巴音郭楞蒙古自治州、塔城地区、伊犁哈萨克自治州等。

| **资源情况** | 野生资源较丰富，栽培资源较丰富。药材来源于野生和栽培。

| **采收加工** | **枸杞子：** 果实陆续成熟时分批采收，摊在竹蓆上，厚不超过 3 cm，一般以 1.5 cm 为宜，放阴凉处晾至皮皱，然后暴晒至果皮起硬、果肉柔软时除去果柄，再晒干，晒干时切忌翻动，以免影响质量，遇多雨时宜用烘干法，先用 45 ～ 50 ℃烘至七八成干，再用 55 ～ 60 ℃烘至全干。

地骨皮： 早春或晚秋采挖根，洗净泥土，剥取皮部，晒干；或切成长 6 ～ 10 cm

的小段，再纵剖至木部，置蒸笼中略加热，待皮易剥离时取出，剥下皮部，晒干。

枸杞叶： 春季至初夏采摘，洗净，鲜用。

| **功能主治** | **枸杞子：** 甘，平。归肝、肾、肺经。养肝，滋肾，润肺。用于肝肾亏虚，头晕目眩，目视不清，腰膝酸软，阳痿遗精，虚劳咳嗽，消渴引饮。

地骨皮： 甘、淡，寒。清虚热，泻肺火，凉血。用于阴虚劳热，骨蒸盗汗，疳积发热，肺热喘咳，吐血，衄血，尿血，消渴。

枸杞叶： 甘、苦，凉。消热毒，散疮肿，明目。

| **用法用量** | **枸杞子：** 内服煎汤，5 ～ 15 g；或入丸、散、膏、酒剂。

地骨皮： 内服煎汤，15 ～ 30 g；或入丸、散剂。外用适量，煎汤含漱或淋洗；或研末撒或调敷。

茄科 Solanaceae 枸杞属 *Lycium*

黑果枸杞
Lycium ruthenicum Murray

| 药 材 名 |

黑果枸杞（药用部位：果实）。

| 形态特征 |

多棘刺灌木。高 20 ~ 50（ ~ 150）cm。多
分枝，分枝斜升或横卧于地面，白色或灰白
色，坚硬，常呈"之"字形曲折，有不规则
的纵条纹；小枝先端渐尖成棘刺状，节间短
缩，每节有长 0.3 ~ 1.5 cm 的短棘刺；短枝
位于棘刺两侧，在幼枝上不明显，在老枝上
呈瘤状，叶簇生或花、叶同时簇生。叶 2 ~ 6
簇生于短枝上，在幼枝上则单叶互生，肥
厚，肉质，近无柄，条形、条状披针形、条
状倒披针形或狭披针形，先端钝圆，基部渐
狭，两侧有时稍向下卷，中脉不明显，长
0.5 ~ 3 cm，宽 2 ~ 7 mm。花 1 ~ 2 生于
短枝上；花梗细瘦，长 0.5 ~ 1 cm；花萼狭
钟状，长 4 ~ 5 mm，果时稍膨大成半球状，
包于果实中下部，不规则地 2 ~ 4 浅裂，裂
片膜质，边缘有稀疏的缘毛；花冠漏斗状，
浅紫色，长约 1.2 cm，花冠筒向檐部稍扩
大，5 浅裂，裂片矩圆状卵形，长为花冠筒
的 1/3 ~ 1/2，无缘毛；雄蕊稍伸出花冠，
着生于花冠筒中部，花丝离基部稍上处有疏
绒毛，在花冠内壁等高处也有疏绒毛；花柱

与雄蕊近等长。浆果紫黑色，球状，有时先端稍凹陷，直径 4 ~ 9 mm；种子肾形，褐色，长 1.5 mm，宽 2 mm。花果期 5 ~ 10 月。

| 生境分布 | 生于海拔 200 ~ 4 000 m 的盐碱荒地、沙地或路旁。新疆各地均有分布。

| 资源情况 | 野生资源较丰富，栽培资源较丰富。药材来源于野生和栽培。

| 采收加工 | 秋季果实成熟后采收，晾干，置阴凉干燥处。

| 功能主治 | 甘，平。归肝、肾经。滋补肝肾，益精明目。用于虚劳精亏，腰膝酸痛，眩晕耳鸣，阳痿遗精，内热消渴，血虚萎黄，目昏不明。

| 用法用量 | 内服煎汤，6 ~ 12 g。

茄科 Solanaceae 酸浆属 Physalis

酸浆 *Physalis alkekengi* L.

| 药 材 名 | 锦灯笼（药用部位：宿萼）。

| 形态特征 | 多年生草本。高 30 ~ 80 cm。地下根茎横卧；地上茎直立，通常分枝，茎上部绿色，下部常带紫红色。茎下部叶互生，茎中、上部叶呈假对生；叶柄长 1 ~ 3 cm；叶片呈卵形、长卵形或菱状卵形，长6 ~ 12 cm，宽 4 ~ 8 cm，多数全缘，少数边缘呈波状或具粗齿。花单生于叶腋；花梗细，长 1 ~ 2 cm；花萼钟状，5 裂，宿存，被毛，果期膨大成囊状；花冠广钟状，白色，直径 1.5 ~ 2 cm，裂片5，宽而短，先端急尖，外有短毛；雄蕊 5，短于花冠，花丝长约2 mm，基部扁阔，着生在花冠近基部，花药椭圆形，长约 3 mm，黄色；雌蕊 1，长约 7 mm，花柱细长，柱头 2 浅裂，子房上位，2 室。

浆果球形，直径 1 ~ 1.5 cm，包藏于宿存的萼内；萼成熟后长 3 ~ 4.5 cm，直径 2.5 ~ 3.5 cm，橙红色，具网格，下垂，似灯笼；果柄长约 2 cm。花期 6 ~ 7 月，果期 8 ~ 9 月。

| **生境分布** | 生于空旷地、山坡、林下、路旁及田野草丛。分布于新疆伊犁哈萨克自治州、塔城地区、阿勒泰地区等。新疆各地均有栽培。

| **采收加工** | 秋季当宿存萼的基部至先端由绿色变为橙红色时采摘，晒干。

| **功能主治** | 清热消炎，除腐排脓，利尿通阻，抗孕。用于扁桃体炎，肾脏脓疮，膀胱疮疡，尿中带脓等湿热性疾病。

| **用法用量** | 内服，5 ~ 7 g。外用适量。可入丸剂、片剂、蜜膏剂、蒸露剂、漱口剂等制剂。

茄科 Solanaceae 茄属 Solanum

龙葵
Solanum nigrum L.

药材名

龙葵（药用部位：根、种子）。

形态特征

一年生直立草本。茎无棱或棱不明显，绿色或紫色，近无毛或被微柔毛。叶卵形，先端短尖，基部楔形至阔楔形而下延至叶柄，全缘或每边具不规则的波状粗齿，光滑或两面均被稀疏短柔毛，叶脉每边 5 ~ 6。蝎尾状花序腋外生，由 3 ~ 6（~ 10）花组成；花梗近无毛或具短柔毛；花萼小，浅杯状，齿卵圆形，先端圆；花冠白色，筒部藏于花萼内，冠檐 5 深裂，裂片卵圆形；花丝短，花药黄色，长约为花丝的 4 倍，顶孔向内；子房卵形，花柱中部以下被白色绒毛，柱头小，头状。浆果球形，成熟时黑色；种子多数，近卵形，两侧压扁。

生境分布

生于田边、荒地及村庄附近。新疆各地均有分布。

资源情况

野生资源丰富。药材来源于野生。

| 采收加工 |　　夏、秋季采收，去净泥土，干燥。

| 功能主治 |　　苦，寒；有小毒。根用于痢疾，跌打损伤，痈疽肿毒；种子用于急性扁桃体炎，疔疮。

| 用法用量 |　　内服或外用适量。

玄参科 Scrophulariaceae 野胡麻属 *Dodartia*

野胡麻 *Dodartia orientalis* L.

| 药 材 名 | 野胡麻（药用部位：种子）。

| 形态特征 | 多年生直立草本。无毛或幼嫩时疏被柔毛。根粗壮，伸长，带肉质；须根少。茎单一或束生，近基部被棕黄色鳞片，茎从基部至先端多回分枝，枝伸直，细瘦，具棱角，扫帚状。叶疏生，茎下部的叶对生或近对生，上部的叶常互生，宽条形，全缘或有疏齿。总状花序顶生，伸长，花通常 3 ～ 7，稀疏；花梗短；花萼近革质，萼齿宽三角形，近相等；花冠紫色或深紫红色，花冠筒长筒状，上唇短而伸直，卵形，先端 2 浅裂，下唇襞褶密被多细胞腺毛，侧裂片近圆形，中裂片突出，舌状；雄蕊花药紫色，肾形；子房卵圆形，花柱伸直，无毛。蒴果圆球形，褐色或暗棕褐色，具短尖头；种子卵形，黑色。

花果期 5 ～ 9 月。

| **生境分布** | 生于海拔 700 ～ 1 400 m 的多沙的山坡及田野。新疆各地均有分布。

| **资源情况** | 野生资源丰富。药材来源于野生。

| **采收加工** | 果期采收，晒干。

| **功能主治** | 微苦，凉。清热解毒，散风止痒。用于上呼吸道感染，肺炎，气管炎，扁桃体炎，淋巴结炎，尿路感染，神经衰弱；外用于皮肤瘙痒，荨麻疹，湿疹。

| **用法用量** | 内服煎汤，25 g。外用适量，煎汤洗。

玄参科 Scrophulariaceae 小米草属 Euphrasia

长腺小米草 Euphrasia hirtella Jord. ex Reut.

| 药 材 名 | 长腺小米草（药用部位：全草）。

| 形态特征 | 植株直立，通常细弱，少数粗壮，不分枝或上半部有分枝，各部分均有先端呈头状的长腺毛，与其他毛混生。叶和苞叶无柄，卵形至圆形，基部楔形至圆钝，边缘具 2 至数对钝至渐尖的齿。花序仅有数花至多花，花萼裂片披针形至钻形；花冠白色，有时上唇淡紫色。蒴果矩圆状。花期 6 ～ 8 月。

| 生境分布 | 生于草甸、草原、林缘及针叶林中。分布于新疆沙湾市、昌吉市、布尔津县、呼图壁县、青河县。

| 资源情况 | 野生资源丰富。药材来源于野生。

| **采收加工** | 夏、秋季采收，去净泥土，干燥。

| **功能主治** | 清热利水，消肿。

| **用法用量** | 内服或外用适量。

玄参科 Scrophulariaceae 小米草属 Euphrasia

小米草 *Euphrasia pectinata* Ten.

| **药 材 名** | 小米草（药用部位：全草）。

| **形态特征** | 植株直立，不分枝或下部分枝，被白色柔毛。叶与苞叶无柄，卵形至卵圆形，基部楔形，每边有数枚稍钝或急尖的锯齿，两面脉上及叶缘多少被刚毛，无腺毛。花序初花期短而花密集，后逐渐伸长，至果期花疏离；花萼管状，被刚毛，裂片狭三角形，渐尖；花冠白色或淡紫色，外面被柔毛，背部毛较密，其余部分毛较疏，下唇裂片先端明显凹缺；花药棕色。蒴果长矩圆状；种子白色。花期 6 ~ 9 月。

| **生境分布** | 生于阴坡草地及灌丛中。分布于新疆伊宁市、额敏县、奇台县、木

垒哈萨克自治县、哈巴河县等。

| **资源情况** | 野生资源丰富。药材来源于野生。

| **采收加工** | 夏、秋季采收，去净泥土，干燥。

| **功能主治** | 清热解毒，利尿。用于热病口渴，头痛，肺热咳嗽，咽喉肿痛，热淋，小便不利，口疮，痈肿。

| **用法用量** | 内服或外用适量。

玄参科 Scrophulariaceae 小米草属 *Euphrasia*

短腺小米草 *Euphrasia regelii* Wettst.

| 药 材 名 | 短腺小米草（药用部位：全草）。

| 形态特征 | 植株干时变黑。茎直立，不分枝或分枝，被白色柔毛。叶和苞叶无柄，下部的叶楔状卵形，先端钝，每边有 2 ~ 3 钝齿，中部的钝齿稍大，卵形至卵圆形，基部宽楔形，每边有 3 ~ 6 锯齿，锯齿急尖或渐尖，有时为芒状，被刚毛和先端为头状的短腺毛，腺毛的柄仅具 1 细胞，少有 2 细胞。花序在花期通常短；花萼管状，与叶被相同的毛，裂片披针状渐尖至钻状渐尖；花冠白色，上唇常带紫色，外面多少被白色柔毛，背部毛最密，下唇比上唇长，裂片先端明显凹缺。蒴果长矩圆状。花期 6 ~ 7 月，果期 8 ~ 9 月。

| 生境分布 | 生于天山北坡亚高山及高山草甸、林缘、灌丛。分布于新疆塔城市、奇台县、沙湾市、昭苏县等。

| 资源情况 | 野生资源丰富。药材来源于野生。

| 采收加工 | 夏、秋季采收，切段，晒干。

| 功能主治 | 苦，微寒。归膀胱经。清热解毒，利尿。用于热病口渴，头痛，咽喉肿痛，肺热咳嗽，口疮，小便不利，热淋，痈肿。

| 用法用量 | 内服煎汤，6 ~ 10 g。

玄参科 Scrophulariaceae 兔耳草属 Lagotis

倾卧兔耳草 *Lagotis decumbens* Rupr.

| 药 材 名 | 倾卧兔耳草（药用部位：全草）。

| 形态特征 | 多年生矮小草本。全体无毛。根茎短缩。根多数，条形，在老株根颈上被 1 ~ 3 层卵状鳞片。茎 1 ~ 3，倾卧状上升，纤细。基生叶 5 ~ 10，具长叶柄，叶片卵状矩圆形至卵状椭圆形，先端钝，基部宽楔形，边缘具粗锯齿；茎生叶 3 ~ 4，无柄或具短柄，卵形，远小于基生叶，具锐头，边缘有不明显的齿。穗状花序多少伸长，花稠密；苞片宽椭圆形；花萼 2 裂，几裂成 2 片；花冠淡青色，花冠筒近伸直，远较唇部长，上唇近圆形，先端全缘或微缺，下唇开展，3 ~ 4 条裂；雄蕊 2，花丝极短；花柱内藏。花期 6 ~ 7 月。

生境分布	生于阿尔泰山、天山海拔 3 500 ~ 4 000 m 的的冰碛石、碎石山坡。分布于新疆布尔津县、昭苏县、策勒县等。
资源情况	野生资源一般。药材来源于野生。
采收加工	夏、秋季采收，切段，晒干。
功能主治	清热利水，强心消肿。
用法用量	内服或外用适量。

玄参科 Scrophulariaceae　方茎草属 *Leptorhabdos*

方茎草 *Leptorhabdos parviflora* (Benth.) Benth.

| 药 材 名 | 方茎草（药用部位：全草）。

| 形态特征 | 一年生直立草本。多分枝而呈扫帚状，高 20 ～ 100 cm，全体被短腺毛。茎四方形，下部紫褐色。叶条形，长 4 ～ 8 cm，中下部的叶羽状全裂，裂片狭条形，1 ～ 5 对，上部的叶不裂且较短，逐渐过渡为苞片。花序很长；花萼长 3 ～ 5 mm，具 10 脉，萼齿钻状三角形，比筒部短；花冠长约 6 mm，粉红色，筒部约占 2/3，裂片卵圆形。蒴果矩圆状，先端钝而微凹，长 4 ～ 6 mm，上部边缘有短硬毛；种子长 2 mm。花期 7 ～ 8 月。

| 生境分布 | 生于河湖岸边、洼地、草原。分布于北疆各地。

| **资源情况** | 野生资源丰富。药材来源于野生。

| **采收加工** | 夏、秋季采收，去净泥土，干燥。

| **功能主治** | 清热解毒，消炎。

| **用法用量** | 内服或外用适量。

玄参科 Scrophulariaceae 柳穿鱼属 Linaria

紫花柳穿鱼 *Linaria bungei* Kuprian.

| 药 材 名 | 紫花柳穿鱼（药用部位：全草）。

| 形态特征 | 多年生草本。植株高 30 ~ 50 cm。茎常丛生，有时部分不育，中上部多分枝，无毛。叶互生，条形，长 2 ~ 5 cm，宽 1.5 ~ 3 mm，两面无毛。穗状花序数花至多花，果期伸长；花序轴及花梗无毛；花萼无毛或疏生短腺毛，裂片长矩圆形或卵状披针形，长 2 ~ 3 mm，宽 1.2 ~ 2 mm；花冠紫色，除距外长 12 ~ 15 mm，上唇裂片卵状三角形，下唇短于上唇，侧裂片长仅 1 mm，距长 10 ~ 15 mm，伸直。蒴果近球状，长 5 ~ 7 mm，直径 4 ~ 5 mm；种子盘状，边缘有宽翅，中央光滑。花期 6 ~ 8 月。

| 生境分布 | 生于阿尔泰山、天山海拔 900 ~ 2 000 m 的低山带、山地草原、河谷、灌丛、针叶林阳坡。分布于新疆布尔津县、哈巴河县、尼勒克县、昭苏县等。

| 资源情况 | 野生资源丰富。药材来源于野生。

| 采收加工 | 夏、秋季采收，去净泥土，干燥。

| 功能主治 | 清热解毒，消炎。

| 用法用量 | 内服或外用适量。

玄参科 Scrophulariaceae 疗齿草属 Odontites

疗齿草

Odontites vulgaris Moench

| 药 材 名 |

疗齿草（药用部位：全草）。

| 形态特征 |

一年生草本。植株高 20 ~ 60 cm，全体被贴伏、倒生的白色细硬毛。茎常在中上部分枝，上部四棱形。叶无柄，披针形至条状披针形，长 1 ~ 4.5 cm，宽 0.3 ~ 1 cm，边缘疏生锯齿。穗状花序顶生；下部的苞片叶状；花萼长 4 ~ 7 mm，果期多少增大，裂片狭三角形；花冠紫色、紫红色或淡红色，长 8 ~ 10 mm，外被白色柔毛。蒴果长 4 ~ 7 mm，上部被细刚毛；种子椭圆形，长约 1.5 mm。花期 7 ~ 8 月。

| 生境分布 |

生于海拔 1 500 ~ 2 000 m 的湿草地。分布于新疆伊犁哈萨克自治州、哈密市及阿勒泰市、米东区、和静县、玛纳斯县、和布克赛尔蒙古自治县等。

| 资源情况 |

野生资源丰富。药材来源于野生。

| **采收加工** | 夏、秋季采收，去净泥土，干燥。

| **功能主治** | 清热燥湿，凉血止痛。

| **用法用量** | 内服或外用适量。

玄参科 Scrophulariaceae 马先蒿属 *Pedicularis*

蒿叶马先蒿 *Pedicularis abrotanifolia* M. Bieb. ex Stev.

| 药 材 名 |

蒿叶马先蒿（药用部位：全草）。

| 形态特征 |

多年生草本。草质，老时仅基部稍木质化，干时不变黑色。根多分枝，老时木质化。茎多在基部数条并生，高可达 40 cm，上部不分枝，下部圆筒形，上部多少方形，中空，有 4 成行的毛。基生叶早枯，柄长达 15 mm；茎生叶有短柄，叶片狭长圆形至长圆状披针形，长达 5 cm，宽达 18 mm，羽状全裂，叶轴有狭翅，羽片 7 ～ 12 对，长可达 10 mm，宽 2 mm，中后部的最长，向叶端则渐短，自身羽状半裂或有缺刻状锯齿。花序穗状，花轮常疏远，下方的尤其明显；下部苞片叶状，羽状全裂，后变为狭卵形而全缘，边缘有白色长毛；花有短梗；花梗有从花萼下延的膜质翅；花萼大，长达 10 mm，主脉 5，次脉 5，均绿色而明显，其余部分膜质，前方不裂，萼齿 5，长仅 2 mm，后方 1 萼齿较短，三角形，全缘，其余 4 萼齿近相等，边缘与管部均有白色长毛；花冠黄色，管部很长，长 12 ～ 14 mm，在近先端处强烈向前弓曲，下唇与盔近等长而明显短于管部，侧方裂片大于中间裂片，多少椭圆形，中裂圆形，两侧叠置于侧裂片之下，其间的缺刻不能看到，盔弓曲而向前上方伸直，圆形而先端尖，略呈喙状；雄蕊花丝着生于管的近基部，2 对均无毛；花柱稍伸出盔端。

| **生境分布** | 生于天山北坡山地草原、灌丛、林带阳坡。分布于新疆阜康市、达坂城区、塔什库尔干塔吉克自治县、鄯善县、阿克陶县、阿合奇县、特克斯县、乌恰县、高昌区、巩留县等。

| **资源情况** | 野生资源丰富。药材来源于野生。

| **采收加工** | 夏、秋季采收，去净泥土，干燥。

| **功能主治** | 祛湿止痛，强心安神。

| **用法用量** | 内服或外用适量。

玄参科 Scrophulariaceae 马先蒿属 Pedicularis

阿尔泰马先蒿 *Pedicularis altaica* Steph. ex Steven

| 药 材 名 |

阿尔泰马先蒿（药用部位：全草）。

| 形态特征 |

多年生草本。根短缩，有粗壮、时而分枝的纤维根。茎多单条，细而通常弯曲，疏被长卷毛，常有光泽，高 20 ~ 40 cm。基生叶少数，具短于叶片而光滑的柄，叶片线状披针形，叶轴有狭翅，羽状全裂，裂片长圆状披针形或披针形，先端有胼胝质短尖头；上部的茎生叶变小，柄较短或无柄，叶片后部羽状深裂，前部裂片篦齿状，在基部通常有增大的裂片。花序长；花有短梗；苞片 3 裂，侧裂片短，位于花序中部者几呈齿状，中裂片长，位于花序下部者有时较花萼长，位于花序中部者较短；花萼狭钟形，长 10 ~ 12 mm，近革质，主脉明显，有短而斜出的支脉，无毛，带紫色斑点或灰色细毛，有 5 齿，齿三角形而短，远短于萼管；花冠黄色，长 25 ~ 27 mm，喉部以下膝屈，盔部与管等长，上部镰状弓曲，先端有短喙而下缘有 2 齿，下唇 3 裂，与盔等长，具长柄，边缘多少有缘毛；雄蕊 1 对，花丝有毛。蒴果几不偏斜，长圆形，具短喙，长约 10 mm。花期 6 ~ 7 月，果期 7 ~ 8 月。

生境分布	生于山地草原、灌丛。分布于新疆博乐市、和布克赛尔蒙古自治县、达坂城区、霍城县等。
资源情况	野生资源丰富。药材来源于野生。
采收加工	夏、秋季采收，去净泥土，干燥。
功能主治	祛风通络，解热止血，去腐生肌，除湿止痛，强心安神。
用法用量	内服或外用适量。

玄参科 Scrophulariaceae 马先蒿属 *Pedicularis*

碎米蕨叶马先蒿 *Pedicularis cheilanthifolia* Schrenk

| 药 材 名 | 碎米蕨叶马先蒿（药用部位：全草）。

| 形态特征 | 低矮或高升，高 5 ~ 30 cm，干时略变黑。根茎很粗，被少数鳞片；根多少变粗而肉质，略呈纺锤形，在较小的植株中有时较细，长 10 cm 或更长，直径可达 10 mm。茎单出，直立，或成丛而具 10 或更多茎，不分枝，暗绿色，有 4 深沟纹，沟中有成行的毛，具 2 ~ 4 节，节间最长可达 8 cm。基生叶宿存，有长柄，丛生，柄长 3 ~ 4 cm；茎生叶 4，轮生，中部 1 轮最大，柄长 5 ~ 20 mm，叶片线状披针形，羽状全裂，长 0.75 ~ 4 cm，宽 2.5 ~ 8 mm，裂片 8 ~ 12 对，卵状披针形至线状披针形，长 3 ~ 4 mm，宽 1 ~ 2 mm，羽状浅裂，小裂片 2 ~ 3 对，有重齿或仅有锐锯齿，齿常有胼胝。花序通常亚

头状，一年生植株有时花仅 1 轮，但多数伸长，长者可达 10 cm，下部花轮有时疏远；苞片叶状，下部者与花等长；花梗有时存在于下部花中；花萼长圆状钟形，脉上有密毛，前方开裂至 1/3 处，长 8 ~ 9 mm，宽 3.5 mm，具 5 齿，后方 1 齿三角形，全缘，较膨大，有锯齿的后侧方 2 齿狭，与有齿的前侧方 2 齿等宽；花冠紫红色，渐变至纯白色，管在花初开时几伸直，后在基部以上约 4 mm 处以近直角向前膝屈，上段向前方扩大，长 11 ~ 14 mm，下唇宽稍大于长，长 8 mm，宽 10 mm，裂片圆形而等宽，盔长 10 mm，花盛开时呈镰状弓曲，先端几无喙或有极短的圆锥形喙；雄蕊花丝着生于管内近子房中部处，仅基部有微毛，上部无毛；花柱伸出。蒴果披针状三角形，先端锐尖而长，长达 16 mm，宽 5.5 mm，下部为宿萼所包；种子卵圆形，基部明显有种阜，色浅而有明显的网纹，长 2 mm。花期 7 ~ 8 月，果期 8 ~ 9 月。

| **生境分布** | 生于天山、塔尔巴哈台山海拔 2 600 ~ 3 500 m 的亚高山至高山草甸。分布于新疆塔城市、沙湾市、乌苏市、精河县等。

| **资源情况** | 野生资源丰富。药材来源于野生。

| **采收加工** | 夏、秋季采收，去净泥土，干燥。

| **功能主治** | 祛湿止痛，强心安神。

| **用法用量** | 内服或外用适量。

玄参科 Scrophulariaceae 马先蒿属 Pedicularis

毛穗马先蒿 *Pedicularis dasystachys* Schrenk

| **药材名** | 毛穗马先蒿（药用部位：全草）。

| **形态特征** | 多年生草本。根短缩，具粗壮而直径相等的纤维根。茎单条至数条，不分枝，直立，略有光泽，无毛或有疏毛，在花序上多少有长柔毛，基部有膜质鳞片，高 10 ～ 30 cm。基生叶无毛，上部的叶有短毛，叶柄短于叶片，叶片为椭圆状披针形，仅叶轴上被毛，羽状深裂，裂片羽状半裂，具钝头，卵形或披针形，小裂片边缘有胼胝，具钝头，有浅锯齿；茎生叶卵状椭圆形，柄较短，上部者无柄，具较锐的锯齿。花序极密，几呈头状，果时可伸长达 15 cm 而较疏，被白色茸毛，基部被叶所包围；苞片线形，长于花萼，上部者无毛，具胼胝质长尖，全缘，中上部者有锐而胼胝质的锯齿；花萼长 5 ～ 6 mm，

宽 11 ~ 13 mm，宽盾形，微膨大，草质，齿 5，不等大，披针形，基部三角形，全缘，先端渐尖，边缘具胼胝，前端无毛，基部边缘有长柔毛，短于管；花冠呈玫瑰色或白色，长 22 ~ 25 mm，无毛，管伸直，盔稍向后仰，稍长于下唇，上部弓曲，具 1 对很短的齿，下唇宽椭圆形，边缘有细齿，宽 7 ~ 8 mm，中裂片圆形，具长 2.5 mm、宽 3 mm 的柄；雄蕊花丝无毛。蒴果卵形，长 8 ~ 10 mm，具短凸尖。花期 5 ~ 6 月，果期 6 ~ 7 月。

| 生境分布 | 生于准噶尔盆地盐生草甸。分布于新疆塔城市、沙湾市、乌苏市、精河县等。

| 资源情况 | 野生资源丰富。药材来源于野生。

| 采收加工 | 夏、秋季采收，去净泥土，干燥。

| 功能主治 | 祛湿止痛，强心安神。

| 用法用量 | 内服或外用适量。

玄参科 Scrophulariaceae 马先蒿属 Pedicularis

长根马先蒿 *Pedicularis dolichorrhiza* Schrenk

|药材名|

长根马先蒿（药用部位：全草）。

|形态特征|

多年生草本。高升，长者可达 1 m，短者仅 20 cm，干时不变黑色，稍有毛。根颈粗短，有膜质鳞片，向下发出成丛的长根，10 或更多，粗细不等，多少肉质而呈纺锤形，长者可达 15 cm，粗者直径可达 5 mm，细者几为丝状。茎单生或 2 ~ 3，圆筒形而中空，粗者直径达 6 mm，略有条纹，直立，不分枝，有成行的白色短毛，在花序中较密。叶互生；基生叶成丛，果期多枯死，极大，大者连同柄可长达 45 cm，一般仅长 10 cm 或更长，柄长可达 27 cm，一般较短，叶片狭披针形，羽状全裂，长可达 25 cm，宽达 6 cm，一般较小，裂片多者可达 25 对，披针形，羽状深裂，长可达 3 cm，宽达 15 mm，有胼胝质、具凸头的锯齿；茎生叶向上渐小而柄渐短，成为苞片。花序长穗状而疏，长 20 cm 或更长；下部苞片叶状，上部苞片 3 裂，中裂片披针形，有锯齿，侧裂片很小而呈齿状；花萼有疏长毛，钟形，前方稍开裂，膜质，长达 13 mm，主脉 5，伸入侧方的 2 萼齿中的主脉互相靠近，沿主脉两旁有斜伸的极短支脉，但主脉间为膜质而无网结，齿5，极短，左右两边的齿两两相并成1大齿，齿端锥形，有缘毛；花冠黄色，管长13～16 mm，盔直立部分长6 mm，向上渐粗并向前镰状弓曲成含有雄蕊的部分，长达8 mm，宽4～5 mm，先端渐尖，呈斜截形而成长3 mm的明显短喙，先端2裂，裂片呈齿状，下唇与盔近等长，无缘毛，有襞褶2，通向花喉，内面基部有毛，前方3裂，裂片多少倒卵形，侧裂片偏斜，大于中裂片1倍，边缘均有啮痕状齿；花丝着生处有疏毛，前方1对有毛。蒴果长10～11 mm，大者长达15 mm，成熟时黑色，前端狭而多少向前偏弯，具凸尖；种子长卵形，有种阜，外面有明显的网纹。花期6～7月，果期7～8月。

| 生境分布 | 生于阿尔泰山、天山北坡、昆仑山海拔1 500～3 000 m的山地草原、林缘、河谷。分布于新疆布尔津县、奇台县、阜康市、温泉县、塔城市、伊州区、和田县、特克斯县、乌鲁木齐县、尼勒克县、昌吉市、托里县、和布克赛尔蒙古自治县、叶城县等。

| 资源情况 | 野生资源丰富。药材来源于野生。

| 采收加工 | 夏、秋季采收，去净泥土，干燥。

| 功能主治 | 祛湿止痛，强心安神。

| 用法用量 | 内服或外用适量。

玄参科 Scrophulariaceae 马先蒿属 *Pedicularis*

万叶马先蒿 *Pedicularis myriophylla* Pall.

| **药 材 名** | 万叶马先蒿（药用部位：全草）。

| **形态特征** | 一年生草本。干时不变黑色。根圆锥状而细，近先端处有分枝，长仅2 cm。茎单一，高达40 cm，自基部分枝或在上部分枝，枝远短于茎，均呈圆形，有细条纹，有7节，节间长约2 cm。基生叶早枯；茎生叶4叶轮生，有时在下部或上部3叶轮生或对生，有短柄，柄长约1 cm，叶片披针状长圆形，羽状全裂，长约3 cm，宽1 cm，裂片10～13对，线状披针形，裂片又羽状深裂，小裂片约5对，有少数锯齿，两面均无毛。花序顶生于茎枝上，穗状，下部花轮有时间断；下部苞片叶状，中部苞片基部卵形膨大，无色而有长缘毛，上半部绿色而草质，羽状全裂；花梗在果时伸长，长达2.5 mm，有自花萼

上下延的翅，翅上宽而下渐狭；花萼长 7 mm，外面完全光滑，脉 10，5 主脉，5 次脉，主脉较粗，前方开裂至 1/3，萼齿三角形，几全缘，略不等大，内面边缘有毛，但毛不太密；花冠玫瑰色，管在花萼内完全伸直，在花萼上而近先端处向前上方膝屈，下段长约 7 mm，上段长 2 mm 或略长，向喉部扩大，下唇长约 5 mm，宽近相等，基部楔形，3 裂，中裂片小于侧裂片，圆形，盔与管的上段指向相同，盔远宽于管，至额顶长约 7 mm，宽 2 ～ 2.5 mm；雄蕊着生于花管中部，前方 1 对花丝有长柔毛，后方 1 对花丝几无毛；花柱不伸出。蒴果披针状卵形，基部宽 7 mm，前部渐狭而弯向前方，有凸尖，全长达 15 mm；种子长 2 mm，宽 0.75 mm，略呈三棱状，有明显的网纹，浅褐色。

| 生境分布 | 生于山坡、草甸。分布于新疆昭苏县、尼勒克县等。

| 资源情况 | 野生资源丰富。药材来源于野生。

| 采收加工 | 夏、秋季采收，去净泥土，干燥。

| 功能主治 | 祛风湿，补气血。

| 用法用量 | 内服或外用适量。

玄参科 Scrophulariaceae 马先蒿属 Pedicularis

欧亚马先蒿 *Pedicularis oederi* Vahl

| **药 材 名** | 欧亚马先蒿（药用部位：全草）。

| **形态特征** | 多年生草本。低矮，高 5 ~ 10 cm，极少有超过 15 cm 的，干时变为黑色。根多数，多少呈纺锤形，粗者直径可达 1 cm，肉质；根颈粗，先端常宿存少数卵形至披针状长圆形的膜质鳞片。茎草质，多汁，常为花葶状，多少有绵毛，有时几光滑，有时毛很密。叶多基生，宿存成丛，有长柄，柄长可达 5 cm，一般较短，毛被亦多变，叶片长 1.5 ~ 7 cm，线状披针形至线形，羽状全裂，在芽中拳卷，其羽片则垂直相叠而呈鱼鳃状排列，裂片多数，常排列紧密，裂片间的距离一般短于羽片，每边具 10 ~ 20 裂片，多少卵形至长圆形，长达 5 mm，一般较短，具锐头至钝头，边缘有锯齿，齿常有胼胝而

多反卷，腹面常无毛，背面有时脉上有毛；茎生叶通常极少，仅 1 ～ 2 叶，与基生叶同形而较小。花序顶生，变化极多，长者可达 10 cm 或更长，一般长约 5 cm；花离心开放；苞片多少披针形至线状披针形，短于花或与花等长，几全缘或上部有齿，常被绵毛，有时毛颇密；花萼狭而呈圆筒形，长 9 ～ 12 mm，主脉 5，次脉很多，多纵行而少网结，齿 5，宽披针形，具锐头，几相等；花冠多有 2 色，盔端紫黑色，其余为黄白色，有时下唇及盔的下部亦有紫斑，管长 12 ～ 16 mm，近先端处多少向前膝屈而使花前俯，盔与管的上段指向相同，几伸直，长约 9 mm，宽 3.5 mm，前缘先端稍呈三角形而凸出，下唇大小变化很大，宽 5 ～ 7 mm，长 7 ～ 14 mm，侧裂片斜椭圆形，远大于多少呈圆形的中裂片，中裂片几不向前方伸出；雄蕊前方 1 对花丝被毛，后方 1 对花丝光滑；花柱不伸出盔端。蒴果长达 18 mm，宽可达 7 mm，一般较小，长卵形至卵状披针形，两室强烈不等，但不甚偏斜，先端具锐头而有细凸尖；种子灰色，狭卵形，具锐头，有细网纹，长 1.8 mm，宽 0.7 mm。花期 6 ～ 7 月，果期 7 ～ 8 月。

| **生境分布** | 生于阿尔泰山、天山北坡海拔 1 400 ～ 3 500 m 的山地草原、亚高山至高山草甸、林缘。分布于新疆塔城市、阿勒泰市、奇台县、阜康市、乌鲁木齐县、伊宁县、特克斯县、若羌县、塔什库尔干塔吉克自治县、呼图壁县、昭苏县、尼勒克县等。

| **资源情况** | 野生资源丰富。药材来源于野生。

| **采收加工** | 夏、秋季采收，去净泥土，干燥。

| **功能主治** | 祛风胜湿，补气血，健脾胃。

| **用法用量** | 内服或外用适量。

玄参科 Scrophulariaceae 马先蒿属 Pedicularis

拟鼻花马先蒿

Pedicularis rhinanthoides Schrenk ex Fisch. & C. A. Mey.

| **药 材 名** | 拟鼻花马先蒿（药用部位：全草）。

| **形态特征** | 多年生草本。高度多变，矮者仅高 4 cm 即开花，高者可达 30 cm 或更高，干时略变黑色。根茎很短；根成丛，多少呈纺锤形或胡萝卜状，肉质，长可达 7 cm。茎直立或弯曲上升，单出或自根颈发出多条，不分枝，几无毛，多少黑色，有光泽。基生叶常成密丛，有长柄，柄长 2 ~ 5 cm，叶片线状长圆形，羽状全裂，裂片 9 ~ 12 对，卵形，长约 5 mm，有具胼胝质凸尖的牙齿，表面几光滑或中肋沟中有短细毛，背面碎冰纹网脉清楚，在网眼中叶面凸起；茎生叶少数，柄较短。花形成顶生的亚头状总状花序或多少伸长，长可达 8 cm；苞片叶状；花梗短，有时可伸长至 1 cm 或更长，无毛；花萼卵形而

长，长 12 ～ 15 mm，管前方开裂至 1/2，上半部有密网纹，无毛或有微毛，常有色斑，具 5 齿，后方 1 齿披针形，全缘，其余 4 齿较大，自狭缩的基部膨大为卵形，边缘有少数锯齿，齿端常有白色胼胝；花冠玫瑰色，管长为花萼的近 2 倍，外面有毛，大部伸直，近先端处稍变粗而微向前弯，盔直立部分较管粗，长约 4 mm，上端多少呈膝状屈曲，向前成为含有雄蕊的部分，长约 5 mm，前方狭细成半环状卷曲的喙，极少有喙端再转向前而略呈"S"形卷曲者，长可达 7 mm，先端全缘而不裂，下唇宽 14 ～ 17 mm，基部宽心形，伸至管的后方，裂片圆形，侧裂片大小为中裂片的 2 倍，中裂片几不凸出，边缘无毛；雄蕊着生于管端，前方 1 对花丝有毛。蒴果长于花萼，披针状卵形，长 19 mm，宽 6 mm，先端多少斜截形，有小凸尖；种子卵圆形，浅褐色，有明显的网纹，长 2 mm。花期 7 ～ 8 月，果期 8 ～ 9 月。

| 生境分布 | 生于天山海拔 1 500 ～ 2 500 m 的山地草原及亚高山草甸。分布于新疆塔城市、昭苏县、尼勒克县、阿勒泰市、阿克陶县、阿合奇县、塔什库尔干塔吉克自治县等。

| 资源情况 | 野生资源丰富。药材来源于野生。

| 采收加工 | 夏、秋季采收，去净泥土，干燥。

| 功能主治 | 祛风除湿，利水排石。

| 用法用量 | 内服或外用适量。

玄参科 Scrophulariaceae 马先蒿属 Pedicularis

准噶尔马先蒿
Pedicularis songarica Schrenk

| 药 材 名 |

准噶尔马先蒿（药用部位：全草）。

| 形态特征 |

多年生草本。干时略变黑色，几光滑。根丛生，长者达 15 cm，两端细，中间粗，多少纺锤形而肉质；根颈粗，有多数棕褐色的膜质鳞片，长者可达 3 cm 而呈披针形。茎多单生，低矮，矮者仅高 10 cm。叶多基生，有长柄，长约 4 cm，多少宽扁，如有翅，翅膜质而呈黄褐色，叶片多少披针形，长达 5 cm，宽达 13 mm，羽状全裂，裂片极多，有 15 ~ 30 对，卵状披针形至线状披针形，长达 6 mm，宽达 2.5 mm，紧密排列成篦齿状，边缘羽状浅裂或具重锐齿，齿具胼胝质刺尖，上面、下面均无毛；茎生叶少数，形似基生叶而较小，柄亦较短。花序顶生于茎顶，常稠密，长者达 6 cm；苞片发达，下部者长于花，狭披针形至线状披针形，有齿至几全缘；花萼狭长，管状，长约 14 mm，主脉 5，细脉很多，齿 5，均为三角状狭披针形，基部宽约 0.8 mm，后方 1 齿最短，长 2 mm 或更长，其余 4 齿较长，长 2.8 ~ 4 mm，边缘有细齿，具锐尖头，外面脉上及齿缘有毛；花冠黄色，管长约 16 mm，直径约 2.5 mm，无毛，下唇远短于盔，长约 5.5 mm，基部有明显的柄，柄长达 1.3 mm，前方两侧突然呈耳形膨大而成侧裂片，侧裂片扁圆形，宽 2.5 mm，中裂片略小于侧裂片，多少卵形，其基部有襞褶 2，通向喉部，盔长约 9 mm，微呈镰状弓曲，顶部圆凸；花丝着生于花管基部，2 对均无毛；花柱略伸出。蒴果披针状长圆形，长 15 ~ 16 mm，一面开裂。

| **生境分布** | 生于山地草原、河谷、林缘、灌丛。分布于新疆哈巴河县、布尔津县、吉木乃县等。

| **资源情况** | 野生资源丰富。药材来源于野生。

| **采收加工** | 夏、秋季采收，去净泥土，干燥。

| **功能主治** | 祛湿止痛，强心安神。

| **用法用量** | 内服或外用适量。

玄参科 Scrophulariaceae 马先蒿属 Pedicularis

秀丽马先蒿
Pedicularis venusta Schangan ex Bunge

| 药 材 名 | 秀丽马先蒿（药用部位：全草）。

| 形态特征 | 多年生草本。根短缩，具直径相等的长纤维根。茎通常单生，直立，不分枝，常纤细，被细长的卷毛，高 10 ~ 40 cm。基生叶具被细长毛的叶柄，柄短于叶片长的 2 倍至与叶片几相等，上面无毛，下面沿脉有长卷毛，叶片披针形，羽状全裂，长圆形，先端渐尖，羽状深裂，小裂片具细而胼胝质的细尖，边缘有胼胝质的牙齿；茎生叶向上渐小，下部者有短柄，与基生叶形状相似，上部者极小。花序长圆形而稠密或伸长，常被粗糙的长卷毛；苞片与花萼近等长，下部者与上部叶相似，中部者 3 ~ 5 羽状浅裂，而在中间的裂片较大，上部者很小，全缘或有胼胝质锯齿；花梗几不存在；花萼钟形，长

8 ~ 10 mm，近革质，脉有叉分的短细支脉，齿 5，宽三角形，短于萼管的 1 倍或更短；花冠黄色，长 20 ~ 25 mm，管伸直，略短于盔，稍向前倾斜，上部镰状弓曲，盔短，先端具 2 齿，下唇比盔稍短，3 裂，边缘无毛；雄蕊 1 对，花丝有毛。蒴果为偏斜的长圆形，长 10 ~ 12 mm，先端具凸尖。花期 6 ~ 7 月，果期 7 ~ 8 月。

| 生境分布 | 生于海拔 1 500 ~ 2 000 m 的草原、疏林、河谷、灌丛。分布于新疆乌鲁木齐县、霍城县、察布查尔锡伯自治县、巩留县、特克斯县等。

| 资源情况 | 野生资源丰富。药材来源于野生。

| 采收加工 | 夏、秋季采收，去净泥土，干燥。

| 功能主治 | 清热利水。

| 用法用量 | 内服或外用适量。

轮叶马先蒿
Pedicularis verticillata L.

| 药 材 名 | 轮叶马先蒿（药用部位：全草）。

| 形态特征 | 多年生草本。干时不变黑色，高 15 ~ 35 cm，有时极低矮。主根多少纺锤形，一般短细，极少在多年生的植株中呈肉质并变粗，直径可达 6.5 mm，须状侧根不发达；根茎先端有数对三角状卵形至长圆状卵形的膜质鳞片。茎直立，在当年生植株中常单生，在多年生植株中常自根颈成丛发出，7 或更多，中央者直立，外部者弯曲上升，下部圆形，上部多少四棱形，具毛线 4。基生叶发达而长存，柄长约 3 cm，被疏密不等的白色长毛，叶片长圆形至线状披针形，下面微有短柔毛，羽状深裂至全裂，长 2.5 ~ 3 cm，裂片线状长圆形至三角状卵形，具不规则的缺刻状齿，齿端常多少有白色胼胝；下部

的茎生叶偶对生，一般 4 叶轮生，具较短的柄或几无柄，叶片较基生叶宽短。花序总状，常稠密，最下的 1 ~ 2 花轮多少疏远；苞片叶状，下部者远长于花，有时变为长三角状卵形，上部者基部变宽，膜质，向前有锯齿，有白色长毛；花萼球状卵圆形，常紫红色，口部多少狭缩，膜质，具 10 暗色脉纹，外面密被长柔毛，毛长 6 mm，前方深裂，齿常不明显而聚于后方，后方 1 齿多独立，较小，前侧方者与后侧方者多合并成 1 三角形大齿，顶部有浅缺或无浅缺，多为全缘；花冠紫红色，长 13 mm，管在距基部 3 mm 处以直角向前膝屈，使其上段从花萼的裂口中伸出，上段长 5 ~ 6 mm，中部稍向下弓曲，喉部宽约 3 mm，下唇与盔近等长或较盔稍长，中裂片圆形而有柄，远小于侧裂片，有时裂片上的脉极明显，盔略呈镰状弓曲，长约 5 mm，无明显的鸡冠状突起，下缘先端似微有凸尖，但不明显；雄蕊花药离生而不并生，前方 1 对花丝有毛；花柱稍伸出。蒴果形状及大小多变，多少呈披针形，先端渐尖，不弓曲或全部向下弓曲，长 10 ~ 15 mm，宽 4 ~ 5 mm；种子黑色，半圆形，长 1.8 mm，有极细而不明显的纵纹。花期 7 ~ 8 月。

| **生境分布** | 生于阿尔泰山、天山的亚高山及高山草甸。分布于新疆青河县、阿勒泰市、昭苏县、伊州区、博乐市、乌鲁木齐县、昌吉市、塔什库尔干塔吉克自治县、吉木乃县等。

| **资源情况** | 野生资源丰富。药材来源于野生。

| **采收加工** | 夏、秋季采收，去净泥土，干燥。

| **功能主治** | 清热利水。

| **用法用量** | 内服或外用适量。

玄参科 Scrophulariaceae 马先蒿属 Pedicularis

堇色马先蒿
Pedicularis violascens Schrenk

| 药 材 名 | 堇色马先蒿（药用部位：全草）。

| 形态特征 | 多年生草本。干时不甚变黑色，高 8 ～ 10（～ 30）cm。根多条，多少肉质而略变粗，呈纺锤形，长约 5 cm；根颈很粗，在较大的植株中直径可达 2 cm，被膜质鳞片及宿存的枯叶柄。茎单一或从根颈丛杂生，10 或更多，幼时暗紫黑色，老时色变浅而带稻草色，不分枝，下部有线条，上部有较深的沟棱，有成行的毛，毛下疏上密，有时节上的毛尤其密。基生叶常宿存，仅在很大的植株上密集丛生，有长柄，柄长 1 ～ 5 cm，纤细，基部多少变宽而为膜质，两边有狭翅，叶片披针形至线状长圆形，长 2.4 ～ 44 mm，宽 1.4 ～ 14 mm，羽状全裂，裂片 6 ～ 9 对，卵形，基部狭缩，先端具锐头，大者

长达 7 mm，宽约 4.5 mm，羽状深裂至 2/3 处，小裂片约 3 对，有具刺尖的重锯齿；茎生叶与基生叶形状相似而柄较短，每茎仅有 2 轮，下部 1 轮叶有时对生或 3 叶轮生，上部 4 叶轮生。花序在当年生的低矮植株中多密而呈头状，长仅 2 cm，在稍大的植株中长可达 6 cm，其下部的 1 ~ 2 花轮常疏离，最下 1 轮有时相隔 2 cm；苞片宽菱状卵形，基部膨大，膜质，掌状 3 ~ 5 裂，裂片线状披针形，形如手指，有重锯齿；花萼长 6 ~ 7 mm，花后强烈膨大，膜质，长 9 ~ 10 mm，基部下延至长达 3 mm 的花梗上而成翅，具 10 脉，5 主脉，5 次脉，主脉旁有不明显的支脉，支脉呈网状，筒部口斜，后方高而前方低，在正前方开裂至约 2/5 处，具 5 齿，后方 1 齿三角形而较小，膜质，其余 4 齿基部三角形，上部则为披针形而呈绿色，边缘有不明显的锯齿，后侧方 2 齿处于萼管的最高处，长约 2 mm，前侧方 2 齿较低而长约 3 mm；花冠长约 7 mm，紫红色，管长约 11 mm，在基部以上约 6 mm 处以 50° 角向前上方膝屈，上段长约 6 mm，喉部仅稍扩大，盔长约 6 mm，多少镰状弓曲，其基部稍扩大，指向与花管下段相同，额部圆钝或略方，有时具极狭而不明显的 1 鸡冠状突起，下端无齿或凸尖，下唇小，长约 4 mm，基部有 2 ~ 3 脉纹，裂片无脉纹或有少数脉纹，侧裂片椭圆形，中裂片较小而向前凸出，多少呈卵形或圆形；2 对雄蕊并生，前方 1 对花丝有微毛，柱头与花丝稍伸出。蒴果披针状扁卵圆形，歪斜，先端向下弓曲而有凸尖，长 14 mm，宽 4 mm；种子长 1.5 mm，宽 0.7 mm，浅褐色，背部弓曲而腹部直，有整齐而细致的网纹。花果期 7 ~ 9 月。

| **生境分布** | 生于天山、塔尔巴哈台山海拔 1 500 ~ 3 500 m 的山地草原、亚高山及高山草甸。分布于新疆塔城市、昭苏县、乌恰县、伊吾县、和布克赛尔蒙古自治县、乌鲁木齐县、巴里坤哈萨克自治县、塔什库尔干塔吉克自治县、察布查尔锡伯自治县、库车市、于田县等。。

| **资源情况** | 野生资源丰富。药材来源于野生。

| **采收加工** | 夏、秋季采收，去净泥土，干燥。

| **功能主治** | 用于烫伤。

| **用法用量** | 外用适量。

玄参科 Scrophulariaceae 玄参属 Scrophularia

新疆玄参

Scrophularia heucheriiflora Schrenk ex Fisch. et Mey.

| 药 材 名 | 新疆玄参（药用部位：全草）。

| 形态特征 | 草本。高达 80 cm。根多少变粗。茎具白色髓心，基部各节有鳞片状苞叶，下部多少四棱形，被白色的毛，上部有腺毛。叶片多呈三角状卵形，基部为深浅不同的心形，稀宽楔形，边缘具不规则三角形锯齿，锯齿长达 13 cm，宽达 9 cm，下面有极短的白毛；叶柄长达 5 cm，密生白毛。花序为圆筒形的狭聚伞圆锥状，长达 30 cm，宽不足 3.5 cm，密被短腺毛；总梗长不足 10 mm，花梗长约 5 mm；花萼长约 2.5 mm，裂片条状矩圆形，稍有膜质边缘；花冠略长于花萼，上唇稍长于下唇，裂片均呈圆形；雄蕊长约 5 mm，伸出花冠外，退化雄蕊很大，舌状，高出上唇；子房仅长 1 mm，具长达 5 mm 的

花柱。蒴果卵圆形，连同尖喙长约 6 mm，有明显的网脉。花果期 5 ~ 6 月。

| 生境分布 | 生于阿尔泰山、天山北坡海拔 800 ~ 2 000 m 的的河谷、山坡阴处、湿地、水田边。分布于新疆阿勒泰市、奇台县、乌鲁木齐县、昌吉市、布尔津县等。。

| 资源情况 | 野生资源丰富。药材来源于野生。

| 采收加工 | 夏、秋季采收，去净泥土，干燥。

| 功能主治 | 清热滋阴，泻火解毒，凉血除烦。

| 用法用量 | 内服或外用适量。

玄参科 Scrophulariaceae 玄参属 Scrophularia

砾玄参 *Scrophularia incisa* Weinm.

| 药 材 名 | 砾玄参（药用部位：全草）。

| 形态特征 | 半灌木状草本。高 20 ~ 50（~ 70）cm。茎近圆形，无毛或上部有微腺毛。叶片狭矩圆形至卵状椭圆形，长（1 ~）2 ~ 5 cm，先端锐尖至钝，基部楔形至渐狭，呈短柄状，边缘变化很大，从具浅齿至浅裂，稀基部有 1 ~ 2 深裂片，无毛，稀仅脉上有糠秕状微毛。顶生狭圆锥花序稀疏，长 10 ~ 20（~ 35）cm；聚伞花序有花 1 ~ 7；总梗和花梗都生微腺毛；花萼长约 2 mm，无毛或仅基部有微腺毛，裂片近圆形，有狭膜质边缘；花冠玫瑰红色至暗紫红色，下唇色较淡，长 5 ~ 6 mm，花冠筒球状筒形，长约为花冠的 1/2，上唇裂片先端圆形，下唇侧裂片长约为上唇的 1/2，雄蕊与花冠近等长，退化雄蕊

长矩圆形，先端圆至略尖；子房长约 1.5 mm，花柱长约为子房的 3 倍。蒴果球状卵形，连同短喙长约 6 mm。花期 6 ~ 8 月，果期 8 ~ 9 月。

| 生境分布 | 生于阿尔泰山、天山海拔 800 ~ 2 600 m 的砾石山坡、河谷、河滩。分布于新疆乌苏市、阿合奇县、巴里坤哈萨克自治县、额敏县、和布克赛尔蒙古自治县、乌什县、乌恰县、富蕴县、塔什库尔干塔吉克自治县等。

| 资源情况 | 野生资源丰富。药材来源于野生。

| 采收加工 | 夏、秋季采收，去净泥土，干燥。

| 功能主治 | 滋阴降火，生津解毒。

| 用法用量 | 内服或外用适量。

玄参科 Scrophulariaceae 玄参属 Scrophularia

羽裂玄参

Scrophularia kiriloviana Schischk.

| 药 材 名 |

羽裂玄参（药用部位：全草）。

| 形态特征 |

半灌木状草本。高 30 ～ 50 cm。茎近圆形，无毛。叶片卵状椭圆形至卵状矩圆形，长 3 ～ 10 cm，前半部边缘具牙齿、大锯齿至羽状半裂，后半部羽状深裂至全裂，裂片具锯齿，稀全部边缘具大锯齿；叶柄长 3 ～ 20 mm。花序为顶生、稀疏、狭窄的圆锥花序，少数腋生，长 10 ～ 30 cm；主轴至花梗均疏生腺毛，下部各节的聚伞花序具花 3 ～ 7；花萼长约 2.5 mm，裂片近圆形，具明显的宽膜质边缘；花冠紫红色，长 5 ～ 7 mm，花冠筒近球形，长 3.5 ～ 4 mm，上唇裂片近圆形，下唇侧裂片长约为上唇的 1/2；雄蕊与下唇近等长，退化雄蕊矩圆形至长矩圆形；子房长约 1.5 mm，花柱长约 4 mm。蒴果球状卵形，连同短喙长 5 ～ 6 mm。花期 5 ～ 7 月，果期 7 ～ 8 月。

| 生境分布 |

生于海拔 700 ～ 2 100 m 的林边、山坡阴处、溪边、石隙中及干燥砂砾地。分布于新疆塔什库尔干塔吉克自治县、塔城市、叶城县、

和布克赛尔蒙古自治县、伊吾县、和静县等。

| **资源情况** | 野生资源丰富。药材来源于野生。

| **采收加工** | 夏、秋季采收，去净泥土，干燥。

| **功能主治** | 滋阴降火，生津解毒。

| **用法用量** | 内服或外用适量。

玄参科 Scrophulariaceae 毛蕊花属 Verbascum

东方毛蕊花 Verbascum chaixii Vill. subsp. orientale (M. Bieb.) Hayek

药材名

东方毛蕊花(药用部位:全草)。

形态特征

多年生草本。高达 120 cm。茎疏被白色星状毛。茎生叶较少,下部的叶矩圆状披针形,长 10 ~ 18 cm,宽 4 ~ 5 cm,下面毛较密,上面毛甚稀疏或近无毛,叶呈绿色,边缘具不规则钝齿,叶柄长达 7 cm,上面的茎生叶卵状矩圆形至椭圆形,近无柄。圆锥花序长达 30 cm,2 ~ 7 花簇生,1 簇花中花梗长短不一,长 1 ~ 15 mm,与花萼均密生星状毛;花萼长 4 ~ 5 mm,裂片披针形至卵状披针形;花冠黄色,直径 20 ~ 25 mm,外面具星状毛;雄蕊 5,全部花丝有紫色的毛,花药肾形。蒴果卵形,稍长于宿存花萼,密生星状毛。花果期 6 ~ 8 月。

生境分布

生于天山、塔尔巴哈台山海拔 1 500 ~ 2 000 m 的山地草原、河谷、林间空地。分布于新疆塔城市、霍城县、博乐市等。

资源情况

野生资源丰富。药材来源于野生。

| **采收加工** | 夏、秋季采收，去净泥土，干燥。

| **功能主治** | 消炎解毒，止血。

| **用法用量** | 内服或外用适量。

玄参科 Scrophulariaceae 毛蕊花属 Verbascum

紫毛蕊花 *Verbascum phoeniceum* L.

| 药 材 名 | 紫毛蕊花（药用部位：全草）。

| 形态特征 | 多年生草本。茎上部有时分枝，高 30 ~ 100 cm，上部具腺毛，下部具较硬的毛。叶几乎全部基生，叶片卵形至矩圆形，基部近圆形至宽楔形，长 4 ~ 10 cm，边缘具粗圆齿至浅波状齿，无毛或有微毛，叶柄长达 3 cm；茎生叶不存在或叶很小而无柄。总状花序，花单生；主轴、苞片、花梗、花萼均有腺毛；花梗长达 1.5 cm；花萼长 4 ~ 6 mm，裂片椭圆形；花冠紫色，直径约 2.5 cm；雄蕊 5，花丝有紫色绵毛，花药肾形。蒴果卵球形，长约 6 mm，长于宿存的花萼，上部疏生腺毛，表面有隆起的网纹。花期 5 ~ 6 月，果期 6 ~ 8 月。

| 生境分布 | 生于天山、塔尔巴哈台山海拔 1 500 ～ 2 000 m 的山坡草原、山间盆地、荒地、河谷。分布于新疆托里县、昭苏县、博乐市、精河县、温泉县、额敏县、裕民县、霍城县、特克斯县、巩留县、新源县等。

| 资源情况 | 野生资源丰富。药材来源于野生。

| 采收加工 | 夏、秋季采收，去净泥土，干燥。

| 功能主治 | 消炎解毒，清热凉血，止血。

| 用法用量 | 内服或外用适量。

玄参科 Scrophulariaceae 毛蕊花属 Verbascum

毛蕊花
Verbascum thapsus L.

| 药 材 名 |

毛蕊花（药用部位：全草）。

| 形态特征 |

二年生草本。高达 1.5 m，全株被密而厚的浅灰黄色星状毛。基生叶和下部的茎生叶倒披针状矩圆形，基部渐狭成短柄，长达 15 cm，宽达 6 cm，边缘具浅圆齿，上部茎生叶逐渐缩小而渐呈矩圆形至卵状矩圆形，基部下延成狭翅。穗状花序圆柱状，长达 30 cm，直径达 2 cm，结果时伸长并变粗，花密集，数花簇生；花梗很短；花萼长约 7 mm，裂片披针形；花冠黄色，直径 1 ~ 2 cm；雄蕊 5，后方 3 雄蕊的花丝有毛，前方 2 雄蕊的花丝无毛，花药基部多少下延而呈 "个" 字形。蒴果卵形，与宿存的花萼近等长。花期 6 ~ 8 月，果期 7 ~ 10 月。

| 生境分布 |

生于海拔 1 400 ~ 3 200 m 的山坡草地、河岸草地。分布于新疆伊犁哈萨克自治州、阿勒泰地区等。

| 资源情况 |

野生资源丰富。药材来源于野生。

| **采收加工** | 夏、秋季采收，去净泥土，干燥。

| **功能主治** | 消炎解毒，止血。

| **用法用量** | 内服或外用适量。

玄参科 Scrophulariaceae 婆婆纳属 Veronica

直立婆婆纳 Veronica arvensis L.

| 药 材 名 | 直立婆婆纳（药用部位：全草）。

| 形态特征 | 小草本。茎直立或上升，不分枝或铺散分枝，高 5 ～ 30 cm，有 2 列多细胞的白色长柔毛。叶通常 3 ～ 5 对，下部的叶有短柄，中上部的无柄，卵形至卵圆形，长 5 ～ 15 mm，宽 4 ～ 10 mm，具 3 ～ 5 脉，边缘具圆齿或钝齿，两面被硬毛。总状花序长而具多花，长可达 20 cm，被多细胞的白色腺毛；下部的苞片长卵形而疏具圆齿，上部的苞片长椭圆形而全缘；花梗极短；花萼长 3 ～ 4 mm，裂片条状椭圆形，前方 2 花萼长于后方 2 花萼；花冠蓝紫色或蓝色，长约 2 mm，裂片圆形至长矩圆形；雄蕊短于花冠。蒴果倒心形，强烈侧扁，长 2.5 ～ 3.5 mm，宽略大于长，边缘有腺毛，凹口很深，深度几乎

为蒴果的 1/2，裂片圆钝，宿存的花柱不伸出凹口；种子矩圆形，长近 1 mm。花期 4 ~ 5 月。

| **生境分布** | 生于海拔 2 000 m 以下的路边及荒野草地。分布于新疆伊宁县、特克斯县等。

| **资源情况** | 野生资源较少。药材来源于野生。

| **采收加工** | 夏、秋季采收，去净泥土，干燥。

| **功能主治** | 化痰消肿，清热利水。

| **用法用量** | 内服或外用适量。

玄参科 Scrophulariaceae 婆婆纳属 Veronica

密花婆婆纳 *Veronica densiflora* Ledeb.

| **药 材 名** | 密花婆婆纳（药用部位：全草）。

| **形态特征** | 根茎细长而分枝。茎上升，基部多分枝，高 5 ~ 15 cm，下部无毛或有不明显的 2 列柔毛，上部被多细胞的白色长绒毛。叶对生，无柄；茎基部的叶鳞片状，向上渐大；中上部的叶卵圆形，长 7 ~ 20 mm，宽 5 ~ 15 mm，叶缘有小锯齿，两面疏生长柔毛。花序头状；苞片椭圆形，下部的萼片长达 8 mm，密被白色绒毛；花梗很短；花萼密被白色长绒毛，裂片倒卵状披针形；花冠淡紫色或鲜蓝色，长5 ~ 7 mm，裂片倒卵圆形至卵形，喉部被毛；雄蕊伸出；子房上部被毛。蒴果倒卵圆形，长约 4 mm，上部被毛或无毛，花柱长约6 mm；种子长 1 mm。花期 5 ~ 6 月，果期 6 ~ 7 月。

| 生境分布 | 生于天山北坡海拔 1 500 ～ 2 800 m 的山地草甸、草原、林缘、灌丛、河谷。分布于新疆伊宁县、新源县、伊州区等。

| 资源情况 | 野生资源丰富。药材来源于野生。

| 采收加工 | 夏、秋季采收，去净泥土，干燥。

| 功能主治 | 清热解毒。用于胆囊炎。

| 用法用量 | 内服或外用适量。

尖果水苦荬 *Veronica oxycarpa* Boiss

| 药 材 名 | 婆婆纳（药用部位：全草）。

| 形态特征 | 多年生草本。植株高 30 ~ 100 cm，无毛或上部疏被腺毛。根茎长，茎直立或外倾，不分枝或少分枝。叶无柄，半抱茎或下部的叶具

短柄，卵形至椭圆形，上部的叶为披针形。花冠蓝色，淡紫色或白色，直径
6 mm。蒴果卵状三角形，先端尖，稍微凹，与萼近等长或稍长，长 3 ~ 4 mm，
宽 2.5 ~ 3 mm，宿存的花柱长约 3 mm；种子长约 0.5 mm。

| 生境分布 |　生于疏林下、河谷、水边、湿地。分布于新疆裕民县、昭苏县等。

| 资源情况 |　野生资源一般。药材来源于野生。

| 功能主治 |　祛风除湿，解毒止痛。

玄参科 Scrophulariaceae 婆婆纳属 Veronica

阿拉伯婆婆纳 *Veronica persica* Poir.

| 药 材 名 | 婆婆纳（药用部位：全草）。

| 形态特征 | 铺散多分枝草本。高 10 ~ 50 cm。茎密生 2 列多细胞柔毛。叶 2 ~ 4
对，具短柄，卵形或圆形，长 6 ~ 20 mm，宽 5 ~ 18 mm，基部浅
心形，平截或浑圆，边缘具钝齿，两面疏生柔毛。总状花序很长；
苞片互生，与叶同形，几乎等大；花梗比苞片长，有的长 1 倍或更长；
花萼花期长 3 ~ 5 mm，果期增大 8 mm，裂片卵状披针形，喉部疏
被毛；雄蕊短于花冠。蒴果肾形，长约 5 mm，宽约 7 mm，被腺毛，
成熟后几乎无毛，网脉明显，裂片钝，宿存的花柱长约 2.5 mm；种
子背面有深的横纹，长约 1.6 mm。花期 3 ~ 5 月。

| **生境分布** | 生于平原绿洲、路边和荒野。分布于新疆和布克赛尔蒙古自治县、巩留县、伊宁市、
霍城县、石河子市、察布查尔锡伯自治县等。

| **资源情况** | 野生资源一般。药材来源于野生。

| **功能主治** | 祛风除湿，解毒止痛。

玄参科 Scrophulariaceae 婆婆纳属 Veronica

婆婆纳 *Veronica polita* Fries

药材名

婆婆纳（药用部位：全草）。

形态特征

一年生草本。高 10 ~ 25 cm。茎铺散，多分枝，被长柔毛，纤细。叶对生，具短柄，叶片心形至卵形，长 5 ~ 10 mm，宽 6 ~ 7 mm，先端钝，基部圆形，边缘具深钝齿，两面被白色柔毛。春季开花，总状花序顶生；苞片叶状，互生；花梗略短于苞片；花萼 4 裂，裂片卵形，先端急尖，疏被短硬毛；花冠蓝紫色、蓝色、粉色或白色，直径 4 ~ 5 mm；筒部极短，裂片圆形至卵形；雄蕊 2，短于花冠；子房上位，2 室。蒴果近肾形，密被腺毛，略短于宿萼，宽 4 ~ 5 mm，凹口成直角，裂片先端圆，宿存的花柱与凹口平齐或稍长；种子背面具横纹，长约 1.5 mm。花期 3 ~ 10 月。

生境分布

生于天山北坡中山带、疏林下、水边、湿地、河谷、灌丛。分布于新疆伊州区、巴里坤哈萨克自治县、伊吾县、博乐市、新源县、昭苏县、尼勒克县、和静县、昌吉市、裕民县等。

| 资源情况 | 野生资源一般。药材来源于野生。

| 采收加工 | 3 ~ 4 月采收，鲜用或晒干。

| 功能主治 | 补肾强腰，解毒消肿。用于肾虚腰痛，睾丸肿痛，带下，痈肿。

| 用法用量 | 内服煎汤，15 ~ 30 g，鲜品 60 ~ 90 g；或捣汁。

玄参科 Scrophulariaceae 婆婆纳属 *Veronica*

小婆婆纳 *Veronica serpyllifolia* L.

| **药 材 名** | 婆婆纳（药用部位：全草）。

| **形态特征** | 茎多枝丛生，下部匍匐生根，中上部直立，高 10 ~ 30 cm，被多细胞柔毛，上部常被多细胞腺毛。叶无柄，有时下部的叶具极短的叶柄，卵圆形至卵状矩圆形，长 8 ~ 25 mm，宽 7 ~ 15 mm，边缘具浅齿缺，极少全缘。总状花序具多花，单生或复生，果期长 20 cm，花序各部分密或疏被多细胞腺毛；花冠蓝色、紫色或紫红色，长 4 mm。蒴果肾形或肾状倒心形，长 2.5 ~ 3 mm，宽 4 ~ 5 mm，基部圆或近平截，边缘有 1 圈多细胞腺毛，宿存的花柱长约 2.5 mm。花期 4 ~ 6 月。

| **生境分布** | 生于海拔 2 500 ~ 3 500 m 的天山东部亚高山及高山草甸。分布于新疆伊州区、达坂城区等。 |

| **资源情况** | 野生资源一般。药材来源于野生。 |

| **采收加工** | 6 ~ 7 月采收，鲜用或蒸后晒干。 |

| **功能主治** | 活血散瘀，止血，解毒。用于月经不调，跌打内伤；外用于外伤出血，烫火伤，蛇咬伤。 |

| **用法用量** | 内服煎汤，3 ~ 9 g。外用适量，鲜品捣敷。 |

玄参科 Scrophulariaceae 婆婆纳属 Veronica

水苦荬 *Veronica undulate* Wall.

| 药 材 名 |

婆婆纳（药用部位：全草）。

| 形态特征 |

多年生草本。叶片条状披针形，叶缘有尖锯齿。茎、花序轴、花梗、花萼和蒴果上多少有大头针状腺毛。花梗在果期挺直，横叉开，与花序轴几成直角，因而花序宽可达1.5 cm；花柱稍短，长 1 ～ 1.5 mm。

| 生境分布 |

生于平原绿洲、水边及沼泽地、山区河谷阴处。分布于新疆塔城地区（裕民县）等。

| 资源情况 |

生于平原绿洲、水边、沼泽地及山区河谷、阴处。分布于新疆塔城市、阿勒泰市、伊宁县、巴里坤哈萨克自治县、青河县、达坂城区、乌尔禾区、石河子市、乌鲁木齐县、新源县等。

| 采收加工 |

夏季果实中红虫未逸出前采收，洗净，切段，鲜用或晒干。

| **功能主治** | 活血止血，解毒消肿。用于感冒，咽喉肿痛，肺结核咯血，痢疾，血淋，风湿疼痛，月经不调，血小板减少性紫癜，跌打损伤；外用于骨折，疔疮肿毒。

| **用法用量** | 内服煎汤，10 ~ 30 g。外用适量，鲜品捣敷。

列当科 Orobanchaceae 肉苁蓉属 Cistanche

肉苁蓉 *Cistanche deserticola* Ma

| 药 材 名 | 肉苁蓉（药用部位：肉质茎）。

| 形态特征 | 多年生草本植物。茎不分枝或自基部分2枝，下部直径5～10 cm，中上部渐细，直径1～2 cm。叶卵状三角形或宽卵形，长0.5～0.8 cm，宽0.6～1 cm，中部叶椭圆状三角形，上部叶较稀疏且渐窄，披针形或狭披针形，长1.5～3 cm，宽3～6 mm，无毛。花序穗状，长15～25 cm，直径5～6 cm，花序下部或全部苞片较长，与花冠等长或较花冠稍长，卵状披针形、披针形或线状披针形，连同小苞片、花冠裂片外面及边缘疏被柔毛或近无毛；小苞片2，披针形或狭披针形，与花萼等长或较花萼稍长；花萼钟状，长0.8～1.2 cm，先端5浅裂，裂片近半圆形，长约2.5 mm，宽约

4 mm；花冠筒状钟形，长 2.5 ～ 3.2 cm，先端 5 裂，裂片近半圆形，长 4 ～ 7 mm，宽 5 ～ 7 mm，边缘常稍外卷，淡黄色或紫色，干后变为褐色；雄蕊 4，花丝着生于距筒基 4 ～ 6 mm 处，长 1.2 ～ 1.5 cm，基部被长柔毛，花药卵形，长 3.5 ～ 4 mm，密被长柔毛，基部有骤尖头。蒴果卵球形，长 1.5 ～ 1.8 cm，直径 1 ～ 1.3 cm，先端有宿存花柱，柱头近球形，2 瓣裂；种子椭圆形，黑褐色，长约 1 mm，外面网状，有光泽。花期 4 月底至 6 月，果期 6 ～ 8 月。

| 生境分布 | 生于海拔 225 ～ 1 150 m 的荒漠。分布于新疆北部等。新疆南部有栽培。

| 资源情况 | 野生资源一般，栽培资源丰富。药材来源于野生和栽培。

| 采收加工 | 春季苗未出土或刚出土时采收，除去花序，切断，晒干。

| 功能主治 | 补肾阳，益精血，润肠通便。用于肾阴不足，精血亏虚，腰膝酸软，筋骨无力，肠燥便秘。

| 用法用量 | 内服煎汤，6 ～ 10 g；或入丸、散剂；或浸酒。

列当科 Orobanchaceae 肉苁蓉属 Cistanche

盐生肉苁蓉 *Cistanche salsa* (C. A. Mey.) Beck

| **药 材 名** | 肉苁蓉（药用部位：肉质茎）。

| **形态特征** | 植株高 13 ~ 27 cm。茎不分枝，基部直径 1 ~ 2 cm。叶片卵状长圆形或卵状长三角形，长 1.5 ~ 1.7 cm，宽 5 ~ 7 mm。穗状花序长 8 ~ 12 cm，直径 4 ~ 5 cm；苞片卵形或长圆状披针形，长 1.5 ~ 1.8 cm，宽 5 ~ 7 mm，外面被柔毛，里面毛较少；小苞片 2，披针形，与花萼等长或稍长，外面及边缘被疏柔毛；花萼钟状，长 1.2 ~ 1.4 cm，先端 5 浅裂，裂片近圆形或卵形，长 2.5 ~ 3 mm，宽 3.5 ~ 4 mm；花冠筒状钟形，长 2.8 ~ 3 cm，花冠筒淡黄色，先端 5 浅裂，裂片淡紫色，近圆形，长、宽均为 5 ~ 6 mm；花药长卵形，长 2.5 ~ 3 mm，宽约 2 mm，基部具小尖头，连同花丝基部密被白色、

皱曲的长柔毛。蒴果卵形或椭圆形，长 1 ~ 1.2 cm，直径 6 ~ 7 mm；种子近球形，长约 0.6 mm，黑褐色，外面有网纹，有光泽。花期 5 ~ 6 月，果期 7 ~ 8 月。

| 生境分布 | 生于海拔 700 ~ 920 m 的沙漠边缘。分布于新疆塔城地区（裕民县、沙湾市）、伊犁哈萨克自治州（察布查尔锡伯自治县）、哈密市、博尔塔拉蒙古自治州（精河县）、阿勒泰地区（哈巴河县）、昌吉回族自治区（吉木萨尔县）等。

| 资源情况 | 野生资源一般，栽培资源一般。药材来源于野生和栽培。

| 功能主治 | 补肾壮阳，润肠通便。

列当科 Orobanchaceae 肉苁蓉属 Cistanche

管花肉苁蓉

Cistanche tubulosa (Schenk) Wight

药材名

肉苁蓉（药用部位：肉质茎）。

形态特征

多年生寄生草本。植株高 60 ~ 100 cm，地上部分高 30 ~ 35 cm。茎不分枝，基部直径 3 ~ 4 cm。叶乳白色，干后变褐色，三角形，长 2 ~ 3 cm，宽约 5 mm，茎上部叶渐狭为三角状披针形或披针形。穗状花序，长 12 ~ 18 cm，直径 5 ~ 6 cm；苞片长圆状披针形或卵状披针形，长 2 ~ 2.7 cm，宽 5 ~ 6.5 mm，边缘被柔毛，两面无毛；小苞片 2，线状披针形或匙形，长 1.5 ~ 1.7 cm，宽 2.5 mm，近无毛；花萼筒状，长 15 ~ 18 mm，先端 5 裂至近中部，裂片乳白色，干后变黄白色，近等大，长卵状三角形或披针形，长 6 ~ 10 mm，宽 2.5 ~ 3 mm；花冠筒状漏斗形，长约 4 cm，先端 5 裂，裂片在花蕾时带紫色，干后变棕褐色，近等大，近圆形，长约 8 mm，宽约 1 cm，两面无毛；雄蕊 4，花丝着生于距筒基部 7 ~ 8 mm 处，长 15 ~ 17 mm，基部膨大，密被黄白色长柔毛，花药卵形，长 4 ~ 6 mm，密被黄白色长柔毛，基部钝圆，不具小尖头；子房长卵形，花柱长 22 ~ 25 mm，柱头扁圆球形，

2 浅裂。蒴果长圆形,长 10 ~ 12 mm,直径 7 mm;种子多数,近圆形,干后变黑褐色,外面网状。花期 5 ~ 6 月,果期 7 ~ 8 月。

| 生境分布 | 生于水分较充足的怪柳丛中及沙丘地,常寄生于怪柳属植物的根上。分布于新疆和田地区、喀什地区等。新疆塔克拉玛干沙漠周边及吐鲁番市(托克逊县)、哈密市等有栽培。

| 资源情况 | 野生资源一般,栽培资源丰富。药材来源于野生和栽培。

| 采收加工 | 春季苗未出土或刚出土时采挖,除去花序,切断,晒干。

| 功能主治 | 补肾阳,益精血,润肠通便。用于肾阴不足,精血亏虚,腰膝酸软,筋骨无力,肠燥便秘。

| 用法用量 | 内服煎汤,6 ~ 10 g;或入丸、散剂;或浸酒。

列当科 Orobanchaceae 列当属 Orobanche

美丽列当

Orobanche amoena C. A. Mey.

| 药 材 名 | 列当（药用部位：全草）。

| 形态特征 | 二年生或多年生草本。植株高 15 ~ 40 cm。茎直立，疏被短腺毛。叶卵形或卵状披针形，长 1 ~ 1.2 cm，宽 3 ~ 5 cm，连同苞片、花萼及花冠外面均疏被短腺毛，内面无毛。花序穗状，长 5 ~ 12 cm，宽 3 ~ 4.5 cm；苞片宽卵形或卵形，长 1 ~ 1.2 cm，宽 3 ~ 5 mm；花萼长 7 ~ 10 mm，常在后面裂至基部。前面裂至距基部约 2 mm 处，裂片先端 2 裂，小裂片披针形，稍不等长，长 2 ~ 4 mm，先端渐尖；花冠近直立或稍向下弯曲，长 2.5 ~ 3 cm，在花丝着生处变狭，向上渐扩展成漏斗状，裂片常为蓝紫色，筒部淡黄色，上唇 2 裂，裂片半圆形或近圆形，长 2.5 ~ 3.5 mm，宽 3.5 ~ 5 mm，下唇长于上唇，

3 裂，裂片近圆形，直径约 5 mm，全部裂片边缘具不规则的小钝齿；花丝着生于距筒基部 5.5 ~ 7 mm 处，长约 1.4 cm，中上部被短腺毛，基部膨大，密被白色长柔毛，花药卵形，长约 2 mm，先端及缝线密被绵毛状长柔毛。蒴果椭圆形，长约 1 cm，直径约 4 mm；种子长约 0.4 mm，直径 0.25 mm，表面具网状纹饰。花期 5 ~ 6 月，果期 6 ~ 8 月。

| **生境分布** | 生于准噶尔盆地、塔里木盆地的沙漠边缘及天山区、帕米尔高原的丘陵、山坡草原。分布于新疆乌鲁木齐市的天山北坡及伊犁哈萨克自治州等。

| **资源情况** | 野生资源一般。药材来源于野生。

| **功能主治** | 补肾助阳，强筋壮骨。

列当科 Orobanchaceae 列当属 Orobanche

弯管列当

Orobanche cernua Loefl.

|药材名|

列当（药用部位：全草）。

|形态特征|

一年生、二年生或多年生寄生草本。高15 ~ 35 cm，全株密被腺毛。茎黄褐色，不分枝或自基部分枝，直径 0.5 ~ 2 cm。叶卵状三角形或卵状披针形，长 0.7 ~ 1 cm，宽 4 ~ 6 mm，连同苞片、花萼和花冠外面均密被腺毛，内面近无毛。花序穗状，长6 ~ 25 cm，具多数花；苞片卵状三角形或卵状披针形，长约 7 mm，宽 4 ~ 6 mm；花萼钟状，长 6 ~ 8 mm，2 深裂至基部或靠上唇处深裂至基部，靠下唇处分裂至中部以下或近基部，裂片先端常 2 裂，小裂片线状披针形，先端尾尖；花冠长 1.1 ~ 1.3 cm，在花丝着生处明显膨大，向上缢缩，先端稍膨大，筒部淡黄色，从缢缩处扭转，向下呈膝状弯曲，长约 1 cm，上唇 2 浅裂，下唇稍短于上唇，3 裂，裂片淡紫色或淡蓝色，近圆形，长约 2 mm，常外卷，边缘呈不明显的波状或具小圆齿；雄蕊 4，花丝着生于距筒部 4 ~ 5 mm 处，长 5 ~ 6 mm，无毛，基部稍增粗，花药卵形，长约 1 mm，无毛，基部具小尖头。蒴果长圆形或长圆状椭圆形，长 1 ~ 1.2 cm，直径 5 ~ 7 mm；种子长卵形或长椭圆形，长 0.3 ~ 0.4 mm，宽约 0.2 mm，表面具网状纹饰。花期 5 ~ 7 月，果期 7 ~ 9 月。

| **生境分布** | 生于准噶尔盆地、塔里木盆地的沙漠边缘、天山区及阿尔泰山、昆仑山的低山丘陵、山地草原、针叶林阳坡。分布于新疆昭苏县、特克斯县、新源县、裕民县、乌苏市、民丰县等。

| **资源情况** | 野生资源一般。药材来源于野生。

| **功能主治** | 补肾助阳，强筋壮骨。

列当科 Orobanchaceae 列当属 Orobanche

列当
Orobanche coerulescens Steph.

| 药 材 名 | 列当（药用部位：全草）。

| 形态特征 | 两年生或多年生寄生草本。高 10 ~ 40 cm。全株密被蛛丝状长绵毛。茎直立，不分枝，基部膨大。叶干后黄褐色，生于茎下部的较密集，上部的渐变稀疏，卵状披针形，长 1.5 ~ 2 cm，宽 5 ~ 7 mm。花多数，排列成穗状花序，长 10 ~ 20 cm；苞片 2，卵状披针形，先端尖锐；花萼 5 深裂，萼片披针形或卵状披针形，长约为花冠的 1/2；花冠蓝紫色，长 1.5 ~ 2 cm，下部为筒形，上部稍弯曲，具 2 唇，上唇宽，先端常凹成 2 裂，下唇 3 裂，裂片卵圆形；雄蕊 4，二强，花药无毛，花丝有毛；雌蕊 1，子房上位，花柱比花冠稍短或近等长，柱头膨大，黄色。蒴果 2 裂，卵状椭圆形，具多数种子。花期 4 ~ 7 月，果期 7 ~

9 月。

| **生境分布** | 生于准噶尔盆地北部沙地。分布于新疆福海县、布尔津县、克拉玛依市等。

| **资源情况** | 野生资源一般。药材来源于野生。

| **采收加工** | 春、夏季采收，洗去泥沙及杂质。晒至七、八成干，扎成小把，再晒至全干。

| **功能主治** | 补肾壮阳，强筋骨，润肠。用于肾虚阳痿，遗精，宫冷不孕，小儿佝偻病，腰膝冷痛，筋骨软弱，肠燥便秘，小儿肠炎。

| **用法用量** | 内服煎汤，3 ~ 9 g；或浸酒。外用适量，煎汤洗。

列当科 Orobanchaceae 列当属 Orobanche

多齿列当
Orobanche uralensis Beck

| **药 材 名** | 列当（药用部位：全草）。

| **形态特征** | 多年生寄生草本。高15 cm。茎较细弱，不分枝，密被黄白色短腺毛。叶卵状披针形，长4～6 mm，宽约3 mm，连同苞片、小苞片、花萼、花冠外面和边缘均被黄白色至白色的短腺毛。花序穗状，短圆柱形，具稀疏的少数花；苞片卵状披针形，比花萼短，长5～7 mm；小苞片线状披针形，贴生于花萼基部，长约8 mm，先端渐尖；花萼钟状，长0.9～1.1 cm，常4～5裂达近中部，有时裂片具单齿，裂片披针形，稍不等大，长3～6 mm，宽1～3 mm；花冠蓝紫色，长2～2.2 cm，不明显的二唇形，上唇2裂，下唇3裂，与上唇近等长，全部裂片近圆形，直径3.5～4.5 mm，边缘被短腺毛，具不

整齐的小圆齿；花丝着生于距筒基部 2 ~ 3 mm 处，长 7 ~ 9 mm，近无毛，花药长卵形，长 1.8 ~ 2 mm，沿缝线及先端密被白色的绵毛状长柔毛，基部具小尖头；雌蕊长 1.5 ~ 1.6 cm，子房长椭圆形，花柱长约 1 cm，疏被短柔毛，柱头 2 浅裂。果实未见。花期 7 ~ 9 月。

| **生境分布** | 生于塔里木盆地的绿洲。分布于新疆巴音郭楞蒙古自治州（库尔勒市、和静县）等。

| **资源情况** | 野生资源一般。药材来源于野生。

| **功能主治** | 补肾助阳，强筋骨，止泻。

车前科 Plantaginaceae 车前属 Plantago

湿车前 *Plantago cornuti* Gouan.

| **药 材 名** | 车前子（药用部位：叶、种子）。

| **形态特征** | 多年生草本。高 15 ~ 60 cm。直根较粗壮。基生叶直立，叶质厚，长 4 ~ 20 cm，宽 2 ~ 9 cm，卵圆形或椭圆形，先端钝，基部宽楔形，表面无毛，稀基部稍被毛，背部或仅脉上被柔毛。花葶长 25 ~ 50 cm，被伏毛；穗状花序长 5 ~ 20 cm，下部较疏，上部较密；苞片长为花萼的 1/2 或更短，卵形，边缘膜质，无毛或上部边缘具短缘毛；萼片长约 3 mm，宽卵形，边缘窄膜质；花冠裂片宽卵形，渐尖，长约 3.5 mm。蒴果卵状椭圆形，长约 4 mm；种子短圆形，长 2 ~ 3 mm。花期 6 ~ 8 月，果期 7 ~ 9 月。

| **生境分布** | 生于平原绿洲、水边草地、盐碱化草甸。分布于新疆北部等。

| **资源情况** | 野生资源一般。药材来源于野生。

| **功能主治** | 镇静安神，平肝息风，清热利水，祛痰止咳，明目。

车前科 Plantaginaceae 车前属 Plantago

平车前 *Plantago depressa* Willd.

| 药材名 | 车前子（药用部位：种子）。

| 形态特征 | 一年生草本。高 8 ~ 30 cm。主根圆柱形，黄白色。叶基生，平铺，椭圆形或椭圆状披针形，长 4 ~ 10 cm，宽 1 ~ 4 cm，全缘或有不整齐的锯齿，先端锐尖或钝，基部楔形，被柔毛或无毛，纵脉 5 ~ 7。花葶数个，直立或斜生，被柔毛或无毛；穗状花序长 4 ~ 15 cm，上部花密，下部花较疏；苞片披针形或三角状卵形，边缘白色，膜质，长约 2 mm；萼片 4，倒卵形，先端钝圆，背部具绿色的龙骨状突起；花冠筒状，膜质，淡绿色，顶部 4 裂，基部角状，向外反卷；雄蕊 4，伸出花冠外。蒴果圆锥形，长约 3 mm，盖裂，萼片及苞片宿存；种子 4 ~ 5，椭圆形，黑棕色。花期 6 ~ 7 月，果期 7 ~ 8 月。

| **生境分布** | 生于平原绿洲的田边路旁、沟边草地、林下草地及天山山地草原、亚高山草原。新疆各地均有分布。 |

| **资源情况** | 野生资源一般。药材来源于野生。 |

| **采收加工** | 秋季果实成熟时采收果穗，干燥，打下种子，除去果壳与杂质。 |

| **功能主治** | 甘、涩。清热解毒，利水消肿，祛痰止咳。用于水肿尿少，痈肿疮毒，出血症。 |

| **用法用量** | 内服煎汤，5 ～ 10 g；或入丸、散剂。 |

大车前 *Plantago major* L.

| **药 材 名** | 车前子（药用部位：种子）。

| **形态特征** | 多年生草本。高 15 ~ 30 cm，具须根。根茎粗短。叶成丛基生，直立或斜生，叶柄较粗，长 4 ~ 15 cm，无毛或疏被毛，具纵棱，基部稍扩大或呈鞘状，叶片卵形或宽卵形，长 4 ~ 15 cm，宽 3 ~ 8 cm，叶基楔形，先端钝或锐尖，全缘或疏生耳状锯齿，两面近无毛或被疏毛。花葶数个，长 10 ~ 30 cm；穗状花序圆柱形，长 10 ~ 20 cm，基部花疏，上部花密，花无柄；苞片卵形，较萼片短，二者均有绿色的龙骨状突起；花萼裂片椭圆形，长约 2 mm；花冠筒状，先端 4 裂，裂片卵形；雄蕊 4，伸出花冠外；雌蕊 1，花柱短，柱头丝状，密被细毛，伸出花冠外。蒴果卵圆形，长 2 ~ 3 mm；种

子 6 ~ 30，椭圆形或卵形，长 0.8 ~ 1.2 mm，黑棕色。花期 7 ~ 8 月，果期 8 ~ 9 月。

| 生境分布 | 生于平原绿洲、田间、路旁、草地及水沟边。新疆各地均有分布。

| 资源情况 | 野生资源一般。药材来源于野生。

| 采收加工 | 秋收果实成熟时采收果穗，晒干，打下种子，去净杂质。

| 功能主治 | 淡、微甘，微凉。清肺润肺，化痰止咳，解毒。用于水肿，黄疸，小便热涩疼痛，咽喉肿痛，跌打损伤，骨折。

| 用法用量 | 内服煎汤，30 ~ 100 g。

车前科 Plantaginaceae 车前属 Plantago

巨车前

Plantago maxima Juss. ex Jacq.

| 药 材 名 |

车前子（药用部位：种子）。

| 形态特征 |

多年生草本。植株粗壮，高约 80 cm。直根圆柱形，粗壮，先端残留叶柄残基，具多数侧根及纤维根。叶少，基生，莲座状，直立或斜上，叶片大，稍厚，宽椭圆形或宽卵形，长 10 ~ 15 cm，宽 6 ~ 13 cm，疏被短柔毛，叶端较钝，顶生较硬的短尖，叶缘波状或疏被微牙齿，叶柄长于叶片或与叶片等长，弧状脉 9 ~ 11，向叶背隆起。花葶少，高 20 ~ 50 cm，密被短柔毛；穗状花序长 7 ~ 20 cm，花紧密着生，棒状，似蜡烛；苞片长卵形，具明显的龙骨状突起；萼片椭圆形，有较宽的龙骨状突起；花冠裂片 4，卵形，先端锐尖，中脉明显；雄蕊伸出花冠外，花丝长 0.5 ~ 1 cm；柱头伸出花冠外，长约 5 mm。蒴果圆形，暗棕色；种子 2 ~ 4，卵形，长约 1.5 mm。花期 7 ~ 8 月，果期 8 ~ 9 月。

| 生境分布 |

生于海拔 600 ~ 1 000 m 的山地草原及平原盐生草甸。分布于新疆和田地区、昌吉回族自治区（奇台县、木垒哈萨克自治县）、塔城地区（乌苏市）、巴音郭楞蒙古自治州（轮台县）等。

| **资源情况** | 野生资源一般。药材来源于野生。

| **功能主治** | 解毒利水。

车前科 Plantaginaceae 车前属 Plantago

北车前 *Plantago media* L.

| 药 材 名 |　车前子（药用部位：种子）。

| 形态特征 |　多年生草本。全株被短柔毛，高 15 ~ 50 cm。主根粗壮，圆柱形，上部具多数侧根。叶基生，平铺于地面，灰绿色，幼叶呈灰白色，椭圆形、卵形或倒卵形，长 5 ~ 10 cm，宽 1 ~ 4 cm，全缘，先端锐尖，基部楔形，弧形脉 5 ~ 7，叶柄长 1 ~ 5 cm，密被短柔毛。花葶少，高 20 ~ 50 cm，直立或大部斜升；穗状花序椭圆形、长卵形或短圆柱形；苞片长 1.5 ~ 3 mm，无毛，边缘膜质，先端锐尖，具龙骨状突起；花萼矩圆形，长 1.5 ~ 2.5 mm，边缘宽膜质，先端锐尖，具龙骨状突起；花冠裂片卵形、矩圆形或长卵形，长 1.2 ~ 3 mm，先端锐尖，全缘；花丝长 3 ~ 5 mm；花柱与柱头均密被短柔毛。蒴果

卵形或椭圆形；种子 2 ~ 4，卵形，长约 1.5 mm。花期 6 ~ 7 月，果期 7 ~ 8 月。

| 生境分布 | 生于昆仑山、帕米尔高原的山地草原、林缘、灌丛中、河谷。分布于新疆昭苏县、哈巴河县、乌什先、塔什库尔干塔吉克自治县等。

| 资源情况 | 野生资源一般。药材来源于野生。

| 功能主治 | 清热解毒，化痰止咳。

車前科 Plantaginaceae 車前属 Plantago

小车前 *Plantago minuta* Pall.

| 药 材 名 | 车前子（药用部位：种子）。

| 形态特征 | 一年生小草本。高 4 ～ 10 cm，全株密被长柔毛。主根圆柱形，细长，黑褐色。基生叶平铺于地面，条形，长 4 ～ 10 cm，宽 1 ～ 2 mm，全缘；叶柄短，鞘状。花葶少，直立或斜上，被柔毛，穗状花葶卵形或矩圆形，长 6 ～ 15 mm；花密生，苞片宽卵形或三角形，无毛，先端尖，短于萼片，中央龙骨状突起较宽，黑棕色；花萼卵形或椭圆形，长约 2 mm，无毛，龙骨状突起明显；花冠裂片狭卵形，全缘。蒴果卵圆形或卵形，长约 4 mm，果皮膜质；种子 2，长卵形，表面光亮，背面隆起，腹面凹入，呈船形。花期 6 ～ 8 月，果期 7 ～ 9 月。

| 生境分布 | 生于海拔 600 ～ 2 400 m 的平原绿洲草地、田边、沟边及天山山地

草原或亚高山草甸。分布于新疆和田地区、克拉玛依市、博乐市、塔城市、托里县、乌鲁木齐县、呼图壁县、克拉玛依市、石河子市、米东区、皮山县等。

| **资源情况** | 野生资源一般。药材来源于野生。

| **功能主治** | 清热利尿，祛痰，凉血，解毒。用于水肿尿少，热淋涩痛，暑湿泻痢，痰热咳嗽，吐血衄血，痈肿疮毒。

| **用法用量** | 内服煎汤，鲜品 30 ~ 60 g；或捣汁服。外用适量，鲜品捣敷。

车前科 Plantaginaceae 车前属 Plantago

盐生车前
Plantago salsa Pall.

| 药 材 名 | 车前子（药用部位：种子）。

| 形态特征 | 多年生草本。高 5 ～ 30 cm。直根粗壮，褐色或黑褐色。根茎粗短，被残余叶片或叶鞘，有长柔毛。叶基生，多数，直立或平铺，窄条形，长 4 ～ 17 cm，宽 1.5 ～ 4 mm，先端渐尖，基部具宽三角形叶鞘，褐色，无叶柄。花葶少数，直立或斜生，长 5 ～ 25 cm，密被短柔毛；穗状花序圆柱形，长 2 ～ 6 cm，上部较密，下部较疏；苞片卵形或三角形，长 2 ～ 3 mm，先端渐尖，边缘有短睫毛，具龙骨状突起；花萼裂片椭圆形，长 2 ～ 2.5 mm，被短柔毛，边缘具纤毛，龙骨状突起较宽；花冠裂片卵形或矩圆形，先端具锐尖头，边缘膜质，有睫毛。蒴果圆锥形，长约 3 mm；种子 1 ～ 2，长卵形或圆形，黑棕色。

花期 6 ~ 7 月，果期 7 ~ 8 月。

| **生境分布** | 生于海拔 600 ~ 2 000 m 的平原盐化草甸、盐渍土潮湿地、荒漠戈壁，阿尔泰山、天山、昆仑山的山地草原。新疆多地有分布。

| **资源情况** | 野生资源一般。药材来源于野生。

| **功能主治** | 解毒利水。

茜草科 Rubiaceae 拉拉藤属 Galium

北方拉拉藤 *Galium boreale* L.

药材名

拉拉藤（药用部位：全草）。

形态特征

多年生直立草本。高 20 ～ 65 cm。茎有 4 棱角，无毛或有极短的毛。叶纸质或薄革质，4 叶轮生，狭披针形或线状披针形，长 1 ～ 3 cm，宽 1 ～ 4 mm，先端钝或稍尖，基部近圆形，边缘常稍反卷，两面无毛，边缘有微毛，基出脉 3，在下面常凸起，在上面常凹陷，无柄或具极短的柄。聚伞花序顶生或生于上部叶腋，常在枝先端呈圆锥花序式排列，花密且小；花梗长 0.5 ～ 1.5 mm；花萼被毛；花冠白色或淡黄色，直径 3 ～ 4 mm，辐状，花冠裂片状披针形，长 1.5 ～ 2 mm；花丝长约 1.4 mm；花柱 2 裂至近基部。果小，直径 1 ～ 2 mm，单生或双生，密被白色、稍弯的糙硬毛；果柄长 1.5 ～ 3.5 mm。花期 5 ～ 8 月，果期 6 ～ 10 月。

生境分布

生于阿尔泰、天山和准噶尔西部山地的高山或亚高山草甸、山地河谷、灌丛。分布于新疆博尔塔拉蒙古自治州、伊犁哈萨克自治州、昌吉回族自治州、阿勒泰地区、乌鲁木齐市等。

| **资源情况** | 野生资源一般。药材来源于野生。

| **功能主治** | 用于肺炎。

茜草科 Rubiaceae 拉拉藤属 Galium

蔓生拉拉藤 *Galium humifusum* M. Bieb.

| 药 材 名 | 拉拉藤（药用部位：全草）。

| 形态特征 | 多年生草本。根茎纤细，蔓生，木质，微红色。根粗，木质。茎 1
或更多，平铺，长 0.2 ~ 1m，纤细，具 4 角棱，有白色柔毛，稀近
无毛，常从基部分枝。叶纸质，每轮 6 ~ 10 叶，狭披针形至线形，
长 0.5 ~ 2.3 cm，宽 1 ~ 5 mm，边缘常反卷，两面有白色柔毛，边
缘具向上的短刚毛，常向下弯而几乎与茎紧贴，具 1 脉，近无柄。
聚伞花序腋生或顶生，有时组成伞房状的圆锥花序，少花至多花；
总花梗和花梗被短柔毛，花梗长 1 ~ 4 mm，叉开，在果时常向下弯；
花冠黄白色，短漏斗状，长 1.5 ~ 3 mm，花冠管与裂片等长或较短，
裂片长圆形，先端渐尖，开放时反折；雄蕊着生于花冠管上，花丝

稍宽，与花药等长或较长；花柱顶部 2 裂，柱头球形。果实小，无毛，宽椭圆形，长 1 ~ 1.5 mm，宽 1.5 ~ 2 mm，通常双生。花果期 5 ~ 9 月。

| 生境分布 | 生于海拔 700 ~ 2500 m 的天山西部、准噶尔西部山地的山坡、河边、湖边、河滩、荒地、灌丛和林缘。分布于新疆乌鲁木齐市、克拉玛依市、玛纳斯县、呼图壁县、沙湾市、昌吉市、乌苏市、独山子区、伊宁市、巩留县、特克斯县、石河子市、五家渠市等。

| 资源情况 | 野生资源一般。药材来源于野生。

| 功能主治 | 用于感冒。

准噶尔拉拉藤

Galium soongoricum Schrenk

| 药 材 名 | 拉拉藤（药用部位：全草）。

| 形态特征 | 一年生草本。通常丛生，高 5 ～ 30 cm。根纤细，丝状，微红色。茎直立，稍分枝，纤细，柔弱，具 4 角棱，无毛，稀被疏毛。叶纸质或膜质，每轮 4 叶，其中 2 叶较大，圆形、卵形或长圆状倒卵形，长 3.5 ～ 12 mm，宽 1 ～ 5 mm，先端短渐尖或钝，有不明显的小尖头，基部楔形或短尖，两面无毛或有疏毛，边缘有疏毛或无毛，具 1 脉，有极短的柄。聚伞花序腋生，常不分枝，单花，稀具 2 ～ 3 花，长于叶，长不足 2 cm，常具 2 小苞片；花梗纤细，无毛，长 2 ～ 12 mm；花冠白色或淡黄色，辐状，直径 0.5 ～ 1 mm，花冠裂片 4，卵状三角形；雄蕊 4，花药黄色；花柱几乎 1 裂至中部。果实为双果，稀单果，

长约 1 mm，直径约 2 mm，密被长的钩毛；果柄纤细，长 2 cm。花果期 7 ~ 9 月。

| 生境分布 | 生于天山及准噶尔西部山地的草地、山坡林下、亚高山和高山草原。分布于新疆达坂城区、昌吉市等。

| 资源情况 | 野生资源一般。药材来源于野生。

| 功能主治 | 用于肺炎。

茜草科 Rubiaceae 茜草属 Rubia

长叶茜草 *Rubia dolichophylla* Schrenk

| 药 材 名 | 茜草（药用部位：根）。

| 形态特征 | 草本。高达 1 m，全株无毛，茎、枝、叶缘、叶背中脉和花序轴上均有小皮刺。茎具 4 棱，不分枝或少分枝，干时黄灰色，微有光泽。4 叶轮生，无柄或近无柄，叶片纸质，线形或披针状线形，长 5 ~ 12 cm，宽 0.5 ~ 1.4 cm 或更宽，先端渐尖，基部楔尖，边缘反卷，中脉在腹面平坦，在背面高凸，侧脉纤细，在背面明显，有 6 ~ 10 对，与中脉呈 30° ~ 45° 角叉分。花序腋生、单生或双生，与叶近等长或稍短，由多个小聚伞花序组成；总梗和分枝均纤细，第 1 对分枝处的苞片叶状，长达 2 cm，其余的苞片线形，小，长 0.2 ~ 0.5 cm；花梗纤细而长，长 4 ~ 6 mm，无小苞片；花萼干时黑色，近球形，

直径 1 ~ 1.2 mm；花冠淡黄色，辐状，花冠管长约 0.6 mm，裂片 4 ~ 5，伸展，卵形，长约 2 mm，先端骤缩成喙状，内弯，边缘有极小的乳突，中脉和边脉明显，网脉稀疏；雄蕊 4 ~ 5，生于花冠管的中部之上，花丝短，花药稍弯曲，与花丝近等长；花柱 2，粗壮，长 0.2 ~ 0.3 mm，柱头头状。浆果，果皮黑色。

| **生境分布** | 生于沙漠边缘及沙地。分布于新疆昌吉市、奇台县、吉木萨尔县、马纳斯县、霍城县、若羌县、且末县、阿克苏市、喀什市、和田县等。

| **资源情况** | 野生资源一般。药材来源于野生。

| **功能主治** | 凉血活血，祛痰利水，止血。

茜草科 Rubiaceae 茜草属 Rubia

染色茜草 *Rubia tinctorum* L.

| 药 材 名 | 茜草（药用部位：根及根茎）。

| 形态特征 | 攀缘草本。高 0.2 ～ 0.5 m。根粗壮，红色。茎通常数条簇生，方柱形，有 4 锐棱，棱上有皮刺或粗糙，有多数延长的分枝。叶通常 4，有时 6 叶轮生，叶片纸质，通常圆形或有时为椭圆状披针形，长 1 ～ 6 cm 或更长，宽 0.5 ～ 3.5 cm，先端短尖，基部渐狭，边缘有小齿，中脉下面有皮刺，侧脉纤细，羽状，每边 3 ～ 4；叶柄极短或近无柄。聚伞圆锥花序顶生或腋生，由多数小聚伞花序组成，开展；总花梗很长，方柱形，棱角上有皮刺；苞片 2，对生，叶状，椭圆形或披针形，先端短尖，边缘有皮刺；花梗长 1.5 ～ 2 mm，有小苞片；萼管球状，萼檐平截；花冠通常黄色，长 2 ～ 2.5 mm，辐状漏斗形，裂片 5，

披针形，短渐尖；雄蕊5，花丝短，花药背着。果实球形或近球形，长3.5～4 mm，宽4～4.5 mm，成熟时黑色，干后有皱纹。花期6～7月，果期7～9月。

| **生境分布** | 生于天山、帕米尔高原、昆仑山海拔1 200～3 800 m的山地灌丛、沙地。分布于新疆沙雅县、轮台县、若羌县、且末县、库车市等。

| **资源情况** | 野生资源一般。药材来源于野生。

| **功能主治** | 行血止血，通经活络，止咳祛痰。

忍冬科 Caprifoliaceae 金银花属 Lonicera

刚毛忍冬

Lonicera hispida Pall. ex Roem. et Schult.

药材名

金银花（药用部位：花蕾）。

形态特征

落叶灌木。高 2 ~ 3 m。幼枝常带紫红色，连同叶柄和总花梗均具刚毛或兼具微糙毛和腺毛，很少无毛，老枝灰色或灰褐色。冬芽长 1.5 cm，有 1 对具纵槽的外鳞片，外面有微糙毛或无毛。叶厚纸质，形状、大小和毛被变化很大，椭圆形、卵状椭圆形、卵状矩圆形至矩圆形、条状矩圆形，长 2 ~ 8 cm，先端尖或稍钝，基部有时微心形，近无毛、下面脉上有少数刚伏毛或两面均有疏或密的刚伏毛、短糙毛，边缘有硬睫毛。总花梗长 0.5 ~ 1.5（~ 2）cm；苞片长 1.2 ~ 3 cm，有时带紫红色；相邻的 2 萼筒分离，常具刚毛和腺毛，稀无毛；萼檐波状；花冠白色或淡黄色，漏斗状，近整齐，长 1.5 ~ 3 cm，外面有短毛、刚毛或几无，有时具腺毛，花冠筒基部具囊，裂片直立，短于花冠筒；雄蕊与花冠等长；花柱伸出，下半部有糙毛。果实黄色，后变红色，卵圆形至长圆筒形，长 1 ~ 1.5 cm；种子淡褐色，矩圆形，稍扁，长 4 ~ 4.5 mm。花期 5 ~ 6 月，果期 7 ~ 9 月。

| 生境分布 | 生于阿尔泰山、天山北坡海拔 1 600 ～ 2 500 m 的山地草原、疏林、针叶林下、灌丛。分布于新疆和静县、阿勒泰市、奇台县、阜康市、乌鲁木齐县、玛纳斯县、石河子市、托里县、沙湾县、精河县、温泉县、霍城县、新源县、巩留县、特克斯县、昭苏县、伊州区等。

| 资源情况 | 野生资源一般。药材来源于野生。

| 功能主治 | 清热解毒，通络。用于感冒，肺炎。

忍冬科 Caprifoliaceae 忍冬属 Lonicera

矮小忍冬
Lonicera humilis Kar. et Kir.

| 药 材 名 | 矮小忍冬（药用部位：花蕾）。

| 形态特征 | 落叶矮小灌木。高 12 ~ 40 cm，老枝多节，下部平卧，幼枝极短，直立向上，密被肉眼难见的微柔毛，后变秃净。冬芽小，长约 2 mm，卵圆形，顶尖，有数对鳞片，最下 1 对几乎包住整个芽体。叶质厚硬，卵形、矩圆状卵形或卵状椭圆形，长 7 ~ 20 mm，先端短渐尖，基部圆楔形或圆形，初时两面密被硬伏毛，后渐变稀而留有散生的疣状突起，有时兼具腺毛，边缘有硬毛，叶脉在两面均明显；叶柄长 1.5 ~ 2.5 mm，基部扩大而相连，密被长硬毛。总花梗生于幼枝基部叶腋，花期不发育，果期长 2 ~ 5 mm，被微柔毛、短伏毛和具短柄的腺毛；苞片卵形或卵状披针形，长 6 ~ 11 mm，基

部宽而包围萼筒，内、外两面均被腺毛，边缘具硬毛；萼筒无毛或具细腺毛，萼檐长约 1 mm，比萼筒短 1/2，浅裂为不等的 5 宽齿，疏生长睫毛；花冠长 15 ~ 20 mm，外面疏生开展的毛，筒细，喉部以上扩大，基部以上具距状突起，上唇裂片卵形或近半圆形，下唇长圆形；雄蕊比上唇短 1/4 ~ 1/3；花柱略短于雄蕊。果实鲜红色，具蓝灰色粉霜，倒披针状卵圆形，长 5 ~ 8 mm。花期 6 ~ 7 月，果期 7 ~ 8 月。

| **生境分布** | 生于亚高山、高山石坡峭壁石隙和石质灌丛中。分布于新疆和布克赛尔蒙古自治县、塔城市、温泉县、昭苏县、和静县、呼图壁县、霍城县、和田市等。

| **资源情况** | 野生资源一般。药材来源于野生。

| **采收加工** | 夏季花蕾期采收，干燥。

| **功能主治** | 甘，寒。清热解毒，通络，祛风，降血糖，降血脂，止咳平喘，祛痰。

| **用法用量** | 内服煎汤，3 ~ 9 g。

忍冬科 Caprifoliaceae 忍冬属 Lonicera

伊犁忍冬
Lonicera iliensis Pojark.

| 药 材 名 |

伊犁忍冬（药用部位：花蕾）。

| 形态特征 |

灌木。植株高 1.3 ~ 2 m，枝条细而紧，枝中空，近直立，嫩枝及叶柄均具灰色、致密、极短的细绒毛。叶小，狭窄，线状披针形、线状长圆形至狭椭圆形，叶片长 2 ~ 2.5（~ 3.5）cm，宽 0.2 ~ 1 cm，先端钝尖，有时渐尖，圆状楔形或狭楔形，基部圆形，上面鲜绿色，下面浅绿色，叶脉凸出，两面被短绒毛，边缘具睫毛；叶柄长 1.5 ~ 2.5 cm。花序轴下部具对生的苞片，被绵绒毛；苞片线形或丝状线形，长 0.4 ~ 0.7 cm，边缘被短毛，小苞片管状，卵状披针形或椭圆形，与子房连合成总苞片；花冠漏斗状，长 0.9 ~ 1.1（~ 1.4）cm，黄色，外面被细绒毛，雄蕊着生于花冠筒基部，花丝无毛；花柱长 0.2 cm，无毛，只在上部有少量的短毛；总苞片暗蓝色，球形或近圆形，离生子房。果实细小，长 0.5 ~ 0.7 cm；种子长圆形或椭圆形，长约 0.2 cm，宽 0.1 cm。花期 5 ~ 6 月，果期 6 ~ 7 月。

| 生境分布 | 生于天山北坡低山丘陵、河谷、山地草原、林缘、灌丛中。分布于新疆昌吉回族自治州及察布查尔锡伯自治县、特克斯县、昭苏县、霍城县、伊宁县、昌吉市等。

| 资源情况 | 药材来源于野生。

| 采收加工 | 夏季花蕾期采收，干燥。

| 功能主治 | 甘，寒。清热解毒，通络。

| 用法用量 | 内服煎汤，3 ~ 9 g。

忍冬科 Caprifoliaceae 忍冬属 Lonicera

小叶忍冬

Lonicera microphylla Willd. ex Roem. & Schult.

| **药 材 名** | 小叶忍冬（药用部位：果实）。

| **形态特征** | 落叶灌木。高 2 ~ 3 m，幼枝无毛或疏被短柔毛，老枝灰黑色。叶纸质，倒卵形、倒卵状椭圆形至椭圆形、矩圆形或倒披针形，长 5 ~ 22 mm，先端钝或稍尖，有时圆形至截形而具小凸尖，基部楔形，具短柔毛状缘毛，两面被密或疏的微柔伏毛或近无毛，下面常带灰白色，下半部脉腋常有鳞腺；叶柄很短。总花梗成对生于幼枝下部叶腋，长 5 ~ 12 mm，稍弯曲或下垂；苞片钻形，长略超过萼檐或为萼筒的 2 倍；相邻两萼筒几乎全部合生，无毛，萼檐浅短，环状或浅波状，齿不明显；花冠黄色或白色，长 7 ~ 10（~ 14）mm，外面疏生短糙毛或无毛，唇形，唇瓣与基部一侧具囊的花冠筒近等

长，上唇裂片直立，矩圆形，下唇反曲；雄蕊着生于唇瓣基部，与花柱均稍伸出，花丝有极疏短糙毛；花柱有密或疏的糙毛。果实红色或橙黄色，圆形，直径 5 ~ 6 mm；种子淡黄褐色，光滑，矩圆形或卵状椭圆形，长 2.5 ~ 3 mm。花期 5 ~ 6（~ 7）月，果期 7 ~ 9 月。

| **生境分布** | 生于阿尔泰山、塔尔巴哈台山的山地草原、高山草甸、针叶林下、林缘、河谷灌丛。分布于新疆福海县、阿勒泰市、布尔津县、奇台县、乌鲁木齐县、托里县、沙湾市、乌苏市、霍城县、巩留县、昭苏县、巴里坤哈萨克自治县、库车市、拜城县、乌什县、新源县、和布克赛尔蒙古自治县等。

| **资源情况** | 野生资源较丰富。药材来源于野生。

| **采收加工** | 9 月采收，干燥。

| **功能主治** | 甘，寒。清热解毒，通络。

败酱科 Valerianaceae 败酱属 Patrinia

中败酱

Patrinia intermedia (Hornem.) Roem. & Schult.

| 药 材 名 |

中败酱（药用部位：根茎、种子、根）。

| 形态特征 |

多年生草本。高 20 ~ 40 cm。根茎粗厚，肉质，长 20 cm。基生叶丛生，与不育枝的叶具短柄或无柄；花茎的基生叶与茎生叶同形，长圆形至椭圆形，长 10 cm，宽 5.5 cm，1 ~ 2 回羽状全裂，裂片近圆形、线形至线状披针形，先端急尖或钝，下部叶裂片具钝齿，上部叶的裂片全缘，两面被微糙毛或几无毛，具长柄或无柄。聚伞花序组成顶生圆锥花序或伞房花序，常具 5 ~ 6 级分枝，宽 12 cm 左右，被微糙毛；总苞叶与茎生叶同形或较小，长 10 cm，几无柄，上部分枝处的总苞叶明显变小，羽状条裂或不分裂；小苞片卵状长圆形，长 1.3 ~ 2 mm，宽 1.1 ~ 1.2 mm；萼齿不明显，呈短杯状；花冠黄色，钟形，花冠筒长约 2 mm，上部宽 2.2 mm，基部一侧有浅囊肿，内有蜜腺，裂片椭圆形、长圆形或卵形，长 2 ~ 3 mm，宽 1.5 ~ 2.5 mm；雄蕊 4，花丝不等长，花药长圆形，长 1.2 mm；子房长圆形，子房下位，柱头头状或盾状，直径 0.5 ~ 0.7 mm。瘦果长圆形，长 3.5 ~

4.5 mm；果柄长 1 ~ 1.5 mm；果苞卵形、卵状长圆形或椭圆形，被稀疏的刚毛状毛，背部贴生椭圆形的膜质苞片。花期 5 ~ 7 月，果期 7 ~ 9 月。

| 生境分布 | 生于阿尔泰山、天山的山地草原至高山草甸草原、针叶林阳坡、砾石山坡、灌丛中。分布于新疆阿勒泰市、布尔津县、哈巴河县、吉木乃县、乌鲁木齐县、玛纳斯县、裕民县、托里县、沙湾市、精河县、温泉县、新源县、巩留县、特克斯县、昭苏县、和静县、乌恰县、察布查尔锡伯自治县、塔城市、霍城县等。

| 资源情况 | 野生资源较丰富。药材主要来源于野生。

| 功能主治 | 辛、苦。行气解郁，活血止带，镇静安神。用于痛经，赤白带下。

败酱科 Valerianaceae 缬草属 Valeriana

新疆缬草

Valeriana fedtschenkoi Coincy

| 药 材 名 | 新疆缬草（药用部位：根）。

| 形态特征 | 细弱小草本。高 10 ~ 25 cm。根茎细柱状，先端略被纤维状叶鞘，有多数须根。茎直立，无毛。基生叶 1 ~ 2 对，近圆形，先端圆或钝三角形，长约 2 cm，叶柄长 4 ~ 6 cm；茎生叶近基部的 1 ~ 2 对与基生叶同形，上面 1 对大头羽裂，顶裂片卵形或菱状椭圆形，长 1.5 ~ 1.8 cm，宽 0.7 ~ 0.8 cm，边缘具疏钝锯齿，侧裂片 1 ~ 2 对，窄条形。聚伞花序顶生，初为头状，后渐疏长；小苞片线状，具钝头，边缘膜质，略短于成熟的果实；花粉红色，长 5 ~ 6 mm；花冠裂片长方形，为花冠长度的 1/3；雌蕊、雄蕊均与花冠等长，花开时伸出花冠外。果实卵状椭圆形，光秃。花期 6 ~ 7 月，果期 7 ~ 8 月。

| **生境分布** | 生于天山区及阿尔泰山、帕米尔高原的山地草原至高山草原。分布于新疆布尔津县、奇台县、阜康市、乌鲁木齐县、玛纳斯县、温泉县、昭苏县、和硕县、轮台县、乌恰县、策勒县等。

| **资源情况** | 野生资源一般。药材来源于野生。

| **功能主治** | 镇静安神。用于失眠。

败酱科 Valerianaceae 缬草属 Valeriana

芥叶缬草
Valeriana ficariifolia Boiss.

| 药 材 名 | 毛茛叶缬草（药用部位：根）。

| 形态特征 | 多年生草本。高 20 ~ 40（~ 75）cm。根茎不发达或缩小。根细小，线形。茎直立，直径 4 ~ 17 cm，中空，无毛，干燥而有光泽，连同基部被数叶包裹；基生叶大，圆肾状或倒卵状心形，宽稍大于长，长 4 ~ 5 cm，宽 5 ~ 6 cm，边缘具圆齿；茎生叶 2 ~ 3 对，下部的叶与基生叶相似，上部叶大，卵状长圆形。聚伞圆锥花序；花梗假二叉分枝；小苞片长 3 ~ 3.5 mm，披针形，先端尖，膜质，中脉明显，常无毛，很少边缘具短睫毛。果实细小，长 3.5 ~ 4 mm，长圆状卵形，两面被紧贴的细毛，上部具星状丛毛。花期 5 ~ 6 月，果期 6 ~ 8 月。

| **生境分布** | 生于海拔 1 500 ~ 2 100 m 的塔尔巴哈台山、天山北坡山地草原、林带阳坡、灌丛。分布于新疆乌鲁木齐县、昌吉市、塔城市、精河县等。

| **资源情况** | 野生资源一般。药材来源于野生。

| **功能主治** | 解郁，健脾，止咳，止血。

败酱科 Valerianaceae 缬草属 Valeriana

缬草 *Valeriana officinalis* L.

| 药 材 名 | 缬草（药用部位：根）。

| 形态特征 | 多年生高大草本。高 100 ～ 150 cm。根茎粗短，呈头状。须根簇生。茎中空，有纵棱，被粗毛，尤以节部为多，老时毛少。匍枝叶、根生叶和基部叶常在花期凋萎；茎生叶卵形至宽卵形，羽状深裂，裂片 7 ～ 11，中央裂片与侧裂片近同形，大小相等，有时与第 1 对侧裂片合生成 3 裂状，裂片披针形或条形，先端渐窄，基部下延，全缘或有疏锯齿，两面及柄轴多少被毛。花序顶生，成伞房状三出聚伞花序；小苞片中央纸质，两侧膜质，长椭圆状圆形、倒披针形或线状披针形，先端具芒状突尖，边缘多少有粗缘毛；花冠淡紫红色或白色，长 4 ～ 5 mm，花冠裂片椭圆形；雌蕊、雄蕊均与花冠近等

长。瘦果长卵形，长 4 ~ 5 mm，基部近平截，光秃或两面被毛。花期 5 ~ 7 月，果期 6 ~ 9 月。

| 生境分布 | 生于天山北坡山地草原、亚高山草甸、林缘、灌丛中、河谷。分布于新疆石河子市、额敏县、尼勒克县、新源县、昭苏县、和静县等。

| 资源情况 | 野生资源一般。药材主要来源于野生。

| 采收加工 | 9 ~ 10 月采挖，除去泥土，洗净，晒干。

| 功能主治 | 安心神，祛风湿，行气血，止痛，抗肿瘤，改善睡眠，抗忧郁和焦虑，保护神经，抗癫痫。

| 用法用量 | 内服煎汤，3 ~ 6 g。

葫芦科 Cucurbitaceae 苦瓜属 Momordica

苦瓜 *Momordica charantia* L.

| **药 材 名** | 苦瓜（药用部位：果实）、苦瓜根（药用部位：根）。

| **形态特征** | 一年生攀缘状草本。茎被柔毛，卷须不分叉。叶柄被柔毛或近无毛；叶片肾形或近圆形，5 ～ 7 深裂，长、宽均为 3 ～ 12 cm，裂片具齿或再分裂，两面微被毛。雌雄同株，花单生，花梗长 5 ～ 15 cm，中部和下部生一苞片；苞片肾形或圆形，全缘；花萼裂片卵状披针形；花冠黄色，裂片倒卵形，长 1.5 ～ 2 cm；雄蕊 3，离生，药室呈 "S" 形弯曲；子房纺锤形，密生瘤状突起，柱头 3，膨大，2 裂。果实纺锤状，有瘤状突起，长 10 ～ 20 cm，成熟后由先端 3 瓣裂；种子矩圆形，两端各具 3 小齿，两面有雕纹。花果期 7 ～ 9 月。

| **生境分布** | 栽培种。新疆各地均有栽培。

| **资源情况** | 栽培资源丰富。药材来源于栽培。

| **采收加工** | 苦瓜：秋季采收，切片，鲜用或晒干。

| **功能主治** | 苦瓜：用于暑热烦渴，消渴，赤眼疼痛，痢疾，疮痈肿毒。
苦瓜根：用于暑热烦渴，消渴，赤眼疼痛，痢疾，疮痈肿毒。

葫芦科 Cucurbitaceae 栝楼属 Trichosanthes

栝楼
Trichosanthes kirilowii Maxim.

| 药 材 名 |　栝楼（药用部位：果实）。

. | 形态特征 |　多年生攀缘草本。块根肥厚，圆柱状，灰黄色。卷须分 2 ~ 5 叉。叶柄长 3 ~ 10 cm；叶片近圆形，长、宽均 7 ~ 20 cm，常 3 ~ 7 浅裂或中裂，稀深裂或不分裂而仅有不等大的粗齿。花雌雄异株；雄花数花生于长 10 ~ 20 cm 的总花梗上部，呈总状花序，稀单生，苞片倒卵形，先端流苏状，雄蕊 3，花丝短，有毛，花药靠合，药室呈 "S" 形曲折；雌花单生，花萼及花冠均与雄花相同，花冠白色，子房卵形，花柱 3 裂。果实近球形，黄褐色，光滑，具多数种子；种子压扁，卵状椭圆形，淡黄褐色，近边缘处具棱线。花期 6 ~ 8 月，果期 9 ~ 10 月。

| **生境分布** | 栽培种。新疆阿克苏市、伊宁县、乌鲁木齐县等有栽培。

| **资源情况** | 栽培资源较少。药材来源于栽培。

| **采收加工** | 果实成熟后，用剪刀在距果实 15 cm 处连茎剪下，悬挂于通风干燥处，晾干。

| **功能主治** | 用于肺热咳嗽，胸痹，消渴，便秘，痈肿疮毒。

桔梗科 Campanulaceae 沙参属 *Adenophora*

喜马拉雅沙参 *Adenophora himalayana* Feer

| 药 材 名 | 沙参根（药用部位：根）。

| 形态特征 | 多年生草本。根细，胡萝卜状，常稍变粗，最粗处直径近 1 cm。常数茎生于同一茎基上，不分枝，通常无毛，少数倒生短毛，极少倒生长毛，茎高 15 ~ 60 cm。基生叶心形或近三角状卵形；茎生叶卵状披针形，狭椭圆形至条形，无柄或茎下部的叶具短柄，全缘至疏生不规则尖锯齿，无毛或极少数有毛，长 3 ~ 12 cm，宽 0.1 ~ 1.5 cm。单花顶生或数花排成假总状花序，不成圆锥花序；花萼无毛，筒部倒圆锥状或倒卵状圆锥形，裂片钻形，长 5 ~ 10 mm，宽 1 ~ 1.5（~ 2）mm；花冠蓝色或蓝紫色，钟状，长 17 ~ 22 mm，裂片 4 ~ 7 mm，卵状三角形；花盘粗筒状，长 3 ~ 8 mm，直径可达 3 mm；花

柱与花冠近等长或略伸出花冠。蒴果卵状矩圆形。花期6～7月，果期8～9月。

| **生境分布** | 生于阿尔泰山、准噶尔西部山地、天山、帕米尔高原的山地草原至高山草原、河谷、灌丛、林带阳坡。分布于新疆哈巴河县、奇台县、乌鲁木齐县、塔城市、裕民县、玛纳斯县、温泉县、霍城县、昭苏县、库车市、和硕县、和静县、阿合奇县、阿克陶县、塔什库尔干塔吉克自治县、民丰县等。

| **资源情况** | 野生资源丰富。药材来源于野生。

| **采收加工** | 播种后2～3年的秋季采挖，除去茎叶及须根，洗净泥土，趁新鲜用竹片刮去外皮，切片，晒干。

| **功能主治** | 养阴清热，润肺化痰，益胃生津。用于阴虚久咳，痨嗽咯血，燥咳痰少，虚热喉痹，津伤口渴。

天山沙参 *Adenophora lamarkii* Fisch.

| 药 材 名 | 沙参根（药用部位：根）。

| 形态特征 | 多年生草本。根粗。茎高 30 ~ 100 cm。茎生叶卵状披针形，先端钝尖，长 5 ~ 8 cm，宽 1.5 ~ 3 cm，互生，边缘具粗齿，边缘有毛，早落。假总状花序或圆锥花序；花梗短；花萼卵形、倒卵形或倒圆锥形，裂片披针形，全缘，无毛，长约 4 mm；花冠长 1.5 ~ 2（~ 3）cm，漏斗状钟形，蓝色；花盘筒状，长 1 ~ 2.5 mm，下部渐宽，无毛；花柱与花冠等长，3 裂；雄蕊下部加宽。花期 6 ~ 7 月，果期 8 ~ 9 月。

| 生境分布 | 生于新疆北部各山区的山地草原、林缘、灌丛、河滩。分布于新疆阿勒泰市、阜康市、乌鲁木齐县、和布克赛尔蒙古自治县、塔城市、裕民县、托里县、温泉县、玛纳斯县、乌苏市、沙湾县、吉木乃县等。

| 资源情况 | 野生资源丰富。药材来源于野生。

| 采收加工 | 播种后2～3年的秋季采挖,除去茎叶及须根,洗净泥土,趁新鲜用竹片刮去外皮,切片,晒干。

| 功能主治 | 养阴清热,润肺化痰,益胃生津。用于阴虚久咳,痨嗽咯血,燥咳痰少,虚热喉痹,津伤口渴。

桔梗科 Campanulaceae 风铃草属 Campanula

刺毛风铃草 *Campanula sibirica* L.

| 药 材 名 |

风铃草（药用部位：全草）。

| 形态特征 |

多年生草本。根粗，胡萝卜状，有时木质化。茎生叶被开展的白色硬毛。茎直立，多分枝，高 35 cm，圆柱状，带紫色，分枝细长，紧靠主茎，垂直上升。基生叶及下部茎生叶均长约 5 ~ 8 cm，宽约 1 cm，具长的带翅叶柄，叶片长椭圆形，边缘疏生圆齿；上部茎生叶无柄而多少抱茎，条状披针形，全缘。狭圆锥花序顶生于主茎及分枝上。花密集，下垂；花梗长约 5 mm，长于条状的苞片；花萼筒部无毛，倒圆锥状，裂片条状钻形，长 3 ~ 4 mm，基部宽近 1 mm，边缘具芒状长刺毛，其间附属物卵状长圆形或卵状披针形，反折，稍短于萼筒，边缘具芒状长刺毛；花冠狭钟状，淡蓝紫色，有时近白色，长 9 ~ 12 mm，内面疏生须毛，裂片卵状三角形，长约为花冠全长的 1/4 ~ 1/3；花柱与花冠等长或稍短于花冠，柱头 3 裂。蒴果倒圆锥状，长约 4 mm，直径约 3 mm；种子椭圆状，长约 1 mm。花期 5 ~ 7 月，果期 7 ~ 9 月。

| **生境分布** | 生于准噶尔西部的山地草原、林缘、灌丛、河谷及平原绿洲田野。分布于新疆和布克赛尔蒙古自治县、额敏县、塔城市、裕民县、温泉县、特克斯县、阿勒泰市、吉木乃县、富蕴县等。

| **资源情况** | 野生资源丰富。药材来源于野生。

| **功能主治** | 清热解毒，止痛。

桔梗科 Campanulaceae 风铃草属 Campanula

新疆风铃草 *Campanula stevenii* M. Bieb.

| **药 材 名** | 风铃草（药用部位：全草）。

| **形态特征** | 植株全体无毛。根茎横走，细长，裸露，直立的茎基常被往年的残叶所包裹。茎丛生，直立，高 20 ～ 50 cm，顶生单花或着生数花。基生叶匙形或椭圆形，基部渐狭成长柄，边缘有圆齿；茎生叶无柄，宽条形，长 2 cm 或更长。花萼筒部倒圆锥状，长约 4 mm，裂片钻形，长约 7 mm；花冠紫色，漏斗状，分裂至 1/2，长 1.5 ～ 2 cm。蒴果椭圆状，长 1.2 ～ 1.6 cm，直径约 5 mm；种子椭圆状，长近 1 mm，棕黄色。花期 6 ～ 7 月，果期 7 ～ 8 月。

| **生境分布** | 生于海拔 1 000 ～ 2 500 m 的山地草原至亚高山草甸、林带阳坡、河

谷。分布于新疆奇台县、富蕴县、青河县、托里县、塔城市、昭苏县等。

| **资源情况** | 野生资源丰富。药材来源于野生。

| **功能主治** | 清热解毒，止痛。

桔梗科 Campanulaceae 风铃草属 Campanula

长柄风铃草

Campanula stevenii M. Bieb subsp. *wolgensis* P. A. Smirn.

| 药 材 名 | 风铃草（药用部位：全草）。

| 形态特征 | 多年生草本。高 30 ~ 50（~ 60）cm。根茎直立或水平，木质化。茎多分枝，稀单枝，直立，稀斜生，无毛或下部被毛。基生叶莲座状叶，有叶柄，叶柄与叶片等长或稍长，卵状椭圆形、长圆形、卵状披针形或卵形；下部叶边缘具齿，上部叶的边缘具不明显的齿或全缘；茎生叶无柄，狭窄，线形，无毛或下部叶柄具开展的毛。花 2 ~ 5，具短的花梗；花萼无毛，萼片线形，长 6 ~ 10 mm，宽 0.1 ~ 1 mm，无毛；花冠长 1 ~ 2 cm，宽 1.5 ~ 2.5 cm，漏斗状，紫红色，无毛，花冠裂片深裂至花管 1/2 处，裂片先端尖。蒴果长圆形，上部开裂；种子扁，长圆状椭圆形，直径约 1 mm。花期 6 ~ 7

月，果期 7 ~ 8 月。

| **生境分布** | 生于山地草原至亚高山草甸、河谷。分布于新疆和静县、和布克赛尔蒙古自治县、
玛纳斯县、乌苏市等。

| **资源情况** | 野生资源丰富。药材来源于野生。

| **功能主治** | 清热解毒，止痛。

桔梗科 Campanulaceae 党参属 Codonopsis

新疆党参

Codonopsis clematidea (Schrenk) C. B. Clarke

|药材名|

党参根（药用部位：根）。

|形态特征|

多年生草本。有乳汁。茎基具多数细小的茎痕，粗壮。根常肥大，呈纺锤状圆柱形，较少分枝；表面灰黄色，近上部有细密环纹，下部疏生横长皮孔。茎1或更多，直立、上升或近蔓状，基部分枝较多，上部分枝较少；上部侧枝多数可育，纤细，直伸或略外展，有钝棱，幼时有短刺毛，后渐无毛，灰绿色。主茎上的叶小，互生，分枝上的叶对生，具柄，微被短刺毛；叶片卵形、卵状矩圆形、阔披针形或披针形，先端急尖，基部微心形或较圆钝，全缘，不反卷，绿色，密被短柔毛。花单生于茎及分枝的先端；花梗长，灰绿色，疏生短小的白色硬毛；花萼贴生至子房中部，筒部半球状，具10明显的辐射脉，绿色，有白粉，无毛或微被白色硬毛，裂片卵形、椭圆形或卵状披针形，先端急尖，全缘，蓝灰色，无毛或先端微具短柔毛；花冠阔钟状，淡蓝色，具深蓝色的脉，内部常有紫斑，无毛；雄蕊无毛，花丝基部微扩大，花药矩圆状。花期6～7月，果期8月。

| **生境分布** | 生于海拔 1 700 ～ 2 500 m 的山地林中、河谷及山溪附近。新疆各地均有分布。

| **资源情况** | 野生资源丰富。药材来源于野生。

| **功能主治** | 补中益气，健脾益肺。

桔梗科 Campanulaceae 党参属 Codonopsis

党参

Codonopsis pilosula (Franch.) Nannf.

| 药 材 名 |

潞党根（药用部位：根）。

| 形态特征 |

多年生草本。有乳汁。茎基具多数瘤状茎痕。根常肥大，呈纺锤状或纺锤状圆柱形，较少分枝或中部以下略有分枝，长 15 ～ 30 cm，直径 1 ～ 3 cm；表面灰黄色，上端 5 ～ 10 cm 处有细密环纹。茎缠绕，长 1 ～ 2 m，直径 2 ～ 4 mm，有多数分枝，侧枝长 15 ～ 50 cm，小枝长 1 ～ 5 cm，具叶，不育或先端有花，茎黄绿色或黄白色，无毛。主茎及侧枝上的叶互生，小枝上的叶近对生，叶柄有疏短刺毛，叶片卵形或狭卵形，先端钝或微尖，基部近心形，边缘具波状钝锯齿；分枝上的叶渐狭窄，叶基圆形或楔形，上面绿色，下面灰绿色，两面疏或密地被贴伏的长硬毛或柔毛，少无毛。花单生于枝端，与叶柄互生或近对生，有梗；花萼贴生至子房中部，筒部半球状，裂片宽披针形或狭矩圆形，先端钝或微尖，微波状或近全缘；花冠上位，阔钟状，黄绿色，内面有明显的紫斑，浅裂，裂片正三角形，先端尖，全缘；花丝基部微扩大，花药长形；柱头有白色刺毛。蒴果下部半球状，上部短圆锥状。

花果期 7 ～ 10 月。

| **生境分布** | 生于海拔 1 560 ～ 3 100 m 的山地林缘及灌丛中。新疆各地均有栽培。

| **资源情况** | 野生资源丰富，栽培资源一般。药材来源于野生和栽培。

| **采收加工** | 挖出根，抖去泥土，加水洗涤，先按其大小、长短、粗细分类，分别晾晒至柔软时，放于木板上揉搓，如参梢太干可先放水中浸泡，然后再搓，晾晒，反复 3 ～ 4 次，晒至八成干。

| **功能主治** | 补中益气，和胃生津，祛痰止咳。用于脾虚食少，便溏，四肢无力，心悸，气短，口干，自汗，脱肛，阴挺。

菊科 Compositae 蓍属 Achillea

亚洲蓍
Achillea asiatica Serg.

| 药 材 名 | 千叶蓍（用药部位：全草）。

| 形态特征 | 多年生草本。有匍匐生根的细根茎。茎直立，高 18 ~ 60 cm，具细条纹，被显著的绵状长柔毛，不分枝或上部少分枝，中部叶腋常有缩短的不育枝。叶条状矩圆形、条状披针形或条状倒披针形，2 ~ 3回羽状全裂，上面具腺点，疏生长柔毛，下面无腺点，被较密的长柔毛，叶轴上毛尤密；中、上部叶无柄，一回裂片多数，密接，间隔 1 ~ 1.5 mm，中部叶一回裂片羽状全裂，末回裂片条形至披针形，先端渐狭成软骨质尖头；下部叶有柄或近无柄，裂片向下渐变疏小。头状花序多数，密集成伞房花序，少有成疏松伞房花序的；总苞矩圆形，被疏柔毛；总苞片 3 ~ 4 层，覆瓦状排列，卵形、矩圆形至

披针形，先端钝，背部中间黄绿色，中脉凸起，有棕色或淡棕色的膜质边缘；托片矩圆状披针形，膜质，边缘透明，上部具疏伏毛，上部边缘棕色；舌状花 5，长约 4 mm，管部略扁，具黄色腺点，舌片粉红色或淡紫红色，少有变白色的，半椭圆形或近圆形，先端近截形，具 3 圆齿。花果期 7 ~ 8 月。

| **生境分布** | 生于海拔 590 ~ 2 600 m 的山坡草地、河边、草场、林缘湿地。分布于新疆北部。新疆北部有栽培。

| **资源情况** | 野生资源丰富。药材来源于野生。

| **采收加工** | 采收后除去杂质，洗净，稍润，切段，干燥，筛去灰屑。

| **功能主治** | 清热解毒，和血调经。

菊科 Compositae 蓍属 Achillea

丝叶蓍
Achillea setacea Waldst. et Kit.

| 药 材 名 | 千叶蓍（用药部位：全草）。

| 形态特征 | 多年生草本。有纤细匍匐生根的根茎。茎直立，高 30 ~ 70 cm，有时稍扭曲，具细条纹，被白色的细长柔毛，下部毛较密，不分枝或上部少分枝，中部以上叶腋常有缩短的不育枝。叶条状披针形，稀条状矩圆形，2 ~ 3 回羽状全裂，浅灰绿色，上面散生黄绿色腺点，两面被细的长柔毛，叶轴下面的毛较密；中部和上部叶无柄，一回裂片多数，间隔 1 ~ 1.5 mm，彼此密接，中部叶一回裂片长、宽均为 2 ~ 5 mm，羽状全裂，末回裂片丝状条形或条状披针形至披针形，先端渐狭成软骨质尖头；下部叶有柄或几无柄，一回裂片向下渐疏小。头状花序多数，密集成直径 2.5 ~ 7 cm 的伞房花序；总苞狭矩

圆形或卵状矩圆形，淡黄绿色，多少被毛；总苞片 3 层，覆瓦状排列，矩圆状卵形至矩圆形，先端稍尖或钝，具淡棕色柔毛，背部中间淡黄绿色，有凸起的中脉，边缘膜质，被柔毛，有时带淡棕色狭边；花托锥状凸起，托片矩圆状披针形至披针形，无毛或上部有白色伏毛，散生黄色腺点。花果期 6 ～ 9 月。

| 生境分布 | 生于海拔 500 ～ 2 800 m 的草原带及森林带的山坡草地、河岸。分布于新疆温泉县、塔城市、额敏县、阿勒泰市、哈巴河县、巩留县、特克斯县、木垒哈萨克自治县等。

| 资源情况 | 野生资源丰富。药材来源于野生。

| 功能主治 | 解毒消肿，活血祛瘀，止血止痛。

菊科 Compositae 亚菊属 Ajania

灌木亚菊

Ajania fruticulosa (Ledeb.) Poljak.

| 药材名 | 亚菊（用药部位：全草）。

| 形态特征 | 小半灌木。高 8 ～ 40 cm。老枝麦秆黄色，花枝灰白色或灰绿色，被稠密或稀疏的短柔毛，上部、花序和花梗上的毛较多或更密。中部茎生叶圆形、扁圆形、三角状卵形、肾形或宽卵形，规则或不规则二回掌状或掌式羽状 3 ～ 5 裂。一、二回全部全裂。头状花序小，少数或多数在枝端排成伞房花序或复伞房花序；总苞钟状；总苞片 4 层，外层卵形或披针形，长 1 mm，中、内层椭圆形。全部苞片边缘白色或带浅褐色，膜质，先端圆或钝，仅外层基部或外层被短柔毛，其余无毛，麦秆黄色，有光泽。瘦果长约 1 mm。花果期 8 ～ 10 月。

| **生境分布** | 生于海拔 550 ~ 3 200 m 的荒漠及荒漠草原。新疆各地均有分布。

| **资源情况** | 野生资源丰富。药材来源于野生。

| **功能主治** | 驱虫。

菊科 Compositae 亚菊属 Ajania

西藏亚菊 Ajania tibetica (Hook. f. & Thomson ex C. B. Clarke) Tzvelev

| 药 材 名 | 亚菊（药用部位：全草）。

| 形态特征 | 小半灌木。高 4 ~ 20 cm。老枝黑褐色，由不定芽中发出短或稍长的花枝、不育枝及莲座状叶丛，花枝被较密的短绢毛。叶椭圆形或倒披针形，长 1 ~ 2 cm，宽 0.7 ~ 1.5 cm，2 回羽状分裂，一回全裂或几全裂，一回侧裂片 2 对，二回浅裂或深裂，二回裂片 2 ~ 4，通常集中在一回裂片的先端，末回裂片长椭圆形，花序下部的叶羽裂；全部叶两面同色，灰白色或上面近灰绿色，被稠密的短绒毛。头状花序少数，在枝端排成直径 1 ~ 2 cm 的伞房花序，少有植株带单生头状花序的；总苞钟状，直径 4 ~ 6 mm；总苞片 4 层，外层三角状卵形或披针形，长约 3 mm，中、内层椭圆形或披针状椭圆形，

长 4 ～ 5 mm，全部苞片先端钝或圆，边缘棕褐色，膜质，中、外层被稀疏的短绢毛；边缘雌花约 3，细管状，长约 2.5 mm，先端具 2 ～ 4 尖齿。瘦果长约 2.2 mm。花果期 8 ～ 9 月。

| 生境分布 | 生于海拔 3 900 ～ 5 200 m 的山坡砾石滩。分布于新疆若羌县、叶城县等。

| 资源情况 | 野生资源一般。药材来源于野生。

| 功能主治 | 驱虫，清肝明目，清热解毒。

菊科 Compositae 亚菊属 Ajania

矮亚菊
Ajania trilobata Poljakov

| 药 材 名 | 亚菊（药用部位：地上部分）。

| 形态特征 | 多年生草本或小半灌木。高 5 ~ 13 cm。根木质化程度低，较细，直径约 6 mm。老枝短缩，由不定芽发出多数密集的花枝和不育枝。茎灰白色，密被贴伏的短柔毛。叶半圆形或扇形，长 5 ~ 10 mm，宽 5 ~ 6 mm，二回掌式羽状或近掌状分裂，一回侧裂片 3 ~ 7 出，二回 2 ~ 3 出，均为全裂，末回裂片卵形或椭圆形，叶灰白色，被稠密的短柔毛，具柄，柄长 1 ~ 2 mm。头状花序在枝端排列成伞房状；总苞钟状，直径 5 ~ 8 mm；总苞片 4 层，中、外层被稀疏短毛，全部苞片边缘黄褐色，宽膜质；边缘雌花花冠筒细筒状。瘦果长约 2.2 mm。花果期 7 ~ 8 月。

| 生境分布 | 生于高山河谷石缝中。分布于新疆石河子市、裕民县、且末县、若羌县、阿克陶县、叶城县、策勒县、民丰县等。

| 资源情况 | 野生资源较丰富。药材来源于野生。

| 功能主治 | 驱虫。

菊科 Compositae 翅膜菊属 *Alfredia*

长叶翅膜菊

Alfredia fetsowii Iljin

| 药 材 名 |

翅膜菊（药用部位：全草）。

| 形态特征 |

多年生草本。茎紫红色，被稀疏的蛛丝毛。下部茎生叶长椭圆形，长 17 ~ 30 cm，宽 4 ~ 8 cm，羽状深裂，有长叶柄，叶柄长 7 ~ 14 cm；中上部茎生叶同形或呈披针形、倒披针形，等样分裂，无柄，基部扩大，半抱茎；全部叶质坚硬，近革质，裂片边缘微凹缺，有长短不等的黄白色或褐色针刺或骨针状针刺，长达 5 mm，两面异色，上面绿色，无毛，光滑，下面灰白色，被稠密的白色绒毛，少有叶不分裂的。头状花序大，下倾，单生于茎端或枝端，植株生 1 ~ 2 头状花序；总苞钟状，直径 5 ~ 7 cm；总苞片多层，多数，最外层长 8 mm；全部苞片外面被稠密、贴伏的黑色长毛。小花黄色，花冠长 2.7 cm，檐部长 1.8 cm，5 浅裂，裂片线形，长 4 mm。瘦果褐色，长约 5 mm，长倒卵形，压扁，基底着生面稍偏斜，有多数粗细不等的椭圆形纵肋及脉纹；冠毛多层，褐色，长达 2.8 cm，外层较短，先端渐细，内层渐长，先端稍扩大；冠毛刚毛锯齿状，基部连合成环，整体脱落。花果期 7 ~ 8 月。

| 生境分布 | 生于海拔 2 100 ~ 2 750 m 的山沟、山坡。分布于新疆昭苏县、阿克苏市、拜城县等。

| 资源情况 | 野生资源一般。药材来源于野生。

| 功能主治 | 蒙医　用于梅毒。

菊科 Compositae 翅膜菊属 *Alfredia*

厚叶翅膜菊 *Alfredia nivea* Kar. et Kir.

| 药 材 名 |

翅膜菊（药用部位：全草）。

| 形态特征 |

多年生草本。高 35 ～ 60 cm。茎直立，粗壮，不分枝或上部有 1 长分枝，红紫色，有多数条棱，通常被贴伏的蛛丝状薄绒毛。基部叶和下部茎生叶长椭圆形或长椭圆状披针形，长 15 ～ 30 cm，宽 4 ～ 7 cm，羽状浅裂或近半裂，基部渐狭成具翼的长或短叶柄；全部茎生叶质坚硬，革质，两面异色，上面绿色，光滑，无毛，下面灰白色，密被厚绒毛。头状花序单生于茎端或植株生 2 头状花序，下垂，花序枝粗壮；总苞钟状，直径 5 ～ 6 cm；小花黄色，长 2.2 cm，檐部长 1.5 cm，5 浅裂，裂片长三角形，长 2 mm，细管部长 7 mm。瘦果长椭圆形，长 6 mm，淡黄白色，有褐色色斑，有多数不明显的细纵条纹，先端果缘不明显，基底着生面稍偏斜；冠毛多层，褐色，不等长，内层较长，长达 2 cm，先端稍扩大，外层较短，先端渐细；全部冠毛刚毛锯齿状，易脆折，基部连合成环，整体脱落。花果期 7 ～ 9 月。

| **生境分布** | 生于海拔 1 500 ～ 2 400 m 的山坡草地。分布于新疆天山及准噶尔阿拉套山等。

| **资源情况** | 野生资源丰富。药材来源于野生。

| **功能主治** | 蒙医　用于梅毒。

菊科 Compositae 蝶须属 Antennaria

蝶须
Antennaria dioica (L.) Gaertn.

| 药 材 名 | 蝶须（药用部位：全草）。

| 形态特征 | 矮小多年生草本。有簇生或匍匐的根茎；匍枝平卧或斜升，有密集的叶，下部的叶常较短小。花茎直立，不分枝，高 6 ~ 25 cm，细弱，被密绵毛。茎基部叶在花期生存，匙形，长 18 ~ 35 mm，宽 3 ~ 8 mm。头状花序通常 3 ~ 5，排列成多少密集的伞房花序；雌株的头状花序较大，宽 8 ~ 10 mm；总苞宽钟状或半球状，长 8 ~ 9 mm；总苞片约 5 层，外层的总苞片上端圆形，被密绵毛，较内层短，被密绵毛，内层狭长，常为披针形，上端尖，中部以上白色或红色；雄花花冠管状，上部较宽大，有 5 裂片；花药基部有长尾；花柱上端稍头状。冠毛白色，雌花的冠毛上端纤细，长约 8.5 mm，雄花的冠毛上端

棒状，长约 4 mm；瘦果微小，无毛，稍扁，有棱。花期 5 ~ 8 月。

| **生境分布** | 生于海拔 2 200 ~ 4 300 m 的高山、亚高山地带的向阳草地、干山坡及瘠薄的沙砾地。分布于新疆青河县、富蕴县、阿勒泰、布尔津县、哈巴河县、福海县、吉木乃县、塔城市、和布克赛尔蒙古自治县、额敏县、和布克赛尔蒙古自治县、塔什库尔干塔吉克自治县等。

| **资源情况** | 野生资源丰富。药材来源于野生。

| **功能主治** | 止咳。

菊科 Compositae 牛蒡属 *Arctium*

毛头牛蒡
Arctium tomentosum Mill.

| **药 材 名** | 牛蒡根（药用部位：根）。

| **形态特征** | 二年生草本。高达 2 m。根肉质，粗壮，肉红色。茎直立，绿色，带淡红色，多分枝，分枝粗壮，全部茎枝被稀疏的蛛丝状毛及乳突状短毛，杂具黄色小腺点。基生叶卵形，长 25 ～ 50 cm 或更长，宽 10 ～ 30 cm 或更宽。头状花序多数，在茎枝先端排成大的伞房花序或头状花序；总苞片多层，多数，外层钻形、披针形或三角状钻形，长约 6 mm，宽约 1 mm，中层苞片线状钻形，长 1 ～ 1.4 cm，宽达 2 mm，中、外层苞片先端有倒钩刺，内层苞片披针形或线状披针形，长约 1.5 cm，先端渐尖，无钩刺，全部或几乎全部苞片外面被蓬松的蛛丝状毛；小花紫红色，花冠长 9 ～ 12 mm，檐部长 4.5 ～ 6 mm，

外面有黄色小腺点，细管部长 4.5 ~ 6 mm。瘦果浅褐色，长倒卵形或偏斜长倒卵形，长 5 ~ 6 mm，宽 2.5 mm，两侧压扁，有多数凸起的细脉纹及深棕褐色的色斑；冠毛浅褐色，多层，基部不连合成环；冠毛刚毛糙毛状，不等长，分散脱落。花果期 7 ~ 9 月。

| **生境分布** | 生于海拔 540 ~ 2 400 m 的山坡、山谷、林间空地、林下、水边、湿地、荒地、田间、田边、路旁等。分布于新疆天山。

| **资源情况** | 野生资源丰富。药材来源于野生。

| **功能主治** | 祛痰平喘，止咳顺气，祛风湿，消肿毒。

菊科 Compositae 蒿属 *Artemisia*

中亚苦蒿

Artemisia absinthium L.

| 药 材 名 | 苦艾叶（药用部位：叶）。

| 形态特征 | 多年生草本。主根明显，单一，垂直，有时木质化，直径达 3 cm；根茎稍粗短，垂直，直径 1 ~ 2.5 cm。茎 2 ~ 3 或单生，直立，高 60 ~ 150 cm。叶纸质，叶两面幼时密被黄白色或灰黄色、稍带绢质的短柔毛，后叶面毛渐稀疏，背面毛宿存；茎下部叶与营养枝的叶长卵形或卵形，长 8 ~ 12 cm，宽 7 ~ 9 cm，叶柄长 6 ~ 12 cm；中部叶长卵形或卵形，长 6 ~ 9 cm，宽 3 ~ 7 cm；苞叶 3 深裂或不分裂，裂片或不分裂的苞叶披针形或线状披针形。头状花序球形或

近球形，直径 2.5 ~ 3.5（~ 4）mm；总苞片 3 ~ 4 层；花序托密被白色托毛；雌花 15 ~ 25，1 层，花冠狭圆锥状或狭管状，檐部具 2 裂齿，花柱线形，伸出花冠外，先端分叉，叉端锐尖；两性花 30 ~ 70（~ 90），4 ~ 6 层，花冠管状，花药披针形或线形，先端附属物尖，长三角形，先端锐尖，花药基部圆钝，花柱与花冠近等长，先端 2 叉，叉端截形，柱头具睫毛。瘦果长圆形，先端微有不对称的冠状边缘。花果期 8 ~ 11 月。

| 生境分布 | 生于海拔 540 ~ 2 400 m 的山坡、山谷、林间空地、林下、水边、湿地、荒地、田间、田边、路旁。分布于新疆北部。

| 资源情况 | 野生资源丰富，栽培资源一般。药材来源于野生和栽培。

| 功能主治 | 清热燥湿，健胃消食。用于湿热证，食欲不振。

黄花蒿 *Artemisia annua* L.

| 药 材 名 | 青蒿（药用部位：全草）。

| 形态特征 | 一年生草本。植株有浓烈的香气。根单生，垂直，狭纺锤形。茎单生，高 100 ~ 200 cm，基部直径可达 1 cm；茎、枝、叶两面及总苞片背面无毛或初时背面微有极稀疏的短柔毛，后脱落无毛。叶纸质，绿色；茎下部叶宽卵形或三角状卵形，长 3 ~ 7 cm，宽 2 ~ 6 cm，叶柄长 1 ~ 2 cm，基部有半抱茎的假托叶；中部叶 2 ~ 3 回栉齿状的羽状深裂，小裂片栉齿状三角形，稀为细短狭线形，具短柄；上部叶与苞叶 1 ~ 2 回栉齿状羽状深裂，近无柄。头状花序球形，多数，直径 1.5 ~ 2.5 cm；总苞片 3 ~ 4 层，内、外层近等长，外层总苞片长卵形或狭长椭圆形，中肋绿色，边缘膜质，中、内层总苞

片宽卵形或卵形；花序托凸起，半球形；花深黄色，雌花 10 ~ 18，花冠狭管状，檐部具 2（~ 3）裂齿，外面有腺点，花柱线形，伸出花冠外，先端 2 叉，叉端钝尖；两性花 10 ~ 30，结实或中央少数花不结实，花冠管状，花药线形，上端附属物尖，长三角形，基部具短尖头，花柱与花冠近等长，先端 2 叉，叉端截形，有短睫毛。瘦果小，椭圆状卵形，略扁。花果期 8 ~ 11 月。

| 生境分布 | 生于海拔 500 ~ 2 000 m 的路旁、荒地、山坡、林缘、草原、森林草原、干河谷、半荒漠及砾质坡地等。新疆各地均有分布。

| 资源情况 | 野生资源丰富，栽培资源丰富。药材来源于野生和栽培。

| 功能主治 | 清热截疟，疏风止痒。用于伤暑，疟疾，潮热，惊风，泄泻，恶疮疥癣。

菊科 Compositae 蒿属 Artemisia

银蒿

Artemisia austriaca Jacquem.

| 药 材 名 | 蒿（药用部位：全草）。

| 形态特征 | 多年生草本。有时成半灌木状。主根木质，斜向下；根茎细或稍粗，匍地或斜向上，有营养枝，并密生营养叶。茎直立，多数，高15 ~ 50 cm，基部常扭曲，木质，直径 2 ~ 5 mm。茎、枝、叶两面及总苞片背面密被银白色或淡灰黄色、略带绢质的绒毛。头状花序卵状球形或卵状钟形，直径 1 ~ 2 mm，无梗，多数，斜展或下垂，稀上展，在分枝或小枝上排成密穗状花序，而在茎上组成开展的圆锥花序；总苞片 3 ~ 4 层，外层总苞片短小，披针形或线状披针形，背面密被银白色或灰白色的绢质绒毛，边缘狭膜质，中、内层总苞片卵形、长卵形或长卵状匙形，半膜质至膜质；花序托小，凸起；

雌花 3 ～ 7，极小，花冠狭管状或狭圆锥状，檐部具 2 ～ 3 裂齿，花柱线形，略伸出花冠外，先端 2 叉，稍叉开；两性花 7 ～ 8，花冠管状，檐部背面有短柔毛，花药线形，上端附属物尖，长三角形，基部圆钝。瘦果椭圆形，略扁，先端有凸起的花冠着生面。花果期 8 ～ 10 月。

| **生境分布** | 生于海拔 1 400 ～ 3 600 m 的干旱草原、滩地、林缘及荒地。新疆各地均有分布。

| **资源情况** | 野生资源丰富。药材来源于野生。

| **功能主治** | 清热利湿，平肝清火。

菊科 Compositae 蒿属 Artemisia

中亚草原蒿 *Artemisia depauperata* Krasch.

药材名

蒿（药用部位：全草）。

形态特征

多年生草本。主根稍粗，侧根多；根茎粗短，木质，直立或稍斜升，直径 1 ~ 1.5 cm，上部常分化若干部分，并具短茎，短茎上端具多数近呈鞘状的基生叶的叶柄残基，并具少数多年生的营养枝，其上密生叶。茎少数，直立，高 8 ~ 18 cm，褐黄色，具纵棱，下部无毛，上部微有淡黄色的绢质短柔毛，通常不分枝，稀在茎中部有极短、着生 2 ~ 3 头状花序的小枝。叶厚纸质或纸质，两面幼时被平贴、灰白色、稍带绢质的长柔毛，后渐脱落至无毛；茎下部叶与营养枝叶卵形或椭圆状卵形，长 2 ~ 3 (~ 4) cm，宽 1 ~ 2 cm。头状花序宽卵形，直径 3 ~ 4 mm，具短梗或上部头状花序无梗，直立，具细长的小苞叶，在茎上排成穗状花序式的总状花序或茎中部有着生 2 ~ 3 头状花序的短分枝，而头状花序在茎上排成总状花序式的圆锥花序；两性花 10 ~ 15，不孕育，花冠管状，外面有腺点，檐部外面通常有少数短柔毛，花药线形，先端附属物尖，长三角形。瘦果卵形。花果期 7 ~ 10 月。

| **生境分布** | 生于海拔 2 300 ～ 2 800 m 的山坡、草原等。分布于新疆北部。

| **资源情况** | 野生资源丰富。药材来源于野生。

| **功能主治** | 清热利湿，平肝清火。

菊科 Compositae 蒿属 Artemisia

沙蒿

Artemisia desertorum Spreng.

药材名

蒿（药用部位：全草）。

形态特征

多年生草本。主根明显，木质或半木质，侧根少数；根茎短，稍粗，半木质，直径 4 ~ 10 mm，有短的营养枝。茎单生或少数，高 30 ~ 70 cm，具细纵棱。叶纸质，上面无毛，背面初时被薄绒毛，后无毛；茎下部叶与营养枝叶长圆形或长卵形，长 2 ~ 5 cm，宽 1.5 ~ 4.5 cm，叶柄长 1 ~ 3 cm，除基生叶外，叶柄基部均有线形、半抱茎的假托叶。头状花序多数，卵球形或近球形，直径 2.5 ~ 3 mm，有短梗或近无梗，基部有小苞叶，在分枝上排成穗状花序式的总状花序或复总状花序，而在茎上组成狭长的扫帚形圆锥花序；总苞片 3 ~ 4 层，外层总苞片略小，卵形，中层总苞片长卵形，外、中层总苞片背面深绿色或带紫色，初时微有薄毛，后脱落无毛，边缘白色，膜质，内层总苞片长卵形，半膜质，背面无毛；两性花 5 ~ 10，不孕育，花冠管状，花药线形，先端附属物尖，长三角形，基部圆钝，花柱短，先端稍膨大，不叉开。瘦果倒卵形或长圆形。花果期 8 ~ 10 月。

| **生境分布** | 生于海拔 3 000 ～ 3 900 m 的草原、草甸、荒坡、砾质坡地、干河谷、河岸边、林缘及路旁等。分布于新疆民丰县、洛浦县等。 |

| **资源情况** | 野生资源丰富。药材来源于野生。 |

| **功能主治** | 清热利湿，平肝清火。 |

龙蒿

Artemisia dracunculus L.

| 药 材 名 | 椒蒿（药用部位：全草）。

| 形态特征 | 半灌木状草本。根粗大或略细，木质，垂直；根茎粗，木质，直立或斜上长，直径 0.5 ~ 2 cm，常有短的地下茎。茎通常多数，成丛，高 40 ~ 150（~ 200）cm，褐色或绿色，有纵棱，下部木质，稍弯曲，分枝多，开展，斜向上；茎、枝初时微有短柔毛，后渐脱落。叶无柄，初时两面微有短柔毛，后两面无毛或近无毛，下部叶花期凋谢；中部叶线状披针形或线形，长（1.5 ~）3 ~ 7（~ 10）cm，宽 2 ~ 3 mm，先端渐尖，基部渐狭，全缘；上部叶与苞叶略短小，线形或线状披针形，长 0.5 ~ 3 cm，宽 1 ~ 2 mm。头状花序多数，近球形、卵球形或近半球形，直径 2 ~ 2.5 mm，具短梗或近无梗，斜展或略下垂，

基部有线形小苞叶，在茎的分枝上排成复总状花序，并在茎上组成开展或略狭窄的圆锥花序；雌花 6 ~ 10，花冠狭管状或稍呈狭圆锥状，檐部具 2（~ 3）裂齿，花柱伸出花冠外，先端 2 叉，叉端尖。瘦果倒卵形或椭圆状倒卵形。花果期 7 ~ 10 月。

| 生境分布 | 生于干山坡、草原、林缘、田边、路旁、干河谷、河岸阶地、亚高山草甸等。新疆各地均有分布。

| 资源情况 | 野生资源丰富，栽培资源丰富。药材来源于野生和栽培。

| 功能主治 | 清热解毒，消肿散瘀，强心利水。

白莲蒿

Artemisia gmelinii Weber ex Stechm.

| 药 材 名 |

茵陈（药用部位：全草）。

| 形态特征 |

半灌木状草本。根稍粗大，木质，垂直；根茎粗壮，直径可达 3 cm，木质。茎多数，常组成小丛，高 50 ~ 100（~ 150）cm，褐色或灰褐色，具纵棱，下部木质，皮常剥裂或脱落，分枝多而长；茎、枝初时被微柔毛，后下部脱落无毛，上部宿存或无毛，上面绿色，初时微有灰白色短柔毛，后毛渐脱落，幼时有白色腺点，后腺点脱落，留有小凹穴，背面初时密被灰白色且平贴的短柔毛，后无毛。茎下部与中部叶长卵形、三角状卵形或长椭圆状卵形，长 2 ~ 10 cm，宽 2 ~ 8 cm，2 ~ 3 回栉齿状羽状分裂，第一回全裂，每侧有裂片 3 ~ 5，裂片椭圆形或长椭圆形，每裂片再次羽状全裂，小裂片栉齿状披针形或线状披针形，每侧具数枚三角形的细小栉齿或小裂片短小成栉齿状，叶中轴两侧具 4 ~ 7 栉齿，叶柄长 1 ~ 5 cm，扁平，两侧常有少数栉齿，基部有小型栉齿状分裂的假托叶；上部叶略小，1 ~ 2 回栉齿状羽状分裂，具短柄或近无柄；苞片叶栉齿状羽状分裂或不分裂，线形或线状披针形。头状花序

近球形，下垂，直径 2 ~ 3.5（~ 4）mm，具短梗或近无梗，在分枝上排成穗状花序式的总状花序，并在茎上组成密集或略开展的圆锥花序；总苞片 3 ~ 4 层，外层总苞片披针形或长椭圆形，初时密被灰白色短柔毛，后脱落无毛，中肋绿色，边缘膜质，中、内层总苞片椭圆形，近膜质或膜质，背面无毛；雌花 10 ~ 12，花冠狭管状或狭圆锥状，外面微有小腺点，檐部具 2（~ 3）裂齿，花柱线形，伸出花冠外，先端 2 叉，叉端锐尖；两性花 20 ~ 40，花冠管状，外面有微小腺点，花药椭圆状披针形，上端附属物尖，长三角形，基部圆钝或有短尖头，花柱与花冠管近等长，先端 2 叉，叉端有短睫毛。瘦果狭椭圆状卵形或狭圆锥形。

| **生境分布** | 生于海拔 1 000 ~ 1 500 m 的山坡、灌丛、路旁。新疆各地均有分布。

| **资源情况** | 野生资源丰富。药材来源于野生。

| **采收加工** | 夏、秋季采收，阴干。

| **功能主治** | 清热解毒，凉血止血。用于阴虚潮热，惊风，肝炎，阑尾炎，创伤出血。

菊科 Compositae 蒿属 Artemisia

臭蒿

Artemisia hedinii Ostenf.

| 药 材 名 |

牛尾蒿叶（药用部位：嫩枝叶）。

| 形态特征 |

一年生草本。茎、枝无毛或疏被腺毛状柔毛。叶下面微被腺毛状柔毛；基生叶密集成莲座状，长椭圆形，2回栉齿状羽状分裂，每侧裂片 20 余，小裂片具多数栉齿，叶柄短或近无柄；茎下部与中部叶长椭圆形，长 6 ～ 12 cm，2 回栉齿状羽状分裂，每侧裂片 5 ～ 10，具多枚小裂片，小裂片两侧密被细小锐尖栉齿，中轴与叶柄两侧有少数栉齿，中肋白色，下部叶柄长 4 ～ 5 cm，中部叶柄长 1 ～ 2 cm，基部半抱茎；上部叶与苞片叶 1 回栉齿状羽状分裂。头状花序半球形或近球形，直径 3 ～ 4（～ 5）mm，在花序分枝上排成密穗状花序，在茎上组成密集窄圆锥花序，总苞片背面无毛或微有腺毛状柔毛，边缘紫褐色，膜质；花序托凸起，半球形；雌花 3 ～ 8；两性花 15 ～ 30。瘦果长圆状倒卵圆形。花果期 7 ～ 10 月。

| 生境分布 |

生于海拔 1 200 ～ 2 000 m 的草地、河滩、砾质坡地、路边、林缘。分布于新疆乌鲁木

齐市、新源县、和田县、轮台县等。

| **资源情况** | 野生资源丰富。药材来源于野生。

| **功能主治** | 清热解毒，祛湿杀虫。

菊科 Compositae 蒿属 Artemisia

亚洲大花蒿 Artemisia macrantha Ledeb.

| 药 材 名 | 蒿叶（药用部位：嫩枝叶）。

| 形态特征 | 半灌木状草本。主根木质；根茎短，直立或斜生，木质，有短的营养枝。茎少数，稀单一，高 20 ~ 100 cm，下部木质，上部半木质，有细纵棱；上部分枝，枝长 8 ~ 18 cm，斜向上；茎上部及枝密生灰白色、平贴的短柔毛。上面绿色或淡绿色，无毛或微有短柔毛，背面淡绿色。头状花序近球形或半球形，直径 4 ~ 7 mm，近无梗或具短梗，在茎端或分枝上排成短穗状花序式的总状花序，而在茎上组成狭窄或中等开展的圆锥花序；花序托凸起；雌花 10 ~ 20，花冠狭圆锥状，外面有腺点，花柱线形，伸出花冠外，先端 2 叉，长，叉端尖，花后外弯；两性花 30 ~ 38，花冠狭杯状或管状，外面有

腺点，檐部外面有短柔毛，花药线形，上端附属物尖，长三角形，基部具短尖头，花柱线形，与花冠等长或略长于花冠，先端 2 叉，花后叉开或略外弯。瘦果椭圆状卵形，有纵纹，褐色，上端具偏斜的花冠着生面。花果期 8 ~ 10 月。

| **生境分布** | 生于海拔 500 ~ 1 500 m 的山谷、草甸、草原、灌丛及路边等。分布于新疆阿勒泰市、阜康市、乌鲁木齐市、沙湾市、新源县、巴里坤哈萨克自治县等。

| **资源情况** | 野生资源丰富。药材来源于野生。

| **功能主治** | 疏风清热，止痒。

大花蒿

Artemisia macrocephala Jacquem. ex Besser

药材名

大花蒿（药用部位：全草）。

形态特征

一年生草本。主根通常细，单一，垂直，狭纺锤形。茎直立，单生，高 10 ~ 30（~ 50）cm，有时下部半木质化，基部直径达 1 cm，不分枝或有少数短的分枝；茎、枝疏被灰白色微柔毛。叶草质，两面被灰白色短柔毛；下部叶与中部叶宽卵形或圆卵形，长 2 ~ 4 cm，宽 1 ~ 1.5 cm，2 回羽状全裂，每侧有裂片 2 ~ 3，中、下部侧裂片常再 3 ~ 5 全裂，小裂片狭线形，长 1 ~ 4 mm，宽 0.5 ~ 1 mm，叶柄长 0.5 ~ 1.2 cm，基部有小的羽状分裂的假托叶；上部叶与苞叶 3 全裂或不裂，狭线形，无柄。头状花序近球形，直径 5 ~ 10（~ 15）mm，有短梗，下垂，在茎上排成疏松的总状花序，稀为狭窄的总状花序式的圆锥花序，雌花 40 ~ 70，2 ~ 3 层，花冠狭圆锥状或瓶状，檐部具（2 ~）3 ~ 4 裂齿，花柱线形，伸出花冠外，先端 2 叉，叉端尖。瘦果长卵圆形或倒卵状椭圆形，上端常有不对称的冠状附属物。花果期 8 ~ 10 月。

生境分布	生于海拔 500 ~ 4 300 m 的草原、河谷、河滩、路边及农田。分布于新疆吉木萨尔县、昌吉市、巴里坤哈萨克自治县、伊吾县、博乐市、乌恰县、若羌县、库车市、和静县、民丰县等。
资源情况	野生资源丰富。药材来源于野生。
功能主治	健胃消食，祛风活血，散瘀消肿。

菊科 Compositae 蒿属 Artemisia

蒙古蒿

Artemisia mongolica (Fisch. ex Bess.) Nakai

| 药 材 名 |

蒙古蒿（药用部位：全草）。

| 形态特征 |

多年生草本。根细，侧根多；根茎短，半木质化，直径 4 ~ 7 mm，有少数营养枝。茎少数或单生，高 40 ~ 120 cm，具明显纵棱；分枝多，长（6 ~）10 ~ 20 cm，斜向上或略开展；茎、枝初时密被灰白色蛛丝状柔毛，后稍稀疏。叶纸质或薄纸质，上面绿色，初时被蛛丝状柔毛，后毛渐稀疏或近无毛，背面密被灰白色的蛛丝状绒毛；下部叶卵形或宽卵形。头状花序多数，椭圆形，直径 1.5 ~ 2 mm，无梗，直立或倾斜，有线形小苞叶，在分枝上排成密集的穗状花序，稀为略疏松的穗状花序，并在茎上组成狭窄或中等开展的圆锥花序；雌花 5 ~ 10，花冠狭管状，檐部具 2 裂齿，紫色，花柱伸出花冠外，先端 2 叉，反卷，叉端尖；两性花 8 ~ 15，花冠管状，背面具黄色小腺点，檐部紫红色，花药线形，先端附属物尖，长三角形，基部圆钝，花柱与花冠近等长，先端 2 叉，叉端截形且有睫毛。瘦果小，长圆状倒卵形。花果期 8 ~ 10 月。

| **生境分布** | 生于中或低海拔地区的山坡、灌丛、河湖岸边、路旁、草原和干河谷等。新疆各地均有分布。

| **资源情况** | 野生资源丰富。药材来源于野生。

| **功能主治** | 调经止血，祛寒安胎。

菊科 Compositae 蒿属 Artemisia

褐苞蒿
Artemisia phaeolepis Krasch.

药材名

蒿（药用部位：全草）。

形态特征

多年生草本。植株有浓烈的气味。根单一或数条，半木质化；根茎稍粗或略细，直立或斜向上，有少数细短的营养枝。茎单生或少数，高 15 ~ 40 cm，有纵棱，下部通常无毛，稀微有短柔毛，上部初时密被平贴的柔毛，后脱落，通常不分枝或茎中部具少数着生头状花序的细短分枝。叶质薄，上面近无毛，微有小凹点，背面初时微有灰白色长柔毛，后渐脱落至无毛；基生叶与茎下部叶椭圆形或长圆形，叶柄长 3 ~ 5 cm；中部叶柄基部常有小的假托叶；上部叶 1 ~ 2 回栉齿状羽状分裂；苞叶披针形或线形，全缘或有少数栉齿。头状花序少数，半球形，直径 4 ~ 6 mm；两性花 40 ~ 80，全部孕育或中央花不孕育，花冠管状，背面有腺点，檐部外面初时常有短柔毛，后渐脱落，花药线形或倒披针形，上端附属物尖，长三角形。花果期 8 ~ 10 月。

生境分布

生于海拔 1 500 ~ 3 500 m 的山坡、沟谷、

草地、野果林、灌丛等。分布于新疆阿勒泰市、布尔津县、乌鲁木齐县、塔城市、沙湾市、和布克赛尔蒙古自治县、新源、博乐市、和田县、和静县等。

| **资源情况** | 野生资源丰富。药材来源于野生。

| **功能主治** | 清热利湿。

菊科 Compositae 蒿属 Artemisia

岩蒿
Artemisia rupestris L.

药 材 名	一枝蒿（药用部位：全草）。
形态特征	多年生草本。根茎木质，常横卧或斜向上，具多数营养枝，营养枝略短，密生多数营养叶。茎通常多数，稀少数或单一，直立或斜向上，高 20 ~ 50 cm，褐色或红褐色，下部半木质化，初时微有短柔毛，后脱落无毛，上部密生灰白色短柔毛，不分枝或茎上部有少数短的分枝。叶薄纸质，初时叶两面被灰白色短柔毛，后脱落无毛；茎下部叶与营养枝上的叶有短柄；中部叶无柄，叶片卵状椭圆形或长圆形，长 1.5 ~ 3（~ 5）cm，宽 1 ~ 2（~ 2.5）cm。头状花序在茎上排成穗状花序或近总状花序，稀在茎上排成狭窄的穗状花序式的圆锥花序；总苞片 3 ~ 4 层，外层、中层总苞片长卵形、长椭圆形

或卵状椭圆形，背面有短柔毛，边缘膜质，撕裂状，内层总苞片椭圆形，膜质；花序托凸起，半球形，具灰白色托毛；雌花 8 ~ 16，1 层，花冠近瓶状或狭圆锥状，檐部具 3 ~ 4 裂齿，内面常有退化雄蕊的花丝痕迹，花柱略伸出花冠外，先端分叉略长，叉端钝尖；两性花 30 ~ 70，5 ~ 6 层，花冠管状，花药线形，先端附属物尖。花果期 7 ~ 10 月。

| **生境分布** | 生于海拔 2 000 ~ 4 000 m 的荒漠草原、草原、草甸、干河谷地带林缘、灌丛。分布于新疆乌鲁木齐市、哈密市（伊吾县）、吐鲁番市及阿勒泰市、和布克赛尔蒙古自治县、精河县、库车市、塔什库尔干塔吉克自治县等。

| **资源情况** | 野生资源丰富，栽培资源丰富。药材来源于野生和栽培。

| **采收加工** | 7 ~ 8 月采收，阴干，或扎成把，晒干。

| **功能主治** | 清热，消炎止痛，凉血解毒。用于热性感冒，发热，头痛，胃痛，腹胀，肝炎，荨麻疹，毒虫咬伤等。

菊科 Compositae 蒿属 Artemisia

香叶蒿
Artemisia rutifolia Stephen ex Spreng.

| **药 材 名** | 蒿（药用部位：全草）。

| **形态特征** | 半灌木状草本，有时成小灌木状。植株有浓烈香气。根木质；根茎粗短，木质，有多数营养枝。茎多数，成丛，高 25 ~ 80 cm，幼时被灰白色、平贴、丝状的短柔毛，老时毛渐脱落，部分无毛，微有纵棱，木质，栗褐色，茎自下部分枝，枝多数，长 20 ~ 30 cm，斜向上。叶两面被灰白色、平贴、丝状的短柔毛；茎下部叶与中部叶近半圆形或肾形，长 1 ~ 2 cm，宽 0.8 ~ 2.8 cm。头状花序半球形或近球形，直径 3 ~ 4（~ 4.5）mm，具短梗，梗长 2 ~ 15 mm，下垂或斜展，在茎上半部排成总状花序或部分成复总状花序，花序托具脱落性的糠秕状或鳞片状托毛；两性花 12 ~ 15，花冠管状，

檐部外面微有短柔毛或毛脱落，花药线形或倒披针形，上端附属物锐尖，长三角形，基部有短尖头，花柱与花冠等长或略长于花冠，先端 2 叉，叉端截形。瘦果椭圆状倒卵形，果壁上具明显纵纹。花果期 7 ~ 10 月。

| **生境分布** | 生于海拔 2 000 ~ 4 000 m 的草原、草甸、河谷地带、林缘、灌丛。分布于新疆阿勒泰市、和布克赛尔蒙古自治县、精河县、霍城县、伊吾县、若羌县、库车、和静县、民丰县、塔什库尔干塔吉克自治县等。

| **资源情况** | 野生资源丰富。药材来源于野生。

| **功能主治** | 清热利湿。

菊科 Compositae 蒿属 Artemisia

猪毛蒿

Artemisia scoparia Waldst. et Kit.

药 材 名

茵陈（药用部位：幼苗）。

形态特征

一年生、二年生或多年生草本。植株有浓烈的香气。主根单一，狭纺锤形，垂直，半木质或木质；根茎粗短，直立，半木质或木质，常有细的营养枝，枝上密生叶。茎稀2～3，通常单生，高40～90（～130）cm，红褐色或褐色，有纵纹，常自下部分枝，枝长10～20 cm或更长，下部分枝开展，上部分枝多斜上展；茎、枝幼时被灰白色或灰黄色绢质柔毛，后毛脱落。基生叶与营养枝叶两面被灰白色的绢质柔毛，叶片近圆形或长卵形，2～3回羽状全裂，具长柄，花期叶凋谢；茎下部叶初时两面密被灰白色或灰黄色、略带绢质的短柔毛，后毛脱落，叶片长卵形或椭圆形，长1.5～3.5 cm，宽1～3 cm。头状花序近球形，稀近卵球形，极多数，直径1～1.5（～2）mm，具极短的梗或无梗，基部有线形的小苞叶，在分枝上偏向外侧生长，并排成复总状或复穗状花序，而在茎上再组成大型且开展的圆锥花序。瘦果倒卵形或长圆形，褐色。花果期7～10月。

| 生境分布 | 生于山坡、林缘、路旁、草原、黄土高原、荒漠边缘。分布于新疆福海县、昌吉市、皮山县、叶城县、且末县、尼勒克县、新源县。

| 资源情况 | 野生资源丰富。药材来源于野生。

| 功能主治 | 清热利胆，利水。

菊科 Compositae 蒿属 Artemisia

准噶尔沙蒿 *Artemisia songarica* Schrenk

药材名

蒿（药用部位：花蕾）。

形态特征

小灌木。根木质，粗大，垂直；根茎粗，黑色，具多数木质的短营养枝，枝上密生营养叶。茎多数，常形成密丛，高 30 ~ 80 cm，直立或稍弯曲，斜向上，黄褐色，皮灰黄色，常剥落，分枝多而长，近平展；茎、枝幼时微有短柔毛，后光滑。叶质稍厚，两面无毛；茎下部叶与中部叶无柄，叶片长圆状卵形，长 2 ~ 4 cm，宽 2 cm。头状花序卵球形，无梗或有短梗，直径 1.5 ~ 2 mm，偏向外侧，下垂，在分枝上排列成疏松的穗状或总状花序，并在茎上组成开展且疏松的圆锥花序；总苞片 3 ~ 4 层，外层总苞片小，卵圆形，草质，绿色，边缘膜质，中、内层总苞片卵圆形，半膜质或近膜质；雌花 4 ~ 5，花冠狭管状，花柱伸出花冠外，先端 2 叉；两性花 6 ~ 10，不孕育，花冠管状，檐部红色或黄色，花药线形，先端附属物尖，长三角形，基部圆，花柱短，先端稍膨大，2 裂，不叉开，退化子房小。瘦果卵圆形，果壁上有细纵纹及胶质物。花果期 6 ~ 10 月。

| **生境分布** | 生于沙漠地区沙丘附近或干旱的砾质小丘上。分布于新疆阿勒泰市、哈巴河县、
呼图壁县、米东区、奇台县。

| **资源情况** | 野生资源丰富。药材来源于野生。

| **功能主治** | 用于痈肿疔毒。

菊科 Compositae 蒿属 Artemisia

湿地蒿
Artemisia tournefortiana Reichb.

| 药 材 名 | 湿地蒿（药用部位：种子）。

| 形态特征 | 一年生草本。根单一，垂直。茎单生，高（40 ~ ）110 ~ 150（~ 200）cm，细或粗，基部直径 0.5 ~ 1.5 cm，紫褐色，有细棱，上部有着生头状花序的短分枝，枝长 2 ~ 5 cm；茎、枝初时被叉状的灰白色短柔毛，后毛脱落。茎下部叶与中部叶长卵状椭圆形或长圆形，长 5 ~ 18 cm，宽 2 ~ 8 cm。头状花序多数，宽卵形或近球形，直径 1.5 ~ 2 mm，直立，无梗或近无梗，在茎上部的短分枝上排列成短而密集的穗状花序，而在茎上组成狭窄的圆锥花序；总苞片 3 ~ 4 层，外层总苞片卵形，背面凸起，无毛，边缘狭膜质，中、内层总苞片披针形或长圆形，边缘宽膜质或膜质；花序托小，凸起；

雌花 10 ~ 20，花冠狭圆锥状或狭管状，檐部具 2 裂齿，背面有腺点，花柱线形，伸出花冠外，先端 2 叉，叉端尖，直立或弯曲。瘦果椭圆状卵形。花果期 8 ~ 11 月。

| **生境分布** | 生于海拔 1 000 ~ 3 000 m 的山坡、农田、河谷、荒地、林缘。分布于新疆塔城市、乌苏市、尼勒克县、英吉沙县、乌鲁木齐县、独山子区、墨玉县、疏勒县、伊宁市、柯坪县、和硕县等。

| **资源情况** | 野生资源丰富。药材来源于野生。

| **功能主治** | 疏风散热，开胃下气，除烦止汗，清热利湿。

菊科 Compositae 蒿属 Artemisia

北艾
Artemisia vulgaris L.

药材名

野艾（药用部位：叶）。

形态特征

多年生草本。高（45 ～）60 ～ 160 cm，有细纵棱，紫褐色，多少分枝。枝短或略长，斜向上；茎、枝微被短柔毛。叶纸质，上面深绿色，初时疏被蛛丝状薄毛，后毛稀疏或无毛，背面密被灰白色的蛛丝状绒毛；茎下部叶椭圆形或长圆形，2 回羽状深裂或全裂，具短柄；中部叶椭圆形、椭圆状卵形或长卵形，中轴具狭翅，基部裂片小，呈假托叶状，半抱茎，无叶柄；上部叶小，羽状深裂，裂片披针形或线状披针形，边缘有浅裂齿或无；苞叶小，3 深裂或不分裂，裂片或不分裂的苞叶线状披针形或披针形，全缘。头状花序长圆形，基部有小苞叶，在分枝的小枝上排成密穗状花序，而在茎上组成狭窄或略开展的圆锥花序；总苞片覆瓦状排列；雌花花冠狭管状，檐部具 2 裂齿，紫色，花柱伸出花冠外，先端 2 叉，叉端尖；两性花花冠管状或高脚杯状，檐部紫红色，花药线形，先端附属物尖，长三角形，基部具短尖头或略钝；花柱略长于花冠，先端 2 叉，花后稍外弯，叉端截形，具长而密的睫毛。瘦果倒卵形或卵形。花果期 8 ～ 10 月。

| 生境分布 | 生于海拔 500 ～ 2 400 m 的草原、森林草原、林缘、谷地、荒地及路边。分布于新疆阿勒泰地区（布尔津县）、乌鲁木齐市、昌吉回族自治区（玛纳斯县、奇台县）、塔城地区（和布克赛尔蒙古自治县、塔城市、裕民县、额敏县）、伊犁哈萨克自治州（新源县、尼勒克县）、吐鲁番市、阿克苏地区（拜城县、温宿县）、喀什地区（疏勒县、英吉沙县、叶城县）等。

| 资源情况 | 野生资源较丰富。药材来源于野生。

| 功能主治 | 理气血，逐寒湿，止血，温经，安胎。

菊科 Compositae 假苦菜属 Askellia

弯茎还阳参

Askellia flexuosa (Ledeb.) W. A. Weber

药材名

还阳参（药用部位：全草）。

形态特征

多年生草本。高 3 ~ 30 cm。茎枝无毛，被多数茎生叶。基生叶及下部茎生叶倒披针形、长倒披针形、倒披针状卵形、倒披针状长椭圆形或线形；中部、上部茎生叶、基生叶及下部茎生叶同形或线状披针形、狭线形，并等样分裂，但渐小，无柄或基部有短叶柄；全部叶青绿色。头状花序多数或少数在茎枝先端排列成伞房状花序或团伞状花序；总苞狭圆柱状，长 6 ~ 9 mm；总苞片4层，外层及最外层短，卵形或卵状披针形，长 1.5 ~ 2 mm，宽不足 1 mm，先端钝或急尖，内层及最内层长，长 6 ~ 9 mm，宽不足 1 mm，线状长椭圆形，先端急尖或钝，内面无毛，外面近先端有不明显的鸡冠状突起或无，全部总苞片果期黑色或淡黑绿色，外面无毛；舌状小花黄色，花冠管外面无毛。瘦果纺锤状，向先端收窄，淡黄色，长约 5 mm，先端无喙，有 11 等粗的纵肋，沿肋有稀疏的微刺毛；冠毛白色，易脱落，长 5 mm，微粗糙。花期 6 ~ 7 月。

| 生境分布 | 生于海拔 500 ～ 2 000 m 的山坡、河滩草地、河滩卵石地、冰川河滩地、水边沼泽地。分布于新疆巴音郭楞蒙古自治州（和静县）、吐鲁番市（托克逊县）、伊犁哈萨克自治州（奎屯市、霍城县）、昌吉回族自治州（玛纳斯县）、乌鲁木齐市、克孜勒苏柯尔克孜自治州（阿克陶县、乌恰县）、和田地区（和田县、和田市）、喀什地区（叶城县、塔什库尔干塔吉克自治县）、哈密市（伊吾县）等。

| 资源情况 | 野生资源较丰富。药材来源于野生。

| 功能主治 | 润肺止咳，消炎下乳，调经止血。

菊科 Compositae 紫菀属 Aster

高山紫菀 Aster alpinus L.

| 药 材 名 | 紫菀（药用部位：全草）。

| 形态特征 | 多年生草本。根茎粗壮，有丛生的茎和莲座状叶丛。茎直立，高
10 ～ 35 cm，不分枝，基部被枯叶残迹，被密或疏的毛，下部有密
集的叶。下部叶在花期生存，匙状或线状长圆形，渐狭成具翅的柄，
有时成长达 11 cm 的细柄，全缘，先端圆形或稍尖；中部叶长圆状
披针形或近线形，下部渐狭，无柄；上部叶狭小，直立或稍开展；
全部叶被柔毛或稍有腺点，中脉及三出脉在下面稍凸起。头状花序
在茎端单生；总苞半球形；总苞片 2 ～ 3 层，等长或外层稍短，上
部或外层全部草质，下面近革质，内层边缘膜质，先端圆形、钝或
稍尖，边缘常紫红色，被密或疏的柔毛；舌状花 35 ～ 40；管状花

花冠黄色，冠毛白色，另有少数在外的极短或较短糙毛。瘦果长圆形，基部较狭，长 3 mm，宽 1 ～ 1.2 mm，褐色，密被绢毛。花果期 7 ～ 9 月。

| **生境分布** | 生于高山、亚高山草原、草甸。分布于新疆阿勒泰、伊犁哈萨克自治州（巩留县、特克斯县、尼勒克县）、昌吉回族自治州（木垒哈萨克自治县）、哈密市（伊吾县）、克孜勒苏柯尔克孜自治州（阿合奇县）等。

| **资源情况** | 野生资源较丰富。药材来源于野生。

| **功能主治** | 润肺止咳，化痰平喘，祛风止痒，镇静安神，平肝息风，清热利水，和血止痛。

菊科 Compositae 紫菀属 Aster

阿尔泰狗娃花 *Aster altaicus* Willd.

| 药 材 名 | 狗娃花（药用部位：全草）。

| 形态特征 | 多年生草本。主根直立或横走，高 20 ～ 80 cm。茎直立，绿色，具条纹，密被向上弯曲或开展的毛，上部常杂有疏点，上部或全部有分枝。茎基部叶花期早枯，下部叶条形、条状倒披针形或条状匙形，长 2 ～ 6（～ 10）cm，宽 1.5 ～ 7 mm；中部叶和下部叶同形，上部叶及分枝上的叶较小，条形，长 0.5 ～ 2 cm，宽 1 ～ 2 mm，全部叶全缘，少数具疏齿，两面或上面被糙毛，常有腺点。头状花序单生或在枝顶排成伞房状；总苞半球形，长 4 ～ 6 mm，宽 10 ～ 15 mm，总苞片 2 ～ 3 层，近等长或外层稍短，外层草质，绿色，矩圆状披针形或条形，长 4 ～ 6 mm，宽 1 ～ 2 mm，先端

渐尖，中内层具膜质边缘，下部常呈龙骨状凸起，被较密或疏的短毛和腺毛；边缘雌花舌状，1 层，具 20 ～ 30 花，舌片蓝紫色，开展，矩圆状条形，长 10 ～ 15 mm，宽 1.5 ～ 2.5 mm，先端钝，管部长 1.5 ～ 2 mm，疏被微毛，花柱分枝长，伸出管部 0.5 ～ 1 mm；中央两性花筒状，黄色，长 5 ～ 6 mm，管部长 1.5 ～ 2 mm，裂片不等长，长 0.7 ～ 1.5 mm，花柱分枝附片三角形，与花冠近等长。冠毛红褐色或污白色，长 4 ～ 5 mm，具微糙毛；瘦果扁，倒卵状长圆形，长 2 ～ 3 mm，宽 0.7 ～ 1.2 mm，灰绿色或浅褐色，密被绢毛，杂有腺毛。花果期 6 ～ 9 月。

| **生境分布** | 生于海拔 400 ～ 3 800 m 的草原、荒地及干旱山地。分布于新疆阿勒泰地区、哈密市、吐鲁番市及乌鲁木齐县、和布克赛尔蒙古自治县、裕民县、托里县、精河县、新源县、昭苏县、和静县。

| **资源情况** | 野生资源较丰富。药材来源于野生。

| **采收加工** | 夏、秋季采收，洗净，鲜用或晒干。

| **功能主治** | 苦、辛，温。清热降火，排脓止咳。用于热病，肝胆火旺，肺脓肿，咳吐脓血，膀胱炎，疱疹疮疖。

| **用法用量** | 内服煎汤，9 ～ 15 g。

萎软紫菀 *Aster flaccidus* Bunge

| 药 材 名 |

紫菀（药用部位：根及根茎）。

| 形态特征 |

多年生草本。根茎细长，有时具匍枝。茎直立，高 5 ～ 30 cm，稀达 40 cm，不分枝，被皱曲或开展的长毛，上部常杂有具柄腺毛或仅有腺毛，下部有密集的叶。基部叶及莲座状叶匙形或长圆状匙形，长 2 ～ 7 cm，宽 0.5 ～ 2 cm，下部渐狭成短或长柄，先端圆形或尖，边缘无齿，稀有少数浅齿；茎部叶 3 ～ 5，长圆形或长圆状披针形，长 3 ～ 7 cm，宽 0.3 ～ 2 cm，基部渐狭或急狭，常半抱茎；上部叶小，线形；全部叶质薄，两面密被长毛、近无毛或有腺毛，离基三出脉和侧脉细。头状花序在茎端单生，直径 3.5 ～ 5 cm，稀达 7 cm；总苞半球形，直径 1.5 ～ 2 cm，稀达 3 cm，被白色或深色长毛，有时具腺毛；总苞片 2 层，线状披针形，近等长，长 0.7 ～ 10 mm，稀达 12 mm，宽 1.5 ～ 2 mm，稀达 2.2 mm，草质，先端尖或渐尖，内层边缘狭膜质；舌状花 40 ～ 60 个，管部长 2 mm，上部有短毛，舌片紫色，稀浅红色，长 13 ～ 25 cm，稀达 30 mm，宽 1.5 ～ 2.5 mm；管状花黄色，长 5.5 ～

6.5 mm，管部长 1.5 ~ 2.5 mm，裂片长约 1 mm，被短毛；花柱附片长 0.5 ~ 1.2 mm。冠毛白色，外层披针形，膜片状，长 1.5 mm，内层有多数长 6 ~ 7 mm 的糙毛；瘦果长圆形，长 2.5 ~ 3.5 mm，有 2 边肋或一面另有 1 肋，被疏贴毛或杂有腺毛，稀无毛。花果期 6 ~ 9 月。

| **生境分布** | 生于高山及亚高山草地、灌丛及砾石地。新疆各地均有分布。

| **资源情况** | 野生资源较丰富。药材来源于野生。

| **功能主治** | 散寒润肺，降气化痰，止咳平喘，清热解毒，止咳。用于肺痈，肺痿，风热咳喘，顿咳，目疾。

菊科 Compositae 紫菀属 Aster

若羌紫菀

Aster ruoqiangensis Y. Wei & C. H. An

| 药 材 名 | 紫菀（药用部位：根及根茎）。

| 形态特征 | 多年生草本。高 5 ~ 10 cm。根茎横走或斜升，多分枝，匍匐枝细长。茎丛生，直立或斜升，绿色或蓝紫色，被绵毛，基部被枯叶柄包裹。基生叶莲座状，匙形，长 3 ~ 4.5 cm，宽 0.8 ~ 1.2 cm，先端钝或急尖，基部渐窄，下延于叶柄成窄翅，柄长 1 ~ 1.5 cm；下部茎生叶与基生叶同形，中部叶长圆状匙形，长 1.5 ~ 2.5 cm，宽 0.3 ~ 0.6 cm，先端渐尖，无柄，半抱茎；上部叶渐小；全部叶厚质，全缘，边缘有折皱，两面被薄绵毛，尤以背面和上部叶的毛多。头状花序大，单生于茎顶；总苞半球形，长 1.6 ~ 2 cm，宽 2 ~ 2.5 cm；总苞片 2 层，外层长圆状披针形，绿色，上端深蓝色，长约 1.3 cm，

宽 2 ~ 2.5 mm，渐尖，被厚绵毛，内层线状披针形，长 1 ~ 1.1 cm，宽约 1.5 mm，被疏长毛；边缘花 35 ~ 45，雌性，舌状，舌片开展，紫色，长圆状条形，长 12 ~ 14 mm，宽 2 ~ 2.5 mm，管部长约 3 mm，花柱伸出管部约 3 mm；中央两性花筒状，黄色，长 6 ~ 7 mm，管部长约 3 mm，檐部 5 裂，裂片长 1 ~ 1.5 mm，花柱分枝伸出管部。冠毛 2 层，白色，外层短，刚毛状，内层长 7 ~ 8 mm，糙毛状；瘦果黄色，长圆状条形，长 2.5 ~ 3 mm，宽约 0.8 mm，无毛，有 2 边肋。花果期 7 ~ 9 月。

| **生境分布** | 生于高山草甸。分布于新疆若羌县等。

| **资源情况** | 野生资源一般。药材来源于野生。

| **功能主治** | 散寒润肺，降气化痰，止咳平喘。

菊科 Compositae 紫菀属 Aster

半卧狗娃花 *Aster semiprostratus* (Grierson) H. Ikeda

| 药 材 名 | 狗娃花（药用部位：全草）。

| 形态特征 | 多年生草本。主根长，直伸，颈短，生出多数簇生茎枝。茎枝平卧或斜升，很少直立，基部或下部常被泥沙覆盖，长 5 ~ 15 cm，被平贴的柔毛，基部分枝，有时叶腋有具密叶的不育枝。叶条形或匙形，长 1 ~ 3 cm，宽 2 ~ 4 mm，先端具宽短尖，基部渐狭，全缘，两面被平贴的柔毛或上面近无毛，散生闪亮的腺体，中脉在上面稍下凹，在下面稍凸起，有时基部具 3 脉。头状花序单生于枝端，宽 1.5 ~ 3 cm；总苞半球形，直径 1.3 cm，总苞片 3 层，披针形，渐尖，长 6 ~ 8 mm，宽 0.8 ~ 1.8 mm，绿色，外面被毛和腺体，内层边缘宽膜质；舌状花 20 ~ 35，管部长约 2 mm，舌片蓝色或浅紫色，

长 1.2 ~ 1.5 cm，宽约 2.1 mm；管状花黄色，长 4 ~ 6 mm，管部长 1.5 ~ 2.3 mm，裂片 1 长 4 短，长 1.2 ~ 1.5 mm，花柱附属物三角形。冠毛浅棕红色，长 4 ~ 5 mm；瘦果倒卵形，长 1.7 ~ 2 mm，宽 0.7 ~ 0.9 mm，被绢毛，上部有腺。花果期 6 ~ 8 月。

| 生境分布 | 生于海拔 2 600 ~ 3 400 m 的山坡、荒漠草原。分布于新疆克拉玛依市及和田县、皮山县、策勒县等。

| 资源情况 | 野生资源较丰富。药材来源于野生。

| 采收加工 | 夏、秋季采收，洗净，鲜用或晒干。

| 功能主治 | 苦，凉。清热降火，排脓止咳。用于热病，肝胆火旺，肺脓肿，咳吐脓血，膀胱炎，疱疹疮疖。

| 用法用量 | 内服煎汤，5 ~ 10 g。外用适量，捣敷。

菊科 Compositae 紫菀木属 Asterothamnus

灌木紫菀木

Asterothamnus fruticosus (C. Winkl.) Novopokr.

| **药 材 名** | 紫菀木（药用部位：根及根茎）。

| **形态特征** | 多分枝半灌木。高 20 ～ 40 cm。叶较密集，线形，长 10 ～ 15（～ 20）mm，宽 1 ～ 1.5 mm，无柄，先端尖，基部渐狭，边缘反卷，具一明显的中脉，两面被蛛丝状短绒毛或上面近无毛；上部叶渐小。头状花序较大，在茎枝端排列成疏伞房花序，长 8 ～ 10 mm，宽约 10 mm，具多数花；花序梗细长，直立或稍弯曲，常具多少线形的小叶；总苞宽倒卵形，长 6 ～ 7 mm，宽 8 ～ 10 mm；总苞片 3层，革质，覆瓦状排列，外层和中层较小，卵状披针形，内层长圆形，先端长渐尖，背面被疏蛛丝状短绒毛，边缘白色，宽膜质，先端绿色或白色，少有紫红色的，具 1 绿色或暗绿色的中脉；有舌状花或

无舌状花，外围有 7 ～ 10 舌状花，舌片开展，淡紫色，长约 10 mm；中央两性花 15 ～ 18，花冠管状，长 4 ～ 5 mm，檐部钟形，有 5 披针形的裂片。瘦果长圆形，基部缩小，常具小环，长 3.5 ～ 4 mm，被白色长伏毛；冠毛白色，糙毛状，与花冠等长。花果期 6 ～ 9 月。

| **生境分布** | 生于荒漠草原、戈壁。分布于新疆吐鲁番市、乌鲁木齐市、巴音郭楞蒙古自治州（焉耆回族自治州、和静县、和硕县）、阿克苏地区（拜城县、柯坪县、阿克苏市）、克孜勒苏柯尔克孜自治州（阿克陶县）等。

| **资源情况** | 野生资源较丰富。药材来源于野生。

| **功能主治** | 散寒润肺，降气化痰，止咳平喘。

菊科 Compositae 驱虫菊属 Baccharoides

驱虫菊 *Baccharoides anthelmintica* (L.) Moench

药材名

斑鸠菊（药用部位：全草或果实）。

形态特征

一年生高大草本。茎直立，粗壮，高达60 cm，上部多分枝，具明显的槽沟，被腺状柔毛。叶膜质，卵形、卵状披针形或披针形，长6～15 cm，宽1.5～4.5 cm，先端尖或渐尖，基部渐狭成长1 cm的叶柄，边缘具粗或锐锯齿，侧脉8对或更多，脉细而密，网状，两面被短柔毛，下面脉上毛较密，有腺点。头状花序较多数，较大，直径15～20 mm，在茎端和枝端排列成疏伞房状；花序梗长5～15 mm，常具线形的苞片，先端稍增粗，密被短柔毛及腺点；总苞半球形；总苞片约3层，近等长，外层线形，稍开展，长10～12 mm，绿色，叶质，外面被短柔毛和腺点，中层长圆状线形，先端尖，上部常缩狭，绿色，叶质，内层长圆形，从基部向先端渐膜质，先端尖；总苞片在结果后全部反折，花托平或稍凹，有蜂窝状突起；小花40～50，淡紫色，全部结实，花冠管状，长9～10 mm，管部细长，长6～7 mm，檐部狭钟状，有5披针形裂片。瘦果近圆柱形，基部缩狭，黑色，长约4 mm，具10纵肋，被微毛，肋间有褐色腺点；冠毛2层，淡红色，外层极短，近膜片状，宿存，内层糙毛状，短于瘦果的2倍，易脱落。花期9～10月。

| **生境分布** | 栽培种。新疆轮台县、吉木萨尔县、温宿县等有栽培。

| **功能主治** | 果实，驱虫，消肿，散寒止痛。用于寒湿胃痛、肝病，白癜风等。全草，驱虫。

菊科 Compositae 鬼针草属 Bidens

柳叶鬼针草 Bidens cernua L.

|药材名|

鬼针草（药用部位：地上部分）。

|形态特征|

一年生草本。高 10 ~ 90 cm。生于岸上的有明显的主茎，中上部分枝，节间较长；生于水中的常自基部分枝，节间短，主茎不明显。茎直立，近圆柱形，麦秆色或带紫色，无毛或嫩枝上有疏毛。叶对生，极少轮生，通常无柄，不分裂，披针形至条状披针形，长 3 ~ 14 （~ 22） cm，宽 5 ~ 30 mm，先端渐尖，中部以下渐狭，基部半抱茎，边缘具疏锯齿，两面稍粗糙，无毛。头状花序单生于茎、枝先端，连同总苞片直径达 4 cm，高 6 ~ 12 mm，花时下垂，有较长的花序梗；总苞盘状，外层苞片 5 ~ 8，条状披针形，长 1.5 ~ 3 cm，叶状，内层苞片膜质，长椭圆形或倒卵形，花时长 6 ~ 8 mm，先端锐尖或钝，背面有黑色条纹，具黄色的薄膜质边缘，无毛；托片条状披针形，与瘦果近等长，膜质，透明，先端带黄色，背面有数条褐色纵条纹；舌状花中性，舌片黄色，卵状椭圆形，长 8 ~ 12 mm，宽 3 ~ 5 mm，先端锐尖或有 2 ~ 3 小齿；盘花两性，筒状，长约 3 mm，花冠管细窄，长约 1.5 mm，冠檐扩大，呈壶状，先端5齿裂。瘦果狭楔形，长 5 ~ 6.5 mm，具4棱，棱上有倒刺毛，先端具4芒刺，长 2 ~ 3 mm，有倒刺毛。花期 7 ~ 8 月。

| 生境分布 | 生于草甸及沼泽边缘。分布于新疆博尔塔拉蒙古自治州、阿克苏地区（温宿县）等。

| 资源情况 | 野生资源较少。药材来源于野生。

| 功能主治 | 清热解毒，活血利尿。用于腹泻痢疾，咽喉肿痛，跌打损伤，风湿疼痛，痈肿疮毒。

菊科 Compositae 鬼针草属 Bidens

薄叶鬼针草 *Bidens leptophylla* C. H. An

|药材名|

鬼针草（药用部位：地上部分）。

|形态特征|

一年生草本。高约 25 cm。茎直立，细瘦，有时带紫色。叶对生，卵圆状椭圆形、卵状菱形或长圆形，连同叶柄长 1.8 ~ 5.8 cm，宽 0.5 ~ 2 cm；中部叶最大，先端急尖，基部楔形，形成明显或不明显的叶柄，全缘或有 1 ~ 3 对锯齿，下部偶深裂而具 1 对长圆状条形裂片，叶柄及背面沿叶脉有微小的白色软骨质刺。头状花序单生于枝端；花序梗在放大镜下观察可见白色的软骨质小刺毛；总苞长 8 ~ 10 mm，宽 5 ~ 8 mm，外层总苞片叶质，椭圆形、长圆形或条状，长 1.5 ~ 3.8 cm，先端尖，基部渐窄成柄，柄具窄翅或无翅，全缘或具 1 ~ 3 对锯齿，下部及柄有细小的白色软骨质刺，内层总苞片薄，革质，棕色；无舌状花；筒状花黄色，长 3 ~ 3.5 mm，冠檐筒状，有 5 褐色脉纹，先端 5 齿裂，细筒部长 1.2 ~ 1.4 mm。瘦果棕绿色，楔形，长约 6 mm，宽约 2 mm，扁压而微拱，背腹面各有 1 肋，有 2 刺芒，长约 2.5 mm，两侧在放大镜下观察可见倒刺毛。

| **生境分布** | 生于山坡或山谷草地、林下阴湿处。分布于新疆塔城市、昌吉市等。

| **资源情况** | 野生资源较少。药材来源于野生。

| **功能主治** | 清热解毒，活血利尿。用于腹泻痢疾，咽喉肿痛，跌打损伤，风湿疼痛，痈肿
疮毒。

菊科 Compositae 鬼针草属 Bidens

大羽叶鬼针草

Bidens radiata Thuill.

| 药 材 名 | 鬼针草（药用部位：地上部分）。

| 形态特征 | 一年生草本。茎直立，高 30 ~ 70 cm，近圆柱形或略具 4 棱，麦秆黄色，几无毛或上部被稀疏柔毛，上部分枝。叶对生或茎上部的叶互生；叶柄长 1 ~ 3 cm，具狭翅，翅缘常有稀疏缘毛；叶片长 6 ~ 12 cm，三出复叶状分裂或羽状分裂，裂片 3 ~ 5，侧生裂片披针形或狭披针形，顶生裂片较大，长 5 ~ 10 cm，两面无毛，边缘具近整齐的内弯锯齿，多少具紧贴边缘的短缘毛。头状花序生于茎顶及枝端，稍密聚，具长 0.5 ~ 3 cm 的花序梗，果时直径 1.5 ~ 2 cm，高约 7 mm，基部稍凹入，先端隆起，呈弧形；总苞外层苞片（9 ~ ）12 ~ 14，条状披针形，长 8 ~ 20 mm，叶状，边缘具疏齿，内层苞

片披针形，长 5 ~ 7 mm，膜质，褐色而具黄色边缘；托片条形，与瘦果近等长，具透明边缘；舌状花缺；盘花多数，花冠筒状，长 2 ~ 2.5 mm，冠檐 4 齿裂。瘦果楔形，长 3 ~ 4 mm，扁平，无中肋或具不明显的中肋，边缘具倒刺毛，先端具 2 芒刺，芒刺长 1.6 ~ 3 mm，有倒刺毛。花期 6 ~ 9 月。

| 生境分布 | 生于沼泽及河边湿地。分布于新疆温泉县、福海县、乌鲁木齐县、克拉玛依市、哈巴河县、昌吉市等。

| 资源情况 | 野生资源一般。药材来源于野生。

| 功能主治 | 清热解毒，活血散瘀。

菊科 Compositae 鬼针草属 Bidens

五裂狼把草
Bidens tripartita var. *quinqueloba* Z. X. An

|药 材 名|

狼把草（药用部位：地上部分）。

|形态特征|

一年生草本。茎高 20 ～ 150 cm，圆柱状或具钝棱而稍呈四方形，基部直径 2 ～ 7 mm，无毛，绿色或带紫色，上部分枝或自基部分枝。叶对生，下部的叶较小，不分裂，边缘具锯齿，通常于花期枯萎；中部叶具柄，柄长 0.8 ～ 2.5 cm，有狭翅，叶片无毛或下面有极稀疏的小硬毛，长 4 ～ 13 cm，长椭圆状披针形，不分裂或近基部浅裂成 1 对小裂片，通常 3 ～ 5 深裂，裂深几达中肋，两侧裂片披针形至狭披针形，长 3 ～ 7 cm，宽 8 ～ 12 mm，顶生裂片较大，披针形或长椭圆状披针形，长 5 ～ 11 cm，宽 1.5 ～ 3 cm，两端渐狭，与侧生裂片边缘均具疏锯齿；上部叶较小，披针形，3 裂或不分裂。头状花序单生于茎端及枝端，直径 1 ～ 3 cm，高 1 ～ 1.5 cm，具较长的花序梗；总苞盘状，外层苞片 5 ～ 9，条形或匙状倒披针形，长 1 ～ 3.5 cm，先端钝，具缘毛，叶状，内层苞片长椭圆形或卵状披针形，长 6 ～ 9 mm，膜质，褐色，有纵条纹，具透明或淡黄色的边缘；托片条状披针形，与瘦果近等长，背面有褐色条纹，边缘透明；无舌状花；全为筒状两性花，花冠长 4 ～ 5 mm，筒状花冠檐 5 裂；花药基部钝，先端有椭圆形附属器，花丝上部变宽。瘦果扁，楔形或倒卵状楔形，长 6 ～ 11 mm，宽 2 ～ 3 mm，边缘有倒刺毛，先端芒刺通常 2，极少 3 ～ 4，长 2 ～ 4 mm，两侧有倒刺毛。

| 生境分布 | 生于沼泽及河边湿地。分布于新疆阿勒泰地区（布尔津县）、昌吉回族自治州（玛纳斯县）、乌鲁木齐市、伊犁哈萨克自治州（察布查尔锡伯自治县、新源县、特克斯县、昭苏县）、哈密市、吐鲁番市等。

| 资源情况 | 野生资源一般。药材来源于野生。

| 功能主治 | 清热解毒。用于感冒，肺结核，盗汗，闭经；外用于疖肿，湿疹，皮癣。

菊科 Compositae 金盏菊属 Calendula

金盏花
Calendula officinalis L.

| 药 材 名 | 金盏菊（药用部位：全草或根、花）。

| 形态特征 | 一年生草本。高 20 ~ 75 cm，通常自茎基部分枝，绿色或多少被腺状柔毛。基生叶长圆状倒卵形或匙形，长 15 ~ 20 cm，全缘或具疏细齿，具柄；茎生叶长圆状披针形或长圆状倒卵形，无柄，长 5 ~ 15 cm，宽 1 ~ 3 cm，先端钝，稀急尖，边缘波状，具不明显的细齿，基部多少抱茎。头状花序单生于茎枝端，直径 4 ~ 5 cm；总苞片 1 ~ 2 层，披针形或长圆状披针形，外层稍长于内层，先端渐尖；小花黄色或橙黄色，长于总苞的 2 倍，舌片宽 4 ~ 5 mm；管状花檐部具三角状披针形的裂片。瘦果全部弯曲，淡黄色或淡褐色，外层的瘦果多数内弯，外面常具小针刺，先端具喙，两侧具翅，脊

部具规则的横折皱。花期 4 ~ 9 月，果期 6 ~ 10 月。

| **生境分布** | 栽培种。新疆各地均有栽培。

| **功能主治** | 全草，清热解毒，活血调经。用于中耳炎，月经不调。根，活血散瘀，行气止痛。用于症瘕，疝气，胃寒疼痛。花，凉血止血，清热泻火。用于肠风便血，目赤肿痛。

翠菊

Callistephus chinensis (L.) Nees

| 药 材 名 | 翠菊（药用部位：花）。

| 形态特征 | 一年生或二年生草本。高（15 ~ ）30 ~ 100 cm。茎直立，单生，
有纵棱，被白色糙毛，基部直径 6 ~ 7 mm，或纤细，直径 1 mm，
分枝斜升或不分枝。下部茎生叶花期脱落或生存；中部茎生叶卵形、
菱状卵形、匙形或近圆形，长 2.5 ~ 6 cm，宽 2 ~ 4 cm，先端渐尖，
基部截形、楔形或圆形，边缘有不规则的粗锯齿，两面被稀疏的短
硬毛，叶柄长 2 ~ 4 cm，被白色短硬毛，有狭翼；上部的茎生叶渐小，
菱状披针形、长椭圆形或倒披针形，边缘有 1 ~ 2 锯齿或线形而全
缘。头状花序单生于茎枝先端，直径 6 ~ 8 cm，有长花序梗；总苞
半球形，宽 2 ~ 5 cm，总苞片 3 层，近等长，外层长椭圆状披针形

或匙形，叶质，长 1 ~ 2.4 cm，宽 2 ~ 4 mm，先端钝，边缘有白色长睫毛，中层匙形，较短，质较薄，带紫色，内层苞片长椭圆形，膜质，半透明，先端钝。雌花 1 层，在园艺栽培中可为多层，红色、淡红色、蓝色、黄色或淡蓝紫色，舌状，长 2.5 ~ 3.5 cm，宽 2 ~ 7 mm，有长 2 ~ 3 mm 的短管部；两性花花冠黄色，檐部长 4 ~ 7 mm，管部长 1 ~ 1.5 mm。瘦果长椭圆状倒披针形，稍扁，长 3 ~ 3.5 mm，中部以上被柔毛；外层冠毛宿存，内层冠毛雪白色，不等长，长 3 ~ 4.5 mm，先端渐尖，易脱落。花果期 5 ~ 10 月。

| 生境分布 | 栽培种。新疆各地均有栽培。

| 功能主治 | 清热凉血，清肝明目。用于肝火头痛，眩晕，目赤，心胸烦热等。

菊科 Compositae 小甘菊属 Cancrinia

黄头小甘菊

Cancrinia chrysocephala Kar. & Kir.

| **药 材 名** | 小甘菊（药用部位：幼苗）。

| **形态特征** | 多年生草本。高 4 ～ 10 cm，被绵毛。主根细，直伸，由很短的根颈上生出多数或少数茎枝。茎极缩短，向上转变为无叶或几无叶的花葶。基生叶多数，密被绵毛，长 2 ～ 3 cm，宽 0.5 ～ 1 cm，有远长于叶片且基部扩大的叶柄，叶片长圆形或卵形，羽状深裂，裂片 3 ～ 4 对，线状长圆形至倒卵形，宽 1 ～ 2 mm，常全部或部分再次 2 ～ 4 深裂或浅裂，小裂片先端钝或稍尖；茎生叶 1 ～ 2，极退化，全缘。头状花序单生，植株有多数头状花序；花葶直立，长 2 ～ 8 cm；总苞直径 10 ～ 17 mm，长 4 ～ 6 mm，密被绵毛；总苞片草质，外层少数，披针形或条状披针形，内层较长，长圆状线形，全部具褐

色至深褐色的宽膜质边缘，先端多少扩大；花冠黄色，管状，长 2.5 ~ 3.5 mm，檐部 5 齿裂。瘦果长 1.5 ~ 2.2 mm，具 5 ~ 6 纵肋，无毛，稀于顶部多少具疏柔毛；冠毛膜片状，长 2.5 ~ 3.5 mm，自基部或近基部裂成 8 ~ 12 线形或矩圆形裂片，先端稍尖，多少有不规则的裂齿，带淡褐色。花果期 6 ~ 9 月。

| 生境分布 | 生于海拔 2 900 ~ 3 800 m 的山坡多石地、草甸及砾质河漫滩。分布于新疆达坂城区、昌吉市、乌苏市、皮山县、塔什库尔干塔吉克自治县。

| 资源情况 | 野生资源一般。药材来源于野生。

| 功能主治 | 清热祛湿。用于湿热黄疸。

小甘菊
Cancrinia discoidea (Ledeb.) Poljakov ex Tzvelev

| 药 材 名 | 茵陈（药用部位：幼苗）。

| 形态特征 | 二年生草本。高 5 ~ 20 cm，主根细。茎自基部分枝，直立或斜升，被白色绵毛。叶灰绿色，被白色绵毛至几无毛，叶片长圆形或卵形，长 2 ~ 4 cm，宽 0.5 ~ 1.5 cm，2 回羽状深裂，裂片 2 ~ 5 对，每裂片又 2 ~ 5 深裂或浅裂，少有全部或部分全缘的，末回裂片卵形至宽线形，先端钝或短渐尖；叶柄长，基部扩大。头状花序单生，植株有少数头状花序；花序梗长 4 ~ 15 cm，直立；总苞直径 7 ~ 12 mm，被疏绵毛至几无毛；总苞片 3 ~ 4 层，草质，长 3 ~ 4 mm，外层少数，线状披针形，先端尖，几无膜质边缘，内层较长，线状长圆形，边缘宽膜质；花托明显凸起，锥状球形；花黄色，花冠长约 1.8 mm，

檐部 5 齿裂。瘦果长约 2 mm，无毛，具 5 纵肋；冠状冠毛长约 1 mm，膜质，5 裂，分裂至中部。花果期 6 ~ 9 月。

| **生境分布** | 生于山坡、荒地和戈壁。分布于新疆北部。

| **资源情况** | 野生资源较丰富。药材来源于野生。

| **功能主治** | 清热祛湿。用于湿热黄疸。

菊科 Compositae 飞廉属 Carduus

丝毛飞廉 *Carduus crispus* L.

| 药 材 名 |

飞廉（药用部位：全草）。

| 形态特征 |

二年生或多年生草本。高 40 ～ 150 cm。茎
直立，有条棱，不分枝或最上部有极短至较
长的分枝，被稀疏的多细胞长节毛，上部或
头状花序下部有稀疏或较稠密的蛛丝状毛或
蛛丝状绵毛。下部茎生叶椭圆形、长椭圆形
或倒披针形，长 5 ～ 18 cm，宽 1 ～ 7 cm，
羽状深裂或半裂，侧裂片 7 ～ 12 对，偏斜
半椭圆形、半长椭圆形、三角形或卵状三角
形，边缘有大小不等的三角形或偏斜三角形
刺齿，齿顶及齿缘有浅褐色或淡黄色的针
刺，齿顶针刺较长，长达 3.5 cm，齿缘针刺
较短，或下部茎生叶不羽状分裂，边缘具大
锯齿或重锯齿；中部茎生叶与下部茎生叶同
形并同样分裂，但渐小；最上部茎生叶线状
倒披针形或宽线形；全部茎生叶两面明显异
色，上面绿色，有稀疏的多细胞长节毛，但
沿中脉的毛较多，下面灰绿色或浅灰白色，
被蛛丝状薄绵毛，沿脉有较多的多细胞长节
毛，基部渐狭，两侧沿茎下延成茎翼。茎翼
边缘齿裂，齿顶及齿缘有黄白色或浅褐色的
针刺，针刺长 2 ～ 3 mm，极少长达 5 mm；

上部或头状花序下部的茎翼常为针刺状。头状花序；花序梗极短，通常 3 ～ 5 集生于分枝先端或茎端，或头状花序单生于分枝先端，形成不明显的伞房花序；总苞卵圆形，直径 1.5 ～ 2（～ 2.5）cm；总苞片多层，覆瓦状排列，向内层渐长，最外层长三角形，长约 3 mm，宽约 0.7 mm，中、内层苞片钻状长三角形、钻状披针形或披针形，长 4 ～ 13 mm，宽 0.9 ～ 2 mm，最内层苞片线状披针形，长 15 mm，宽不足 1 mm，中、外层苞片先端针刺状短渐尖或具尖头，最内层及近最内层苞片先端长渐尖，无针刺；全部苞片无毛或被稀疏的蛛丝状毛；小花红色或紫色，长 1.5 cm，檐部长 8 mm，5 深裂，裂片线形，长达 6 mm，细管部长 7 mm。瘦果稍压扁，楔状椭圆形，长约 4 mm，有明显的横皱纹，基底着生面平，先端斜截形，有果缘，果缘软骨质，全缘，无锯齿；冠毛多层，白色或污白色，不等长，向内层渐长，冠毛刚毛锯齿状，长达 1.3 cm，先端扁平，扩大，基部连合成环，整体脱落。花果期 4 ～ 10 月。

| 生境分布 | 生于海拔 400 ～ 3 600 m 的山坡草地、山地灌丛、荒漠河岸边、固定或半固定沙丘及绿洲的田间、路旁。分布于新疆塔城市、伊宁县等。

| 资源情况 | 野生资源较丰富。药材来源于野生。

| 功能主治 | 清热，祛风，利湿，凉血止血，活血消肿。用于感冒咳嗽，头晕目眩，乳糜尿，带下，黄疸，风湿痹痛，吐血，衄血，尿血，月经不调，跌打损伤，疔疮疖肿，痔疮肿痛，烧伤。

菊科 Compositae 飞廉属 Carduus

飞廉
Carduus nutans L.

| 药 材 名 |

飞廉（药用部位：全草）。

| 形态特征 |

二年生或多年生草本。高 30 ~ 100 cm。茎
单生或少数茎簇生，通常多分枝，分枝细长，
极少不分枝，全部茎枝有条棱，被稀疏的蛛
丝状毛和多细胞长节毛，上部或头状花序下
部常呈灰白色，被密厚的蛛丝状绵毛。中、
下部茎生叶长卵圆形或披针形，长（5 ~）
10 ~ 40 cm，宽（1.5 ~）3 ~ 10 cm，羽状
半裂或深裂，侧裂片 5 ~ 7 对，斜三角形或
三角状卵形，先端有淡黄白或褐色的针刺，
针刺长 4 ~ 6 mm，边缘针刺较短；茎生叶
向上渐小，羽状浅裂或不裂，先端及边缘具
相同的针刺，但通常较中、下部茎生叶裂片
边缘及先端的针刺短；全部茎生叶两面同
色，两面沿脉被多细胞长节毛，上面的毛稀
疏或两面兼被稀疏的蛛丝状毛，基部无柄，
两侧沿茎下延成茎翼，但茎生叶基部渐狭成
短柄。茎翼连续，边缘有大小不等的三角形
刺齿，齿顶和齿缘有黄白色或褐色的针刺；
头状花序下部的茎翼常呈针刺状。头状花序
通常下垂或下倾，单生于茎顶或长分枝的先
端，但不形成明显的伞房花序，植株通常生

4 ～ 6 头状花序；总苞钟状或宽钟状，直径 4 ～ 7 cm；总苞片多层，不等长，覆瓦状排列，向内层渐长，最外层长三角形，长 1.4 ～ 1.5 cm，宽 4 ～ 4.5 mm，中层及内层三角状披针形、长椭圆形或椭圆状披针形，长 1.5 ～ 2 cm，宽约 5 mm，最内层宽线形或线状披针形，长 2 ～ 2.2 cm，宽 2 ～ 3 mm；全部苞片无毛或被稀疏的蛛丝状毛，除最内层苞片外，其余各层苞片中部或上部弯曲，中脉高起，在先端呈长或短的针刺状伸出；小花紫色，长 2.5 cm，檐部长 1.2 cm，5 深裂，裂片狭线形，长达 6.5 mm，细管部长 1.3 cm。瘦果灰黄色，楔形，稍压扁，长 3.5 mm，有多数浅褐色的细纵纹及细横皱纹，下部收窄，基底着生面稍偏斜，先端斜截形，有果缘，果缘全缘，无锯齿；冠毛白色，多层，不等长，向内层渐长，长达 2 cm；冠毛刚毛锯齿状，向先端渐细，基部连合成环，整体脱落。花果期 6 ～ 9 月。

| 生境分布 | 生于海拔 540 ～ 2 300 m 的山谷、田边或草地。新疆各地均有分布。

| 资源情况 | 野生资源较丰富。药材来源于野生。

| 功能主治 | 祛风，清热，利湿，凉血散瘀。用于风热感冒，头风眩晕，风热痹痛，皮肤刺痒，乳糜尿，尿血，带下，跌打瘀肿，疔疮肿毒，烫火伤。

菊科 Compositae 红花属 Carthamus

红花
Carthamus tinctorius L.

| 药 材 名 | 红花（药用部位：花冠）。

| 形态特征 | 一年生草本。高（20 ~ ）50 ~ 100（ ~ 150）cm。茎直立，上部分枝；全部茎枝白色或淡白色，光滑，无毛。中、下部茎生叶披针形或长椭圆形，长 7 ~ 15 cm，宽 2.5 ~ 6 cm，边缘具大锯齿、重锯齿、小锯齿至无锯齿而全缘，极少有羽状深裂的，齿顶有针刺，针刺长 1 ~ 1.5 mm；向上的叶渐小，披针形，边缘有锯齿，齿顶针刺较长，长达 3 mm；全部叶质坚硬，革质，两面无毛且无腺点，有光泽，基部无柄，半抱茎。头状花序多数，在茎枝先端排成伞房花序，被苞叶所围绕；苞片椭圆形或卵状披针形，连同先端针刺长 2.5 ~ 3 cm，边缘有针刺，针刺长 1 ~ 3 mm，或无针刺，先端渐长，有篦齿状针

刺，针刺长约 2 mm。总苞卵形，直径约 2.5 cm；总苞片 4 层，外层竖琴状，中部或下部收缢，收缢处以上叶质，绿色，边缘无针刺或有篦齿状针刺，针刺长达 3 mm，先端渐尖，有长 1 ~ 2 mm，收缢处以下黄白色；中、内层硬膜质，倒披针状椭圆形至长倒披针形，长达 2.2 cm，先端渐尖；全部苞片无毛且无腺点；小花红色或橘红色，全部为两性花；花冠长 2.8 cm，细管部长 2 cm，花冠裂片几达檐部基部。瘦果倒卵形，长 5.5 mm，宽 5 mm，乳白色，有 4 棱，棱于果顶伸出，侧生于着生面；无冠毛。花果期 6 ~ 8 月。

| 生境分布 | 栽培种。新疆伊犁哈萨克自治州、阿勒泰地区、昌吉回族自治州、阿克苏地区等有栽培。

| 功能主治 | 活血通经，散瘀止痛。用于经闭，痛经，恶露不行，癥瘕积聚，胸痹心痛，瘀滞腹痛，胸胁刺痛，跌扑损伤，疮疡肿痛。

矢车菊
Centaurea cyanus L.

| 药 材 名 | 矢车菊（药用部位：全草）。

| 形态特征 | 一年生或二年生草本。高 30 ～ 70 cm 或更高，直立，自中部分枝，极少不分枝，全部茎枝灰白色，被薄蛛丝状卷毛。基生叶及下部茎生叶长椭圆状倒披针形或披针形，不分裂，全缘或边缘具疏锯齿至大头羽状分裂，侧裂片 1 ～ 3 对，长椭圆状披针形、线状披针形或线形，全缘，无锯齿，顶裂片较大，长椭圆状倒披针形或披针形，边缘有小锯齿；中部茎生叶线形、宽线形或线状披针形，长 4 ～ 9 cm，宽 4 ～ 8 mm，先端渐尖，基部楔形，无叶柄，全缘，无锯齿；上部茎生叶与中部茎生叶同形，但渐小；全部茎生叶两面异色或近异色，上面绿色或灰绿色，被稀疏的蛛丝状毛或脱毛，下面灰白色，被薄

绒毛。头状花序多数或少数在茎枝先端排成伞房花序或圆锥花序；总苞椭圆状，直径 1 ～ 1.5 cm，有稀疏的蛛丝状毛；总苞片约 7 层，全部总苞片由外向内呈椭圆形、长椭圆形，外层及中层连同先端附属物长 3 ～ 6 mm，宽 2 ～ 4 mm，内层连同先端附属物长 1 ～ 11 cm，宽 3 ～ 4 mm，全部苞片先端有浅褐色或白色的附属物，中、外层的附属物较大，内层的附属物较小，全部附属物沿苞片短下延，边缘具流苏状锯齿；边缘花增大，长于中央盘花，蓝色、白色、红色或紫色，檐部 5 ～ 8 裂；盘花浅蓝色或红色。瘦果椭圆形，长 3 mm，宽 1.5 mm，有细条纹，被稀疏的白色柔毛；冠毛白色或浅土红色，2 列，外列多层，向内层渐长，长达 3 mm，内列 1 层，极短；全部冠毛刚毛状。花果期 6 ～ 9 月。

| 生境分布 |　栽培种。新疆各地均有栽培。

| 功能主治 |　清热解毒，活血消肿。

菊科 Compositae 矢车菊属 Centaurea

薄鳞菊

Centaurea glastifolia L. subsp. *intermedia* (Boiss.) L. Martins

| 药 材 名 |

薄鳞菊（药用部位：全草）。

| 形态特征 |

多年生草本。根木质，分枝。茎直立，高
80 cm，有分枝。基生叶有长或短柄，叶柄
长 4 ~ 20 cm，基生叶下部茎生叶呈长椭圆
形或椭圆状倒披针形，长 6 ~ 10 cm 或更
长，宽 2 ~ 6 cm；中部叶及向上的叶渐小，
长椭圆形、椭圆状披针形或线状椭圆形；全
部叶两面绿色，粗糙，两面被稠密的短刺毛
及头状无柄的黄色小腺点，全缘或有不明显
的细齿；全部茎生叶基部两侧沿茎下延成茎
翼，茎翼宽 2 ~ 10 mm，有稀疏的蛛丝状
毛或无毛。头状花序多数或少数在茎枝先端
排成疏松的总状花序或总状伞房花序；总苞
长椭圆形，直径 1.5 ~ 2 cm；总苞片 7 ~ 8
层，覆瓦状排列，向内层渐长，外层及中层
卵形，不包括先端附属物长 0.4 ~ 1 cm，宽
2.5 ~ 5 mm，内层较长，全部总苞片光滑无
毛，先端有白色或浅褐色的半透明膜质附属
物，中层附属物较大，卵形，内层附属物较
小，披针形；边缘花无性，形小；中央两性
花较大，花冠长 2.7 cm，细管部长 1.4 cm，
檐部长 1.3 cm，先端 5 裂，裂片长 5 mm；

全部小花管状，花冠黄色。瘦果椭圆形，长 3 mm，宽 2 mm，无明显的细脉纹，褐色，被稀疏的白色柔毛，先端截形，有果缘，果缘有细齿；冠毛 2 列，外列多层，至少 2 层，外列冠毛刚毛状，向内层渐长，长达 1 cm，边缘羽毛状，基部连合成环，但不整体脱落，内列冠毛 1 列，膜片状，长达 1 mm；全部冠毛红褐色。花果期 7 ～ 8 月。

| 生境分布 | 生于海拔 420 ～ 520 m 的河湖沿岸及盐渍化草甸。分布于新疆塔城市、奎屯市、伊宁市等。

| 资源情况 | 野生资源较少。药材来源于野生。

| 功能主治 | 用于关节炎，肿痛。

菊科 Compositae 矢车菊属 Centaurea

针刺矢车菊
Centaurea iberica Trevis.

| 药 材 名 | 矢车菊（药用部位：全草）。

| 形态特征 | 二年生草本。高 20 ～ 100 cm。根直伸。茎直立，中部以上或中部以下分枝，分枝开展，全部茎枝灰绿色，被稀疏的多细胞节毛。基生叶大头羽状深裂至大头羽状全裂，有叶柄，但早落；中部茎生叶羽状深裂至全裂，无叶柄，侧裂片约4对，全部侧裂片长椭圆形、倒披针形或线状倒披针形，先端圆形、钝或急尖，先端有软骨质小尖头，边缘有不明显的细尖齿；向上的叶渐小，头状花序下部的叶常不裂，长椭圆形、披针形、披针形、倒披针形或长椭圆状倒披针形，边缘有锯齿；全部叶两面绿色，两面均被稀疏的糙毛、柔毛及头状无柄的小腺点。头状花序含多数小花，多数小花生于茎枝先

端，但不呈明显的伞房花序或伞房圆锥花序式排列；总苞卵形或卵球形，直径 1 ~ 1.8 cm；总苞片 6 ~ 7 层，绿色或黄绿色，外层与中层卵形、宽卵形至卵状椭圆形，长 5 ~ 7 mm，宽 4 ~ 8 mm，边缘白色，狭或宽膜质，先端附属物针刺化，针刺 3 ~ 5 掌状分裂，中间的主针刺长，较侧针刺粗且硬，长三角形，长 0.3 ~ 2 cm，平展，侧针刺通常集中于主针刺的基部，短且细，长 0.4 ~ 2 mm，全部针刺淡黄色，内层苞片椭圆形、长椭圆形至宽线形，连同先端附属物长 1 ~ 1.5 cm，宽 3 ~ 6 mm，先端附属物白色，膜质；小花红色或紫色；边缘花稍增大。瘦果椭圆形，长 3 ~ 4 mm，宽 2 mm，被微柔毛；冠毛 2 列，外列数层，向内层渐长，长达 2 mm，内列 1 层，极短；全部冠毛刚毛状，边缘锯齿状。花果期 7 ~ 9 月。

| **生境分布** | 生于海拔 500 ~ 1 200 m 的山坡、荒地、河渠岸边。分布于新疆伊犁哈萨克自治州（巩留县）、阿克苏地区（库车市）、塔城地区等。

| **资源情况** | 野生资源较少。药材来源于野生。

| **功能主治** | 清热解毒，活血消肿。

菊科 Compositae 矢车菊属 Centaurea

小花矢车菊

Centaurea virgata Lam. subsp. *squarrosa* (Boiss.) Gugler

| **药 材 名** | 矢车菊（药用部位：全草）。

| **形态特征** | 二年生或多年生草本。高 30 ～ 70 cm。根直伸，木质化，直径达 1 cm。茎单生或少数簇生，直立，中部以上分枝，灰绿色，密被蛛丝状柔毛和稀疏的淡黄色腺点。基生叶、茎下部叶有长 5 ～ 7 cm 的叶柄，叶片 2 回羽状全裂，早枯萎；茎中部叶羽状全裂，裂片长椭圆形或线形，无柄；茎上部叶不分裂，全缘，无锯齿，长椭圆形或倒披针形；全部叶两面密被蛛丝状柔毛和黄色腺点。头状花序多数，在茎枝先端排列成疏松的宽圆锥状；总苞卵形、长椭圆状卵形或圆柱形，形小，直径 2.5 ～ 3.5 mm，被稀疏的蛛丝状柔毛、短糙毛和腺点；总苞片约 6 层，外层和中层总苞片椭圆形、长椭圆形至线状

披针形,先端附属物坚硬,沿苞片边缘下延,先端针刺长达 2 mm,向外弧形反曲,边缘有栉齿状针刺 3 ~ 5 对,长达 1.5 mm,内层总苞片线状披针形,先端附属物膜质,透明,边缘具少数小锯齿;小花淡紫色或粉红色,少数;边缘花不增大,花冠长 9 ~ 14 mm。瘦果倒卵形或椭圆形,长 2.4 ~ 4.2 mm,压扁,淡黄白色,被稀疏的柔毛;冠毛白色,2 列,外列数层,刚毛糙毛状,长达 2 mm,向内渐长,内列 1 层,冠毛膜片状,极短。花果期 7 ~ 9 月。

| 生境分布 | 生于海拔 540 ~ 1 500 m 的砾石山坡、戈壁、荒地、河边。分布于新疆额敏县、塔城市、裕民县、托里县、霍城县、察布查尔锡伯自治县、尼勒克县、特克斯县等。

| 资源情况 | 野生资源一般。药材来源于野生。

| 功能主治 | 清热解毒,活血消肿。

菊科 Compositae 岩参属 Cicerbita

天山岩参
Cicerbita thianschanica (Regel & Schmalh.) Beauverd

| 药 材 名 | 岩苣（药用部位：地上部分）。

| 形态特征 | 多年生草本。有粗厚的木质根茎。茎单生，直立，高 60 ～ 150 cm，基部直径 1.5 cm，上部或中部以上总状花序式分枝，全部茎枝无毛。基生叶及下部茎生叶大头羽状深裂，倒披针形，长约 16 cm，宽约 7 cm，顶裂片三角状戟形，长约 9 cm，宽约 8 cm，先端急尖或渐尖，有小尖头，侧裂片 2 ～ 3 对，椭圆状，疏离，基部与羽轴结合，羽轴有宽或狭翼，叶柄长 8 ～ 9 cm，基部扩大，半抱茎，全部裂片边缘有锯齿；中部茎生叶与下部茎生叶等大或中部茎生叶稍大并同样分裂，无柄，基部扩大，半抱茎；上部茎生叶较小，不分裂，披针形或长椭圆形，先端渐尖，基部扩大，半抱茎，全缘或有稀疏的小

尖头；全部叶质薄，上面无毛，下面被稀疏的长或短糙毛。头状花序多数或少数，沿茎枝先端排成总状花序或复总状花序；总苞宽钟状，长 1.5 cm，宽 8 mm；总苞片 5 层，由外向内渐长，覆瓦状排列，外层卵状三角形、三角形或披针形，长 3 ～ 3.5 mm，宽约 2 mm，中、内层披针形或长披针形，长 0.7 ～ 1.2 cm，宽 2 ～ 2.5 mm，全部总苞片先端急尖、钝或圆形，常带紫红色，外面常有极稀疏的短柔毛或无毛；舌状小花 15 ～ 20，淡紫色。瘦果长椭圆状，长 5 mm，宽 1 mm，压扁，褐色，先端截形，无喙，每面有 6 ～ 9 不等长的细肋，中肋稍粗厚；外层冠毛极短，长 0.4 mm，糙毛状，内层长毛状，长 6 ～ 7 mm。微锯齿状；全部冠毛白色。花果期 6 ～ 8 月。

| **生境分布** | 生于海拔 1 600 ～ 2 000 m 的山谷、山坡林下及河边。分布于新疆塔城地区、伊犁哈萨克自治州（巩留县、霍城县、特克斯县）、阿勒泰地区（哈巴河县）等。

| **资源情况** | 野生资源一般。药材来源于野生。

| **功能主治** | 行气止痛。

菊科 Compositae 菊苣属 Cichorium

菊苣 *Cichorium intybus* L.

| 药 材 名 | 菊苣（药用部位：地上部分）、菊苣根（药用部位：根）、菊苣子（药用部位：种子）。

| 形态特征 | 多年生草本。高 40 ~ 100 cm。茎直立，单生，分枝开展或极开展；全部茎枝绿色，有条棱，被极稀疏的长而弯曲糙毛、刚毛或几无毛。基生叶莲座状，花期生存，倒披针状长椭圆形，连同基部渐狭的叶柄长 15 ~ 34 cm，宽 2 ~ 4 cm，基部渐狭，有翼柄，倒向大头羽状深裂、羽状深裂或不分裂而边缘有稀疏的尖锯齿，侧裂片 3 ~ 6 对或更多，顶部裂片较大，向下侧裂片渐小，全部侧裂片镰形、不规则镰形或三角形；茎生叶少数，较小，卵状倒披针形至披针形，无柄，基部圆形或戟形，扩大，半抱茎；全部叶质薄，两面被稀疏的

多细胞长节毛，叶脉及边缘的毛较多。头状花序多数，单生、数个集生于茎顶、枝端或 2 ~ 8 沿花枝排列成穗状花序；总苞圆柱状，长 8 ~ 12 mm；总苞片 2 层，外层披针形，长 8 ~ 13 mm，宽 2 ~ 2.5 mm，上半部绿色，草质，边缘有长缘毛，背面有极稀疏的头状具柄长腺毛或单毛，下半部淡黄白色，质坚硬，革质，内层总苞片线状披针形，长达 1.2 cm，宽约 2 mm，下部稍坚硬，上部边缘及背面通常有极稀疏的头状具柄长腺毛并杂有长单毛；舌状小花蓝色，长约 14 mm，有色斑。瘦果倒卵状、椭圆状或倒楔形，外层瘦果压扁，紧贴内层总苞片，具 3 ~ 5 棱，先端截形，向下收窄，褐色，有棕黑色色斑；冠毛 2 ~ 3 层，极短，膜片状，长 0.2 ~ 0.3 mm。花果期 5 ~ 10 月。

| **生境分布** | 生于荒地、河边、水沟边或山坡。分布于新疆阿勒泰地区（阿勒泰市、哈巴河县、福海县）、塔城地区（沙湾市、塔城市、托里县、裕民县）、博尔塔拉蒙古自治州、昌吉回族自治州（玛纳斯县）、乌鲁木齐市（乌鲁木齐县）、伊犁哈萨克自治州（察布察尔锡伯自治县）等。

| **功能主治** | **菊苣**：清肝利胆，健胃消食，利尿消肿。用于湿热黄疸，胃痛食少，水肿尿少。
菊苣根：清热，健胃。用于消化不良，脘腹胀闷。
菊苣子：清肝利胆，健胃消食，利尿消肿，清热解毒。用于黄疸性肝炎，胃痛，水肿等。

菊科 Compositae 蓟属 Cirsium

准噶尔蓟

Cirsium alatum (S. G. Gmel.) Bobrov.

| 药 材 名 |

蓟（药用部位：地上部分）。

| 形态特征 |

多年生草本。有纺锤状块根。茎直立，单生，仅上部有分枝，高 30 ~ 100 cm。基生叶长椭圆形，长达 30 cm，宽达 4 cm，边缘有锯齿；中、下部茎生叶与基生叶同形，但渐小；上部茎生叶椭圆形或披针形，边缘有等样锯齿；全部茎生叶基部下延成茎翼，茎翼浅裂或有锯齿，裂片半圆形，裂片边缘或齿缘有少数细长的针刺，针刺长达 5 mm，具多数缘毛状针刺，缘毛状针刺短，长 1 ~ 2 mm；全部叶两面同色，绿色，无毛。头状花序单生于茎顶或多数头状花序在茎枝先端排列成伞房花序或伞房圆锥花序；总苞卵圆形，直径 1.5 cm，总苞片约 6 层，覆瓦状排列，由外层向内层呈长卵形至线状披针形，无毛，中、外层先端急尖成短针刺，针刺长 1.5 ~ 2 mm，内层及最内层先端膜质，渐尖。小花红紫色，花冠长 18 ~ 19 mm，细管部长 7 ~ 8 mm，檐部长 11 mm，不等 5 裂至中部。瘦果楔状，长 3 mm，宽 1 mm，淡黄色；冠毛多层，基部连合成环，整体脱落；冠毛刚毛长羽毛状，白色，长 12 ~ 13 mm，内

层刚毛先端稍增粗。花果期 7 ~ 8 月。

| **生境分布** | 生于新疆天山及准噶尔盆地的湖岸草滩地、河滩、农田。分布于新疆奎屯市、呼图壁县、玛纳斯县、乌苏市、奇台县等。

| **资源情况** | 野生资源较丰富。药材来源于野生。

| **功能主治** | 行血破瘀，凉血止血。

菊科 Compositae 蓟属 *Cirsium*

天山蓟

Cirsium albertii Regel & Schmalh.

| **药 材 名** | 蓟（药用部位：地上部分）。

| **形态特征** | 多年生草本。茎直立，高 45 ~ 90 cm，自中部或基部分枝，全部茎枝有条棱，被稠密的多细胞长节毛及稀疏的蛛丝状毛。下部叶椭圆状披针形或披针形，长 22 ~ 27 cm，宽约 7 cm，羽状深裂，下部收窄成具翼的叶柄，翼柄边缘有刺齿，侧裂片 4 ~ 8 对，三角状卵形或半椭圆形，边缘有 3 ~ 5 刺齿及缘毛状针刺，齿顶有针刺，齿顶的针刺较长，长 5 ~ 11 mm，缘毛状针刺较短，长 0.5 ~ 2 mm；向上的叶渐小，披针形或长披针形，基部耳状扩大，半抱茎；花序下部的叶更小，边缘刺齿针刺化；全部叶质薄，两面异色，上面绿色，被稀疏的多细胞长节毛，下面灰白色，被密厚绒毛。头状花

序直立，在茎枝先端排成伞房花序或伞房圆锥花序；总苞卵球形或卵形，直径
2 cm，无毛；总苞片 7 ~ 8 层，覆瓦状排列，向内层渐长，外层与中层三角状
钻形、长卵状钻形至披针状钻形，长 0.8 ~ 1.6 cm，宽 2 ~ 3 mm，钻状针刺长
4 ~ 8 mm，平展或反折，内层及最内层披针形至线形，长 1.2 ~ 2 cm，先端膜质，
渐尖；小花黄色或白色，花冠长 1.9 cm，檐部长 1.1 cm，不等 5 浅裂，细管部
长 8 mm。瘦果偏斜楔状倒披针形，褐色，有黑色纵条纹，长 4 mm，宽 1.5 mm；
冠毛多层，基部连合成环，整体脱落；冠毛刚毛长羽毛状，白色，长达 1.5 cm。
花果期 7 ~ 9 月。

| 生境分布 | 生于天山及准噶尔盆地的山坡、山谷林缘、草滩、河滩或溪旁。分布于新疆乌
鲁木齐市、昌吉回族自治州（阜康市、玛纳斯县）、伊犁哈萨克自治州（霍城县、
新源县）、塔城地区（沙湾市）等。

| 资源情况 | 野生资源较丰富。药材来源于野生。

| 功能主治 | 行血破瘀，凉血止血。

丝路蓟 *Cirsium arvense* (L.) Scop.

| 药 材 名 | 蓟（药用部位：地上部分）。

| 形态特征 | 多年生草本。根直伸。茎直立，高 50 ~ 160 cm，上部分枝，头状花序下部有稀疏的蛛丝状毛。下部茎生叶椭圆形或椭圆状披针形，长 7 ~ 17 cm，宽 1.5 ~ 4.5 cm，羽状浅裂或半裂，基部渐狭，多少有短叶柄，或沿茎稍下延，但不形成明显的茎翼，侧裂片偏斜三角形或偏斜半椭圆形，边缘通常有 2 ~ 3 刺齿，齿顶有针刺，针刺长达 5 mm，齿缘针刺较短；中部及上部茎生叶渐小，与下部茎生叶同形或呈长椭圆形并同样分裂，无柄至基部扩大而半抱茎；全部叶两面同色，绿色或下面色淡，两面无毛或下面有极稀疏的蛛丝状毛。头状花序较多数，在茎枝先端排列成圆锥状伞房花序；总苞卵形或

卵状长圆形，直径 1.5 ~ 2 cm，有极稀疏的蛛丝状毛，但通常无毛；总苞片约 5 层，覆瓦状排列，向内层渐长，外层及中层卵形，宽 2 ~ 2.5 mm，连同先端针刺长 5 ~ 7 mm，内层及最内层椭圆状披针形、长披针形至宽线形，长 0.9 ~ 1.4 cm，宽 1 ~ 1.5 mm，外层先端有反折或开展的短针刺，针刺长近 1 mm，中、内层先端膜质，渐尖或急尖，不形成明显的针刺；小花紫红色，雌性小花花冠长 1.7 cm，细管部呈细丝状，长 1.3 cm，檐部长 4 mm；两性小花花冠长 1.8 cm，细管部呈细丝状，长 1.2 cm，檐部长 6 mm；全部小花檐部 5 裂，几达基部。瘦果淡黄色，近圆柱形，先端截形，稍偏斜；冠毛多层，污白色，基部连合成环，整体脱落；冠毛刚毛长羽毛状，长达 2.8 cm。花果期 6 ~ 9 月。

| **生境分布** | 生于海拔 170 ~ 2 500 m 的荒漠戈壁、沙地、荒地、河滩、水边、路旁、田间及砾石山坡等。新疆各地均有分布。

| **资源情况** | 野生资源较丰富。药材来源于野生。

| **功能主治** | 散瘀，排脓，消肿，清热解毒，凉血止血。用于肺热咳嗽，肺脓肿，高热不退，痈肿疔疮，脓血不净。

菊科 Compositae 蓟属 Cirsium

莲座蓟
Cirsium esculentum (Siev.) C. A. Mey.

| 药 材 名 | 莲座蓟（药用部位：全草）。

| 形态特征 | 多年生草本。无茎，茎基粗厚，生多数不定根，顶生多数头状花序，外围具莲座状叶丛。莲座状叶丛的叶倒披针形、椭圆形或长椭圆形，长 6 ~ 10（~ 21）cm，宽（2.5 ~）3 ~ 3.5（~ 7）cm，羽状半裂、深裂或几全裂，基部渐狭成具翼的长或短叶柄，柄翼边缘有针刺或 3 ~ 5 针刺组合成束，侧裂片 4 ~ 7 对，中部侧裂片稍大，全部侧裂片偏斜卵形、半椭圆形或半圆形，边缘有三角形刺齿及针刺，齿顶有针刺，齿顶的针刺较长，长达 1 cm，边缘的针刺较短，长 2 ~ 4 mm，基部的侧裂片常针刺化。叶两面同色，绿色，两面、沿脉或仅沿中脉被稠密或稀疏的多细胞长节毛。头状花序 5 ~ 12 集生

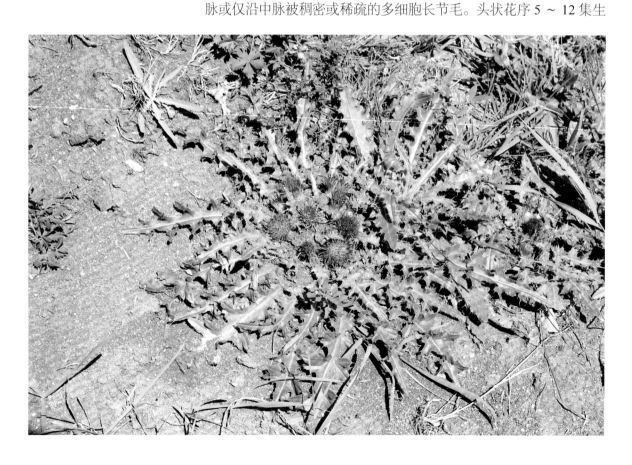

于茎基先端的莲座状叶丛中；总苞钟状，直径 2.5 ~ 3 cm；总苞片约 6 层，覆瓦状排列，向内层渐长，外层与中层长三角形至披针形，长 1 ~ 2 cm，宽 2 ~ 4 mm，先端急尖，有长不足 0.5 mm 的短尖头，内层及最内层线状披针形至线形，长 2.5 ~ 3 cm，宽 2 ~ 3 mm，先端膜质，渐尖，全部苞片无毛；小花紫色，花冠长 2.7 cm，檐部长 1.2 cm，不等地 5 浅裂，细管部长 1.5 cm。瘦果淡黄色，楔状长椭圆形，压扁，长 5 mm，宽 1.8 mm，先端斜截形；冠毛多层，白色、污白色或稍带褐色、黄色，基部连合成环，整体脱落；冠毛刚毛长羽毛状，长 2.7 cm，向先端渐细。花果期 7 ~ 9 月。

| **生境分布** | 生于海拔 450 ~ 3 600 m 的平原、山地潮湿地或水边。新疆各地均有分布。

| **资源情况** | 野生资源较丰富。药材来源于野生。

| **功能主治** | 行血破瘀，凉血止血。用于疮痈肿毒，吐血，咯血，尿血，崩漏。

菊科 Compositae 蓟属 Cirsium

藏蓟

Cirsium lanatum (Roxb. ex Willd.) Spreng.

| 药 材 名 |

蓟（药用部位：地上部分）。

| 形态特征 |

一年生草本。高 40 ～ 80 cm。茎直立，自基部分枝，有时不分枝；全部茎枝灰白色，被稠密的蛛丝状绒毛或毛变稀。下部茎生叶长椭圆形、倒披针形或倒披针状长椭圆形，长 7 ～ 12 cm，宽 2.5 ～ 3 cm，羽状浅裂或半裂，无柄或基部渐狭成短柄，侧裂片 3 ～ 5 对，中部侧裂片稍大，向上或向下的侧裂片渐小，全部侧裂片半圆形、宽卵形或半椭圆形，边缘具（2 ～）3 ～ 5 长硬针刺或刺齿，齿顶有长硬针刺，齿缘有缘毛状针刺，长硬针刺长 3.5 ～ 10 mm，齿缘的缘毛状针刺长不足 2 mm，顶裂片宽卵形、宽披针形或半圆形，先端有长硬针刺，边缘有缘毛状针刺，长硬针刺及缘毛状针刺与侧裂片的等长，或下部茎生叶羽裂不明显，但叶缘针刺常 3 ～ 5 成束或成组；向上的叶渐小，与下部茎生叶同形并具同样的针刺；全部叶质较厚，两面异色，上面绿色，无毛，下面灰白色，密被厚绒毛，或两面灰白色，被绒毛，但下面的长更稠密或厚。头状花序多数，在茎枝先端排列成伞房花序或少数呈总状花序式排列；

总苞卵形或卵状长圆形，直径 1.5 ～ 2 cm，无毛；总苞片约 7 层，覆瓦状排列，向内层渐长，外层三角形，宽达 2 mm，连同先端针刺长 6 mm，先端急尖成长 2.5 mm 的针刺，中层椭圆形，连同先端针刺长 7 ～ 9 mm，先端急尖成长 3 ～ 4 mm 的针刺，内层及最内层披针形至线形，长 1.2 ～ 1.9 cm，宽 1 ～ 3 mm，先端膜质，渐尖；小花紫红色；雌花花冠长 1.8 cm，檐部长 4 mm，细管部呈细丝状，长 1.4 cm；两性小花花冠长 1.5 cm，细管部呈细丝状，长 9 mm，檐部长 6 mm；全部小花檐部 5 裂，几达基部。瘦果楔状，长 4 mm，宽 1 mm，先端截形；冠毛多层，污白色至浅褐色，基部连合成环，整体脱落；冠毛刚毛长羽毛状，长 2.5 cm，向先端渐细。花果期 6 ～ 9 月。

| 生境分布 |　生于海拔 500 ～ 4 300 m 的山坡草地、潮湿处、湖边或村旁、路旁。新疆各地均有分布。

| 资源情况 |　野生资源较丰富。药材来源于野生。

| 功能主治 |　行血破瘀，凉血止血。

菊科 Compositae 蓟属 Cirsium

赛里木蓟
Cirsium sairamense (C. Winkl.) O. Fedtsch. & B. Fedtsch.

| 药 材 名 | 蓟（药用部位：地上部分）。

| 形态特征 | 多年生草本。通常高 40 ~ 60 cm，少达 1 m。茎直立，自基部或中部分枝；全部茎枝被稀疏的蛛丝状毛及多细胞长节毛。中、下部茎生叶长椭圆形、披针形或长披针形，羽状半裂或深裂；侧裂片半椭圆形或三角状卵形，边缘有 3 ~ 5 大小不等的三角形刺齿及少数缘毛状针刺，齿顶有针刺，齿顶针刺长 1 ~ 2 cm，缘毛状针刺较短，长 2 ~ 3 mm；向上的叶渐小，与中、下部茎生叶同形并同样分裂；头状花序下部的叶苞片状，边缘锯齿针刺化；全部茎生叶质薄，两面异色，上面绿色，被多细胞长节毛，下面淡灰绿色，被蛛丝状薄毛，基部呈耳状扩大，半抱茎。头状花序直立，多数在茎枝先端排

成伞房状圆锥花序、伞房花序或短总状花序；总苞卵球形，直径 2.5 cm；总苞片 7 ~ 8 层，覆瓦状排列，外层与中层钻状三角形或椭圆状钻形，最外层最长，长 4 cm，宽 2 ~ 3 mm，钻状针刺长 3 cm，开展或向外反折，向中层渐短，长 2.5 ~ 3 cm，全部钻状针刺坚硬，内层及最内层披针形、长椭圆形至线形，长 1 ~ 2 cm，先端膜质，渐尖；小花紫色，花冠长 2.2 cm，檐部长 1.3 cm，不等地 5 浅裂，细管部长 9 mm。瘦果长 5 mm。冠毛多层，基部连合成环，整体脱落；冠毛刚毛长羽毛状，污白色，长 1.5 cm，内层刚毛先端稍呈纺锤状扩大。花果期 7 ~ 9 月。

| **生境分布** | 生于山坡、山谷、水边或湿地。分布于新疆塔城地区、博尔塔拉蒙古自治州、昌吉市、奇台县、吉木乃县、乌什县、温宿县、莎车县等。

| **资源情况** | 野生资源较一般。药材来源于野生。

| **功能主治** | 行血破瘀，凉血止血。

菊科 Compositae 蓟属 Cirsium

新疆蓟 Cirsium semenovii Regel

| 药 材 名 | 蓟（药用部位：地上部分）。

| 形态特征 | 多年生草本。茎高 50 ~ 60 cm，有时高达 80 cm，上部有分枝；全部茎枝被稀疏的蛛丝状毛及多细胞长节毛。中、下部茎生叶披针形、椭圆形或线状披针形，长达 15 cm，宽达 3.5 cm，羽状半裂，下部有长的翼柄，翼柄边缘有刺齿或缘毛状针刺，侧裂片半椭圆形或卵形，边缘有大小不等的三角形刺齿，齿顶针刺长 3 ~ 20 mm；向上的叶渐小，同形并同样分裂，无柄，基部扩大，半抱茎；头状花序下部的叶边缘具锯齿，先端有长针刺；全部叶两面同色，绿色，无毛。头状花序直立，在茎枝先端排成总状花序或复头状花序；总苞卵球形，直径 2 ~ 3 cm，无毛或有极稀疏的蛛丝状毛；总苞片约 7 层，

覆瓦状排列，外层三角状钻形，长 1 ~ 1.4 cm，宽 2 ~ 2.5 mm，向上渐尖成钻状针刺，钻状针刺长 6 ~ 9 mm，中层卵状钻形，长 1.2 ~ 1.3 cm，向上急尖或渐尖成钻状针刺，钻状针刺长 5 ~ 6 mm，内层长 1.2 ~ 1.5 cm，宽 1.5 ~ 2 mm，线形或线状披针形，先端膜质，渐尖；小花红色，花冠长 1.9 cm，管部长 8 mm，檐部长 1.1 cm，不等地 5 裂至中部。瘦果褐色，长 5 mm；冠毛浅褐色，多层，基部连合成环，整体脱落；冠毛刚毛长羽毛状，长 1.5 cm，内层先端稍扩大。花果期 7 ~ 10 月。

| 生境分布 | 生于高山草甸、云杉林内、水边或荒地。分布于新疆乌鲁木齐市、昌吉回族自治州、伊犁哈萨克自治州、巴音郭楞蒙古自治州等。

| 资源情况 | 野生资源一般。药材来源于野生。

| 功能主治 | 行血破瘀，凉血止血。

菊科 Compositae 蓟属 Cirsium

刺儿菜
Cirsium setosum (Willd.) MB.

| 药 材 名 | 小蓟（药用部位：地上部分）。

| 形 态 特 征 | 多年生草本。茎直立，高 30 ~ 80（~ 120）cm，基部直径 3 ~ 5 mm，有时可达 1 cm，上部有分枝，花序分枝无毛或有薄绒毛。基生叶和中部茎生叶椭圆形、长椭圆形或椭圆状倒披针形，先端钝或圆形，基部楔形，有时具极短的叶柄，叶柄长 7 ~ 15 cm，宽 1.5 ~ 10 cm，通常无叶柄；上部茎生叶渐小，椭圆形、披针形或线状披针形，或全部茎生叶不分裂，叶缘有细密的针刺，针刺紧贴叶缘，或叶缘有刺齿，齿顶针刺大小不等，针刺长达 3.5 mm，或大部茎生叶羽状浅裂、半裂或边缘具粗大的圆锯齿，裂片或锯齿斜三角形，先端钝，齿顶及裂片先端有较长的针刺，齿缘及裂片边缘的针刺较短且贴伏；

全部茎生叶两面同色，绿色或下面色淡，两面无毛，极少两面异色，上面绿色，无毛，下面被稀疏或稠密的绒毛而呈灰色，亦极少两面同色，两面被薄绒毛。头状花序单生于茎端，或少数至多数头状花序在茎枝先端排成伞房花序；总苞卵形、长卵形或卵圆形，直径 1.5 ~ 2 cm；总苞片约 6 层，覆瓦状排列，向内层渐长，外层与中层均宽 1.5 ~ 2 mm，连同先端针刺长 5 ~ 8 mm，内层及最内层长椭圆形至线形，长 1.1 ~ 2 cm，宽 1 ~ 1.8 mm，中、外层苞片先端有长不足 0.5 mm 的短针刺，内层及最内层渐尖，膜质，具短针刺；小花紫红色或白色；雌花花冠长 2.4 cm，檐部长 6 mm，细管部细丝状，长 18 mm；两性花花冠长 1.8 cm，檐部长 6 mm，细管部细丝状，长 1.2 mm。瘦果淡黄色，椭圆形或偏斜椭圆形，压扁，长 3 mm，宽 1.5 mm，先端斜截形；冠毛污白色，多层，整体脱落；冠毛刚毛长羽毛状，长 3.5 cm，先端渐细。花果期 7 ~ 9 月。

| **生境分布** | 生于海拔 170 ~ 2 650 m 的山地林缘、林间空地、河谷、水边、平原荒地、田间、路旁。分布于新疆克拉玛依市、博乐市、塔城市、额敏县、青河县、富蕴县、阿勒泰市、哈巴河县、石河子市、米东区等。

| **资源情况** | 野生资源较丰富。药材来源于野生。

| **功能主治** | 凉血止血，祛瘀消肿。用于衄血，吐血，尿血，便血，崩漏下血，外伤出血，痈肿疮毒。

菊科 Compositae 蓟属 Cirsium

薄叶蓟 *Cirsium shihianum* Greuter

| 药 材 名 |

薄叶蓟（药用部位：地上部分）。

| 形态特征 |

一年生草本。茎直立，单生，基部直径 3 mm，不分枝或上部分枝，被稀疏的多细胞长节毛。茎生叶多数，下部茎生叶花期脱落；中部茎生叶较大，长椭圆形或长椭圆状披针形，长 6 ~ 18 cm，宽 1.3 ~ 2 cm；向上的叶渐小，狭披针形或线状披针形；全部茎生叶质薄或稍厚，无柄，基部呈耳状扩大，半抱茎，先端急尖或渐尖，边缘有针刺，针刺长短不等，相间排列，长 3 ~ 5 mm，两面同色，绿色或下面色淡，上面有稀疏的长节毛或短节毛，下面无毛或有稀疏、极稀疏的蛛丝状毛。头状花序单生于茎端或植株生 2 头状花序，花序枝细长，无叶或有一钻形的小叶，长不足 3 cm；总苞长卵状或长椭圆状，直径 1.5 ~ 2 cm，无毛；总苞片约 7 层，覆瓦状排列，向内层渐尖，外层三角形，宽 1 ~ 1.5 mm，连同先端针刺长 5 mm，先端针刺长 1 ~ 2 mm，外弯或反折，中层卵状披针形或披针形，长 7 ~ 10 mm，先端渐尖，内层及最内层线形或线状披针形，长达 1.5 cm，先端膜质，渐尖；雌性小花花冠长

1.7 cm，细管部不呈细丝状，长 7.5 mm，檐部长 9.5 mm，不等地 5 深裂，两性小花花冠长 1.7 cm，细管部长 9 mm，不呈细丝状，檐部长 8 mm，不等地 5 深裂。瘦果淡黄色，楔状椭圆形，压扁，长 4 mm，先端截形；冠毛白色，多层，基部连合成环，整体脱落；冠毛刚毛长羽毛状，长达 1.5 cm。花果期 7 ～ 8 月。

| 生境分布 | 生于山谷林下或杂草丛中。分布于新疆巩留县、布尔津县等。

| 资源情况 | 野生资源一般。药材来源于野生。

| 功能主治 | 行血破瘀，凉血止血。

菊科 Compositae 蓟属 Cirsium

附片蓟
Cirsium sieversii (Fisch. & C. A. Mey.) Petr.

| 药 材 名 | 蓟（药用部位：地上部分）。

| 形态特征 | 多年生草本。高 1 ~ 2 m。茎直立，有长分枝；茎枝被稀疏的多细胞长节毛。上部茎生叶长椭圆形或披针形，长 10 ~ 18 cm，宽 3 ~ 6 cm，羽状半裂，侧裂片偏斜卵形，边缘有 3 ~ 5 大小不等的三角形刺齿及少数或多数缘毛状针刺，刺顶有针刺，针刺长 4 ~ 6 mm 或更长，缘毛状针刺短，常贴伏，长 1 ~ 1.5 mm；头状花序下部的叶线形或线状披针形，边缘锯齿针刺化；全部叶两面同色，绿色，或下面色稍淡，两面被多细胞长节毛，沿中脉毛较多。头状花序 3 ~ 5 集生于分枝先端或多数在茎枝先端排成圆锥状花序；总苞卵球形，直径 1.5 ~ 2 cm，无毛；总苞片约 7 层，覆瓦状排列，全部苞片先

端有附片，最外层长 3 ～ 4 mm，附片中央有针刺，针刺长 2 ～ 3 mm，中层长 8 ～ 10 mm，宽 2 mm，上部附片菱形或卵形，中央先端针刺伸出，长 1 ～ 2 mm，内层及最内层长 1 ～ 1.2 cm，宽约 1 mm，附片三角形，膜质，渐尖，全部附片边缘呈不规则锯齿状撕裂。小花紫红色，花冠长约 2 cm，檐部与细管部等长，不等地 5 浅裂。瘦果黄褐色，偏斜椭圆状倒披针形，长 4 mm，宽 1.5 mm，先端截形；冠毛多层，基部连合成环，整体脱落；冠毛刚毛浅褐色，长 1.5 cm，长羽毛状，内层冠毛刚毛先端呈纺锤状扩大。花果期 7 ～ 9 月。

| 生境分布 | 生于新疆天山及阿拉套山的山坡林中草地或近水旁。分布于新疆霍城县、托里县、额敏县等。

| 资源情况 | 野生资源一般。药材来源于野生。

| 功能主治 | 行血破瘀，凉血止血。

菊科 Compositae 蓟属 *Cirsium*

翼蓟
Cirsium vulgare (Savi) Ten.

| **药 材 名** | 翼蓟（药用部位：地上部分）。

| **形态特征** | 二年生草本。高 25 ~ 150 cm。茎直立，上部分枝；全部茎枝有翼，茎翼和枝翼刺齿状，齿顶有长针刺，全部茎枝被稀疏的多细胞长节毛及蛛丝状毛，上部及头状花序下部灰白色，被稠密的绒毛。中部茎生叶披针形、倒披针形或线状披针形，长 10 ~ 15 cm，宽 4 ~ 5 cm，羽状深裂，基部沿茎下延成茎翼，侧裂片 3 ~ 4 对，等大或不等地 2 叉裂，叉裂长三角形或披针形，先端急尖成长针刺，裂缘有缘毛状短针刺，顶裂片披针形，边缘有少数长针刺及多数缘毛状短针刺，全部长针刺长 5 ~ 10 mm；向上的叶渐小，与中部茎生叶同形并同样分裂；头状花序下部的叶线形，裂片边缘针刺化；全部叶质薄，

两面异色，上面绿色或黄绿色，被稠密的贴伏针刺，针刺长 1.5 mm，下面灰白色，被稠密或厚的绒毛。头状花序直立，多数或少数在茎枝先端排列成圆锥状伞房花序或总状花序；总苞卵球形，直径 3 ~ 5 cm，无毛；总苞片约 10 层，呈紧密的覆瓦状排列，钻状三角形、钻状披针形、线状披针形至线状钻形，长 8 ~ 30 mm，钻状部分长 5 ~ 9 mm，先端渐尖成针刺，最内层线形，长 3.4 cm，线形，先端渐尖；小花红色；花冠长 3 cm，细管部长 2 cm，细丝状，檐部长 1 cm，不等地 5 浅裂。瘦果褐色，偏斜楔状倒披针形，先端斜截形，长 4 mm，宽 2 mm；冠毛白色，多层，基部连合成环，整体脱落；冠毛刚毛长羽毛状，长达 3 cm，向先端渐细。花果期 7 ~ 9 月。

| **生境分布** | 生于海拔 470 ~ 1 800 m 的田间及潮湿草地。分布于新疆昭苏县、巩留县、尼勒克县、新源县、霍城县、裕民县、石河子市、奇台县、玛纳斯县等。

| **资源情况** | 野生资源较丰富。药材来源于野生。

| **功能主治** | 行血破瘀，凉血止血，调经止血。

菊科 Compositae 金鸡菊属 Coreopsis

大花金鸡菊
Coreopsis grandiflora Hogg ex Sweet

| **药 材 名** | 金鸡菊（药用部位：花序、地上部分）。

| **形态特征** | 多年生草本。高 20 ~ 100 cm。茎直立，下部常有稀疏的糙毛，上部有分枝。叶对生；基部叶有长柄，披针形或匙形；下部叶羽状全裂，裂片长圆形；中部叶及上部叶 3 ~ 5 深裂，裂片线形或披针形，中裂片较大，两面及边缘有细毛。头状花序单生于枝端，直径 4 ~ 5 cm，具长花序梗；总苞片外层较短，披针形，长 6 ~ 8 mm，先端尖，有缘毛，内层卵形或卵状披针形，长 10 ~ 13 mm；托片线状钻形；舌状花 6 ~ 10，舌片宽大，黄色，长 1.5 ~ 2.5 cm；管状花长约 5 mm，两性。瘦果广椭圆形或近圆形，长 2.5 ~ 3 mm，边缘具膜质宽翅，先端具 2 短鳞片。花期 5 ~ 9 月。

| **生境分布** | 栽培种。新疆各地均有栽培。

| **功能主治** | 花序，止血。地上部分，化瘀消肿，清热解毒。

菊科 Compositae 金鸡菊属 Coreopsis

剑叶金鸡菊 Coreopsis lanceolata L.

| 药 材 名 | 金鸡菊（药用部位：地上部分）。

| 形态特征 | 多年生草本。高 30 ~ 70 cm，有纺锤状根。茎直立，无毛或基部被软毛，上部有分枝。叶较少，在茎基部成对簇生，有长柄，叶片匙形或线状倒披针形，基部楔形，先端钝或圆形，长 3.5 ~ 7 cm，宽 1.3 ~ 1.7 cm；茎上部叶少数，全缘或 3 深裂，裂片长圆形或线状披针形，顶裂片较大，长 6 ~ 8 cm，宽 1.5 ~ 2 cm，基部窄，先端钝，叶柄长 6 ~ 7 cm，基部膨大，有缘毛；上部叶无柄，线形或线状披针形。头状花序单生于茎端，直径 4 ~ 5 cm；总苞片内、外层近等长，披针形，长 6 ~ 10 mm，先端尖；舌状花黄色，舌片倒卵形或楔形；管状花狭钟形。瘦果圆形或椭圆形，长 2.5 ~ 3 mm，边缘有宽翅，

先端有 2 短鳞片。花期 5 ～ 9 月。

| **生境分布** | 栽培种。新疆各地均有栽培。

| **功能主治** | 化瘀消肿，清热解毒。用于疮疡肿毒等。

菊科 Compositae 金鸡菊属 Coreopsis

两色金鸡菊

Coreopsis tinctoria Nutt.

| 药 材 名 | 金鸡菊（药用部位：花）。

| 形态特征 | 一年生草本。无毛，高 30 ~ 100 cm。茎直立，上部有分枝。叶对生，

下部叶及中部叶有长柄，2 回羽状全裂，裂片线形或线状披针形，全缘；上部叶无柄或下延成翅状柄，线形。头状花序多数，有细长花序梗，直径 2 ~ 4 cm，排列成伞房状或疏圆锥花序状；总苞半球形，外层总苞片较短，长约 3 mm，内层总苞片卵状长圆形，长 5 ~ 6 mm，先端尖；舌状花黄色，舌片倒卵形，长 8 ~ 15 mm；管状花红褐色，狭钟形。瘦果长圆形或纺锤形，长 2.5 ~ 3 mm，两面光滑或有瘤状突起，先端有 2 细芒。花期 6 ~ 9 月，果期 7 ~ 10 月。

| 生境分布 | 栽培种。新疆各地均有栽培。

| 功能主治 | 清热解毒，化湿止痢，解酒护肝，活血化瘀，和胃健脾。

菊科 Compositae 秋英属 Cosmos

秋英
Cosmos bipinnatus Cav.

| **药 材 名** | 波斯菊（药用部位：地上部分）。

| **形态特征** | 一年生草本。高 1 ～ 2 m。根纺锤状，多须根或近茎基部有不定根。茎无毛或稍被柔毛。叶 2 次羽状深裂，裂片线形或丝状线形。头状花序单生，直径 3 ～ 6 cm；花序梗长 6 ～ 18 cm；外层总苞片披针形或线状披针形，近革质，淡绿色，具深紫色条纹，上端长狭尖，与内层总苞片等长，长 10 ～ 15 mm，内层总苞片椭圆状卵形，膜质；托片平展，上端呈丝状，与瘦果近等长；舌状花紫红色，粉红色或白色，舌片椭圆状倒卵形，长 2 ～ 3 cm，宽 1.2 ～ 1.8 cm，有 3 ～ 5 钝齿；管状花黄色，长 6 ～ 8 mm，管部短，上部圆柱形，有披针状裂片，花柱具短突尖的附属器。瘦果黑紫色，长 8 ～ 12 mm，无毛，

上端具长喙，有 2 ~ 3 尖刺。花期 7 ~ 9 月。

| **生境分布** | 栽培种。新疆各地均有栽培。

| **采收加工** | 夏、秋季花开时采收。

| **功能主治** | 清热解毒，化湿。用于痢疾，目赤肿痛；外用于疮痈肿毒。

菊科 Compositae 秋英属 Cosmos

黄秋英 *Cosmos sulphureus* Cav.

| **药 材 名** | 黄波斯菊（药用部位：地上部分）。

| **形态特征** | 一年生草本。高 1.5 ～ 2 m，具柔毛。叶 2 ～ 3 次羽状深裂，裂片披

针形至椭圆形。头状花序长 2.5 ～ 5 cm；花序梗长 6 ～ 25 cm；外层苞片较内层
苞片短，长 4 ～ 8 mm，狭椭圆形，内层苞片长椭圆状披针形，长 8 ～ 10 mm；
舌状花橘黄色或金黄色，先端具 3 齿；管状花黄色。瘦果具粗毛，连同喙长
18 ～ 25 mm，喙纤弱。花期 6 ～ 9 月。

| 生境分布 | 栽培种。新疆伊犁哈萨克自治州及石河子市等有栽培。

| 采收加工 | 夏、秋季花开时采收。

| 功能主治 | 清热解毒，明目化湿。

菊科 Compositae 还阳参属 Crepis

金黄还阳参

Crepis chrysantha (Ledeb.) Turcz.

| 药 材 名 |

还阳参（药用部位：全草）。

| 形态特征 |

多年生草本。高 10 ~ 25 cm，根茎短且细，垂直或斜升。茎单生或少数茎簇生，不分枝或具 1 分枝，绿色或下部带红色；茎枝被残存的黑褐色或黑棕色叶柄，全部茎枝被稀疏的薄蛛丝状毛，上部或头状花序有稠密的黑色或黑绿色长毛。基生叶多数，倒披针形、长椭圆状倒披针形或匙形，连同叶柄长 3 ~ 7 cm，宽 0.4 ~ 1.5 cm，先端钝，边缘有稀疏的微锯齿或近全缘，基部渐狭成短翼柄；茎生叶 2 ~ 3，较基生叶小，但与基生叶同形或呈线状长椭圆形、线形，先端钝或急尖，全缘，基部收窄，但不抱茎；全部叶两面无毛或上面被稀疏的蛛丝状毛。头状花序单生于茎端或植株具 2 单生于枝端的头状花序；总苞钟状，长约 1.5 cm，黑绿色，总苞片 2 层，外层长椭圆形或披针形，长约 6 mm，宽约 1.5 mm，先端钝或急尖，内层披针形或长椭圆形，长约 1.5 cm，宽约 1 mm，先端急尖或钝，内面有糙毛；全部苞片外面被稠密的黑绿色长毛；舌状小花金黄色，花冠管外面被稀疏的柔毛。瘦果纺锤状，红褐色或黑紫色，长 7 mm，直立或稍弯曲，向上收窄，先端无喙，有 12 等粗的细肋，上部粗糙，有小刺毛；冠毛白色，长 5 ~ 7 mm，不脱落。花期 7 ~ 8 月。

| 生境分布 | 生于海拔 2 100 ~ 2 200 m 的森林带的林下、林缘及草甸。分布于新疆青河县、布尔津县、哈巴河县、富蕴县、和布克赛尔蒙古自治县、托里县、达坂城区、和静县等。

| 资源情况 | 野生资源较丰富。药材来源于野生。

| 功能主治 | 润肺镇咳，消炎下乳，调经止血。

菊科 Compositae 还阳参属 Crepis

多茎还阳参

Crepis multicaulis Ledeb.

| 药 材 名 |

还阳参（药用部位：全草）。

| 形态特征 |

多年生草本。高 8 ~ 60 cm。根茎短，生多数细根。茎多数或少数簇生，极少单生，直立或弯曲，有纵沟纹，上部、顶部或自中部呈圆锥花序状或伞房圆锥花序状短或长分枝，全茎几裸露或有 1 ~ 2 茎生叶，花序分枝被稠密或稀疏的头状具柄腺毛及短柔毛，头状花序下部被白色绵毛，茎下部无毛或被稀疏的蛛丝状毛。基生叶多数，长椭圆状倒披针形、卵状倒披针形、倒披针形、匙形或椭圆形，先端急尖、钝或圆形，基部有短或长的细柄，叶柄短于或长于叶片，叶片连同叶柄长 3.5 ~ 11 cm，宽 0.7 ~ 2 cm，边缘凹缺，有稀疏的大锯齿、小锯齿至大头羽状深裂或不裂，全缘，侧裂片 2 ~ 5 对，三角形、长三角形或椭圆形，先端钝或急尖，向下方的侧裂片渐小，顶裂片边缘具凹缺状大齿或钝齿；无茎生叶或有 1 ~ 2 线形、全缘的茎生叶；全部叶两面及叶柄被稀疏或稠密的白色短柔毛或近无毛。头状花序 6 ~ 15 在茎枝先端排成圆锥状伞房花序或伞房花序，或茎生 2 头状花序；总苞圆柱状，长 7 ~ 9 mm；

总苞片 4 层，外层及最外层短，不等长，卵形或长椭圆状披针形，长 1 ～ 1.2 mm，宽不足 1 mm，先端钝或急尖，内层及最内层长，线状披针形，长 7 ～ 9 mm，宽不足 1.5 mm，先端急尖或钝，边缘白色，宽或狭膜质，内面无毛，外面沿中脉有稠密或稀疏的头状具柄腺毛及短柔毛，杂具稀疏的蛛丝状毛；舌状小花黄色，花冠管上部被白色长柔毛。瘦果纺锤状，直立或稍弯曲，红褐色，向两端收窄，长约 4 mm，先端无喙，有 10 ～ 12 等粗的细肋，肋上有向上的小刺毛；冠毛白色，长约 4 mm，易整体脱落。花期 7 ～ 8 月。

| **生境分布** | 生于海拔 2 100 ～ 2 200 m 的山坡林下、林缘、林间空地、草地、河滩、溪边及水边砾石地。分布于新疆阿勒泰地区（布尔津县）、塔城地区（和布克赛尔蒙古自治县、沙湾市、托里县、塔城市）、博尔塔拉蒙古自治州（博乐市、精河县）、乌鲁木齐市、昌吉回族自治州（阜康市、吉木萨尔县、奇台县）、巴音郭楞蒙古自治州（和静县）、伊犁哈萨克自治州（霍城县、新源县、巩留县）、克孜勒苏柯尔克孜自治州（乌恰县）、阿克苏地区（温宿县）、和田地区（策勒县）等。

| **资源情况** | 野生资源较丰富。药材来源于野生。

| **功能主治** | 润肺镇咳，消炎下乳，调经止血。

菊科 Compositae 还阳参属 Crepis

西伯利亚还阳参 *Crepis sibirica* L.

| 药 材 名 |

还阳参（药用部位：全草）。

| 形态特征 |

多年生草本。高 50 ~ 150 cm，根茎粗壮，平卧或斜升，生多数粗厚的不定根。茎直立，单生，粗壮，基部直径约 7 mm，上部伞房状分枝，分枝粗状，极少不分枝，全部茎枝具叶，被稠密或稀疏的黑色、褐色或白色长硬毛，上部杂具蛛丝状毛。基生叶及下部茎生叶长圆状椭圆形、长圆状卵形、卵形或椭圆形，长 16 ~ 20 cm，宽 5.5 ~ 10 cm，基部平截，常突然收窄，极少逐渐收窄成宽翼柄，翼柄长 6 ~ 15 cm 或更长，边缘锯齿状或羽状浅裂；中部茎生叶卵形、长椭圆形或披针形，较基生叶及下部茎生叶小，基部收窄成宽而短的翼柄，柄基半抱茎；上部茎生叶更小，卵形、心形或披针形，基部半抱茎；最上部及头状花序下部的叶最小，椭圆形或线状披针形，全缘，基部半抱茎；全部茎生叶先端急尖至渐尖，上面无毛，下面粗糙，沿脉被白色的糙硬毛或长硬毛，边缘有糙硬毛。头状花序较大，少数，在茎枝先端排成疏松的伞房花序，极少具 1 头状花序而单生于茎顶或植株具 2 头状花序，头状花序不成

明显的花序式排列，花序梗粗壮；总苞钟状，长 1.5 cm，果期黑绿色；总苞片
3 ~ 4 层，外层及最外层短，卵状披针形至长椭圆状披针形，长 5 ~ 6 mm，宽
2 mm，先端急尖或钝，内层及最内层长，长椭圆形或长椭状披针形，长约 1.5 cm，
宽约 3 mm，先端稍急尖，内面无毛；全部总苞片外面，特别是沿中脉被稠密的
长硬毛；舌状小花黄色，花冠管被稀疏或稠密的长柔毛。瘦果深褐色或红褐色，
纺锤状，长约 9.5 mm，微弯，向顶部渐收窄，无喙，有 20 近等粗的细纵肋，
纵肋不达果顶，无小刺毛；冠毛白色或淡黄白色，长 8 mm，微粗糙。花期 7 ~
8 月。

| **生境分布** | 生于海拔 1 200 ~ 1 700 m 的山坡、山顶、山脚林缘、林下、林间草地及灌丛中。
分布于新疆富蕴县、阿勒泰市、布尔津县、福海县、塔城市、托里县、察布查
尔锡伯自治县、新源县、昭苏县、特克斯县等。

| **资源情况** | 野生资源较丰富。药材来源于野生。

| **功能主治** | 润肺镇咳，消炎下乳，调经止血。

菊科 Compositae 多榔菊属 Doronicum

阿尔泰多榔菊 *Doronicum altaicum* Pall.

| 药 材 名 |

多榔菊（药用部位：全草）。

| 形态特征 |

多年生草本。根茎粗壮，直径可达 1 cm，横走或斜升。茎单生，直立，高 20 ~ 80 cm，不分枝，绿色或褐色，有时带紫色，下部无毛，上部被密腺毛，头状花序下部毛更密。全部具叶；基生叶通常凋落，卵形或倒卵状长圆形，长 5 ~ 10 cm，宽 4 ~ 5 cm，先端圆形或钝，基部狭成长柄；茎生叶 5 ~ 6，几达茎最上部，卵状长圆形，长 5 ~ 6 cm，宽 4 ~ 4.5 cm，基部狭成长可达 2 cm 的宽翅，其余的茎生叶宽卵形，无柄，抱茎，中部叶长 7 ~ 8 cm，宽 3 ~ 3.5 cm，上部叶长 2.5 ~ 3.5 cm，宽 0.8 ~ 2.5 cm，基部宽心形，抱茎；全部叶无毛，先端钝或稍尖，具波状短齿或全缘，有腺状缘毛。头状花序单生于茎端，形大，连同舌状花直径 4 ~ 6 cm；总苞半球形，直径 2 ~ 3 cm；总苞片等长，长 1 ~ 1.3 cm，外层长圆状披针形或披针形，宽 1.8 ~ 2 mm，基部密被腺毛，内层线状披针形。瘦果圆柱形，黄褐色或深褐色，长 2 ~ 4 mm，具肋，无毛或有疏微毛，全部小花有冠毛；冠毛白色或基部红褐色，长 3 ~ 4 mm。花期 6 ~ 8 月。

| **生境分布** | 生于山地湿润草甸与林缘。分布于新疆和布克赛尔蒙古自治县、吉木乃县、昭苏县等。

| **资源情况** | 野生资源较丰富。药材来源于野生。

| **功能主治** | 祛痰止咳，宽胸利气。用于痰喘咳嗽。

菊科 Compositae 蓝刺头属 Echinops

砂蓝刺头
Echinops gmelinii Turcz.

| 药 材 名 | 漏芦（药用部位：根）。

| 形态特征 | 一年生草本。高 10 ~ 30 cm。根直伸。茎直立，淡黄色，从基部、中部分枝或不分枝，多少被长短不一的腺毛，有时毛脱落至无毛。叶质薄，两面绿色或灰绿色，多少被蛛丝状柔毛，无柄；茎下部叶线形或线状披针形，长 3 ~ 12 cm，宽 3 ~ 15 mm，基部扩大，半抱茎，边缘具刺齿或刺状缘毛；茎中部叶、上部叶及下部叶同形，但渐小，有稀疏的短腺毛。复头状花序单生于茎端或茎枝先端，直径 2 ~ 3 cm；头状花序长约 1.4 cm，基毛白色，糙毛状，不等长，长于总苞的 1/2；总苞有 16 ~ 20 分离的总苞片，外层总苞片线状倒披针形，上部扩大，边缘有短缘毛，先端刺芒状长渐尖，基部有蛛

丝状柔毛，中部有长可达 5 mm 的长缘毛，中层总苞片倒披针形，先端渐尖成刺芒状，外面上部被短糙毛，下面被蛛丝状柔毛，边缘中部以上有短缘毛，内层总苞片长椭圆形，稍短于中层总苞片，先端芒刺分裂，居中的芒刺较长，外面被蛛丝状柔毛；小花蓝色或白色，花冠 5 深裂，裂片线形，花冠筒无腺点。瘦果倒圆锥形，长约 5 mm，密被伏贴的淡黄棕色长毛，遮盖冠毛；冠毛膜片状线形，边缘稀疏糙毛状，基部连合。花果期 6 ~ 9 月。

| 生境分布 | 生于山坡林缘或田边、水边。分布于新疆额敏县、裕民县、米东区、布尔津县、和静县、吉木萨尔县、木垒哈萨克自治县等。

| 资源情况 | 野生资源较丰富。药材来源于野生。

| 采收加工 | 秋后采挖，除去泥土，鲜用或晒干。

| 功能主治 | 清热解毒，消肿排脓，下乳，通脉。用于痈疽发背，乳房肿痛，乳汁不通，瘰疬恶疮，湿痹拘挛，骨节疼痛，热毒血痢，痔疮出血。

菊科 Compositae 蓝刺头属 *Echinops*

全缘叶蓝刺头
Echinops integrifolius Kar. et Kir.

| 药 材 名 |

漏芦（药用部位：根）。

| 形 态 特 征 |

多年生草本。高 20 ～ 90 cm。根细长，直伸，倒圆锥状。茎基粗厚，密被残存的老叶。茎单生，不分枝，被稠密的叶，中下部被稠密的腺点，上部及接复头状花序处浅灰色或灰白色，被贴伏、稠密或密厚的蛛丝状绵毛。全部叶厚纸质，线形或线状披针形，长 2 ～ 8 cm，宽 6 ～ 8 mm，全缘，反卷，两面异色，上面绿色，被稠密、头状、具柄的腺点或下部叶的上面被稀疏的蛛丝毛，下面白色或灰白色，被稠密或密厚的蛛丝状绵毛；有时基生叶羽状半裂或深裂，侧裂片 2 ～ 3 对，斜三角形或三角状披针形。复头状花序单生于茎顶，直径 2 ～ 4 cm；头状花序长约 1.6 cm，基毛白色，长约 7 mm，为总苞长度的 1/2，不等长，扁毛状；外层苞片线状倒披针形或线形，长 9 mm，先端稍扩大，外面有短糙毛，内面有腺点，先端渐尖成针芒状，爪部有长达 5 mm 的长缘毛，中层苞片倒披针形，长 1.1 cm，先端渐尖成针芒状，中部以上边缘具长缘毛，缘毛长达 5 mm，外面有短糙毛，内层苞片长椭圆形，

长 9 mm，边缘有长 5 mm 的缘毛，上部外面有腺点，全部苞片 16 ~ 18，全部
边缘的缘毛糙毛状；小花白色；花冠 5 深裂，裂片线形，花冠管无腺点。瘦果
倒圆锥状，长 5 mm，被稠密、贴伏、淡黄色的长直毛，不遮盖冠毛；冠毛量杯
状，冠毛膜片不等长，先端有细锯齿，边缘平整，不呈糙毛状，大部结合。花
果期 8 ~ 9 月。

| **生境分布** | 生于石质干旱山坡。分布于新疆富蕴县、福海县、青河县、哈巴河县、布尔津
县等。

| **资源情况** | 野生资源一般。药材来源于野生。

| **采收加工** | 春、秋季采挖，除去须根和泥沙，晒干。

| **功能主治** | 苦，寒。归胃经。清热解毒，消痈，下乳，舒筋通脉。用于乳痈肿痛，痈疽发背，
瘰疬疮毒，乳汁不通，湿痹拘挛。

| **用法用量** | 内服煎汤，5 ~ 9 g。

菊科 Compositae 蓝刺头属 *Echinops*

丝毛蓝刺头 *Echinops nanus* Bunge

| **药 材 名** | 漏芦（药用部位：根）。 |

| **形态特征** | 一年生草本。高 12 ~ 16 cm。根直伸。茎单生，直立，中部有斜升的粗壮分枝，全部茎枝白色或灰白色，被密厚的蛛丝状绵毛。下部茎生叶倒披针形或线状倒披形，长 4 ~ 8 cm，宽 1 ~ 2.5 cm，羽状半裂或浅裂，侧裂片 2 ~ 4（~ 5）对，长卵形、三角状披针形或三角形，边缘有稀疏的刺齿或三角形刺齿；向上叶渐小，与下部茎生叶同形并同样分裂，但通常不裂，边缘有刺齿或三角形刺齿；有时全部茎生叶不裂，长椭圆形或椭圆形，边缘有稀疏的芒刺；全部叶质薄，纸质，两面近同为灰白色，被稠密的或密厚的蛛丝状绵毛，但通常下面的毛密厚，上面的毛稠密，有时两面被等量的蛛丝状绵 |

毛。复头状花序单生于茎枝先端，直径 2.5 ～ 3 cm；头状花序长约 1.3 cm，基毛白色，不等长，比头状花序稍短，细毛状，边缘细糙毛状，上部不变宽；全部总苞片 12 ～ 14，外层苞片线形，上部稍增宽，外面被短糙毛，边缘具短缘毛，缘毛糙毛状，先端芒刺状渐尖，爪部边缘自下部起有长达 4 mm 的长缘毛，缘毛边缘糙毛状，中层苞片长椭圆形，长约 1 cm，上部外面被稠密的短糙毛，先端针刺状渐尖，下部边缘有缘毛，缘毛糙毛状，外面被长的蛛丝状毛；内层苞片长椭圆形，外面被稠密的蛛丝状长毛，先端芒状片裂或芒状齿裂，中间的芒状裂较长；小花蓝色；花冠 5 深裂，裂片线形，花冠管上部被稀疏的、头状、具柄的腺点及短糙毛。瘦果倒圆锥形，被稠密、棕黄色、顺向贴伏的长直毛，遮盖冠毛；冠毛量杯状，冠毛膜片线形，不等长，边缘糙毛状，中部以下结合。花果期 6 ～ 8 月。

| 生境分布 | 生于荒漠沙地、砾石地、前山或低山山坡。分布于新疆达坂城区、莎车县、阿图什市、高昌区、托克逊县、塔什库尔干塔吉克自治县、温宿县等。

| 资源情况 | 野生资源一般。药材来源于野生。

| 采收加工 | 春、秋季采挖，除去须根和泥沙，晒干。

| 功能主治 | 苦，寒。归胃经。清热解毒，消痈，下乳，舒筋通脉。用于乳痈肿痛，痈疽发背，瘰疬疮毒，乳汁不通，湿痹拘挛。

| 用法用量 | 内服煎汤，5 ～ 9 g。

菊科 Compositae 蓝刺头属 Echinops

硬叶蓝刺头 Echinops ritro L.

| 药 材 名 | 漏芦（药用部位：根）。

| 形态特征 | 多年生草本。高 20 ~ 60 cm。茎单生或少数簇生，通常上部分枝，少有不分枝的，全部茎枝白色或灰白色，被稠密或密厚的蛛丝状绵毛。基生叶与下部茎生叶有长柄或短柄，叶片长椭圆形、长倒披针形或线状长椭圆形，长 8 ~ 20 cm，宽 2 ~ 8 cm，羽状深裂或几全裂，侧裂片 5 ~ 8 对，椭圆形或披针形，边缘及先端具三角形刺齿或针刺，向基部的侧裂渐小，基部侧裂片针刺状；中上部茎生叶与下部茎生叶同形或均为披针形，无柄，基部扩大，半抱茎，羽状浅裂或半裂，侧裂片三角形，先端及边缘有针刺或刺齿，有时叶为 2 回羽状分裂，椭圆形或长椭圆形，一回为全裂，二回为深裂，二回侧裂片披针形或长披针形，先端及边缘有针刺或刺齿；全部叶质坚硬，

革质，两面异色，上面绿色，无毛或有稀疏的蛛丝状毛，下面白色或灰白色，被密厚的蛛丝状绵毛。复头状花序单生于茎枝先端或茎端，植株有 2 ～ 7 复头状花序，直径 3.5 ～ 4.5 cm；头状花序长 1.2 ～ 1.7 cm，基毛长 3 ～ 4 mm，为总苞长度的 1/5 ～ 1/4；总苞片 20 ～ 21，龙骨状，外层倒披针形，上部椭圆形扩大，褐色，边缘有短缘毛，缘毛软骨质，先端软骨质，短渐尖，中层长椭圆形或倒披针形，长 1.3 ～ 1.5 cm，中部以上有开展的长缘毛，先端针刺状长渐尖，内层苞片稍短，先端芒状齿裂，中部以下常结合，全部总苞片外面无毛；小花蓝色，5 深裂，裂片线形，花冠管外面有腺点。瘦果倒圆锥状，长 5.5 mm，被褐色、顺向贴伏、稠密的长直毛，遮盖瘦果；冠毛量杯状，长 1.2 mm，冠毛膜片线形，边缘糙毛状，中部以下结合。花果期 6 ～ 8 月。

| 生境分布 |　生于海拔 450 ～ 2 400 m 的山坡砾石地、戈壁、河滩、河谷。分布于新疆阿勒泰地区、昌吉回族自治州等。

| 资源情况 |　野生资源一般。药材来源于野生。

| 采收加工 |　春、秋季采挖，除去须根和泥沙，晒干。

| 功能主治 |　苦，寒。归胃经。清热解毒，消痈，下乳，舒筋通脉。用于乳痈肿痛，痈疽发背，瘰疬疮毒，乳汁不通，湿痹拘挛。

| 用法用量 |　内服煎汤，5 ～ 9 g。

蓝刺头 *Echinops sphaerocephalus* L.

| 药 材 名 |

漏芦（药用部位：根）。

| 形态特征 |

多年生草本。高 50 ～ 150 cm。茎单生，上部分枝长或短，粗壮，全部茎枝被稠密的多细胞长节毛和稀疏的蛛丝状薄毛。基部茎生叶和下部茎生叶宽披针形，长 15 ～ 25 cm，宽 5 ～ 10 cm，羽状半裂，侧裂片 3 ～ 5 对，三角形或披针形，边缘具刺齿，先端针刺状渐尖，向上叶渐小，与基生叶及下部茎生叶同形并同样分裂；全部叶质薄，纸质，两面异色，上面绿色，被稠密的短糙毛，下面灰白色，被薄的蛛丝状绵毛，沿中脉有多细胞长节毛。复头状花序单生于茎枝先端，直径 4 ～ 5.5 cm；头状花序长 2 cm，基毛长 1 cm，为总苞长度的 1/2，白色，扁毛状，不等长；外层苞片稍长于基毛，长倒披针形，上部椭圆形扩大，褐色，外面被稍稠密的短糙毛及腺点，边缘有稍长的缘毛，先端针芒状长渐尖，爪部下部有长达 4 mm 的长缘毛，中层苞片倒披针形或长椭圆形，长约 1.1 cm，边缘有长缘毛，外面有稠密的短糙毛，内层苞片披针形，长 8 mm，外面被稠密的短糙毛，先端芒状齿裂或芒状片裂，中间芒状裂较长，全部苞片 14 ～ 18；小花淡蓝色或白色；花冠 5 深裂，裂片线形，花冠管无腺点或有稀疏腺点。瘦果倒圆锥状，长约 7 mm，被黄色、稠密、顺向贴伏的长直毛，不遮盖冠毛；冠毛量杯状，高约 1.2 mm，冠毛膜片线形，边缘糙毛状，大部分结合。花果期 7 ～ 9 月。

| **生境分布** | 生于山坡林缘或田边、水边。分布于新疆额敏县、裕民县、米东区、布尔津县、和静县、吉木萨尔县、木垒哈萨克自治县等。

| **资源情况** | 野生资源一般。药材来源于野生。

| **采收加工** | 春、秋季采挖，除去须根和泥沙，晒干。

| **功能主治** | 苦，寒。归胃经。清热解毒，消痈，下乳，舒筋通脉。用于乳痈肿痛，痈疽发背，瘰疬疮毒，乳汁不通，湿痹拘挛。

| **用法用量** | 内服煎汤，5 ～ 9 g。

菊科 Compositae 蓝刺头属 Echinops

大蓝刺头 *Echinops talassicus* Golosk.

药材名

漏芦（药用部位：根）。

形态特征

多年生草本。高约 1.5 m。茎单生，不分枝或上部有 2 长花序分枝，茎枝有肋棱，沿棱有稀疏的蛛丝状薄绵毛，棱间有头状、具柄的小腺点和短糙毛，头状花序下部灰白色，被稠密的蛛丝状绵毛。中下部茎生叶倒披针形，长 15 ~ 25 cm，羽状深裂或半裂，有短柄，侧裂片椭圆形，边缘有三角形刺齿，先端长针刺状渐尖，有时叶 2 回羽状分裂，一回为全裂或几全裂，二回为半裂，二回裂片长三角形，先端长针刺状渐尖；向上叶渐小，与中部茎生叶同形并同样分裂，但无叶柄，基部扩大，半抱茎。全部叶质坚硬，革质，两面异色，上面绿色，被稠密、具柄的头状小腺点，下面灰白色，密被厚的蛛丝状绵毛。复头状花序单生于茎端或有 3 复头状花序，直径 4 ~ 5 cm；头状花序长 2 ~ 2.3 cm，基毛少数，白色，不等长，扁毛状，长 5 ~ 6 mm，长为总苞的 1/4；外层总苞片稍长于基毛，长倒披针形，上部椭圆形扩大，边缘有稍长的缘毛，中层倒披针形或长椭圆形，长 8 ~ 25 mm，上部边缘具短缘毛，先端针刺

状长渐尖，内层长椭圆形，长 1.2 cm，先端短芒状齿裂，全部苞片龙骨状；花
冠管外面有腺点。瘦果倒圆锥状，被稠密、顺向贴伏的棕黄色长直毛，遮盖
冠毛；冠毛量杯状，长 1 mm，冠毛膜片线形，边缘糙毛状，大部分结合。
花果期 7 ～ 9 月。

| **生境分布** | 生于山坡。分布于新疆伊宁县、木垒哈萨克自治县、奇台县等。

| **资源情况** | 野生资源一般。药材来源于野生。

| **采收加工** | 春、秋季采挖，除去须根和泥沙，晒干。

| **功能主治** | 苦，寒。归胃经。清热解毒，消痈，下乳，舒筋通脉。用于乳痈肿痛，痈疽发背，
瘰疬疮毒，乳汁不通，湿痹拘挛。

| **用法用量** | 内服煎汤，5 ～ 9 g。

菊科 Compositae 鳢肠属 Eclipta

鳢肠 *Eclipta prostrata* (L.) L.

| 药 材 名 | 墨旱莲（药用部位：地上部分）。

| 形态特征 | 一年生草本。茎直立，斜升或平卧，高达 60 cm，通常自基部分枝，被贴生糙毛。叶片长圆状披针形或披针形，无柄或有极短的柄，长 3 ~ 10 cm，宽 0.5 ~ 2.5 cm，先端尖或渐尖，边缘有细锯齿或呈波状，两面密被硬糙毛。头状花序直径 6 ~ 8 mm；有长 2 ~ 4 cm 的细花序梗；总苞球状钟形，总苞片绿色，草质，5 ~ 6 排成 2 层，长圆形或长圆状披针形，外层较内层稍短，背面及边缘被白色短伏毛；外围的雌花 2 层，舌状，长 2 ~ 3 mm，舌片短，先端 2 浅裂或全缘；中央的两性花多数，花冠管状，白色，长约 1.5 mm，先端 4 齿裂；花柱分枝钝，有乳头状突起；花托凸，有披针形或线形的托

片，托片中部以上有微毛。瘦果暗褐色，长 2.8 mm，雌花的瘦果三棱形，两性花的瘦果扁四棱形，先端截形，具 1 ～ 3 细齿，基部稍缩小，边缘具白色的肋，表面有小瘤状突起，无毛。花期 6 ～ 9 月。

| **生境分布** | 生于河边、田边或路旁。新疆各地均有分布。

| **资源情况** | 野生资源较丰富。药材来源于野生。

| **采收加工** | 花开时采收，晒干。

| **功能主治** | 甘、酸，寒。归肾、肝经。滋补肝肾，凉血止血。用于肝肾阴虚，牙齿松动，须发早白，眩晕耳鸣，腰膝酸软，阴虚血热，吐血，衄血，尿血，血痢，崩漏下血，外伤出血。

| **用法用量** | 内服煎汤，6 ～ 12 g。

菊科 Compositae 飞蓬属 Erigeron

飞蓬
Erigeron acris L.

| **药 材 名** | 飞蓬（药用部位：带根全草）。

| **形态特征** | 二年生草本。茎单生，稀数个，高 5 ~ 60 cm，基部直径 1 ~ 4 mm，直立，上部或下部有分枝，绿色或紫色，具明显的条纹，被较密而开展的硬长毛，杂有疏短贴毛，在头状花序下部常被具柄的腺毛，有时近无毛，节间长 0.5 ~ 2.5 cm。基部叶较密集，花期常生存，倒披针形，长 1.5 ~ 10 cm，宽 0.3 ~ 1.2 cm，先端钝或尖，基部渐狭成长柄，全缘，极少具 1 至数个小尖齿，具不明显的 3 脉；中部叶和上部叶披针形，无柄，长 0.5 ~ 8 cm，宽 0.1 ~ 0.8 cm，先端急尖；最上部叶和枝上的叶极小，线形，具 1 脉；全部叶两面被较密或稀疏、开展的硬长毛。头状花序多数，在茎枝端排列成密而

窄或疏而宽的圆锥花序，有时头状花序较少，呈伞房状排列，长 6 ~ 10 mm，宽 11 ~ 21 mm；总苞半球形，总苞片 3 层，线状披针形，绿色稀紫色，先端尖，背面被密或较密开展的长硬毛，杂有具柄的腺毛，内层常短于花盘，长 5 ~ 7 mm，宽 0.5 ~ 0.8 mm，边缘膜质，外层几短于内层的 1/2；外层的雌花舌状，长 5 ~ 7 mm，管部长 2.5 ~ 3.5 mm，舌片淡红紫色，少有白色，宽约 0.25 mm；较内层的雌花细管状，无色，长 3 ~ 3.5 mm，花柱与舌片同色，伸出管部 1 ~ 1.5 mm；中央的两性花管状，黄色，长 4 ~ 5 mm，管部长 1.5 ~ 2 mm，上部疏被贴微毛，檐部圆柱形，裂片无毛；瘦果长圆状披针形，长约 1.8 mm，宽 0.4 mm，扁压，疏被短贴毛；冠毛 2 层，白色，刚毛状，外层极短，内层长 5 ~ 6 mm。花期 6 ~ 9 月。

| **生境分布** | 生于海拔 1 000 ~ 2 400 m 的山坡草地、牧场及林缘。新疆各地均有分布。

| **资源情况** | 野生资源一般。药材来源于野生。

| **采收加工** | 夏季采收，洗净，晒干。

| **功能主治** | 淡，平。归肝、胃经。清热解毒，助消化。花序用于热性疾病，种子用于血性腹泻。

| **用法用量** | 内服煎汤，15 ~ 30 g。

菊科 Compositae 飞蓬属 Erigeron

堪察加飞蓬

Erigeron acris L. subsp. *kamtschaticus* (Candolle) H. Hara

| **药材名** | 飞蓬（药用部位：全草）。

| **形态特征** | 二年生草本。茎单生或数个，高 30 ~ 70 cm，稀达 100 cm 以上，基部直径 1 ~ 6 mm，上部有分枝，斜上，直立或多少弯曲，伞房状，小枝又 2 次分枝而呈圆锥状，绿色或紫色，全部或仅下部疏被开展的长节毛，中部、上部杂有短贴毛，头状花序下密被具柄腺毛。叶质薄，绿色或基部带紫色；基部叶较密集，花期常枯萎，倒披针形，长 2 ~ 13 cm，宽 0.3 ~ 1.8 cm，先端尖，基部渐狭成长柄，边缘具疏锯齿，稀具小齿尖；中部叶和上部叶披针形，长 0.3 ~ 8.5 cm，宽 0.4 ~ 1 cm，无柄，全缘；全部叶两面疏被开展的长节毛或仅边缘有开展的长节毛，两面无毛。头状花序多数，排成宽圆锥花序，

有时呈伞房状排列，长 6 ～ 10 mm，宽 10 ～ 19 mm；总苞半球形，总苞片 3 层，绿色或紫色，线状披针形，先端急尖，背面密被具柄腺毛，有时杂有稀疏开展的长节毛，内层短于花盘，长 5 ～ 6.5 mm，宽 0.6 ～ 0.7 mm，外层约短于内层的 1/2；外层雌花舌状，长 5 ～ 6.3 mm，管部长 3 ～ 3.5 mm，上部被疏微毛，舌片淡红紫色，宽约 0.25 mm，较内层的雌花细管状，无色，长 2.5 ～ 3 mm，上部被微毛，花柱淡红紫色，伸出管部 1.5 ～ 2.2 mm，有时部分雌花有短舌片；两性花管状，黄色，长 4 ～ 4.5 mm，管部长 2 ～ 2.5 mm，上部有疏微毛，檐部近圆柱形，裂片淡红紫色，无毛。瘦果长圆状披针形，长 1.6 ～ 2 mm，宽 0.4 mm，扁压，疏被多少贴生的短毛；冠毛淡白色，2 层，刚毛状，外层极短，内层长 5 ～ 6 mm。花期 6 ～ 9 月。

| **生境分布** | 生于低山山坡草地和林缘。新疆各地均有分布。

| **资源情况** | 野生资源一般。药材来源于野生。

| **采收加工** | 夏季采收，洗净，晒干。

| **功能主治** | 淡，平。归肝、胃经。清热解毒，助消化。花序用于热性疾病，种子用于血性腹泻。

| **用法用量** | 内服煎汤，15 ～ 30 g。

菊科 Compositae 飞蓬属 Erigeron

异色飞蓬 Erigeron allochrous Botsch.

| 药 材 名 | 飞蓬（药用部位：全草）。

| 形态特征 | 多年生草本。根茎短，有分枝。茎少数，高 7 ~ 28 cm，直立，基部直径 1 ~ 3 mm，不分枝，上部被较密的长软节毛，下部被较疏、开展的长软节毛，有时下部近无毛，杂有短贴毛，通常有较密的叶，节间长 0.5 ~ 3.5 cm。叶具柄，全缘，边缘和下面沿脉或两面被较硬、开展的长节毛；基部叶较密集，在花期生存，倒卵形或倒披针形，先端钝或尖，长 1.2 ~ 12 cm，宽 3 ~ 14 mm；下部叶具短柄，倒披针形；中部叶和上部叶披针形或线状披针形，无柄，长 0.8 ~ 7 cm，宽 1 ~ 8 mm，先端尖或渐尖。头状花序单生于茎顶，长 1.1 ~ 1.8 cm，宽 2.4 ~ 4 cm；总苞半球形，总苞片 3 层，绿色或先端紫色，线状

披针形，先端尖，常长于盘花，长 6.5 ~ 8 mm，宽 0.7 ~ 1 mm，外层较内层稍短，背面密被较硬、开展的长乱毛；外围的雌花舌状，3 层，长 9 ~ 15 mm，管部长 2.5 ~ 3 mm，上部被贴微毛，舌片开展，平，淡紫色，线形，宽 0.7 ~ 1.3 mm，先端具 2 细齿；中央的两性花管状，黄色，长 3.5 ~ 4.5 mm，管部极短，长约 1 mm，檐部漏斗状，中部疏被贴微毛，裂片无毛；花药和花柱伸出花冠。瘦果倒披针形，长 1.8 ~ 2.7 mm，宽约 0.7 mm，扁压，基部稍缩小，密被较硬的短贴毛；冠毛 2 层，外层极短，内层 2.5 ~ 5 mm。花果期 6 ~ 9 月。

| **生境分布** | 生于亚高山草地。分布于新疆沙湾市等。

| **资源情况** | 野生资源较少。药材来源于野生。

| **采收加工** | 夏季采收，洗净，晒干。

| **功能主治** | 辛，凉。归肺经。清热散结，止咳止血。用于温热病。

| **用法用量** | 内服煎汤，3 ~ 9 g。

菊科 Compositae 飞蓬属 Erigeron

橙花飞蓬

Erigeron aurantiacus Regel

| 药 材 名 | 飞蓬（药用部位：全草）。

| 形态特征 | 多年生草本。根茎直立或斜升，直径 3 ~ 7 mm。茎数个，高 5 ~ 35 cm 或更高，直立或基部略弯，直径 1.5 ~ 3 mm，绿色或下部紫色，有时全部紫色，不分枝，被密而开展的长节毛，节间长 0.5 ~ 4 cm。叶疏生，基部叶密集，莲座状，在花期生存，长圆状披针形、倒披针形或倒卵形，长 1 ~ 16 cm，宽 4 ~ 16 mm，先端尖或钝；茎生叶 7 ~ 17，较多，半抱茎，披针形。头状花序长 13 ~ 15 mm，宽 23 ~ 35（~ 42）mm，单生于茎先端；总苞半球形，长 7 ~ 9 mm，宽 15 ~ 22 mm，总苞片 3 层，近等长，稍长于花盘，线状披针形，长 7 ~ 9 mm，宽约 1 mm，先端尖或渐尖，背面密被开展的硬长节毛；

外围的雌花舌状，3 层，长 7.8 ~ 12 mm，管部长 2.5 mm，被疏贴微毛，舌片开展，平，橘红色、黄色至红褐色，宽 1 ~ 1.4 mm，先端具 2 ~ 3 细齿；中间的两性花管状，黄色，长 4 ~ 5.5 mm。花果期 6 ~ 9 月。

| **生境分布** | 生于高山草地或林缘。分布于新疆伊犁哈萨克自治州、巴音郭楞蒙古自治州、昌吉回族自治州等。

| **资源情况** | 野生资源较丰富。药材来源于野生。

| **采收加工** | 夏季采收，洗净，晒干。

| **功能主治** | 淡，平。归肝、胃经。清热解毒，助消化。花序用于热性疾病；种子用于血性腹泻。

| **用法用量** | 内服煎汤，15 ~ 30 g。

西疆飞蓬 Erigeron krylovii Serg

| **药 材 名** | 飞蓬（药用部位：全草）。

| **形态特征** | 多年生草本。根茎木质，斜升，上部多分枝，具纤维状根，颈部被残存叶的基部。茎数个，高 14 ～ 60 cm，基部直径 1 ～ 3 mm，直立或斜升，绿色或紫色，上部有分枝，疏被开展的长节毛，密被具柄腺毛，上部毛较密。叶绿色，全缘，边缘被睫毛状长节毛，两面疏被开展的长节毛，密被具柄腺毛；基部叶密集，花期常枯萎，倒披针形，长 3 ～ 13 cm，宽 0.4 ～ 1.4 cm，基部狭成长柄，先端钝或稍尖；下部叶与基部叶近相似；中部叶和上部叶无柄，披针形，长 0.5 ～ 10 cm，宽 0.7 ～ 1 cm，先端急尖。头状花序 3 ～ 6 在先端排列成伞房状花序，具长花序梗，长 9 ～ 13 mm，宽 17 ～ 25 mm；

总苞半球形，总苞片 3 层，绿色，线状披针形，先端急尖，背面密被具柄腺毛或杂生极疏且开展的长节毛，内层短于花盘或与花盘近等长，长 5.5 ~ 7.5 mm、宽 0.7 ~ 1 mm，外层几短于内层的 1/2；雌花二型，外层舌状，长 7.5 ~ 10 mm，管部长 2.5 ~ 3 mm，上部被疏微毛，舌片鲜玫瑰色，宽 0.4 ~ 0.6 mm，先端全缘，较内层细管状，无色，长 2 ~ 3.8 mm，上部被微毛，花柱与舌片同色，伸出管部 0.5 ~ 1.2 mm；两性花管状，黄色，长 3.5 ~ 5 mm，檐部窄圆锥形，管部上部被微毛，裂片玫瑰色。瘦果窄长圆形，长 2.2 ~ 2.5 mm，宽 0.6 mm，扁压，密被短贴毛；冠毛白色，2 层，刚毛状，外层极短，内层长 4.3 ~ 5 mm。花期 6 ~ 9 月。

| **生境分布** | 生于海拔 1 700 ~ 2 800 m 的山坡草地、林缘。分布于新疆伊吾县、博乐市、托里县、呼图壁县、青河县、乌苏市、昌吉市、特克斯县、霍城县、巩留县、拜城县、吉木乃县、昭苏县、和静县、尼勒克县、昭苏县等。

| **资源情况** | 野生资源较少。药材来源于野生。

| **采收加工** | 夏季采收带根全草及花序，洗净，晒干。

| **功能主治** | 辛，凉。归肺经。清热散结，止咳止血。用于温热病。

| **用法用量** | 内服煎汤，3 ~ 9 g。

菊科 Compositae 飞蓬属 Erigeron

毛苞飞蓬
Erigeron lachnocephalus Botsch.

药材名

飞蓬（药用部位：全草）。

形态特征

多年生草本。根茎有分枝，颈部被褐色的残存叶基部，具纤维状根。茎数个，稀单生，高 5 ~ 10（~ 15）cm，直立或斜升，基部直径 2 mm，不分枝，绿色或淡紫色，密被开展的软长毛和向上贴生的短毛，节间长 1.5 ~ 3.5 cm。叶全缘，绿色或浅灰色，两面被长软毛，少数近无毛；基部叶密集，花期生存，倒披针形，长 1 ~ 7 cm，宽 0.2 ~ 0.9（~ 1.5）cm，先端钝，稀稍尖，基部渐狭成柄，具 3 脉；下部叶与基部叶同形，具短柄；中部叶和上部叶披针形，长 1 ~ 3 cm，宽 0.1 ~ 0.6 cm，无柄，先端锐尖，具 1 ~ 3 脉。头状花序单生于茎端，长 1 ~ 1.7 cm，宽 2 ~ 3 cm; 总苞半球形，总苞片 3 层，等长，超出花盘，线状披针形，长 7 ~ 9.5 mm，宽 0.8 ~ 1 mm，绿色，有时先端全部紫色，背面密被淡黄色、绵毛状的乱长软毛；外围的雌花舌状，2 ~ 3 层，长 7 ~ 8.5 mm，管部长 2.5 mm，上部疏被微毛或无毛，舌片淡紫红色，不开展，干时内卷成管状，先端全缘；中央的两性花管状，淡黄色，长

3.5 ～ 3.8 mm，檐部圆柱形，下部急狭成细管，上部被疏贴微毛；裂片无毛，与舌片同色，花药不伸出花冠。瘦果狭长圆形，长约 2 mm，宽 0.5 mm，扁压，密被多少贴生的短毛；冠毛白色，2 层，刚毛状，外层极短，内层长约 4 mm。花果期 6 ～ 9 月。

| 生境分布 | 生于海拔 2 500 ～ 3 600 m 的高山和亚高山草地，多石山坡。分布于新疆伊吾县、额敏县、青河县、塔什库尔干塔吉克自治县、吉木乃县、尼勒克县等。

| 资源情况 | 野生资源一般。药材来源于野生。

| 采收加工 | 夏季采收带根全草，洗净，晒干。

| 功能主治 | 辛，凉。归肺经。清热散结，止咳止血。用于温热病。

| 用法用量 | 内服煎汤，3 ～ 9 g。

菊科 Compositae 飞蓬属 Erigeron

矛叶飞蓬
Erigeron lonchophyllus Hook.

|药 材 名|

飞蓬（药用部位：全草）。

|形态特征|

二年生或短命多年生草本。具纤维状根。通常数个茎簇生，茎高 3 ～ 30 cm，基部直径 1 ～ 1.5 mm，直立或斜升，有分枝，分枝纤细，绿色或带紫色，被开展的疏长节毛和疏或较密的短贴毛。叶全缘，绿色，边缘被睫毛状的长节毛，两面无毛或上面被疏毛；基部叶密集，莲座状，线状披针形或匙形，长 1 ～ 10 cm，宽 0.15 ～ 6 cm，先端钝或稍尖，基部狭成柄，具 1 ～ 3 脉；茎生叶线形或线状披针形，长 0.5 ～ 7 cm，宽 0.5 ～ 3 mm，先端尖，无柄或几无柄。头状花序长 8 ～ 10 mm，宽 1.5 ～ 2 cm，单生或数个排成总状，稀圆锥状，具长花序梗，先端的头状花序最大；总苞半球形，总苞片 3 层，线状披针形，先端渐尖，内层总苞片黄绿色，先端暗紫色，常伸出冠毛或与冠毛近等长，长 5.5 ～ 8.5 mm，宽 0.5 ～ 0.75 mm，具 1 脉，背面被开展的疏长毛，外层总苞片约短于内层总苞片的 1/2 或较短；外围的雌花舌状，3 ～ 4 层，长 5 ～ 7 mm，管部长 2.5 ～ 3 mm，上部几无毛或多少被短毛，舌片不开展，淡紫色，有时近白色，先端具 2 小齿，干时内卷成管状；中央的两性花管状，长 4 ~ 4.5 mm，淡黄色，狭圆锥形或近圆柱形，下部急狭成细管，管部长约 2 mm，中部或上半部多少被微毛，裂片淡红紫色，无毛；花药和花柱分枝不伸出花冠。瘦果狭长圆形，长 1.5 ~ 2 mm，宽 0.3 mm，疏被短贴毛；冠毛白色，2 层，刚毛状，外层极短，内层长 4.5 ~ 5 mm。花果期 7 ~ 9 月。

| **生境分布** | 生于山地草原、河滩。分布于新疆玛纳斯县、富蕴县等。

| **资源情况** | 野生资源较少。药材来源于野生。

| **采收加工** | 夏季采收带根全草，洗净，晒干。

| **功能主治** | 辛，凉。归肺经。清热散结，止咳止血。用于温热病。

| **用法用量** | 内服煎汤，3 ~ 9 g。

假泽山飞蓬

Erigeron pseudoseravschanicus Botsch.

| 药 材 名 | 飞蓬（药用部位：全草）。

| 形态特征 | 多年生草本。根茎木质，垂直或斜上，有分枝，具纤维状根，颈部被残存叶的基部。茎少数，高 5 ~ 60 cm，基部直径 1 ~ 3 mm，直立，上部有分枝，被较密而开展的长节毛，疏被具柄腺毛，有时杂有短贴毛，下部常密被长节毛而无腺毛，极少近无毛。叶绿色，全缘，两面被开展的疏长节毛和具柄腺毛，有时仅边缘有睫毛状长节毛；基部叶密集，莲座状，花期常枯萎，倒披针形，长 2 ~ 15 cm，宽 0.3 ~ 16 mm，先端尖或稍钝，基部渐狭成长柄；下部叶与基部叶相同；中部叶和上部叶无柄，披针形，长 0.3 ~ 13 cm，宽 0.5 ~ 1.5 cm，先端急尖。头状花序多数，排列成伞房状总状花序，长 7 ~ 14 mm，

宽 13 ~ 30 mm，具长花序梗；总苞半球形，总苞片 3 层，常稍短于花盘，绿色或变紫色，线状披针形，先端急尖，背面密被具柄腺毛和开展的疏长节毛，稀仅有腺毛，内层总苞片长 5 ~ 7 mm，宽约 0.8 mm，外层短于内层的 1/2；雌花二型，外层雌花舌状，长 5.8 ~ 8.5 mm，管部长 2.2 ~ 3.5 mm，上部被疏微毛，舌片淡红色或淡紫色，宽约 0.3 mm，先端全缘；较内层雌花细管状，无色，长 2.2 ~ 3 mm，上部被贴微毛，花柱伸出管部 0.5 ~ 1.5 mm；两性花管状，黄色，长 4 ~ 4.7 mm，管部长 1.5 ~ 2 mm，檐部狭锥形，被贴微毛，裂片淡红色或淡紫色。瘦果长圆状披针形，长 2 ~ 2.2 mm，宽约 0.6 mm，扁压，密被短贴毛；冠毛白色，2 层，刚毛状，外层极短，内层长 4 ~ 5.3 mm。花期 7 ~ 9 月。

| **生境分布** | 生于亚高山、高山草地或林缘。分布于新疆青河县、托里县、和静县、乌鲁木齐县、木垒哈萨克自治县、巩留县等。

| **资源情况** | 野生资源一般。药材来源于野生。

| **采收加工** | 夏季采收，洗净，晒干。

| **功能主治** | 淡，平。归肝、胃经。清热解毒，助消化。花序用于热性疾病，种子用于血性腹泻。

| **用法用量** | 内服煎汤，15 ~ 30 g。

菊科 Compositae 飞蓬属 Erigeron

泽山飞蓬
Erigeron seravschanicus Popov

| 药 材 名 | 飞蓬（药用部位：全草）。

| 形态特征 | 多年生草本。通常具数茎，稀茎单生，高 4 ~ 30（~ 90）cm，基部直径 1 ~ 3 mm，直立，绿色或下部紫色，常分枝，少有不分枝的，上部被较密的开展长节毛及短贴毛，杂有明显的头状的具柄腺毛，下部近无毛。叶疏生，节间长 1 ~ 4 cm，全缘；基部叶较多，在花期常枯萎，倒披针形，长 1.2 ~ 8 cm，宽 2.5 ~ 10 mm，先端尖，基部狭成长柄，叶柄及边缘被开展的长节毛，两面无毛或近无毛；下部叶倒披针形，具短柄；中部叶和上部叶无柄，披针形或线状披针形，长 1.5 ~ 6.5 cm，宽 1 ~ 6 mm，先端尖。头状花序长 9 ~ 16 mm，宽 18 ~ 33 mm，2 ~ 14 排列成伞房状，有时单生；总苞半球形，

总苞片绿色，线状披针形，长 5.5～9 mm，宽 1～5 mm，先端尖，外层较内层短，背面被较密、开展的长节毛，杂有明显的头状具柄腺毛；外围的雌花舌状，长 6.5～8（～13）mm，管部长 1.5～2.5 mm，上部被疏微毛，舌片平，淡紫色，先端具 2 细齿；中央的两性花管状，黄色，长 4.5～5 mm，檐部漏斗形，裂片无毛；花药和花柱分枝伸出花冠。瘦果倒线状披针形，长 2.2～2.5 mm，扁压，基部稍缩小，被多少贴生的短硬毛；冠毛 2 层，刚毛状，外层极短，内层长 4.3～5 mm。花果期 7～9 月。

| **生境分布** | 生于海拔 1 500～2 300 m 的亚高山草地、河滩及林缘。分布于新疆博乐市、精河县、塔城市、乌鲁木齐县、沙湾县、玛纳斯县、乌苏市、昌吉市、叶城县、察布查尔锡伯自治县、霍城县、托克逊县、温宿县、拜城县、木垒哈萨克自治县等。

| **资源情况** | 野生资源较少。药材来源于野生。

| **采收加工** | 夏季采收带根全草，洗净，晒干。

| **功能主治** | 辛，凉。归肺经。清热散结，止咳止血。用于温热病。

| **用法用量** | 内服煎汤，3～9 g。

小疮菊

Garhadiolus papposus Boiss. & Buhse

| **药 材 名** | 小疮菊（药用部位：全草）。

| **形态特征** | 一年生草本。高 5 ～ 30（～ 40）cm。主根直伸，纤细或极纤细。茎直立，自下部或基部分枝，全部茎枝被白色柔毛或无毛，有时杂生稠密或稀疏的硬刺毛。基生叶倒披针形、长椭圆状倒披针形或椭圆形，长 2 ～ 15 cm，宽 0.5 ～ 3 cm，大头羽状浅裂、深裂或边缘齿缺，基部渐狭成长达 2 cm 的叶柄，侧裂片 2 ～ 5 对，最下部的侧裂片小，锯齿状，上部的侧裂片大，三角形或椭圆形，顶裂片三角形或椭圆形，先端钝、急尖或圆形，全部裂片边缘、下部边缘或仅一侧边缘有大小不等的锯齿，但侧裂片边缘的锯齿常不明显。茎生叶少数，与基生叶同形或长椭圆形，等样分裂或不裂。全部叶两面

无毛。头状花序含少数小花，单生于枝端或枝杈处；花序梗极短或无花序梗；总苞短圆柱状，长 6 ~ 9 mm，总苞片 2 层，外层极小，不明显，内层线状披针形，长 6 ~ 9 mm，宽约 2 mm，先端渐尖，外面被稠密的硬毛，极少无毛，果期变坚硬，向内弯曲，包围外层瘦果；舌状小花黄色，舌片先端 5 齿裂。瘦果圆柱形，弯曲，向下渐增粗，内面的瘦果先端渐狭成细长的喙，喙顶有白色的毛状短冠毛，冠毛长短不等，长达 1.5 mm，外面的瘦果先端渐细，有小锯齿状或流苏状短冠毛，冠毛长达 0.2 mm，全部瘦果上部被白色、贴伏的短糙毛。花果期 4 ~ 6 月。

| 生境分布 | 生于海拔 600 ~ 1 000 m 的山前平原及戈壁。分布于新疆霍城县、伊宁市、奎屯市、石河子市、米东区、头屯河区。

| 资源情况 | 野生资源较丰富。药材来源于野生。

| 采收加工 | 夏、秋季采收，洗净，鲜用或晒干。

| 功能主治 | 甘、苦，微寒，归肺、肝经。疏散风热，清热解毒。用于痈肿疔疮，热毒血痢，风热感冒，温病发热。

菊科 Compositae 向日葵属 Helianthus

向日葵

Helianthus annuus L.

| 药 材 名 | 向日葵（药用部位：花盘、根、茎髓、叶、种子）。

| 形态特征 | 一年生高大草本。茎直立，高 1 ~ 3 m，粗壮，被白色粗硬毛，不分枝或上部分枝。叶互生，心状卵圆形或卵圆形，先端急尖或渐尖，有基出脉 3，边缘有粗锯齿，两面被短糙毛，有长柄。头状花序极大，直径 10 ~ 30 cm，单生于茎端或枝端，常下倾；总苞片多层，叶质，覆瓦状排列，卵形至卵状披针形，先端尾状渐尖，被长硬毛或纤毛；花托平或稍凸，有半膜质托片；舌状花多数，黄色，舌片开展，长圆状卵形或长圆形，不结实；管状花极多数，棕色或紫色，有披针形裂片，结果实。瘦果倒卵形或卵状长圆形，稍扁压，长 10 ~ 15 mm，有细肋，常被白色短柔毛，上端有 2 膜片状的早落冠毛。

花期 7 ~ 9 月，果期 8 ~ 9 月。

| **生境分布** | 生于阳光充足处。新疆各地均有分布。

| **资源情况** | 栽培资源丰富。药材来源于栽培。

| **采收加工** | 果实成熟后，连根拔起，分别采收，晒干。

| **功能主治** | 花盘，养肝补肾，降血压，止痛。用于高血压，头痛目眩，肾虚耳鸣，牙痛，胃痛，腹痛，痛经。根，茎髓，清热利尿，止咳平喘。用于小便涩痛，尿路结石，乳糜尿，咳嗽痰喘，浮肿，带下。叶，截疟。用于疟疾；外用于烫火伤。种子，滋阴，止痢，透疹。用于食欲不振，虚弱头风，血痢，麻疹不透。

| **用法用量** | 内服煎汤，花盘 20 ~ 30 g，根 10 ~ 15 g，茎髓 10 ~ 15 g。

菊科 Compositae 向日葵属 Helianthus

菊芋
Helianthus tuberosus L.

| **药 材 名** | 菊芋（药用部位：根茎）。

| **形态特征** | 多年生草本。高 1 ~ 3 m，有块状的地下茎及纤维状根。茎直立，有分枝，被白色短糙毛或刚毛。叶通常对生，有叶柄；上部叶互生；下部叶卵圆形或卵状椭圆形，有长柄，长 10 ~ 16 cm，宽 3 ~ 6 cm，基部宽楔形、圆形或微心形，先端渐细尖，边缘有粗锯齿，有离基三出脉，上面被白色短粗毛，下面被柔毛，叶脉上有短硬毛；上部叶长椭圆形至阔披针形，基部渐狭，下延成短翅状，先端渐尖，短尾状。头状花序较大，少数或多数，单生于枝端，有 1 ~ 2 线状披针形的苞叶，直立，直径 2 ~ 5 cm；总苞片多层，披针形，长 14 ~ 17 mm，宽 2 ~ 3 mm，先端长渐尖，背面被短伏毛，边缘被

开展的缘毛；托片长圆形，长约 8 mm，背面有肋，上端不等 3 浅裂。舌状花通常 12 ～ 20，舌片黄色，开展，长椭圆形，长 1.7 ～ 3 cm；管状花花冠黄色，长 6 mm。瘦果小，楔形，上端有 2 ～ 4 有毛的锥状扁芒。花期 9 ～ 10 月。

| **生境分布** | 栽培种。新疆各地均有栽培。

| **资源情况** | 栽培资源较丰富。药材来源于栽培。

| **采收加工** | 秋季采挖，鲜用或晒干。

| **功能主治** | 甘、微苦，凉。清热凉血，消肿。用于热病，肠热出血，跌打损伤，骨折肿痛。

| **用法用量** | 内服煎汤，10 ～ 15 g；或嚼服。

菊科 Compositae 蜡菊属 Helichrysum

沙生蜡菊 *Helichrysum arenarium* (L.) Moench.

| 药 材 名 | 蜡菊（药用部位：全草）。

| 形态特征 | 多年生草本。根茎木质，粗厚，直径 2 ~ 9 mm。不育茎少数，与多数花茎密集丛生。花茎直立或斜升，基部木质，坚硬，高 10 ~ 30 cm，被白色的密绵毛，下部花后脱毛或有疏绵毛，通常不分枝，节间长 1 ~ 1.5 cm。下部叶枯萎，宿存或凋落；不育茎或花茎基部叶椭圆状匙形或倒披针形，先端圆钝，两面被绵毛，基部下延成楔状、渐狭的翅，有长叶柄；中部叶披针状线形或线形，长 3 ~ 8 cm，宽 2 ~ 5 mm，直立或稍开展，厚纸质，灰绿色，两面被长绵毛，基部渐窄，半抱茎，边缘平，先端尖，中脉在叶两面都明显；上部叶渐小。头状花序广倒卵形或球形，（7 ~ ）10 ~ 30（ ~ 100）

排列成疏松或密集的复伞房花序；花序梗被厚绵毛；总苞长 5 ~ 7 mm，直径 4 ~ 6 mm，基部近圆形，总苞片约 50，4 ~ 6 层，柠檬黄色或橙黄色，先端向外反折，外层倒卵形或匙形，较内层短，先端圆形，背面有蛛丝状毛，内层广匙形、椭圆状匙形或线形，宽可达 1.5 mm，先端钝或尖，上部和边缘干膜质；小花 30 ~ 50；花冠长可达 4 mm，雄花花冠管状，上部钟状，有 5 三角形裂片，雌花花冠细管状，有退化雄蕊。冠毛淡黄色或白色，较花冠稍短或与花冠近等长；雄花冠毛上端增粗，有羽状齿，雌花冠毛细，有疏齿；不育子房和瘦果有乳头状突起。花期 8 月。

| **生境分布** | 生于海拔 640 ~ 1 400 m 的荒漠草原带及草原带的山坡草地。分布于新疆托里县、裕民县、阿勒泰市、福海县、布尔津县、青河县、富蕴县、阿勒泰市、昭苏县等。

| **资源情况** | 野生资源一般。药材来源于野生。

| **采收加工** | 春、秋季采收，除去泥土，晒干。

| **功能主治** | 驱虫，利尿。

菊科 Compositae 蜡菊属 *Helichrysum*

天山蜡菊
Helichrysum thianschanicum Regel

| 药 材 名 | 蜡菊（药用部位：全草）。

| 形 态 特 征 | 多年生草本。根茎粗厚，木质，直径 5 ～ 10 mm。不育茎少数，与多数花茎密集簇生。花茎直立，下部木质，坚硬，高 30 ～ 60 cm，被灰白色的密绵毛，下部不脱毛，从中部起有长 6 ～ 22 cm 的细弱分枝，稀不分枝，节间长 1 ～ 2 cm。不育茎生叶及花茎下部叶匙状线形或倒披针状线形，长 4 ～ 7 cm，宽 2 ～ 4 mm，先端钝，两面被绵毛，下部渐狭成窄翅，中脉在下面凸起；中部叶线形，长 2 ～ 5 cm，宽约 2 mm，基部半抱茎，边缘平或稍反卷，先端渐尖；上部叶直立。头状花序倒圆锥形或钟形，10 余花或数十花在茎端或枝端排列成复伞房花序；花序梗长 2 ～ 15 mm，被绵毛；总苞长

5 ～ 7 mm，宽 4 ～ 6 mm，总苞片约 40，6 ～ 7 层，黄色，疏松覆瓦状排列，多少开展，外层披针形，较内层短，先端钝或稍尖，背面有蛛丝状毛，内层椭圆状匙形或线形，宽可达 1.5 mm，先端钝或圆形，上部和边缘干膜质；小花约 40；花冠长 4 ～ 5 mm，雄花花冠管状，上部狭钟状，有 5 三角形裂片，雌花花冠细管状。冠毛白色，较花冠稍短或与花冠近等长；瘦果狭长圆形，长约 1.5 mm，有乳头状突起。花期 7 ～ 9 月。

| **生境分布** | 生于海拔 1 100 ～ 2 000 m 的森林带及草原带的林下、草地、山坡。分布于新疆青河县、富蕴县、阿勒泰市、布尔津县、哈巴河县、托里县、裕民县、伊宁县、疏附县等。

| **资源情况** | 野生资源较丰富。药材来源于野生。

| **采收加工** | 夏、秋季花开时采收，除去杂质，阴干或晒干。

| **功能主治** | 清热凉血，消炎利胆，驱虫，利尿。

菊科 Compositae 山柳菊属 Hieracium

卵叶山柳菊 Hieracium regelianum Zahn.

|药材名|

山柳菊（药用部位：全草或根）。

|形态特征|

多年生草本。高 30 ～ 100 cm，根茎粗短。茎直立，基部直径约 4 mm，单生或少数簇生，下部被淡棕色长刚毛，上部有稀毛或无毛，伞房状花序分枝。基生叶及下部茎生叶花期枯萎；中部茎生叶多数，卵形、卵状披针形、椭圆状披针形或长椭圆形，长 4 ～ 9 cm，宽 1 ～ 3 cm，基部无柄，耳状抱茎，先端渐尖，全缘或有小锯齿，有稀疏、长短不等的缘毛，上面无毛，下面沿脉有稀疏的长硬毛；向上的叶渐小，与中部茎生叶同形并具同样的毛被。头状花序数量中等，在茎枝先端排成疏松的伞房圆锥花序；花序梗细，无毛或被头状、具柄的腺毛及星状毛，有时具单毛；总苞钟状，长 1 cm，总苞片 3 层，暗绿色或近黑色，向内层渐长，外层线状披针形，长 2 mm，宽 0.7 mm，先端急尖或钝，中层线状披针形，长 4 mm，宽 1 mm，先端急尖或钝，内层宽线状披针形，长 1 cm，宽 1.2 mm，先端钝，全部总苞片或部分总苞片外面沿中脉有长或短单毛，兼被头状的具柄腺毛及星状毛；舌状小花黄色。瘦果圆柱状，长 4 mm，暗褐色，有 8 ～ 10 高起的等粗细肋，向下渐狭，先端截形；冠毛污白色，微糙毛状，长 6 mm。花期 8 月。

| **生境分布** | 生于海拔 1 100 ～ 2 000 m 的森林带的干旱山坡。分布于新疆塔城市、额敏县、裕民县、阿勒泰市、米东区、富蕴县等。

| **资源情况** | 野生资源较丰富。药材来源于野生。

| **采收加工** | 夏、秋季采收，去除泥土，洗净，鲜用或晒干。

| **功能主治** | 苦，凉。清热解毒，利湿，消积。用于疮痈疖肿，尿路感染，痢疾，腹痛积块。

| **用法用量** | 内服煎汤，9 ～ 15 g。外用适量，捣敷。

菊科 Compositae 山柳菊属 Hieracium

新疆山柳菊

Hieracium robustum Martrin-Donos

| 药 材 名 | 山柳菊（药用部位：全草或根）。

| 形态特征 | 多年生草本。有细长根茎，高 30 ～ 60 cm。茎直立，下部紫红色，被稠密的长柔毛，向上被蛛丝状柔毛及稀疏的星状毛，上部伞房花序状分枝，极少不分枝。基生叶花期生存，椭圆形或披针形，长 6 ～ 16 cm，宽 1 ～ 6 cm，先端急尖或钝圆，基部楔形，渐狭成长或短的柄，边缘有稀疏的尖齿或全缘、几全缘，两面及边缘被稀疏的长柔毛；茎生叶少数，与基生叶同形并被同样的毛被，下部的茎生叶基部楔形，渐狭，有短柄或无柄，几抱茎或不抱茎。头状花序少数在茎枝先端排成伞房花序或植株有 2 头状花序，不成明显的伞房花序状排列，极少植株仅有 1 头状花序，而头状花序单生于茎顶，

花序梗被长单毛，杂被头状、具柄的腺毛及星状毛；总苞钟状，长 9 mm，总苞片 3 层，向内层渐长，外层短，线状披针形或宽线形，长 3.5 mm，宽 0.5 mm，先端急尖，最内层长披针形，长 9 mm，宽约 1.2 mm，先端急尖或钝，全部总苞片黑绿色或暗绿色，外面被稀疏的长单毛及少量星状毛；舌状小花黄色。瘦果圆柱状，长约 3.2 mm，紫色或紫黑色，有 10 高起、等粗的纵肋，先端截形，无喙；冠毛污白色、淡黄色或褐色，长 6 mm，微糙毛状。花期 7 ~ 8 月。

| 生境分布 |　生于海拔 2 000 ~ 2 500 m 的森林带。分布于新疆富蕴县、托里县、霍城县、新源县、昭苏县等。

| 资源情况 |　野生资源一般。药材来源于野生。

| 采收加工 |　夏、秋季采收，去除泥土，洗净，鲜用或晒干。

| 功能主治 |　苦，凉。归心经。清热解毒，利湿，消积。用于疮痈疖肿，尿路感染，痢疾，腹痛积块。

| 用法用量 |　内服煎汤，9 ~ 15 g。外用适量，捣敷。

菊科 Compositae 山柳菊属 Hieracium

山柳菊 *Hieracium umbellatum* L.

药材名

山柳菊（药用部位：全草或根）。

形态特征

多年生草本。高 30 ~ 100 cm。茎直立，单生或少数簇生，粗壮或纤细，基部直径 2 ~ 5 mm，下部，特别是基部常呈淡红紫色，上部伞房花序状或伞房圆锥花序状分枝，通常无毛或粗糙，被极稀疏的小刺毛，极少被长单毛，但被白色的短星状毛，茎上部及花梗处的星状毛较多。基生叶及下部茎生叶花期脱落；中上部茎生叶多数或极多数，互生，无柄，披针形至狭线形，长 3 ~ 10 cm，宽 0.5 ~ 2 cm，基部狭楔形，先端急尖或短渐尖，全缘、几全缘或边缘有稀疏的尖齿，上面无毛或被稀疏的蛛丝状柔毛，下面沿脉及边缘被短硬毛；向上的叶渐小，与中上部茎生叶同形并具相似的毛被。头状花序少数或多数，在茎枝先端排成伞房花序或伞房圆锥花序，极少茎不分枝而头状花序单生于茎端；花序梗无头状、具柄的腺毛及长单毛，但被稠密或稀疏的星状毛及较硬的短单毛；总苞黑绿色，钟状，长 8 ~ 10 mm，总苞下有或无小苞片，总苞片 3 ~ 4 层，向内层渐长，外层及最外层披针形，长 3.5 ~ 4.5 mm，宽 0.8 ~ 1.2 mm，最内层线状长椭圆形，长 8 ~ 10 mm，宽约 1 mm，全部总苞片先端急尖，外面无毛，有时基部被星状毛，极少沿中脉有单毛及头状、具柄的腺毛；舌状小花黄色。瘦果黑紫色，长约 3 mm，圆柱形，向基部收窄，先端截形，有 10 高起且等粗的细肋，无毛；冠毛淡黄色，长约 6 mm，糙毛状。花期 7 ~ 8 月。

| **生境分布** | 生于山坡林缘、林下、草丛中及河滩沙地。分布于新疆阿勒泰地区、塔城地区等。

| **资源情况** | 野生资源一般。药材来源于野生。

| **采收加工** | 夏、秋季采收，去除泥土，洗净，鲜用或晒干。

| **功能主治** | 苦，凉。归心经。清热解毒，利湿，消积。用于疮痈疖肿，尿路感染，痢疾，腹痛积块。

| **用法用量** | 内服煎汤，9 ~ 15 g。外用适量，捣敷。

菊科 Compositae 山柳菊属 Hieracium

粗毛山柳菊

Hieracium virosum Pall.

药材名

山柳菊（药用部位：全草或根）。

形态特征

多年生草本。高 40 ~ 80 cm，有粗厚的根茎。茎直立，单生或少数簇生，粗壮，基部直径 4 ~ 6 mm，下部通常紫红色，被稍稠密的长刚毛，上部无毛，伞房花序状或长圆锥花序状分枝。基生叶及下部茎生叶在花期不存在；中部茎生叶多数，卵形、卵状披针形、长椭圆状披针形或长椭圆形，长 5 ~ 8 cm，高 1.5 ~ 5 cm，先端急尖或短渐尖，基部无柄，心形抱茎，全缘，无锯齿或有稀疏的尖齿，两面或仅下面沿脉被稀疏的长刚毛；向上的茎生叶渐小，与中部茎生叶同形并被同样的毛。头状花序多数或极多数，在茎枝先端排成伞房花序或长圆锥花序；花序梗无毛；总苞钟状，长 1.1 cm；总苞片 4 层，向内层渐长，外层小，披针形、线形或宽线形，长 3 mm，宽 1 mm，中层披针形，长 4.5 ~ 8 mm，宽 1.5 mm，最内层披针形，长 1.1 cm，宽约 1 mm，全部总苞片先端钝或急尖，绿色至黑色，外面无毛；小花舌状。瘦果圆柱形，长 3 mm，黑紫红色，先端截形，有高起、等粗的纵肋；冠毛淡黄色，长

6 mm，锯齿状。花期 6 ～ 8 月。

| **生境分布** | 生于山坡草地、林下或灌丛中。分布于新疆塔城市、尼勒克县、青河县、新源县、阿勒泰市、阿巴河县、布尔津县、额敏县、裕民县、昭苏县等。

| **资源情况** | 野生资源一般。药材来源于野生。

| **采收加工** | 夏、秋季采收，除去泥土，洗净，鲜用或晒干。

| **功能主治** | 苦，凉。归心经。清热解毒，利湿，消积。用于疮痈疖肿，尿路感染，痢疾，腹痛积块。

| **用法用量** | 内服煎汤，9 ～ 15 g。外用适量，捣敷。

菊科 Compositae 旋覆花属 Inula

欧亚旋覆花

Inula britannica Linnaeus

药 材 名

旋覆花（药用部位：头状花序）。

形态特征

多年生草本。根茎短，横走或斜升。茎直立，单生或 2 ~ 3 簇生，高 20 ~ 70 cm，直径 2 ~ 4 mm，稀 6 mm，基部常有不定根，上部有伞房状分枝，稀不分枝，被长柔毛，全部有叶，节间长 1.5 ~ 5 cm。基部叶在花期常枯萎，长椭圆形或披针形，长 3 ~ 12 cm，宽 1 ~ 2.5 cm，下部渐狭成长柄；中部叶长椭圆形，长 5 ~ 13 cm，宽 0.6 ~ 2.5 cm，基部宽大，无柄，心形或有耳，半抱茎，先端尖或稍尖，有浅齿或疏齿，稀近全缘，上面无毛或疏被伏毛，下面密被伏柔毛，有腺点，中脉和侧脉被较密的长柔毛；上部叶渐小。头状花序 1 ~ 5，生于茎端或枝端，直径 2.5 ~ 5 cm；花序梗长 1 ~ 4 cm；总苞半球形，直径 1.5 ~ 2.2 cm，长达 1 cm，总苞片 4 ~ 5 层，外层线状披针形，基部稍宽，上部草质，被长柔毛，有腺点和缘毛，最外层全部草质，通常较长，常反折；内层披针状线形，除中脉外均为干膜质；舌状花舌片线形，黄色，长 10 ~ 20 mm；管状花花冠上部稍宽大，有三角状披针形裂片。冠毛

1 层，白色，与管状花花冠近等长，有 20 ~ 25 微糙毛；瘦果圆柱形，长 1 ~ 1.2 mm，有浅沟，被短毛。花期 7 ~ 9 月，果期 8 ~ 10 月。

| **生境分布** | 生于海拔 500 ~ 1 500 m 的草原带的河流沿岸、湿润草地、田埂、路边。新疆各地均有分布。

| **资源情况** | 野生资源较丰富。药材来源于野生。

| **采收加工** | 夏、秋季花开时采收，除去杂质，阴干或晒干。

| **功能主治** | 苦、辛、咸，微温。归肺、脾、胃、大肠经。降气，消痰，行水，止呕。用于风寒咳嗽，痰饮蓄结，胸膈痞闷，喘咳痰多，呕吐噫气，心下痞硬。

| **用法用量** | 内服煎汤，3 ~ 9 g。

菊科 Compositae 旋覆花属 *Inula*

里海旋覆花 *Inula caspica* Blum.

| **药 材 名** | 旋覆花（药用部位：头状花序）。

| **形态特征** | 下部叶在花期常枯萎，长圆状线形或狭披针形，渐狭成长柄；中部以上叶线状披针形，长 4 ～ 12 cm，宽 0.5 ～ 2 cm，基部扩大，心形，有半抱茎的小耳，无柄，先端尖或渐尖，全缘，质厚，上面近无毛，下面全部或近边缘处被基部疣状的糙毛，常有腺点，中脉和侧脉在下面稍高起；上部叶较小，线形。头状花序直径 2 ～ 3 cm，稀达 4 cm，单生于枝端或 2 ～ 5 排列成伞房花序或复伞房花序；花序梗细，被长毛；总苞半球形，直径 1 ～ 1.5 cm，总苞片 3 ～ 4 层，外层线状披针形，长 3 ～ 7 mm，宽 1 ～ 1.3 mm，下部革质，先端渐尖，外面被糙毛，内层长为外层长的 3 倍或稍长，长 7 ～ 10 mm，

线状披针形，除中脉外均为干膜质，边缘常呈红紫色，有短疣毛；舌状花黄色，舌片长圆状线形，长可达 10 mm，宽约 1 mm，先端有 3 齿，下部外面有腺点；管状花花冠长 5 ～ 6 mm，有三角形裂片。冠毛白色，有 20 ～ 25 细糙毛，与管状花花冠近等长；瘦果近圆柱形，长 1.2 ～ 1.5 mm，有细沟，被长伏毛。花期 8 ～ 9 月。

| **生境分布** | 生于海拔 530 ～ 1 040 m 的草原带的洼地、干旱荒地、盐化草甸。新疆各地均有分布。

| **资源情况** | 野生资源较丰富。药材来源于野生。

| **采收加工** | 夏、秋季花开时采收，除去杂质，阴干或晒干。

| **功能主治** | 苦、辛、咸，微温。归肺、脾、胃、大肠经。降气，消痰，行水，止呕。用于风寒咳嗽，痰饮蓄结，胸膈痞闷，喘咳痰多，呕吐噫气，心下痞硬。

| **用法用量** | 内服煎汤，3 ～ 9 g。

菊科 Compositae 旋覆花属 Inula

土木香 *Inula helenium* L.

| 药 材 名 |

土木香（药用部位：根）。

| 形态特征 |

多年生草本。根茎块状，有分枝。茎直立，高 60 ~ 150（~ 250）cm，粗壮，直径可达 1 cm，不分枝或上部有分枝，被开展的长毛，下部有较疏的叶，节间长 4 ~ 15 cm。基部叶和下部叶在花期常生存，基部渐狭成具翅且长可达 20 cm 的柄，连同柄长 30 ~ 60 cm，宽 10 ~ 25 cm，叶片椭圆状披针形，边缘有不规则的齿或重齿，先端尖，上面被基部疣状的糙毛，下面被黄绿色密茸毛，中脉和近 20 对侧脉在下面稍高起，网脉明显；中部叶卵圆状披针形或长圆形，长 15 ~ 35 cm，宽 5 ~ 18 cm，基部心形，半抱茎；上部叶较小，披针形。头状花序少数，直径 6 ~ 8 cm，排列成伞房状花序；花序梗长 6 ~ 12 cm，被多数苞叶所围裹；总苞 5 ~ 6 层，外层草质，宽卵圆形，先端钝，常反折，被茸毛，宽 6 ~ 9 mm，内层长圆形，先端扩大成卵圆状三角形，干膜质，背面有疏毛，具缘毛，较外层长 3 倍，最内层线形，先端稍扩大或狭尖；舌状花黄色，舌片线形，长 2 ~ 3 cm，宽 2 ~ 2.5 mm，先端有 3 ~ 4

浅裂片；管状花长 9 ～ 10 mm，有披针形裂片。冠毛污白色，长 8 ～ 10 mm，有极多数具细齿的毛；瘦果四面形或五面形，有棱和细沟，无毛，长 3 ～ 4 mm。花期 6 ～ 9 月。

| 生境分布 | 生于山地草甸。分布于新疆伊宁市、伊宁县、巩留县等。

| 资源情况 | 野生资源较丰富。药材来源于野生。

| 采收加工 | 秋季采挖，除去泥沙，晒干。

| 功能主治 | 辛、苦，温。归肝、脾经。健脾和胃，调气解郁，止痛安胎。用于胸胁，脘腹胀痛，呕吐泻痢，胸胁挫伤，岔气疼痛，胎动不安。

| 用法用量 | 内服入丸、散剂，3 ～ 9 g。

旋覆花 *Inula japonica* Thunb.

| 药 材 名 | 旋覆花（药用部位：头状花序）。

| 形态特征 | 多年生草本。根茎短，横走或斜升，有粗壮的须根。茎单生，有时
2 ~ 3 簇生，直立，高 30 ~ 70 cm，有时基部具不定根，基部直径
3 ~ 10 mm，有细沟，被长伏毛或下部脱毛，上部有上升或开展的
分枝，全部有叶，节间长 2 ~ 4 cm。基部叶常较小，在花期枯萎；
中部叶长圆形、长圆状披针形或披针形，长 4 ~ 13 cm，宽 1.5 ~ 3.5
（~ 4）cm，基部多少狭窄，常有圆形、半抱茎的小耳，无柄，先
端稍尖或渐尖，边缘有小尖头状疏齿或全缘，上面有疏毛或近无毛，
下面有疏伏毛和腺点，中脉和侧脉有较密的长毛；上部叶渐狭小，
线状披针形。头状花序直径 3 ~ 4 cm，多数或少数排列成疏散的伞

房花序；花序梗细长；总苞半球形，直径 13 ～ 17 mm，长 7 ～ 8 mm，总苞片约 6 层，线状披针形，近等长，最外层常叶质而较长，外层基部革质，上部叶质，背面有伏毛或近无毛，有缘毛，内层除绿色中脉外均为干膜质，渐尖，有腺点和缘毛；舌状花黄色，较总苞长 2 ～ 2.5 倍，舌片线形，长 10 ～ 13 mm；管状花花冠长约 5 mm，有三角状披针形的裂片。冠毛 1 层，白色，有 20 或更多微糙毛，与管状花近等长；瘦果长 1 ～ 1.2 mm，圆柱形，有 10 沟，先端截形，被疏短毛。花期 7 ～ 9 月。

| 生境分布 | 生于海拔 150 ～ 2 400 m 的山坡路旁、湿润草地、河岸和田埂上。新疆各地均有分布。

| 资源情况 | 野生资源丰富。药材来源于野生。

| 采收加工 | 夏、秋季花开时采收，除去杂质，阴干或晒干。

| 功能主治 | 苦、辛、咸，微温。归肺、脾、胃、大肠经。降气，消痰，行水，止呕。用于风寒咳嗽，痰饮蓄结，胸膈痞闷，喘咳痰多，呕吐噫气，心下痞硬。

| 用法用量 | 内服煎汤，3 ～ 9 g。

菊科 Compositae 旋覆花属 Inula

总状土木香

Inula racemosa Hook. f.

药 材 名

土木香（药用部位：根）。

形态特征

多年生草本。根茎块状。茎高 60 ~ 200 cm，基部木质，直径可达 14 mm，常有长分枝，稀不分枝，下部常稍脱毛，上部被长密毛，节间长 4 ~ 20 cm。基部叶和下部叶椭圆状披针形，有具翅的长柄，长 20 ~ 50 cm，宽 10 ~ 20 cm，中脉粗壮，与 15 ~ 20 对侧脉在下面高起；中部叶长圆形、卵圆状披针形或有深裂片，基部宽或心形，半抱茎；上部叶较小。头状花序少数或较多，直径 5 ~ 8 cm，有长 0.5 ~ 4 cm 的花序梗或无，排列成总状花序；总苞宽 2.5 ~ 3 cm，长 0.8 ~ 2.2 cm，总苞片 5 ~ 6 层，外层叶质，宽可达 7 mm，内层长为外层的 2 倍，最内层干膜质；舌状花的舌片线形，长约 2.5 cm，宽 1.5 ~ 2 mm，先端有 3 齿；管状花长 9 ~ 9.5 mm。冠毛污白色，长 9 ~ 10 mm，有 40 或更多具微齿的毛；瘦果无毛。花期 8 ~ 9 月，果期 9 月。

生境分布

生于海拔 500 ~ 1 900 m 的草原带的水边、

湿润的草地或草甸。分布于新疆塔城市、额敏县、阿勒泰市、巩留县、察布查尔锡伯自治县、特克斯县、石河子市、尼勒克县、哈巴河县、奇台县、和静县等。

| **资源情况** | 野生资源一般。药材来源于野生。

| **采收加工** | 秋季采挖，除去泥沙，晒干。

| **功能主治** | 辛、苦，温。归肝、脾经。健脾和胃，调气解郁，止痛安胎。用于胸胁、脘腹胀痛，呕吐泻痢，胸胁挫伤，岔气疼痛，胎动不安。

| **用法用量** | 内服入丸、散剂，3 ~ 9 g。

菊科 Compositae 旋覆花属 Inula

羊眼花
Inula rhizocephala Schrenk

| 药 材 名 |　羊眼花（药用部位：头状花序）。

| 形态特征 |　多年生草本，无茎。叶多数密集于根颈上，开展成直径 8 ～ 25
（～ 35）cm 的莲座状叶丛；外层叶较大，长圆形或长圆状舌形，
长 4 ～ 16 cm，宽 2 ～ 3.5 cm，有不明显的波状齿，下部渐狭成长
2 ～ 3.5 cm 的具翅叶柄，先端钝，质薄，两面疏被细毛，下面沿凸
起的中脉密生白色、伏贴的长节毛并有散生的腺毛，侧脉 5 ～ 6 对；
内层叶较小。头状花序直径 1.5 ～ 3 cm，有长 2 ～ 3 cm 而被密毛的
花序梗或无，8 ～ 20 密集成半球状的团伞花序，团伞花序较叶短；
无总花序梗；总苞半球形，直径 1.2 ～ 1.5（～ 2）cm，总苞片多层，
外层线状披针形，长 7 ～ 9 mm，先端尖，被密毛，上端向外反折，

内层线形或狭线形，长约 12 mm，较狭，膜片状，直立，先端渐尖，紫色，有短缘毛；舌状花黄色，较总苞片稍长，无毛；舌片线状长圆形，有 3 浅齿，管部与舌片近等长，与冠毛等长；管状花长约 9 mm，较冠毛稍短。冠毛红褐色，有多数微糙的毛；瘦果圆柱形，长 1.5 ~ 2 mm，有纵肋，褐色，被红黄色的微伏毛。花期 6 ~ 8 月。

| **生境分布** | 生于海拔 700 ~ 2 900 m 的针叶林下、草甸、灌丛。分布于新疆精河县、阿勒泰市、特克斯县、察布查尔锡伯自治县、霍城县、巩留县、布尔津县、昭苏县等。

| **资源情况** | 野生资源一般。药材来源于野生。

| **采收加工** | 夏、秋季花开时采收，除去杂质，阴干或晒干。

| **功能主治** | 苦、辛、咸，微温。归肺、脾、胃、大肠经。降气，消痰，行水，止呕。用于风寒咳嗽，痰饮蓄结，胸膈痞闷，喘咳痰多，呕吐噫气，心下痞硬。

| **用法用量** | 内服煎汤，3 ~ 9 g。

菊科 Compositae 旋覆花属 Inula

柳叶旋覆花

Inula salicina L.

| 药 材 名 |

旋覆花（药用部位：头状花序）。

| 形态特征 |

多年生草本。地下茎细长。茎从膝曲的基部直立，高 30 ~ 70 cm，不分枝或上部有 2 ~ 3（~ 7）花序枝，有深沟或浅沟，下部有疏或密的短硬毛，有时毛脱落。全部有较密的叶，节间长 1 ~ 2.5 cm；下部叶在花期常凋落，长圆状匙形；中部叶较大，稍直立，椭圆形或长圆状披针形，长 3 ~ 8 cm，宽 1 ~ 1.5 cm，基部稍狭，心形或有圆形小耳，半抱茎，边缘有小尖头或明显的细齿，先端尖，稍革质，两面无毛或仅下面中脉有短硬毛，边缘有密糙毛，侧脉 5 ~ 6 对，与网脉在两面稍凸起；上部叶较小。头状花序直径 2.5 ~ 4 cm，单生于茎端或枝端，常被密集的苞叶所围绕；总苞半球形，直径 1.2 ~ 1.5 cm，总苞片 4 ~ 5 层，长 10 ~ 12 mm，外层稍短，披针形或匙状长圆形，下部革质，上部叶质，常稍红色，先端钝或尖，背面有密短毛，常有缘毛，内层线状披针形，渐尖，上部背面有密毛；舌状花长为总苞的 3 倍，舌片黄色，线形，长 12 ~ 14 mm；管状花花冠长 7 ~ 9 mm，有尖裂片。冠毛1层，白色或下部稍红色，与花冠近等长；瘦果有细沟及棱，无毛。花期7～9月。

| **生境分布** | 生于山坡草地。分布于新疆富蕴县、裕民县等。

| **资源情况** | 野生资源较丰富。药材来源于野生。

| **采收加工** | 夏、秋季花开时采收，除去杂质，阴干或晒干。

| **功能主治** | 苦、辛、咸，微温。归肺、脾、胃、大肠经。降气，消痰，行水，止呕。用于风寒咳嗽，痰饮蓄结，胸膈痞闷，喘咳痰多，呕吐噫气，心下痞硬。

| **用法用量** | 内服煎汤，3～9g。

蓼子朴

Inula salsoloides (Turcz.) Ostenf.

| **药 材 名** | 旋覆花（药用部位：头状花序）。

| **形态特征** | 亚灌木。地下茎分枝长，横走，木质，疏生的膜质尖披针形，有长达 20 mm、宽达 4 mm 的鳞片状叶，节间长达 4 cm。茎平卧、斜升或直立，圆柱形，下部木质，高达 45 cm，基部直径达 5 mm，基部有密集的长分枝，中部以上有较短的分枝，分枝细，常弯曲，被白色、基部常呈疣状的长粗毛，后上部常脱毛，有时茎和叶都被毛，全部有密生的叶，节间长 5 ~ 20 mm，有时在小枝上更短。叶披针状或长圆状线形，长 5 ~ 10 mm，宽 1 ~ 3 mm，全缘，基部常心形或有小耳，半抱茎，边缘平或稍反卷，先端钝或稍尖，稍肉质，上面无毛，下面有腺毛及短毛。头状花序直径 1 ~ 1.5 cm，单生于枝端；

总苞倒卵形，长 8 ~ 9 mm，总苞片 4 ~ 5 层，线状卵圆状至长圆状披针形，渐尖，干膜质，基部常稍革质，黄绿色，背面无毛，上部或全部有缘毛，外层渐小；舌状花长为总苞的 1 倍，舌片浅黄色，椭圆状线形，长约 6 mm，先端有 3 细齿；花柱分枝细长，先端圆形；管状花花冠长约 6 mm，上部狭漏斗状，先端有尖裂片；花药先端稍尖；花柱分枝先端钝。冠毛白色，与管状花花药等长，有约 70 细毛；瘦果长 1.5 mm，有多数细沟，被腺毛和疏粗毛，上端有较长的毛。花期 5 ~ 8 月，果期 7 ~ 9 月。

| 生境分布 | 生于海拔 500 ~ 2 000 m 的荒漠或半荒漠干草原的固定沙丘、农田边、河湖岸边。新疆各地均有分布。

| 资源情况 | 野生资源较丰富。药材来源于野生。

| 采收加工 | 夏、秋季花开时采收，除去杂质，阴干或晒干。

| 功能主治 | 苦、辛、咸，微温。归肺、脾、胃、大肠经。降气，消痰，行水，止呕。用于风寒咳嗽，痰饮蓄结，胸膈痞闷，喘咳痰多，呕吐噫气，心下痞硬。

| 用法用量 | 内服煎汤，3 ~ 9 g。

菊科 Compositae 苓菊属 Jurinea

绒毛苓菊 *Jurinea lanipes* Rupr.

| 药 材 名 | 久苓菊（全草或茎基部绒毛）。

| 形态特征 | 多年生草本。高约30 cm。茎基短，粗厚，密被残存的褐色柄鞘及绵毛。茎单生，直立，不分枝，被白色的蛛丝状腺毛及稀疏小腺点。基生叶倒披针形、长倒披针形或长椭圆形，长5～10 cm，宽2～3 cm，羽状深裂、浅裂或大头羽状深裂，基部长可达4 cm，侧裂片3～6对，卵形或半椭圆形，先端圆形或钝，极少急尖，通常全缘，顶裂片通常较大或稍大，椭圆形或卵形，全缘。茎生叶少数，与基生叶同形并同样分裂，但无叶柄，最上部茎生叶通常线形，不分裂；全部叶质厚，两面异色，上面绿色，无毛，有稀疏的腺点，下面灰白色，被密厚的绒毛。头状花序单生于茎端。总苞碗状，直径约2 cm，总

苞片 6 层，外层三角形，长约 6 mm，宽约 1.5 mm，被稀疏的蛛丝状毛及小腺点，先端具短芒刺，不向外反折，中内层狭披针形或长椭圆形，长可达 1.7 cm，宽达 2 mm，外面有短糙毛，边缘有短缘毛，先端芒刺状渐尖，不向外反折；小花红色；花冠外面有腺点，檐部长约 10 mm，细管部长约 7 mm。瘦果长圆状倒圆锥形，棕色，具 4 肋，上部有稀疏的刺瘤，先端有齿状果缘。冠毛白色，冠毛刚毛短羽毛状，有 2 超长的冠毛刚毛，基部不联合成环，不脱落，永久固结于瘦果上。花果期 7 ～ 9 月。

| **生境分布** | 生于海拔 1 200 ～ 1 700 m 的荒草地和路边。分布于新疆托里县、特克斯县、巩留县、布尔津县等。

| **资源情况** | 野生资源一般。药材来源于野生。

| **采收加工** | 地上部分，夏、秋季采收，除去泥沙和杂质，晒干。茎基部绒毛，春、秋季采收，除去泥土，晒干。

| **功能主治** | 淡，平。止血。用于外伤出血，鼻衄。

| **用法用量** | 外用适量，烧炭存性，捣敷；或塞鼻。

菊科 Compositae 花花柴属 Karelinia

花花柴
Karelinia caspia (Pall.) Less.

| **药 材 名** | 花花柴（药用部位：枝叶）。

| **形态特征** | 多年生草本。高 40 ~ 80（~ 120）cm。茎粗壮，直立，圆柱形，多分枝，幼时被糙毛或柔毛，老枝无毛，有疣状突起。叶厚，近肉质，卵圆形，长 1.5 ~ 6.5 cm，宽 0.5 ~ 2 cm，先端钝或圆，基部有圆形或戟形小耳，抱茎，全缘，有时具不规则的少数齿，两面被糙毛，后有时无毛，下面叶脉明显。头状花序 3 ~ 7，生于枝端，呈伞房状，有的单生；花序梗长 0.5 ~ 4 cm；苞叶较小，卵圆形或披针形，长 10 ~ 13 mm，直径 10 ~ 12 mm；总苞片约 5 层，外层卵圆形，先端圆形，内层披针形，先端稍尖，内层比外层长 3 ~ 4 倍，厚纸质，先端尖，外面被贴伏的短纤毛与小颗粒状突起，边缘毛较长；

雌花多数，丝状，长 8 ~ 10 mm，檐部 4 ~ 5 裂，裂片窄三角形，花柱上端 2 裂；两性花少，细管状，长 10 ~ 11.5 mm，上部黄色或紫红色，花药高出花冠，花柱高出花药，柱头 2 浅裂。瘦果长圆形，长约 1.5 mm，棕褐色，有 3 棱，下部尤其明显，无毛，基部白色；冠毛白色，长 1.1 ~ 1.2 cm，糙毛状。花期 7 ~ 9 月。

| **生境分布** | 生于海拔 500 ~ 1 200 m 的荒漠地带的盐生草甸、盐渍化低地、农田边。分布于新疆哈密市、吐鲁番市、克拉玛依市及哈巴河县、布尔津县、福海县、木垒哈萨克自治县、奇台县、吉木萨尔县、阜康市、米东区、乌鲁木齐县、昌吉市、玛纳斯县、和布克赛尔蒙古自治县、塔城市、沙湾市、精河县、察布查尔锡伯自治县、焉耆回族自治县、库尔勒市、尉犁县、库车市、沙雅县、阿克苏市、乌恰县、喀什市、疏勒县、疏附县、英吉沙县、岳普湖县、麦盖提县、莎车县、叶城县、和田市、裕民县、洛浦县等。

| **资源情况** | 野生资源丰富。药材来源于野生。

| **功能主治** | 止痒镇痛。

菊科 Compositae 麻花头属 *Klasea*

无茎麻花头 *Klasea lyratifolia* (Schrenk) L. Martins

| **药 材 名** | 麻花头（药用部位：根）。

| **形态特征** | 莲座状草本。根茎粗厚，被稠密的残存叶柄。无茎或几无茎。全部叶莲座状，大头羽状深裂，长 6 ~ 7 cm，宽 3 ~ 4 cm，有长约 4 cm 的叶柄；侧裂片 2 对，半椭圆形或半长椭圆形，顶裂片宽大，卵形或圆形，在莲座状叶丛中常有不裂的叶；全部裂片与不裂的叶两面粗糙，被糙毛，裂片边缘或叶边缘有锯齿。头状花序单生于根茎先端的莲座状叶丛中；花序梗极短或几无花序梗；总苞碗状，直径约 2.5 cm，上部无收缩，无毛；总苞片约 8 层，外层长三角形，长约 5 mm，宽约 1.5 mm，中层卵形、卵状椭圆形，长 6 ~ 10 mm，宽 4 ~ 5 mm，中层与外层先端急尖，有长不足 2 mm 的针刺，内层

披针形、椭圆状披针形至宽线形，长 1.4 ～ 2.2 cm，宽 2 ～ 4 mm，上部淡黄色，硬膜质；小花全部为两性，紫红色，花冠长 2.5 cm，细管部长 1 cm，檐部长 1.5 cm，花冠裂片长 5 mm。瘦果楔状长椭圆形，褐色，长 5 mm，宽 2 mm；冠毛黄白色，长达 1.5 cm，冠毛刚毛糙毛状，分散脱落。花果期 7 ～ 9 月。

| **生境分布** | 生于海拔 2 500 ～ 3 000 m 的砾石质山坡。分布于新疆温泉县、察布查尔锡伯自治县、特克斯县等。

| **资源情况** | 野生资源较少。药材来源于野生。

| **采收加工** | 秋季采挖，除去泥土，鲜用或阴干。

| **功能主治** | 清热燥湿，安胎止血。用于湿热诸证，血热胎动不安。

菊科 Compositae 麻花头属 *Klasea*

全叶麻花头
Klasea marginata (Tausch) Kitag.

| 药 材 名 |

麻花头（药用部位：根）。

| 形态特征 |

多年生草本。高 25 ~ 80 cm。根茎斜升或平卧，具多数细绳状的须根；根颈被残存的叶柄。茎直立，单一或少数，不分枝，无毛或被稀疏的多细胞短节毛，有时基部或中部以上淡红紫色。叶淡绿色或灰绿色，无毛或沿脉有稀疏的多细胞节毛，边缘有短缘毛或近无毛；基生叶、茎下部叶长椭圆形、倒披针形或近匙形，长约 15 cm，宽 1 ~ 3 cm，先端钝、急尖或渐尖，有短尖头，全缘，稀边缘浅波状，基部渐狭，具长柄；向上的叶渐小，长圆形至披针形；最上部的叶线形，无柄，全缘，极少具疏齿或近齿状。头状花序单生于茎端；花序梗长，裸露；总苞碗状或宽钟状，直径 1.5 ~ 3 cm，上部不收缩，被稀疏的蛛丝状柔毛；总苞片约 6 层，外层和中层总苞片长三角形、卵形至披针形，先端渐尖或长渐尖，有长 0.5 ~ 2 mm 的刺尖，中部边缘和上部黑色或深褐色，内层总苞片披针形或线状披针形，先端具淡褐色膜质边缘波状、具齿或有短缘毛的附属物；小花粉红色或淡红紫色，花冠长约 2 cm，细管部稍短于檐部，檐部先端 5 裂，裂片线形，长约 6 mm。瘦果长圆形，长约 5 mm，具细棱，淡褐色；冠毛黄白色或淡褐色，长约 10 mm。花果期 6 ～ 9 月。

| **生境分布** | 生于海拔 1 300 ～ 2 500 m 的高山草甸、针叶林下、砾石质山坡。分布于新疆阿勒泰地区（布尔津县、哈巴河县）、昌吉回族自治州（木垒哈萨克自治县、奇台县、阜康市）、伊犁哈萨克自治州（霍城县、特克斯县）、吐鲁番市等。

| **资源情况** | 野生资源较少。药材来源于野生。

| **采收加工** | 秋季采挖，除去泥土，鲜用或阴干。

| **功能主治** | 清热燥湿，安胎止血。用于湿热诸证，血热胎动不安。

菊科 Compositae 蝎尾菊属 Koelpinia

蝎尾菊
Koelpinia linearis Pall.

| **药 材 名** | 蝎尾菊（药用部位：全草）。

| **形态特征** | 一年生草本。高 5 ~ 35 cm。茎自基部分枝，被短柔毛或无毛。叶条形、宽条形或窄椭圆形，长 5 ~ 15 cm，宽 1 ~ 5（~ 7）mm，具 1 ~ 3 脉，被柔毛或无毛，先端渐尖；基生叶具柄；茎生叶无柄，基部渐窄，上部叶更小。头状花序小，单生于叶腋、茎顶或枝端；总苞长圆状柱形，长 5 ~ 6 mm，总苞片 2 层，被毛或无毛，外层 2 ~ 3，内层 5 ~ 7，披针状条形，长 5 ~ 8 mm，先端渐尖；花序托无毛；花 5 ~ 8，淡黄色，长于总苞，舌片长约 5 mm，宽约 1 mm。瘦果 5 ~ 8，条状圆柱形，长 8 ~ 16 mm，褐色，蝎尾状内曲，外侧有多数刺毛，先端刺毛放射状排列。花期 4 ~ 5 月。

| 生境分布 | 生于海拔 450 ～ 1 000 m 的山前荒漠或半荒漠地带的平原、山坡及农田边。分布于新疆富蕴县、阿勒泰市、布尔津县、奇台县、阜康市、米东区、乌鲁木齐县、昌吉市、呼图壁县、玛纳斯县、塔城市、托里县、沙湾市、霍城县、伊宁市、巩留县等。

| 资源情况 | 野生资源丰富。药材来源于野生。

| 功能主治 | 解毒止痒。

菊科 Compositae 橐吾属 Ligularia

帕米尔橐吾

Ligularia alpigena Pojark.

| 药 材 名 | 帕米尔橐吾（药用部位：根）。

| 形态特征 | 多年生草本。高 25 ~ 60 cm，无毛。须根多数，肉质。根茎短缩。茎单一，直立，基部有枯叶柄所形成的紫黑色纤维。基生叶与下部茎生叶具短柄，柄长 3 ~ 5 cm，基部变宽成鞘状，抱茎，叶片长圆形或宽卵形，长 6 ~ 8 cm，宽 3.5 ~ 4.5 cm，先端圆或急尖，基部楔形，全缘或具不整齐的齿，具羽状脉，灰绿色；中上部叶与下部叶同形而较小，大者长达 9 cm，宽约 3.6 cm，无柄，抱茎，向上渐窄成披针形。头状花序稀疏，较少，很少超过 20，排列成总状，长 9 ~ 20 cm，有时于下部具短分枝；花序梗长 7 ~ 20 mm；总苞钟状或近杯状，长约 9 mm，宽 9 ~ 10 mm；边缘约具 5 舌状花，黄色，舌片长圆形，

长 7 ~ 10 mm，前端截形，3 浅裂，花柱裂片长约 1 mm，细筒部长约 4.5 mm；中央的筒状花多数，黄色，长 6 ~ 7 mm，冠檐 5 裂；雄蕊长出花冠，前端的附器长三角形。冠毛污白色，与筒状花等长或稍短；瘦果柱状，长约 4 mm，向下略收缩，有细棱，先端衣领状凸起，略倾斜，冠毛着生其上。花期 7 ~ 8 月。

| 生境分布 | 生于高山草甸。分布于新疆天山区、昭苏县、乌恰县、塔什库尔干塔吉克自治县等。

| 资源情况 | 野生资源丰富。药材来源于野生。

| 功能主治 | 理气和血，祛痰止咳。

菊科 Compositae 橐吾属 Ligularia

异叶橐吾 *Ligularia heterophylla* C. C. Chang

| 药 材 名 |

异叶橐吾（药用部位：根、果实）。

| 形态特征 |

多年生草本。高 30 ～ 100 cm。须根多数，肉质。茎单一，直立，基部被枯叶鞘所形成的纤维，中部扭转，中下部无毛。茎生叶具柄，柄长 5 ～ 8 cm，上部有叶片下延所成的翅，下部变宽，呈鞘状，抱茎，常呈紫红色或黑紫色，叶片椭圆形、长圆形或卵圆形，长 8 ～ 11 cm，宽 6 ～ 8 cm，先端圆或钝，边缘具波状齿或不整齐的尖齿，齿端有小尖头，基部圆形并下延于柄上成翅；下部茎生叶与基生叶同形而柄短翅宽，叶片长达 17 cm，宽 8.5 cm，向上叶片渐小，柄渐短至无柄。头状花序组成圆锥状花序，长约 30 cm，下部有短的分枝，长 3 cm，有数下部不分枝而成总状；花序梗长 3 ～ 10 mm；总苞钟状或杯状，长 6 ～ 8（～ 10）mm，宽 5 ～ 8 mm，总苞片 7 ～ 9，排列成 2 层，长圆形、倒卵状长圆形或条状长圆形，先端钝或急尖，内层有膜质边缘，背部尤其近基处被白色柔毛；边缘的舌状花黄色，有（4 ～）5 ～ 7 花，舌片窄长圆形或长圆形，长 7 ～ 10 mm，宽 2 ～ 4 mm，先端钝或急尖，花柱伸出，分枝细，长约 1 mm，细筒部长约 3 mm；筒状花 10 ~ 14，黄色，长 6 ~ 7 mm，先端 5 齿裂；雄蕊长约 1.1 mm，先端附器长三角形。瘦果柱状，无毛，长约 5 mm，有多条细棱；冠毛白色，糙毛状，长约 1.1 cm。花期 6 ~ 7 月。

| 生境分布 | 生于高山及中山的草原、林缘。分布于新疆乌鲁木齐县、和布克赛尔蒙古自治县、温泉县、新源县、察布查尔锡伯自治县、昭苏县、巴里坤哈萨克自治县、伊吾县等。

| 资源情况 | 野生资源丰富。药材来源于野生。

| 功能主治 | 补虚散结，止咳祛痰。

菊科 Compositae 橐吾属 Ligularia

大叶橐吾 *Ligularia macrophylla* (ledeb.) DC

| **药 材 名** | 大叶橐吾（药用部位：根）。

| **形态特征** | 多年生草本。高 50 ~ 105（~ 170）cm，无毛。须根多数，肉质。茎直立，基部有被枯叶所形成的纤维。基生叶具柄，长 5 ~ 10 cm，下部 1/3 常成鞘状，抱茎，多呈紫褐色，上半部有翅，翅宽达 6 mm，向下渐窄至无翅，叶片长圆状或卵状长圆形，长 5 ~ 17 cm，宽 5 ~ 9 cm，先端钝或急尖，边缘具浅波状齿或锐齿，基部圆，下延于叶柄成翅状，叶脉羽状；茎生叶无柄，叶片卵状长圆形至披针形，大者长达 12 cm，宽 6 cm，向上渐小成披针形。头状花序组成圆锥状花序，长达 40 cm；总轴粗，其上着生许多长或短的总状排列的头状花序；花序梗长 1 ~ 3 mm，花序轴至花序梗有长或短的柔

毛；总苞窄筒状或窄陀螺状，长 3.5 ～ 6 mm，宽 2 ～ 3.5 mm，总苞片 4 ～ 5，倒卵形或长圆形，先端钝或圆形，有的背面被柔毛，排列成 2 层，内层有白色膜质边缘；边缘具舌状花 1 ～ 3，雌性，能育，舌片长圆形，长 6 ～ 8 mm，宽 2 ～ 3 mm，先端钝或圆，筒状部分长约 4 mm；筒状花 5 ～ 7，伸出总苞，长约 5 mm，先端 5 齿裂；雄蕊花药长约 3 mm，伸出花冠，附器卵状长三角形，细筒部长约 2 mm。瘦果略压扁，柱状，长 3 ～ 4 mm，两侧棱明显的薄而宽，无毛；冠毛短于筒状花，白色，长 4 ～ 5 mm。花期 7 ～ 8 月。

| **生境分布** | 生于海拔 700 ～ 2 900 m 的河谷水边、芦苇沼泽、阴坡草地及林缘。分布于新疆布尔津县、乌鲁木齐县、和布克赛尔蒙古自治县、精河县、温泉县、霍城县、库车市等。

| **资源情况** | 野生资源丰富。药材来源于野生。

| **功能主治** | 温肺下气，消痰止咳。

| **用法用量** | 内服煎汤，4.5 ～ 10 g；或入丸、散剂。

菊科 Compositae 母菊属 Matricaria

母菊
Matricaria chamomilla L.

| 药 材 名 | 洋甘菊（药用部位：全草或花）。

| 形态特征 | 一年生草本。高约30 cm，全株无毛。茎有粗细不等的棱槽，上部多分枝。下部茎生叶椭圆形或倒披针形，长3～4 cm，宽1.5～2 cm，2回羽状全裂，无柄，基部稍扩大，裂片条形，先端具短尖；上部茎生叶倒卵形或长倒卵形。头状花序花异型，直径1～1.5 cm，在茎枝先端排列成伞房状；花序梗长2～4 cm；总苞片2层，绿色，先端钝，具白色宽膜质边缘；花托长圆锥状，中空；边缘的舌状花白色，舌片反折，长约6 mm，宽2.5～3 mm；中央的管状花多数，黄色，长约1.5 mm，先端5裂。瘦果小，长0.8～1 mm，宽约0.3 mm，淡绿色，侧扁，略弯，先端斜截形，背面有圆形突起，腹

面及两侧有 5 白色细肋，无冠毛。花果期 5 ~ 7 月。

| 生境分布 |　生于河谷旷野、田边。分布于新疆昭苏县等。新疆伊犁哈萨克自治州、昌吉回
族自治州等有栽培。

| 采收加工 |　夏、秋季采收全草或花，除去泥沙，晾干。

| 功能主治 |　补胃开胃，促进消化，散气消炎，健脑强筋，祛风止痛，利尿通经。用于胃虚
纳差，消化不良，脘胀腹胀，筋肌松弛，各种炎肿，关节肿痛，闭经，闭尿等。

| 用法用量 |　内服煎汤，2 ~ 10 g。外用适量。

菊科 Compositae 猬菊属 Olgaea

九眼菊 *Olgaea laniceps* (C. Winkl.) Iljin

| **药 材 名** | 九眼菊（药用部位：全草）。

| **形态特征** | 多年生草本。高 30 ～ 60 cm。茎直立，粗壮，单一，不分枝，有棱槽，密被白色蛛丝状柔毛。叶近革质，上面淡绿色，无毛，有光泽，下面灰白色，密被蛛丝状柔毛，中脉和侧脉凸起；基生叶线状长椭圆形或披针状长椭圆形，有长柄，叶片羽状浅裂或深裂，裂片半圆形或宽三角形，沿缘有 3 ～ 5 刺齿，齿端有淡黄色的长针刺，边缘针刺短，长约 1 mm，叶柄扁平，沿缘无针刺或有稀疏的短针刺，叶柄基部扩大贴茎；基生叶与茎生叶同形并同样分裂，有刺，茎下部叶较小，有短柄，茎上部叶更小，无柄。头状花序 5 ～ 9 集生于茎端，成复头状花序；总苞宽钟状，直径 4 ～ 5 cm，密被白色绵毛，

总苞片多层，向内渐长，外层及中层总苞片披针状钻形，长约 2 cm，向上渐尖成针刺状，内层总苞片线形，先端渐尖，长 2.5 ~ 3 cm；小花紫红色，花冠长 2.2 ~ 2.8 cm，细管部稍短于檐部或与檐部近等长，檐部先端 5 裂，裂片长约 5 mm。瘦果圆柱形，压扁，褐色，长约 6 mm；冠毛淡黄色或淡褐色，刚毛糙毛状，长可达 2.5 cm，基部连合成环，整体脱落。花果期 6 ~ 8 月。

| 生境分布 | 生于海拔 1 825 ~ 2 100 m 的山谷砾石河滩及山坡。分布于新疆和硕县、库车市、乌苏市、叶城县、温宿县等。

| 资源情况 | 野生资源丰富。药材来源于野生。

| 功能主治 | 凉血止血，祛瘀消肿。

菊科 Compositae 大翅蓟属 Onopordum

大翅蓟
Onopordum acanthium L.

| 药 材 名 |

大翅蓟（药用部位：全草或种子）。

| 形 态 特 征 |

二年生草本。高达 2 m。主根直伸，直径达
2 cm。茎直立，粗壮，通常分枝，无毛或被
蛛丝状柔毛，茎和枝具宽 5 ~ 15 mm 的翅，
翅羽状半裂或具大小不等的三角形刺齿，裂
片宽三角形，裂片和齿的先端具黄褐色的针
刺，针刺长达 5 mm。叶两面被蛛丝状柔毛
或近无毛，有时被密集的绵毛而呈灰白色，
大小不等，长 10 ~ 35 cm，宽 5 ~ 15 cm，
沿缘具大小不等的三角形齿，齿端有黄褐色
的针刺；基生叶、茎下部叶长圆状卵形或宽
卵形，具短柄；茎上其余叶渐小，长椭圆形、
卵状披针形或倒披针形，无柄。头状花序通
常 2 ~ 3 生于茎枝先端，稀单一；总苞卵形
或球形，直径达 5 cm，幼时被蛛丝状柔毛，
后无毛，总苞片多层，全部的总苞片几相
同，卵状钻形或披针状钻形，先端变成黄褐
色的针刺，外面有腺点，沿边有短缘毛；小
花淡紫红色或粉红色，花冠长达 2.4 cm，细
管部与檐部等长，檐部先端 5 裂至中部，裂
片线形。瘦果长圆形或长圆状倒卵形，通常
为不明显的三棱状，稍压扁，长 4 ~ 6 mm，

淡灰色、灰棕色或褐色，有横的折皱，具黑色或褐色斑点；冠毛多层，土红色，刚毛糙毛状，内层较长，长可达 1.2 cm。花果期 6 ~ 9 月。

| **生境分布** | 生于海拔 420 ~ 1 200 m 的荒地、田间、水沟边及河谷两旁。分布于新疆阜康市、乌鲁木齐县、玛纳斯县、额敏县、塔城市、伊宁市、新源县、巩留县、特克斯县等。

| **资源情况** | 野生资源丰富。药材来源于野生。

| **功能主治** | 解热通淋，散寒通经，活血，健脑。

| **用法用量** | 内服煎汤，3 ~ 9 g。

蚤草

Pulicaria vulgaris Gaertn.

| **药 材 名** | 蚤草（药用部位：全草）。

| **形态特征** | 一年生草本。高 10 ~ 30 cm。茎直立或平卧而上部斜升，直径 0.5 ~ 2.5 mm，柔弱，常弯曲，被柔毛，上部被较密的开展长柔毛，下部常脱毛，有细沟，从下部或中部起多分枝，全部有叶，节间长 5 ~ 25 mm。叶长圆形、披针形或倒披针形，长 1 ~ 3 cm，宽 0.2 ~ 0.8 cm，全缘，先端钝或稍尖，基部渐狭或有小耳，半抱茎；下部叶渐狭成长柄，质薄，两面被柔毛，后下面常脱毛，中脉在下面稍凸起，侧脉极纤细，不明显。头状花序小，长可达 5 mm，宽 5 ~ 7 mm，单生于叉状或伞房状分枝的先端；总苞半球形，长 4 ~ 4.5 mm；总苞片约 4 层，线状披针形或线形，先端渐尖，背面

有长柔毛，边缘膜质，有缘毛，内层长为外层的 3 倍，长达 4 mm，宽 0.5 mm；舌状花 1 层，稍长于总苞，花冠长 2.5 ～ 3.5 mm，舌片直立，短，长圆形，先端有 3 齿，黄色；花柱分枝先端稍尖；两性花花冠黄色，管状，上部狭漏斗状，长约 2.5 mm，有 5 短裂片，花药有细尖的尾部，花柱分枝先端钝，稍扁。冠毛白色，外层冠毛圈状，长 0.3 mm，有多数膜片，内层长 1 ～ 1.5 mm，有 6 ～ 12 具微齿的毛；瘦果圆柱形，稍扁，长约 2 mm，被密毛。花期 6 ～ 8 月。

| 生境分布 | 生于海拔 600 ～ 2 800 m 的荒漠草原带的草地、沙地、沟渠沿岸和路旁。分布于新疆阿勒泰市、和布克赛尔蒙古自治县、塔城市等。

| 资源情况 | 野生资源一般。药材主要来源于野生。

| 采收加工 | 夏、秋季采收，鲜用或切段后晒干。

| 功能主治 | 止痢。

火绒匹菊 *Pyrethrum leontopodium* (Winkl.) Tzvel

| **药 材 名** | 火绒匹菊（药用部位：花）。

| **形态特征** | 多年生草本。高 13 ～ 20 cm。茎簇生，密被白色绵毛，呈乳白色。基生叶与茎下部叶为椭圆形，长 1.5 ～ 3 cm，宽 5 ～ 10 mm，2 回羽状分裂，第一回裂片 5 ～ 7 对，长 3 ～ 3.5 mm，宽 1 ～ 2 mm，第二回裂片 1 ～ 3 对；中上部茎生叶与下部茎生叶同形，较小；全部叶密被白色的绵毛，呈乳白色；基生叶与下部茎生叶具柄，长 5 ～ 15 mm，基部变宽成鞘状，抱茎，中上部叶无柄，叶轴变宽，抱茎。头状花序单生于茎顶；总苞半球形，直径约 1 cm，总苞片 4 层，覆瓦状排列，外层披针形，长约 3 mm，宽约 2 mm，密被白色柔毛，内层披针形，长约 5 mm，近无毛，全部苞片叶质，边缘棕色，膜质，

全缘；边缘舌状花雌性，倒卵圆形，长约 8 mm，宽约 4 mm，先端微 3 齿裂；中央筒状花两性，黄色，长约 3 mm。瘦果三棱状圆柱形，长约 2.5 mm，棕色，有 3 明显的中肋；冠状冠毛长约 0.7 mm，全裂，裂片大小不等，边缘锯齿状。花期 7 月。

| **生境分布** | 生于山地草原。分布于新疆伊吾县、木垒哈萨克自治县、库车市、鄯善县等。

| **资源情况** | 野生资源丰富。药材来源于野生。

| **功能主治** | 杀虫。

菊科 Compositae 黄矢车菊属 Rhaponticoides

欧亚金矢车菊

Rhaponticoides ruthenica (Lam.) M. V. Agab. & Greuter

| 药 材 名 | 矢车菊（药用部位：全草）。

| 形态特征 | 多年生草本。高 80 ~ 110 cm。根直伸。茎直立，单生或少数茎簇生，上部少分枝或不分枝，光滑无毛。基生叶与下部茎生叶倒披针形，长达 17 cm，宽达 8 cm，羽状全裂，有长叶柄，叶柄长 4 ~ 9 cm；基生叶的柄基内有稠密的白色绵毛，侧裂片 8 ~ 10 对，长椭圆形，上部的侧裂片较大，长达 6 cm，宽达 1.5 cm，下部的侧裂片及顶裂片渐小或较小，全部裂片边缘有锯齿或重锯齿，齿顶有软骨质的白色短刺尖；中部及上部茎生叶渐小，与基生叶及下部茎生叶同形，但渐小，无叶柄，等样分裂，但侧裂片的对数较少，侧裂片长椭圆形或线形；全部叶两面绿色，光滑无毛。头状花序少数生于茎

枝先端，不形成明显的伞房花序，或植株仅含 1 头状花序而单生于茎端；总苞含多数小花，卵状或碗状，直径 2.5 ～ 3 cm；总苞片约 6 层，覆瓦状排列，向内层渐长，外层宽卵形，长 6 mm，宽 4 mm，中层椭圆形或卵状椭圆形，长 0.9 ～ 1 cm，宽约 5 mm，内层及最内层长椭圆状披针形或披针形，长 1.4 ～ 1.8 cm，宽 3 ～ 5 mm，全部苞片无毛，质坚硬，黄绿色，上部有 8 ～ 10 深绿色条纹，先端钝或圆形，中、外层先端无浅褐色的膜质附属物，仅内层先端有浅褐色的膜质附属物；全部小花黄色；边缘花不增大。瘦果长椭圆形，长 7 mm，宽约 3 mm，上部多少有横皱纹；冠毛 2 列，外列多层，向内层渐长，冠毛刚毛状，边缘锯齿状，内列冠毛 1 层，冠毛刚毛膜片状，极短；全部冠毛刚毛及膜片白色或浅褐色。花果期 7 ～ 9 月。

| **生境分布** | 生于海拔 1 200 ～ 1 900 m 准噶尔阿拉套山及阿尔泰山山坡或山沟近水处。分布于新疆伊犁哈萨克自治州（昭苏县）、塔城地区、阿勒泰地区（布尔津县、阿勒泰市）等。

| **资源情况** | 野生资源一般。药材来源于野生。

| **功能主治** | 清热解毒，活血消肿，下乳。

菊科 Compositae 漏芦属 Rhaponticum

鹿草

Rhaponticum carthamoides (Willd.) Iljin

| 药 材 名 |

鹿草（药用部位：根茎）。

| 形态特征 |

多年生草本。高 50 ~ 100 cm。根茎粗壮，木质化，平展，具特殊的气味。茎直立，粗壮，中空，外面有细棱槽，被稀疏的蛛丝状柔毛，不分枝。叶两面绿色，质薄，被稀疏的蛛丝状柔毛，毛仅沿脉较密集；茎中、下部叶较大，椭圆形、披针形或倒披针形，羽状深裂或近全裂，裂片 5 ~ 8 对，披针形或线状披针形，边缘具锯齿，顶裂片较大，有短柄或几无柄；茎中部以上的叶渐小，长椭圆形或披针形，边缘具锯齿或仅近基部和下半部有 3 ~ 4 对浅裂或深裂的裂片。头状花序大，直径 4 ~ 6 cm，单生于茎的先端；总苞半球形；总苞片通常有 12 层，外层和中层的总苞片卵形或长圆状卵形，褐色，上部红紫色，长 5 ~ 10 mm，先端有褐色膜质的附属物，附属物卵形，宽三角形或近菱形，长达 7 mm，两面密被白色长毛，内层总苞片披针形或线状披针形，长 1.5 ~ 1.8 cm，先端附属物长卵形，长 6 ~ 8 mm，褐色，两面密被白色长毛；小花紫红色，花冠长 2.5 cm，细管部长 1.4 cm，檐部先端 5 裂，裂片线形，长约 7 mm。瘦果长椭圆形，长约 7 mm，褐色，有棱；冠毛淡褐色，短羽毛状，长达 1.8 cm。花果期 7 ~ 9 月。

| 生境分布 | 生于海拔 1 950 ~ 2 700 m 的高山草甸、亚高山草甸林下草甸。分布于新疆富蕴县、布尔津县、哈巴河县、额敏县、塔城市等。

| 采收加工 | 春、秋季采挖根茎，除去泥土，洗净，晒干。

| 功能主治 | 补气，健脑，补肾壮阳。用于肾虚腰痛，阳痿，早泄，体虚多病，食欲不振，神经衰弱，健忘等。

| 用法用量 | 内服煎汤，6 ~ 10 g。

菊科 Compositae 灰叶匹菊属 *Richteria*

灰叶匹菊 *Richteria pyrethroides* Kar. & Kir.

| 药 材 名 | 灰叶匹菊（药用部位：花）。

| 形态特征 | 多年生草本。高 10 ~ 40 cm，具根茎。茎簇生，极少单生，不分枝
或有 1 ~ 2 侧枝，灰白色，被密而蓬松的弯曲长单毛，近花序下部
的毛更密。基生叶长椭圆形，长 1.5 ~ 7 cm，宽 0.6 ~ 2 cm，2 回
羽状全裂，1 回侧裂片 3 ~ 8 对，2 回为羽状或掌式羽状分裂，末回
裂片线状披针形，宽约 1 mm，先端有软骨质芒尖；茎生叶少数，
与基生叶同形并同样分裂，但较小；全部叶两面灰白色，被稠密蓬
松的弯曲长单毛；基生叶叶柄长达 4 cm，茎生叶无柄。头状花序单
生于茎顶，极少 2 ~ 3；总苞直径 10 ~ 14 mm，总苞片约 4 层，外
层卵形或卵状三角形，长 3 ~ 4 mm，中、内层长椭圆形，长 5 ~

8 mm；中、外层苞片被稠密、蓬松的弯曲长单毛，内层无毛或几无毛，全部苞片边缘黑褐色，膜质；边缘雌花舌状，舌片白色或淡红色，椭圆形或长椭圆形，长 5 ~ 18 mm，先端具 3 微齿；中央两性花筒状，黄色，长约 3.5 mm，先端 5 齿裂。瘦果圆柱形，长约 2.5 mm，有 5 ~ 9 椭圆形纵肋；冠状冠毛长约 1 mm，分裂至基部。花果期 7 ~ 9 月。

| 生境分布 | 生于高山草甸、山坡砾石处。分布于新疆哈密市、吐鲁番市及乌鲁木齐县、呼图壁县、温泉县、和硕县、和静县、库车市、喀什市、塔什库尔干塔吉克自治县等。

| 资源情况 | 野生资源丰富。药材主要来源于野生。

| 功能主治 | 杀虫。

菊科 Compositae 风毛菊属 Saussurea

高山风毛菊 *Saussurea alpina* (L.) DC.

| 药 材 名 | 高山风毛菊（药用部位：全草）。

| 形态特征 | 多年生草本。高 30 ～ 70 cm。根茎粗，褐色。茎直立，单一，通常不分枝，有时在上部分枝，有棱槽，绿色或带紫红色，被稀疏的蛛丝状柔毛或近无毛。叶上面绿色，无毛，下面淡绿色或灰绿色，被短柔毛并混有长毛或无毛，有时具稀疏的腺点，不分裂，全缘或具稀疏的齿，齿端有软骨质的小尖；基生叶、茎下部叶有柄，柄与叶片近等长或短于叶片，叶片披针形、长圆形或椭圆形，长 8 ～ 20 cm，宽 1.5 ～ 3 cm，先端渐尖或长渐尖，基部渐狭；茎中部叶披针形或椭圆形，无柄，稀稍沿茎下延；茎上部叶披针形或线形，先端渐尖，无柄，长 1 ～ 5 cm，宽 1 ～ 5 mm，全缘，基部不沿茎下延。头状

花序小，通常多数，在茎端或茎枝先端排列成密集或疏松的伞房状；总苞圆柱形或钟状，直径 5 ~ 8 mm，总苞片 5 层，覆瓦状排列，向内渐长，外层总苞片广卵形或卵状披针形，先端稍钝或渐尖，中层总苞片卵形，先端钝，内层总苞片长圆形，先端钝，全部总苞片淡绿色，沿缘暗褐色或暗紫色，背面和边缘有蛛丝状柔毛，有时具伸直的白毛；小花淡紫红色，花冠长可达 1.1 cm，细管部长约 5 mm，与增宽的檐部近等长。瘦果圆柱形，长约 3 mm，淡褐色；冠毛 2 层，上部白色，下部淡褐色，外层刚毛长短不一，具齿，长可达 3 mm，内层刚毛长羽状，长可达 9 mm。

| **生境分布** | 生于高山山麓碎石石隙中和砾石山坡。分布于新疆布尔津县、尼勒克县、富蕴县、精河县、新源县等。

| **资源情况** | 野生资源较少。药材主要来源于野生。

| **功能主治** | 用于跌打损伤，风湿痹痛。

菊科 Compositae 风毛菊属 Saussurea

草地风毛菊 *Saussurea amara* (L.) DC.

| 药 材 名 |

草地风毛菊（药用部位：全草）。

| 形态特征 |

多年生草本。高 12 ~ 85 cm。根细长，褐色。茎直立，通常单一，稀少数，在上部分枝，有棱槽，无翅，稍被毛或近无毛，通常粗糙。叶绿色，下面色稍淡，粗糙，被白色绒毛和多数黄色、近尖的瘤状突起；基生叶、茎下部叶有长柄，叶片卵状长圆形或长圆状披针形，长 5 ~ 20 cm，宽 2 ~ 8 cm，先端渐尖，基部楔形，渐狭成柄，全缘、具缺刻状齿或波状齿；向上叶渐小，有短柄或无柄，长圆状披针形至线状披针形，先端渐尖，基部渐狭，有时具叶耳，稀稍下延。头状花序通常多数，生于茎枝先端，排列成比较紧密的伞房圆锥花序，稀单生于茎端；总苞钟状，长 1 ~ 1.8 cm，直径 8 ~ 12 mm，被白色的蛛丝状柔毛和短柔毛，总苞片 4 ~ 5 层，覆瓦状排列，外层总苞片小，近披针形，先端暗绿色，椭圆形或长圆形，沿缘有细齿或 3 裂的附属物，中间总苞片长圆形或长圆状披针形，先端附属物膜质，圆形，粉红色，沿缘有齿，内层总苞片线形，先端具窄的附属物或无附属物；小花粉红色或淡紫红色，稀白色，长达 1.4 cm，细管部长达 9 mm，增宽的檐部长 5 mm，檐部先端 5 裂，裂片线形，长约 3 mm。瘦果圆柱形，长约 3 mm，褐色，无毛；冠毛 2 层，白色，外层刚毛短，多数，长短不一，长达 1.5 mm，糙毛状，宿存，内层刚毛羽状，长达 1 cm。花果期 7 ~ 9 月。

| 生境分布 | 生于海拔 990 ~ 1 220 m 的河湖岸边的盐碱地、河滩草地、荒地、沙地、路边。分布于新疆哈密市及阿勒泰市、吉木乃县、和布克赛尔蒙古自治县、和静县、天山区等。

| 资源情况 | 野生资源一般。药材来源于野生。

| 采收加工 | 秋季采收，除去杂质，洗净泥土，鲜用或晒干。

| 功能主治 | 藏医　苦，寒。杀黏，清热，解毒，止刺痛，消肿。用于瘟疫，猩红热，麻疹，痘疹，结喉，发症，肠刺痛，阵刺痛，毒热，心热，血热，炽热，讧热，伤热，感冒发热。

菊科 Compositae 风毛菊属 *Saussurea*

优雅风毛菊 *Saussurea elegans* Ledeb.

| **药 材 名** | 优雅风毛菊（药用部位：全草）。

| **形态特征** | 多年生草本。高 10 ~ 70 cm。根粗壮，木质化；根皮纵裂成片状或纤维状，褐色，先端分叉，具多头。茎少数，丛生，直立，分枝，有棱槽，被稀疏的柔毛和散生的腺点，中下部叶腋常有短缩的不育枝。叶上面绿色，与边缘均粗糙，被刺毛状的短毛和稀疏的柔毛，下面灰白色，密被白色蛛丝状柔毛，稀近无毛，通常两面散生光亮的腺点；基生叶长圆形或长圆状卵形，羽状浅裂、近大头羽状深裂或全缘而不分裂，先端渐尖，基部渐狭成柄，通常在花期枯萎；茎生叶卵形或披针形，全缘、下部羽状浅裂或具齿，先端渐尖，基部渐狭，无柄，有时稍沿茎下延；最上部的叶小，线状披针形，全缘。头状花序多

数，生于茎枝先端，排列成伞房圆锥状花序或伞房状花序；总苞圆柱形或钟状，长 1 ~ 1.5 cm，直径 5 ~ 8 mm，被蛛丝状柔毛，散生光亮的腺点，稀近无毛，总苞片 5 层，覆瓦状排列，外层总苞片小，卵形，先端渐尖、钝或急尖，中层总苞片长圆状卵形，内层总苞片披针形，具窄膜质的边缘，通常全部总苞片上部或沿缘紫红色或褐色；小花淡紫红色，长可达 1.4 cm，细窄管部与增宽的檐部等长，檐部先端 5 深裂，裂片线形，长可达 4 mm，散生光亮的腺点。瘦果圆柱形，长 2 ~ 3 mm，褐色，有纵棱，无毛；冠毛 2 层，白色，外层刚毛短，不等长，长 2 ~ 4 mm，糙毛状，内层刚毛长羽状，长 1 ~ 1.2 cm。花果期 7 ~ 9 月。

| **生境分布** | 生于高山草甸和森林草原的砾石质山坡、田间。分布于新疆吐鲁番市及吉木萨尔县、乌鲁木齐县、呼图壁县、玛纳斯县、塔城市、裕民县、沙湾市、精河县、新源县、巩留县、特克斯县、昭苏县、和硕县、和静县、拜城县、乌恰县等。

| **资源情况** | 野生资源一般。药材主要来源于野生。

| **功能主治** | 清热解毒，活血消肿。

菊科 Compositae 风毛菊属 Saussurea

蒙新风毛菊 Saussurea grubovii Lipsch.

| 药 材 名 | 风毛菊（药用部位：全草）。

| 形态特征 | 多年生草本。高 30 ~ 80 cm。根粗，木质化，褐色；根颈被残存的褐色叶柄。茎直立，单一或少数，有棱槽，通常稍有翅，上半部分的枝能育，中下部叶腋的枝通常短缩，不育，被短毛。叶绿色，较肥厚，两面或多或少被短硬毛；基生叶、茎下部叶有长柄，叶柄的基部扩展成鞘状披针形，叶片卵形、椭圆形或长圆形，先端渐尖，基部楔形，连同叶柄长达 20 cm，宽达 5 cm，全缘或下部边缘具缺刻状的齿，齿端有镶嵌状的尖；茎生叶向上渐狭小，长圆形至线形，全缘，无柄，基部沿茎稍下延成窄翅。头状花序多数，生于茎枝先端，排列成比较疏松的伞房状花序或伞房状圆锥花序；总苞钟状，

长 8 ~ 15 mm，直径 5 ~ 10 mm，被白色短柔毛；总苞片 5 ~ 6 层，覆瓦状排列，外层总苞片小，长卵形，先端渐尖或具小齿或具软骨质的尖，中层和内层总苞片较长，长圆形至线形，先端有近圆形或椭圆形、淡紫红色、膜质的附属物，附属物边缘具齿或呈缝状；小花淡紫红色，长 1.2 ~ 2 cm，细管部长达 1.2 cm，明显长于增宽的檐部，檐部先端 5 深裂，裂片线形，长达 5 mm。瘦果圆柱形，长达 3.5 mm，淡禾秆黄色，有细棱，无毛；冠毛 2 层，白色，外层不等长，长 0.5 ~ 3 mm，糙毛状，内层长羽状，长 1.2 ~ 1.4 cm。花果期 7 ~ 9 月。

| **生境分布** | 生于海拔 420 ~ 1 900 m 的平原盐渍化草甸、河谷滩地及阶地灌丛中。分布于新疆青河县、托里县、巴里坤哈萨克自治县、托克逊县、察布查尔锡伯自治县等。

| **资源情况** | 野生资源丰富。药材来源于野生。

| **采收加工** | 夏、秋季采收，去净泥土，干燥。

| **功能主治** | 辛、苦，寒。归肝、脾、肾经。祛风湿，止痹痛。用于跌打损伤，风湿痹痛。

| **用法用量** | 内服或外用适量。

菊科 Compositae 风毛菊属 Saussurea

雪莲花 Saussurea involucrata (Kar. et Kir.) Sch.-Bip.

| 药 材 名 |

天山雪莲（药用部位：全草）。

| 形态特征 |

多年生草本。高 15 ~ 35 cm。根茎粗，颈部被多数褐色的叶残迹。茎粗壮，基部直径 2 ~ 3 cm，无毛。叶密集，基生叶、茎生叶无柄，叶片椭圆形或卵状椭圆形，长达 14 cm，宽 2 ~ 3.5 cm，先端钝或急尖，基部下延，边缘有尖齿，两面无毛；最上部叶苞叶状，膜质，淡黄色，宽卵形，长 5.5 ~ 7 cm，宽 2 ~ 7 cm，包围总花序，边缘有尖齿。头状花序 10 ~ 20，在茎顶密集成球形的总花序；小花梗短或无；总苞半球形，直径 1 cm；总苞片 3 ~ 4 层，边缘或全部紫褐色，先端急尖，外层被稀疏的长柔毛，长圆形，长 1.1 cm，宽 5 mm，中层及内层披针形，长 1.5 ~ 1.8 cm，宽 2 mm；小花紫色，长 1.6 cm，管部长 7 mm，檐部长 9 mm。瘦果长圆形，长 3 mm；冠毛污白色，2 层，外层小，糙毛状，长 3 mm，内层长，羽毛状，长 1.5 cm。花果期 7 ~ 9 月。

| 生境分布 |

生于海拔 3 000 m 以上的高山岩缝、砾石和砂质河滩中。分布于新疆和静县、昭苏县、新源县、沙湾市、昌吉市、呼图壁县、乌鲁木齐县、阜康市、拜城县等。

| 资源情况 | 野生资源一般。药材来源于野生。

| 采收加工 | 夏、秋季花开时采收，除去泥土、须根，阴干，根据花头直径、长度分级。

| 功能主治 | 甘、苦，温。归肝、脾、肾三经。温肾助阳，祛风胜湿，通经活血。用于风寒湿痹，类风湿关节炎，小腹冷痛，月经不调。

| 用法用量 | 内服煎汤，3～6 g；或浸酒。外用适量。

| 附 注 | 本种与绵头雪莲花 *Saussurea laniceps* Hand.-Mazz. 的区别在于后者全体密被白色或淡黄色长柔毛；茎常中空，棒状；叶互生，基部有残存的棕黑色叶片，披针形或狭倒卵形，边缘羽裂或具粗齿；总苞片狭长倒披针形，无毛，有光泽，中央草质，边缘膜质，花两性，全为管状花，裂片披针形；瘦果扁平，棕色，有不明显的 4 棱。

本种与大苞雪莲花 *Saussurea involucrata* Kar. et Kind 的区别在于后者茎基部残存密集的棕褐色叶片；头状花序顶生，总苞片叶状卵形，近似膜质，呈白色或淡绿黄色，花棕紫色，全为管状花；瘦果刺毛状。

本种与水母雪莲花 *Saussurea medusa* Maxim. 的区别在于后者茎短而粗；叶具长而扁的叶柄，叶片卵圆形或倒卵形，边缘锯齿形，上部叶呈菱形或披针形，基部延伸成翅柄；头状花序无总花梗，总苞球形；瘦果冠毛灰白色，外层刺毛状，内层羽状。

阿尔泰风毛菊 *Saussurea krylovii* Schischk. et Serg.

| **药 材 名** | 风毛菊（药用部位：全草）。

| **形态特征** | 多年生草本。高 10 ~ 50 cm。根粗长，褐色；根颈密被淡褐色、有光泽的死叶柄。茎单一，直立，绿色或紫红色，有棱槽，被稀疏的白色长柔毛和较粗的腺毛。叶绿色，窄披针形至披针状线形，长 10 ~ 20 cm，宽 6 ~ 20 mm，先端渐尖，基部渐狭，边缘具稀疏的锯齿，两面和边缘粗糙，密被小乳头状腺毛；基生叶、茎下部叶有长柄，基部呈鞘状扩大；茎中部叶、上部叶无柄，不沿茎下延或稍下延。头状花序多数，通常 2 ~ 4 聚生于茎端或 5 ~ 11 排列成总状，下部的头状花序着生在长 1 ~ 4 cm 的花序梗上，稀单一；总苞钟状，长 1 ~ 2 cm，直径达 2 cm；总苞片 3 层，外层总苞片长圆状卵

形或卵状披针形，全部黑褐色或基部禾秆黄色，被稀疏的白色长柔毛和乳头状的腺毛，稍短于中层和内层的总苞片，内层总苞片披针形，先端长渐尖，露出部分淡褐色或黑褐色，未露出部分禾秆黄色，有光泽，无毛；小花紫红色，长达 1.6 cm，细管部明显长于增宽的檐部，长达 1.1 cm，檐部先端 5 裂，裂片线形，长约 3 mm。瘦果圆柱形，长 3 mm，褐色，无毛；冠毛 2 层，白色或污白色，外层刚毛小，不等长，长达 3 mm，糙毛状，宿存，内层刚毛羽状，长达 1.2 cm。花果期 7 ~ 8 月。

| 生境分布 | 生于高山和亚高山草甸砾石质的山坡、林缘。分布于新疆精河县、和布克赛尔蒙古自治县等。

| 资源情况 | 野生资源一般。药材来源于野生。

| 采收加工 | 夏、秋季花期或果期采收，除去泥土，自然干燥。

| 功能主治 | 苦，寒。归肝、脾经。清热解毒，活血消肿。用于热毒炽盛，跌打肿痛。

| 用法用量 | 内服煎汤，3 ~ 6 g；或浸酒。外用适量。

高盐地风毛菊 Saussurea lacostei Dubguy

| 药 材 名 | 风毛菊（药用部位：全草）。

| 形态特征 | 多年生草本。高约 15 cm。根粗壮，褐色；根颈分叉多头，被残存的灰褐色鞘状死叶柄。茎少数或单一，不分枝或从近基部向上分枝，有棱槽，被稀疏的短粗毛，无翅。叶质地肥厚，绿色，两面无毛或近无毛，被多数腺点；基生叶、茎下部具叶柄，柄的基部呈鞘状扩大，叶片长圆形，连叶柄长达 14 cm，宽达 3 cm，2 回羽状分裂，第一回羽片羽状全裂，裂片稀疏，常斜向下，椭圆形或长圆状椭圆形，第二回羽片羽状深裂或近全裂，小裂片披针形或长三角形；茎中部叶较小，羽状深裂，无柄；茎上部叶最小，披针形或卵状披针形，全缘。头状花序小，少数，生于茎枝先端，排列成伞房状或总状；

总苞椭圆形，长 8 ~ 10 mm，直径 3 ~ 5 mm；总苞片 5 层，覆瓦状排列，向内渐长，外层总苞片长卵形，先端渐尖，淡绿色，边缘带淡紫红色，无毛，背面有散生的黄色腺点；小花淡紫红色，花冠长 1.2 cm，细管部长 5.5 mm，增宽的檐部长 6.5 mm，散生黄色有光泽的腺点，檐部先端 5 浅裂，裂片披针形，长 2.5 mm。瘦果圆柱形，长 2.5 mm，褐色，无毛；冠毛 2 层，污白色，外层刚毛短，不等长，长 1 ~ 2 mm，糙毛状，内层刚毛羽状，长 9 mm。花果期 8 ~ 9 月。

| **生境分布** | 生于海拔 2 650 ~ 3 000 m 的高山盐碱地、山坡背阴处。分布于新疆阿合奇县、乌恰县、阿克陶县、乌什县、和静县、民丰县等。

| **资源情况** | 野生资源一般。药材来源于野生。

| **采收加工** | 夏、秋季花期或果期采挖，除去泥土，自然干燥。

| **功能主治** | 苦，寒。归肝、肺经。清热解毒，活血消肿。用于热毒炽盛，跌打损伤。

| **用法用量** | 内服煎汤，3 ~ 6 g；或浸酒。外用适量。

菊科 Compositae 风毛菊属 Saussurea

天山风毛菊 *Saussurea larionowii* C. Winkl.

| **药 材 名** | 风毛菊（药用部位：全草）。

| **形态特征** | 多年生草本。高 10 ~ 40（~ 60）cm。根细长，斜升，暗褐色，木质化；根颈被残存的褐色死叶柄。茎直立，通常单一，不分枝或在上部分枝，有棱槽，稍具窄翅，稀明显具翅，被毛或近无毛。叶薄，长圆形、披针形或长圆状椭圆形，先端渐尖或长渐尖，基部楔形，全缘或具波状齿，上面绿色，粗糙，被短硬毛，下面淡绿色或淡灰色，被蛛丝状柔毛或白色绒毛，稀近无毛，边缘粗糙，被刺状刚毛；基生叶具短柄，叶柄稍具翅，早枯萎；茎下部叶长 5 ~ 16 cm，宽 1.5 ~ 4 cm；茎中部叶和茎上部叶渐小，无柄，基部或多或少沿茎下延成明显或稍明显的翅。头状花序具 10 ~ 13 小花，较小，多数，

在茎端排列成紧密的伞房状花序，有时茎上部叶腋有侧生的伞房状花序或单一的头状花序；总苞圆柱形或钟状，直径 4 ～ 8 mm；总苞片 4 ～ 5 层，覆瓦状排列，向内渐长，外层总苞片卵形，内层总苞片长圆状披针形，所有的总苞片绿色或淡紫红色，边缘色深，先端渐尖，具明显的中脉，中脉延伸变成芒状的锐尖，尖直伸或弯曲，背面密被蛛丝状柔毛；花粉红色或淡紫红色，花冠长约 1.4 cm，细管部长约 7 mm，与增宽的檐部等长，冠檐上散生有光泽的腺点。瘦果圆柱形，长约 3 mm，淡褐色，无毛；冠毛 2 层，白色或下部褐色，外层刚毛短，长达 2 ～ 2.5 mm，糙毛状，内层刚毛长羽状，长可达 1.2 cm。花果期 7 ～ 8 月。

| 生境分布 | 生于海拔 1 800 ～ 3 800 m 的高山和亚高山草甸的砾石质山坡、云杉林下。分布于新疆奇台县、玛纳斯县、乌鲁木齐市、沙湾市、塔城市、呼图壁县、昌吉市、特克斯县、青河县、和硕县、和静县、库车市。

| 资源情况 | 野生资源一般。药材来源于野生。

| 采收加工 | 夏、秋季花期或果期采挖，除去泥土，自然干燥。

| 功能主治 | 苦，寒。归肝、肺经。清热解毒，活血消肿。用于热毒炽盛，跌打损伤。

| 用法用量 | 内服煎汤，3 ～ 6 g；或浸酒。外用适量。

菊科 Compositae 风毛菊属 Saussurea

宽叶风毛菊 Saussurea latifolia Ledeb.

药材名

风毛菊(药用部位:全草)。

形态特征

多年生草本。高 35 ~ 100 cm。根茎匍匐,粗壮,褐色,有节。茎直立,单一,稀 2 ~ 3,有棱槽,具明显的翅,无毛或被稀疏的短柔毛。叶较肥厚,近革质,两面绿色,下面色较淡,或多或少被短柔毛,稀无毛,边缘具锯齿,被短毛,齿端有短尖;基生叶、茎下部叶卵形或椭圆形,长 6 ~ 15 cm,宽 4 ~ 9 cm,先端渐尖,稍微延伸,基部近圆形或稍心形,具柄,叶柄的基部扩展成鞘状并沿茎下延成明显的翅;茎中部叶与下部叶类似,有短柄或无柄,基部沿茎下延成翅;茎上部叶小而狭,披针形或线状披针形,基部不沿茎下延或稍下延成不明显的狭翅。头状花序多数,生于茎端,常排列成伞房状,有时侧生的花序排列成圆锥状;总苞钟状,长 1 ~ 1.2 cm,直径可达 8 mm;总苞片 4 ~ 5 层,覆瓦状排列,向内渐长,外层总苞片卵形,先端钝或稍渐尖,内层总苞片长圆形或披针形,先端渐尖、钝或稍尖,全部总苞片整个或大部分淡紫红色或深紫色,或干后变为暗褐色,或多或少被短柔毛,毛易脱落至近无；小花紫红色，长约 10 mm，细管部与增宽的檐部等长，檐部先端 5 深裂，裂片线形，长约 3.5 mm。瘦果圆柱形，长约 3.5 mm，淡褐色，无毛；冠毛 2 层，污白色，外层刚毛不等长，长约 3 mm，糙毛状，内层刚毛长羽状，长 8 ~ 10 mm。花果期 7 ~ 9 月。

| **生境分布** | 生于海拔 2 500 m 的林下和林缘。分布于新疆布尔津县、和静县、昭苏县、伊宁县等。

| **资源情况** | 野生资源一般。药材来源于野生。

| **采收加工** | 夏、秋季花期或果期采收，除去泥土，自然干燥。

| **功能主治** | 苦，寒。归肝、肺经。清热解毒，活血消肿。用于热毒炽盛，跌打损伤。

| **用法用量** | 内服煎汤，3 ~ 6 g；或浸酒。外用适量。

菊科 Compositae 风毛菊属 Saussurea

白叶风毛菊

Saussurea leucophylla Schrenk

药材名

风毛菊（药用部位：全草）。

形态特征

多年生草本。高 3 ~ 30 cm。根细长，褐色，先端分叉多头，其中一部分形成叶丛；根颈或多或少增粗，密被残存的褐色死叶柄。茎直立，单一，有棱槽，密被白色绵毛，有时呈毡状。叶线形，绿色、灰绿色或灰白色，两面密被白色绵毛，下面毛特别密集，呈毡状，全缘，边缘向下卷，先端钝，基部渐狭后稍增宽或呈鞘状扩大；基生叶通常较长，长达 14 cm，宽 1 ~ 4 mm，具短柄，叶柄的基部呈鞘状扩大；茎生叶较短，基部增宽，稍沿茎下延；最上部叶在花序基部呈苞片状，与花序等长或明显长于花序。头状花序较大，单生于茎端；总苞钟状或半球形，长 1.4 ~ 2 cm，直径 1 ~ 2.5 cm，密被白色长柔毛；总苞片 3 层，外层总苞片卵状披针形，先端长渐尖，草质，内层总苞片披针形或线形，下部未露出部分禾秆黄色；小花紫红色，长 1.4 ~ 1.8 cm，细管部长 8 ~ 10 mm，稍长于檐部，檐部 5 深裂，裂片线形，长达 5 mm。瘦果圆柱形，长 4 mm，褐色，有纵棱，无毛，先端截形，有小冠；冠毛 2 层，污白色或淡黄褐色，外层刚毛长短不一，长 1 ~ 3 mm，糙毛状，内层刚毛长羽状，长达 1.4 cm。花果期 7 ~ 8 月。

| **生境分布** | 生于海拔 2 300 ~ 4 000 m 的高山和亚高山草甸的砾石质山坡、沼泽草甸中。分布于新疆奇台县、玛纳斯县、乌鲁木齐市、裕民县、沙湾市、昭苏县、和硕县、和静县、达坂城区、鄯善县、乌恰县、和田县等。

| **资源情况** | 野生资源一般。药材来源于野生。

| **采收加工** | 夏、秋季花期或果期采收，除去泥土，自然干燥。

| **功能主治** | 苦，寒。归肝、肺经。清热解毒，活血消肿。用于热毒炽盛，跌打损伤。

| **用法用量** | 内服煎汤，3 ~ 6 g；或浸酒。外用适量。

菊科 Compositae 风毛菊属 Saussurea

小尖风毛菊 Saussurea mucronulate Lipsch.

药材名

风毛菊（药用部位：全草）。

形态特征

多年生草本。高约 30 cm。根粗壮，直伸，褐色；根颈被残存的褐色叶柄，分叉多头。茎少数，直立或斜升，中部以上分枝，有棱槽，被柔毛或近无毛。叶线形或线状披针形，宽 2 ~ 5 mm，通常全缘，有时边缘微波状，具稀疏的小齿，两面被短柔毛或近无毛，先端渐尖，基部楔形；基生叶有短柄，叶柄的基部呈鞘状扩大；茎生叶无柄，向上渐小，渐窄。头状花序单一，生于茎枝先端，排列呈略疏松的伞房状；总苞窄钟状，被柔毛；总苞片约 5 层，覆瓦状排列，向内渐长，外层总苞片长卵形或长三角形，小，中层总苞片长圆状椭圆形，内层总苞片长圆状披针形，总苞片先端渐尖成锐尖；小花淡紫红色，花冠的细管部明显短于增宽的檐部，檐部先端 5 裂至中部。瘦果圆柱形，长约 2.5 mm，褐色，无毛；冠毛 2 层，污白色或淡褐色，外层刚毛短，糙毛状，内层刚毛长羽状，长约 10 mm。花果期 7 ~ 8 月。

| **生境分布** | 特有种。生于海拔 2 100 ～ 3 000 m 的砾石质山坡。分布于新疆博乐市。

| **资源情况** | 野生资源一般。药材来源于野生。

| **采收加工** | 夏、秋季花期或果期采收，除去泥土，自然干燥。

| **功能主治** | 苦，寒。归肝、肺经。清热解毒，活血消肿。用于热毒炽盛，跌打损伤。

| **用法用量** | 内服煎汤，3 ～ 6 g；或浸酒。外用适量。

菊科 Compositae 风毛菊属 Saussurea

卵叶风毛菊 *Saussurea ovata* Benth.

| **药 材 名** | 风毛菊（药用部位：全草）。

| **形态特征** | 多年生草本。根茎发育成茎及莲座状叶丛。茎直立，高 1.5 ~ 4 cm，无毛。基生叶及下部茎生叶有长约 2 cm 的叶柄，卵形、椭圆形或长倒卵形，长 4 ~ 6 cm，宽 2 ~ 3 cm，基部楔形，先端短渐尖或圆形，有小尖头，边缘有小尖头或锯齿，齿顶有小尖头；上部茎生叶与基生叶、下部茎生叶同形，紧贴花序，全部叶两面绿色，无毛。头状花序 4 ~ 5，在茎顶密集成伞房花序状；总苞狭杯状，直径 5 ~ 9 mm；总苞片 4 层，外层宽卵形，长、宽均为 2 mm，先端急尖或钝，中层与内层长椭圆形，长 6 ~ 10 mm，宽约 2 mm，先端急尖，全部总苞片外面上部被长柔毛；小花深红色，长 1.2 cm，细管部与檐部各

长 6 mm。瘦果有肋，无毛，长 2 mm；冠毛 2 层，白色，外层短，糙毛状，长 4 mm，内层长，羽毛状，长 1.1 cm。花果期 7 ~ 8 月。

| **生境分布** | 生于海拔 3 200 ~ 4 300 m 的高山草甸及砾石质山坡。分布于新疆塔什库尔干塔吉克自治县、叶城县等。

| **资源情况** | 野生资源一般。药材来源于野生。

| **采收加工** | 夏、秋季花期或果期采收，除去泥土，自然干燥。

| **功能主治** | 清热解毒，活血消肿。用于热毒炽盛，跌打损伤。

菊科 Compositae 风毛菊属 Saussurea

小花风毛菊

Saussurea parviflora (Poir.) DC.

药材名

风毛菊（药用部位：全草）。

形态特征

多年生草本。高 30 ~ 100 cm。根茎横走。茎直立，上部呈伞房花序状分枝，有狭翼，被稀疏的短柔毛或无毛。基生叶花期凋落；下部茎生叶椭圆形或长圆状椭圆形，长 8 ~ 30 cm，宽 1.5 ~ 2.5（~ 4）cm，先端渐尖，基部沿茎下延成狭翼，有翼柄，翼柄长 0.5 ~ 2 cm，边缘有锯齿；中部茎生叶披针形或椭圆状披针形，长 12 ~ 15 cm，宽 2 ~ 3.5 cm，先端渐尖；上部茎生叶渐小，披针形或线状披针形，无柄，基部渐狭，先端渐尖，全部叶上面绿色，下面灰绿色，无毛或被微毛。头状花序多数，在茎枝先端排列成伞房状；小花梗短，几无毛；总苞钟状，直径 5 ~ 6 mm；总苞片 5 层，先端或全部暗黑色，无毛或有睫毛，外层卵形或卵圆形，长 2 mm，宽 1.8 mm，先端急尖或钝，中层长椭圆形，长 1.1 mm，宽 2 mm，先端钝，内层长圆形或线状长椭圆形，长 1.1 cm，宽 0.8 mm，先端钝，常被丛卷毛；小花紫色，长 1 cm，管部与檐部各长 5 mm。瘦果长 3 mm；冠毛白色，外层短，糙毛状，长 2 mm，内层长，羽毛状，长 6 ~ 7 mm。花果期 7 ~ 8 月。

| 生境分布 | 生于海拔 1 400 ~ 1 900 m 的山坡阴湿处、山谷灌丛中、林下或石缝中。分布于新疆吉木乃县、伊宁县、昭苏县等。

| 资源情况 | 野生资源一般。药材来源于野生。

| 采收加工 | 夏、秋季花期或果期采收，除去泥土，自然干燥。

| 功能主治 | 苦，寒。归肝、肺经。清热解毒，活血消肿。用于热毒炽盛，跌打损伤。

| 用法用量 | 内服煎汤，3 ~ 6 g；或浸酒。外用适量。

菊科 Compositae 风毛菊属 Saussurea

展序风毛菊 *Saussurea prostrata* C. Winkl.

| 药 材 名 | 风毛菊（药用部位：全草）。

| 形态特征 | 二年生或多年生草本。高 30 ~ 60 cm。根粗，木质化，褐色，先端不分叉；根颈稍增粗，残存褐色膜质的死叶柄。茎直立，单一，有棱槽，通常具窄翅，翅全缘或具齿，茎常在上半部分枝，在下部叶腋有或无不育枝，粗糙，被粗的弯毛和多数无柄的腺。叶绿色，披针形或线状披针形，边缘羽状分裂，稀全缘或具疏齿，两面和边缘粗糙，被硬毛，先端渐尖，基部沿茎下延成翅，有叶柄或无柄；基生叶呈莲座状，有柄，叶柄的基部呈鞘状扩大，早枯萎；茎生叶向上渐小，无柄，基部整个下延成翅。头状花序多数，生于茎枝先端，排列成开展的伞房状圆锥花序；总苞钟状，长 8 ~ 14 mm，直径 5 ~ 12 mm，

被白色长柔毛；总苞片 4 ~ 5 层，覆瓦状排列，外层总苞片披针形，先端直伸或弯曲，中层总苞片先端稍增宽，延伸成深紫色的附属物，内层总苞片线形，顶部有近圆形、膜质、紫红色的附属物，附属物边缘有齿，宽超过苞片；小花紫红色，长达 1.8 cm，细管部长 1 cm，明显长于增宽的檐部，檐部先端 5 深裂，裂片线形，长 5 mm。瘦果圆柱形，长达 3.5 mm，暗褐色，有纵棱，无毛；冠毛 2 层，白色，外层刚毛不等长，长达 5 mm，糙毛状，宿存，内层刚毛长羽状，长达 1.2 cm。花果期 7 ~ 8 月。

| **生境分布** | 生于海拔 530 ~ 1 700 m 的水边、泛滥地草甸、芨芨草草甸、盐碱地及路旁等。分布于新疆和布克赛尔蒙古自治县、霍城县、察布查尔锡伯自治县、昭苏县、和硕县等。

| **资源情况** | 野生资源一般。药材来源于野生。

| **采收加工** | 夏、秋季花期或果期采收，除去泥土，自然干燥。

| **功能主治** | 苦，寒。归肝、肺经。清热解毒，活血消肿。用于热毒炽盛，跌打损伤。

| **用法用量** | 内服煎汤，3 ~ 6 g；或浸酒。外用适量。

菊科 Compositae 风毛菊属 Saussurea

假盐地风毛菊 Saussurea pseudosalsa Lipsch.

| 药 材 名 | 风毛菊（药用部位：全草）。

| 形态特征 | 多年生草本。高 30 ～ 50 cm。茎单一或少数，分枝，有棱槽，灰绿色或蓝绿色，被短糙毛和蛛丝状柔毛。叶厚，肉质，灰绿色或蓝绿色，粗糙，两面被短糙毛和蛛丝状柔毛，通常叶片中部以下的边缘具浅波状齿，每侧具 2 ～ 3 齿，稀 4 齿，先端和齿端具软骨质小尖，中部以上全缘，稀整个全缘；基生叶、茎下部叶具叶柄，叶片较大，长圆形或长圆状椭圆形，连叶柄长达 8 cm，宽达 1.5 cm；茎中部叶长圆形或长圆状菱形，边缘具齿，稀全缘，无柄，基部稍微下延；茎上部叶最小，线形，先端渐尖，长 5 ～ 25 mm，宽 1 ～ 3 mm，全缘。头状花序小，多数，在茎枝先端单生，排列成较疏松的伞房状或伞

房圆锥状；总苞圆柱状或窄钟状，长达 10 mm，宽达 4 mm，被蛛丝状柔毛；总苞片 5 层，近覆瓦状排列，向内渐长，外层总苞片小，卵形，先端渐尖，内层总苞片宽线形，先端渐尖；小花紫红色，外面散生腺点。瘦果未成熟时暗褐色；冠毛 2 层，下部褐色，上部白色。花果期 6 ~ 7 月。

| 生境分布 | 生于海拔 2 700 m 的盐渍化山坡、河湖边的盐碱地上。分布于新疆温泉县、温宿县、若羌县、麦盖提县等。

| 资源情况 | 野生资源一般。药材来源于野生。

| 采收加工 | 夏、秋季花期或果期采收，除去泥土，自然干燥。

| 功能主治 | 苦，寒。归肝、肺经。清热解毒，活血消肿。用于热毒炽盛，跌打损伤。

| 用法用量 | 内服煎汤，3 ~ 6 g；或浸酒。外用适量。

菊科 Compositae 风毛菊属 Saussurea

强壮风毛菊 Saussurea robusta Ledeb.

| **药 材 名** | 风毛菊（药用部位：全草）。

| **形态特征** | 多年生草本。高 40 ~ 80 cm。根粗，木质化，褐色；根颈增粗，被残存的褐色死叶。茎直立，单一或少数，有棱槽，通常具较宽的翅，翅全缘或具齿，茎从基部或上半部分枝；下部枝不育，通常多数，粗糙，被粗的弯曲毛和无柄的腺。叶绿色，稍肥厚，两面和边缘粗糙，被弯曲的硬毛和散生的腺；基生叶、茎下部叶长圆形，先端渐尖，基部渐狭，后增宽或呈鞘状，无柄，全缘或具稀疏的齿，长达 20 cm，宽达 6 cm，早枯萎；茎生叶向上渐狭小，披针形至线状披针形，基部沿茎整个下延成翅。头状花序多数，生于茎枝先端，排列成开展的伞房状或伞房圆锥状，稀在茎端呈伞房状；总苞钟状，长

1 ~ 1.6 cm，直径 6 ~ 14 mm，密被白色柔毛；总苞片 5 层，覆瓦状排列，外层总苞片披针形或线状披针形，先端锐尖，往下弯曲，中层和内层总苞片线状披针形或线形，先端具淡紫红色、边缘具齿的膜质附属物，所有的总苞片中脉明显凸起；小花紫色或紫红色，长达 1.7 cm，细管部长 1 cm，明显长于增宽的檐部，檐部先端 5 裂至中部，裂片线形，长 3.5 mm。瘦果圆柱形，长 3 mm，黑褐色，有细棱，无毛；冠毛 2 层，白色，外层刚毛不等长，长达 4 mm，糙毛状，宿存，内层刚毛长羽状，长达 1.2 cm。花果期 7 ~ 9 月。

| **生境分布** | 生于海拔 700 m 的砾石戈壁滩、盐渍化草甸及荒山坡上。分布于新疆布尔津县、吉木乃县、哈巴河县等。

| **资源情况** | 野生资源一般。药材来源于野生。

| **采收加工** | 夏、秋季花期或果期采收，除去泥土，自然干燥。

| **功能主治** | 苦，寒。归肝、肺经。清热解毒，活血消肿。用于热毒炽盛，跌打损伤。

| **用法用量** | 内服煎汤，3 ~ 6 g；或浸酒。外用适量。

暗苞风毛菊 Saussurea schanginiana Fisch. ex Herder

| 药 材 名 | 风毛菊（药用部位：全草）、风毛菊子（药用部位：种子）。

| 形态特征 | 多年生草本。高 10 ~ 34 cm。根粗壮，褐色，先端分叉多头，其中部分形成叶丛；根颈或多或少增粗，密被褐色残存的死叶柄。茎直立，单一，禾秆黄色、褐色或淡紫红色，有棱槽，多少被白色绵毛或短柔毛。叶线形或狭披针形，绿色或淡绿色，两面被稀疏的白色长绵毛或近无毛，下面的毛较密，中脉禾秆黄色，凸起，全缘，稀边缘具稀疏的小齿，边缘通常下卷，先端渐尖，基部渐狭，后稍增宽或呈鞘状扩大；基生叶狭披针形或线形，长 4 ~ 20 cm，宽 1.5 ~ 10 mm，基部呈鞘状扩大并带淡紫红色或褐色；茎生叶稍短，线形，基部稍增宽；茎最上部叶常聚在一起，与花序等长或短于花序。头状花序较大，

单生于茎端；总苞钟状或碗状，长 1.4 ～ 2 cm，直径 1 ～ 2 cm，被白色长绵毛；总苞片 3 层，外层总苞片卵形或披针形，内层总苞片线状披针形或近线形，全部总苞片近等长，露出部分褐黑色或近黑色，未露出部分禾秆黄色；小花淡紫红色或紫红色，长达 1.5 cm，细管部长 1 cm，明显长于增宽的檐部，檐部先端 5 深裂，裂片线形，长约 3 mm。瘦果圆柱形，长 5 mm，褐色，有纵棱，无毛，先端截形，具小冠；冠毛 2 层，灰白色或淡褐色，外层刚毛长短不一，长 2 ～ 4 mm，糙毛状，内层刚毛长羽状，长达 1.2 cm。花果期 7 ～ 8 月。

| 生境分布 | 生于高山和亚高山草甸山坡。分布于新疆温泉县、呼图壁县、达坂城区、乌鲁木齐县、乌苏市、昌吉市、察布察尔锡伯自治县、吉木乃县等。

| 资源情况 | 野生资源一般。药材来源于野生。

| 采收加工 | 风毛菊：夏、秋季花期采收，除去泥土，晾干。
风毛菊子：果期采收，自然干燥。

| 功能主治 | **风毛菊、风毛菊子**：苦，寒。归肺、肝、脾、大肠经。清热解毒，化痰止咳，明目止泻。用于里热证，热痰咳嗽，目暗昏花，脾虚泄泻等。

| 用法用量 | **风毛菊**：内服煎汤，3 ～ 6 g；或浸酒。外用适量。

菊科 Compositae 风毛菊属 Saussurea

污花风毛菊 *Saussurea sordida* Kar. et Kir.

|药材名|

风毛菊（药用部位：全草）、风毛菊子（药用部位：种子）。

|形态特征|

多年生草本。高 20 ~ 100 cm。根粗长，棕褐色；根颈被残存的叶柄及其分解纤维。茎直立，中实，单一或分枝，具纵棱槽，绿色或淡褐色带淡紫红色，被粗短毛和稀疏的白色长毛。叶两面绿色，较厚，或多或少被白色长毛，边缘和中脉毛较密，下面的中脉和侧脉明显凸起，先端渐尖，基部楔形，边缘具细长齿，部分齿尖软骨质；基生叶、茎下部叶长椭圆形或长圆状卵形，长 20 ~ 35 cm，宽 3 ~ 4.5 cm，具较长的柄，叶柄平，具窄翅，基部呈鞘状扩大，半抱茎；茎中部叶和上部叶渐小，宽披针形或披针形，先端渐尖，基部增宽，半抱茎，无柄。头状花序多数（达 13），较大，在茎上排列成伞房状、圆锥状，具较长的花序梗；总苞宽钟状或碗状，长 1.2 ~ 1.8 cm，直径 1 ~ 2 cm，被粗短毛和稀疏的白色长毛；总苞片 3 层，外层总苞片披针形或卵状披针形，长达 1.2 ~ 1.4 cm，宽 3 ~ 4 mm，内层总苞片窄披针形或宽线形，长达 1.5 cm，宽 2～3 mm，外层与内层总苞片近等长或较内层稍短，全部总苞片先端渐尖，露出部分通常黑褐色，稀绿色；花冠污紫红色，长达 1.6 cm，细管部长 1.1 cm，檐部长 5 mm。瘦果圆柱形，长约 3 mm，棕褐色；冠毛 2 层，白色或污白色，外层短，长短不一，长达 4 mm，糙毛状，内层羽状，长 10～11 mm。花果期 7～8 月。

| 生境分布 | 生于高山和亚高山草甸的砾石质山坡、林下。分布于新疆奇台县、和静县等。

| 资源情况 | 野生资源一般。药材来源于野生。

| 采收加工 | 风毛菊：夏、秋季花期采收，除去泥土，晾干。
风毛菊子：果期采收，自然干燥。

| 功能主治 | 风毛菊、风毛菊子：苦，寒。归肺，肝、脾、大肠经。清热解毒，化痰止咳，明目止泻。用于里热证，热痰咳嗽，目暗昏花，脾虚泄泻等。

| 用法用量 | 风毛菊：内服煎汤，3～6 g；或浸酒。外用适量。

菊科 Compositae 风毛菊属 Saussurea

钻叶风毛菊

Saussurea subulata C. B. Clarke

| 药 材 名 | 风毛菊（药用部位：全草）。

| 形态特征 | 多年生垫状草本。高 1.5 ~ 10 cm。根茎多分枝，上部被褐色鞘状残迹，发出多数花茎及莲座状叶丛。叶无柄，钻状线形，长 0.8 ~ 1.2 cm，宽 1 mm，革质，两面无毛，全缘，反卷，先端有白色软骨质小尖头，基部膜质，呈鞘状扩大，被蛛丝状毛。头状花序多数，生于花茎分枝先端；花序梗极短；总苞钟状，直径 5 ~ 7 mm；总苞片 4 层，外层卵形，长 6 mm，宽 2 ~ 3 mm，先端渐尖，有硬尖头，上部黑紫色，中层披针状椭圆形或长椭圆形，长 6 ~ 7 mm，宽 2 mm，先端急尖，上部黑紫色，内层线形，长 6 ~ 7 mm，宽 1.2 mm，先端急尖，黑紫色；小花紫红色，长 1.2 cm。瘦果圆柱状，长 1.5 ~ 3.5 mm，无毛；冠

毛 2 层，外层短，白色，糙毛状，长约 2 mm，内层长，褐色，羽毛状，长 1.2 cm。花果期 7 ~ 8 月。

| **生境分布** | 生于海拔 4 600 ~ 5 250 m 的河谷砾石地、山坡草地、草甸、河谷湿地、盐碱湿地及湖边湿地。分布于新疆若羌县等。

| **资源情况** | 野生资源一般。药材来源于野生。

| **采收加工** | 夏、秋季花期或果期采收，除去泥土，自然干燥。

| **功能主治** | 苦，寒。归肝、肺经。清热解毒，活血消肿。用于热毒炽盛，跌打损伤。

| **用法用量** | 内服煎汤，3 ~ 6 g；或浸酒。外用适量。

菊科 Compositae 蛇鸦葱属 Scorzonera

北疆鸦葱
Scorzonera iliensis Krasch.

| 药 材 名 | 鸦葱（药用部位：全草）、鸦葱根（药用部位：根）。

| 形态特征 | 多年生草本。高 35 ～ 70 cm。根垂直直伸。茎单生或少数簇生，直立，上部呈伞房总状花序式分枝，全部茎枝被卷毛，基部被鞘状残迹。基生叶线形或线状披针形，长 10 ～ 22 cm，宽 4 ～ 10 mm，边缘平，先端渐尖，基部呈鞘状扩大，具 3 ～ 5 脉，中脉白色，隆起；茎生叶线形，无柄，稍抱茎。头状花序多数在茎枝先端排成不明显的伞房状总状花序；总苞圆柱状，直径约 5 mm；总苞片 4 ～ 5 层，外层三角形，中层卵状三角形，内层披针形，全部总苞片先端渐尖；舌状小花黄色。瘦果圆柱状，长 10 ～ 15 mm，无毛，无脊瘤；冠毛污白色，其中 5 ～ 10 超长，冠毛大部分羽毛状，羽枝纤细，蛛丝毛

状，上部锯齿状。花果期 6 ~ 7 月。

| **生境分布** | 生于海拔 900 m 以上的石质灌丛中。分布于新疆霍城县、特克斯县等。

| **资源情况** | 野生资源一般。药材来源于野生。

| **采收加工** | 夏、秋季花期或果期采收，除去泥土，自然干燥。

| **功能主治** | 苦、涩，寒。归肺、脾、大肠经。收敛止血，消炎止泻，清热解毒，活血消肿。用于血热出血，脾虚泄泻，热毒炽盛，跌打损伤。

| **用法用量** | 内服煎汤，3 ~ 6 g；或浸酒。外用适量。

菊科 Compositae 蛇鸦葱属 Scorzonera

光鸦葱
Scorzonera parviflora Jacq.

| 药 材 名 |

鸦葱根（药用部位：根）。

| 形态特征 |

多年生近葶状草本。高 15 ~ 60 cm。根褐色，直径达 1.5 cm，通常有分枝。茎直立，单生或簇生，不分枝，极少自下部有短分枝，光滑，无毛，茎基被鞘状残迹。基生叶长椭圆形（长 10 ~ 20 cm，宽 1.5 ~ 2.5 cm）或线形（长 7 ~ 15 cm，宽 2 ~ 5 mm），平，向基部渐狭成长柄或短柄，叶柄基部呈鞘状扩大，半抱茎，具 3 ~ 5 脉，叶脉在两面明显，先端急尖或渐尖；茎生叶与基生叶同形或线状披针形，少数，上部茎生叶更小，钻状披针形，无柄；全部叶两面光滑，无毛，绿色，有时稍呈肉红色。头状花序单生于茎端，极少在枝端有头状花序；总苞圆柱状，直径 1 ~ 1.5 cm；总苞片约 5 层，外层卵形或三角状卵形，长 4 ~ 8 mm，宽 3 ~ 4 mm，中层披针形或椭圆状披针形，长 11 ~ 15 mm，宽 3 ~ 4 mm，内层线状长椭圆形或线状披针形，长 1.8 cm，宽 2.5 mm，全部总苞片外面无毛，先端急尖或稍钝；舌状小花黄色。瘦果圆柱状，长约 7 mm，乳黄色，有多数椭圆状高起的纵肋，无毛，无脊瘤；冠毛污白色，其中 5 超长，超长冠毛长达 1.8 cm，全部冠毛大部分为羽毛状，仅向上者为锯齿状，羽枝纤细，蛛丝毛状，全部冠毛基部联合成环，整体脱落。花果期 5 ~ 6 月。

| **生境分布** | 生于海拔 950 ~ 1 700 m 的湿草甸。分布于新疆塔城市、青河县、乌苏市、霍城县、石河子市、昌吉市、昭苏县等。

| **资源情况** | 野生资源一般。药材来源于野生。

| **采收加工** | 夏、秋季花期或果期采挖，除去泥土，自然干燥。

| **功能主治** | 甘、苦，寒。归脾、肾、膀胱、三焦经。清热消痈，祛疔疗疮，补中益气滋阴。用于疔疮痈肿，五劳七伤。

| **用法用量** | 内服煎汤，3 ~ 6 g；或浸酒。外用适量。

菊科 Compositae 蛇鸦葱属 Scorzonera

灰枝鸦葱

Scorzonera sericeo-lanata (Bunge) Krasch. et Lipsch.

| 药 材 名 |　鸦葱根（药用部位：根）。

| 形态特征 |　多年生草本。高 10 ~ 20 cm。根垂直直伸，末端扩大成球形块根。茎单生或 2 ~ 5 簇生，直立，少分枝，被白色绢状柔毛。基生叶线形，长 5 ~ 20 cm，宽 2 ~ 6 mm，先端渐尖，两面被蛛丝状长柔毛或上面被稀疏毛至无毛，离基 3 ~ 5 出脉，中脉较明显；茎生叶与基生叶同形，被同样的毛，基部稍抱茎，无叶柄；全部叶边缘平，不呈皱波状。头状花序 5 ~ 7 或更多，生于茎枝先端；总苞倒圆锥状，稀圆柱状，宽约 6 mm；总苞片约 4 层，外层总苞片长三角形，先端急尖，中内层总苞片长圆状披针形，先端稍钝，全部总苞片外面密被短柔毛；舌状小花黄色，舌片脉纹紫红色。瘦果圆柱状，长

5 ~ 7 mm，密被绢状短柔毛；冠毛白色，长 10 ~ 12 mm，大部分为羽毛状，羽枝纤细，蛛丝毛状，仅上部为细锯齿状。花果期 4 ~ 5 月。

| **生境分布** | 生于海拔 350 ~ 550 m 的荒漠及半固定沙丘。分布于新疆察布查尔锡伯自治县等。

| **资源情况** | 野生资源一般。药材来源于野生。

| **采收加工** | 夏、秋季花期或果期采挖，除去泥土，自然干燥。

| **功能主治** | 甘、苦，寒。归肺、肝、肾、膀胱经。祛风除湿，活血调经，平喘。用于风湿热痹，血瘀经闭，咳嗽气喘。

| **用法用量** | 内服煎汤，3 ~ 6 g；或浸酒。外用适量。

菊科 Compositae 鸦葱属 Takhtajaniantha

鸦葱
Takhtajaniantha austriaca (Willd.) Zaika, Sukhor. & N. Kilian

| 药 材 名 | 鸦葱根（药用部位：根）。

| 形态特征 | 多年生草本。高 10 ~ 42 cm。根垂直直伸，黑褐色。茎多数，簇生，不分枝，直立，光滑无毛，茎基被稠密的棕褐色纤维状撕裂的鞘状残遗物。基生叶线形、狭线形、线状披针形、线状长椭圆形或长椭圆形，长 3 ~ 35 cm，宽 0.2 ~ 2.5 cm，先端渐尖、钝而有小尖头或急尖，向下渐狭成具翼的长柄，柄基鞘状扩大或向基部直接形成扩大的叶鞘，3 ~ 7 出脉，侧脉不明显，边缘平或稍呈皱波状，两面无毛或仅沿基部边缘有蛛丝状柔毛；茎生叶少数，2 ~ 3，鳞片状，披针形或钻状披针形，基部心形，半抱茎。头状花序单生于茎端；总苞圆柱状，直径 1 ~ 2 cm；总苞片约 5 层，外层三角形或卵状三

角形，长 6 ～ 8 mm，宽约 6.5 mm，中层偏斜披针形或长椭圆形，长 1.6 ～ 2.1 cm，宽 5 ～ 7 mm，内层线状长椭圆形，长 2 ～ 2.5 cm，宽 3 ～ 4 mm，全部总苞片外面光滑无毛，先端急尖、钝或圆形；舌状小花黄色。瘦果圆柱状，长 1.3 cm，有多数纵肋，无毛，无脊瘤；冠毛淡黄色，长 1.7 cm，与瘦果连接处有蛛丝状毛环，大部分为羽毛状，羽枝蛛丝毛状，上部呈细锯齿状。花果期 6 ～ 7 月。

| **生境分布** | 生于海拔 400 ～ 2 000 m 的山坡、草滩及河滩地。分布于新疆精河县、温泉县、乌鲁木齐县、托里县等。

| **资源情况** | 野生资源一般。药材来源于野生。

| **采收加工** | 夏、秋季花期或果期采挖，除去泥土，自然干燥。

| **功能主治** | 清热解毒，通乳利湿，活血消肿。用于热毒炽盛，湿热，乳痈，跌打损伤等。

菊科 Compositae 鸦葱属 Takhtajaniantha

蒙古鸦葱

Takhtajaniantha mongolica (Maxim.) Zaika, Sukhor. & N. Kilian

| 药 材 名 | 鸦葱根（药用部位：根）。

| 形态特征 | 多年生草本。高 5 ~ 35 cm。根垂直直伸，圆柱状。茎多数，直立或铺散，上部有分枝，分枝少数，全部茎枝灰绿色，光滑，无毛；茎基被褐色或淡黄色的鞘状残遗物。基生叶长椭圆形、长椭圆状披针形或线状披针形，长 2 ~ 10 cm，宽 0.4 ~ 1.1 cm，先端渐尖，基部渐狭成长柄或短柄，叶柄基部呈鞘状扩大；茎生叶披针形、长披针形、椭圆形、长椭圆形或线状长椭圆形，与基生叶等宽或较基生叶稍窄，先端急尖或渐尖，基部呈楔形收窄，无叶柄，不扩大抱茎，互生，但茎上常有对生的叶；全部叶质地厚，肉质，两面光滑无毛，灰绿色，离基 3 出脉，叶脉在两面不明显。头状花序单生于茎端，

或 2 头状花序呈聚伞花序状排列，含 19 舌状小花；总苞狭圆柱状，宽约 0.6 mm；总苞片 4 ～ 5 层，外层小，卵形或宽卵形，长 3 ～ 5 mm，宽 2 ～ 5 mm，先端急尖，中层长椭圆形或披针形，长 1.2 ～ 1.8 cm，宽 2.8 ～ 3.5 mm，先端钝或稍渐尖，内层线状披针形，长 2 cm，宽 2 mm，全部总苞片外面无毛或被蛛丝状柔毛；舌状小花黄色，偶白色。瘦果圆柱状，长 5 ～ 7 mm，淡黄色，有多数高起的纵肋，无脊瘤，先端被稀疏柔毛，成熟瘦果常无毛；冠毛白色，长 2.2 cm，羽毛状，羽枝蛛丝毛状，纤细，仅先端微呈锯齿状。花果期 5 ～ 6 月。

| 生境分布 | 生于海拔 90 ～ 3 200 m 的荒漠地带的盐碱地、湖盆边缘与河滩。分布于新疆高昌区、托克逊县、和布克赛尔蒙古自治县、皮山县、麦盖提县、疏勒县、巴楚县、伽师县、疏附县、图木舒克市、阿图什市、轮台县等。

| 资源情况 | 野生资源一般。药材来源于野生。

| 采收加工 | 夏、秋季花期或果期采挖，除去泥土，自然干燥。

| 功能主治 | 甘、苦，寒。归脾、肾、膀胱、三焦经。清热消痈，祛疗疗疮，补中益气滋阴。用于疔疮痈肿，五劳七伤。

| 用法用量 | 内服煎汤，3 ～ 6 g；或浸酒。外用适量。

菊科 Compositae 鸦葱属 Takhtajaniantha

帚状鸦葱
Takhtajaniantha pseudodivaricata (Lipsch.) Zaika, Sukhor. & N. Kilian

| **药 材 名** | 鸦葱根（药用部位：根）。

| **形态特征** | 多年生草本。高 10 ~ 45 cm。根圆柱形，粗，垂直，于根颈处分枝或不分枝；根茎短，被残存的枯叶柄或由其所形成的纤维，淡黄白色至棕褐色。茎多数，丛生，直立或外倾，于节部略作"之"字形曲折，中下部多分枝，具沟，无毛或被纤小的绒毛。基生叶倒披针状条形，长 6 ~ 17 cm，宽 2 ~ 2.5 cm，先端渐尖，基部鞘状，腋部有茸毛，有清楚的 2 脉，无毛或有在放大镜下可见的茸毛；茎生叶于基生叶相似而较短，长 1 ~ 9 cm，宽 1.5 ~ 4 mm，先端渐尖，有的呈钩状弯曲，基部渐窄，无柄，于花序梗上呈细小的苞片状。头状花序单生于茎顶或枝端，多数；总苞圆柱状，长 10 ~ 15 mm，

宽 2 ~ 5 mm，果时扩大，长 1.7 cm，宽约 6 mm；总苞片 5 层，外层三角状卵
形，向内为倒卵状长圆形至条状长圆形，上端棕褐色，膜质边缘明显或不明显，
被绒毛或无毛；舌状花 4 ~ 12，长 14 ~ 20 mm，舌片长圆形，长 6 ~ 8 mm，
宽约 2.3 mm，先端 5 齿裂，裂齿细。瘦果柱状，略弧曲，背腹略扁压，长 6.5 ~ 7 mm，
直径约 1.5 mm，暗褐色或暗黄褐色，背面有宽平的棱，其他棱细，棱缘有疣状
突起，基部有少量蛛丝状毛；冠毛羽毛状，长 1.2 ~ 1.3 cm，白色，刚毛先端
1/4 粗糙。花期 6 ~ 7 月。

| **生境分布** | 生于海拔 1 600 ~ 3 500 m 的荒漠及荒漠草原。分布于新疆乌鲁木齐县、且末县、
高昌区、托克逊县、策勒县、哈密市等。

| **资源情况** | 野生资源一般。药材来源于野生。

| **采收加工** | 夏、秋季花期或果期采挖，除去泥土，自然干燥。

| **功能主治** | 甘、苦，寒。归脾、肾、膀胱、三焦经。清热消痈，祛疔疗疮，补中益气滋阴。
用于疔疮痈肿，五劳七伤。

| **用法用量** | 内服煎汤，3 ~ 6 g；或浸酒。外用适量。

菊科 Compositae 鸦葱属 Takhtajaniantha

细叶鸦葱 *Takhtajaniantha pusilla* (Pall.) Nazarova

| **药 材 名** | 鸦葱根（药用部位：根）。

| **形态特征** | 多年生草本。高 5 ~ 20 cm。根垂直直伸，有串珠状变粗的球形块根。茎直立，上部通常有分枝，极少不分枝，多数簇生于根颈先端，茎基被鞘状残迹，鞘状残迹呈纤维状撕裂或不明显纤维状撕裂，全部茎枝被稀疏的短柔毛或毛脱落。基生叶多数，狭线形或丝状线形，长 10 ~ 15 cm，宽 1 ~ 3 mm，先端渐尖，弧形，弯曲成钩状，基部呈鞘状扩大，边缘平，两面被蛛丝状柔毛或上面的毛稀疏而几无毛，离基三出脉，中脉明显；茎生叶互生，常对生、几对生或 3 叶轮生，与基生叶同形并被同样的毛，较小或等大。头状花序生于茎枝先端；总苞狭圆柱状，直径 5 ~ 7 mm；总苞片约 4 层，外层卵形，先端急

尖，长约 5 mm，宽约 3.5 mm，中层长椭圆形或长椭圆状披针形，长 8 ～ 10 mm，宽约 3 mm，内层长椭圆形，长 1.8 cm，宽 3.5 mm，先端钝或圆形，全部总苞片外面被尘状短柔毛；舌状小花黄色。瘦果圆柱状，长约 8 mm，无毛，无脊瘤；冠毛白色，长 2.3 cm，大部分为羽毛状，羽枝纤细，蛛丝毛状，上部为细锯齿状。花果期 4 ～ 5 月。

| 生境分布 | 生于海拔 540 ～ 3 370 m 的石质山坡、荒漠砾石地、平坦沙地、半固定沙丘、盐碱地、路边、荒地、山前平原及砂质冲积平原。分布于新疆乌鲁木齐市（米东区、乌鲁木齐县）、阿勒泰地区（富蕴县、布尔津县）、塔城地区（沙湾市）、昌吉回族自治州（昌吉市、玛纳斯县、呼图壁县、阜康市）、伊犁哈萨克自治州（伊宁市、巩留县）、博尔塔拉蒙古自治州、喀什地区（塔什库尔干塔吉克自治县）及石河子市等。

| 资源情况 | 野生资源较少。药材来源于野生。

| 采收加工 | 夏、秋季花期或果期采挖，除去泥土，自然干燥。

| 功能主治 | 辛、苦，凉。归肺、肝、胃经。祛风除湿，活血调经，平喘。用于风湿热痹，血瘀经闭，气喘诸证。

| 用法用量 | 内服煎汤，9 ～ 15 g；或浸酒。外用适量。

| 菊科 | Compositae | 鸦葱属 | *Takhtajaniantha*

小鸦葱
Takhtajaniantha subacaulis (Regel) Zaika, Sukhor. & N. Kilian

| **药 材 名** | 鸦葱根（药用部位：根）、鸦葱果（药用部位：果实）。

| **形态特征** | 多年生矮小草本。高 3 ~ 8 cm。根圆柱形，垂直直伸，黑褐色，直径达 8 mm。茎极短或近无，高 4 cm，单生，不分枝，被密厚的短柔毛；茎基残鞘呈纤维状撕裂。基生叶多数，线形，宽 2 ~ 4 mm，铺展或斜立，超过头状花序或与头状花序等高，平，两面无毛或被稀疏的绢毛，三出脉，中脉宽扁，侧脉不明显，基部呈鞘状扩大，半抱茎，先端渐尖；茎生叶 1 ~ 2，鳞片状披针形，或无茎生叶。头状花序单生于茎端或直接生于根颈先端；总苞宽圆柱形，直径 1 ~ 1.5 cm；总苞片约 5 层，外层三角形或卵形，中内层长椭圆状披针形，全部总苞片先端急尖，外面稍被短柔毛或无毛；舌状小花

黄色，舌片脉纹暗红色。瘦果圆柱状，稍弯曲，长达 8 mm，无毛，无脊瘤；冠毛污白色，大部分羽毛状，羽枝纤细，蛛丝毛状，上部为锯齿状或糙毛状。花期 6 ~ 7 月。

| 生境分布 | 生于海拔 2 600 m 以上的山坡草地。分布于新疆乌苏市、察布查尔锡伯自治县、和静县等。

| 资源情况 | 野生资源一般。药材来源于野生。

| 采收加工 | 夏、秋季花期或果期采挖，除去泥土，自然干燥。

| 功能主治 | **鸦葱根**：甘、苦，凉。归肺、脾、肝、肾、膀胱经。祛风除湿，活血调经，平喘，平肝明目，下乳通经，止痢。用于风湿热痹，血瘀经闭，咳嗽气喘，肝火上炎之目暗昏花，乳汁不畅，月经紊乱，湿热泻痢。

　　　　　　　鸦葱果：甘、苦，凉。归肺、脾、肝、肾、膀胱经。消肿散结，补气生津。用于气虚津亏，各种肿痛。

| 用法用量 | 内服煎汤，3 ~ 6 g；或浸酒。外用适量。

菊科 Compositae 千里光属 Senecio

北千里光

Senecio dubitabilis C. Jeffrey et Y. L. Chen

|药 材 名|

千里光（药用部位：全草）。

|形态特征|

一年生草本。茎单生，直立，高 5 ~ 30 cm，自基部或中部分枝；分枝直立或开展，无毛或有疏白色柔毛。叶无柄，匙形，长圆状披针形、长圆形至线形，长 3 ~ 7 cm，宽 0.3 ~ 2 cm，先端钝至尖，羽状短细裂，具疏齿或全缘；下部叶基部狭成柄状；中部叶基部通常稍扩大成具不规则齿的半抱茎的耳；上部叶较小，披针形至线形，有细齿或全缘，全部叶两面无毛。头状花序无舌状花，少数至多数，排列成顶生疏散的伞房花序；花序梗细，长 1.5 ~ 4 cm，无毛或有疏柔毛，有 1 ~ 2 线状披针形小苞片；总苞几狭钟状，长 6 ~ 7 mm，宽 2.5 ~ 5 mm，具外层苞片，苞片 4 ~ 5，线状钻形，短而尖，有时具黑色短尖头；总苞片约 15，线形，宽 0.5 ~ 1 mm，尖，上端具细髯毛，有时变黑色，草质，边缘狭膜质，背面无毛；管状花多数，花冠黄色，长 6 ~ 6.5 mm，管部长 4 ~ 4.5 mm，檐部圆筒状，短于筒部，花药线形，长 1 mm，基部有极短的钝耳，附片卵状披针形，花药颈部柱状，向基部膨大，花柱分枝长 0.6 mm，先端截形，有乳头状毛。瘦果圆柱形，长 3 ～ 3.5 mm，密被柔毛；冠毛白色，长 7 ～ 7.5 mm。花期 5 ～ 6 月。

| **生境分布** | 生于海拔 1 750 ～ 2 200 m 的草原带的河谷、草甸及轮歇地。分布于新疆伊吾县、博乐市、和布克赛尔蒙古自治县、额敏县、伊吾县、青河县、阿勒泰市、福海县、乌鲁木齐县、沙湾县、乌苏市、呼图壁县、阿合奇县、巩留县、石河子市等。

| **资源情况** | 野生资源较少。药材来源于野生。

| **采收加工** | 夏、秋季采收，除去杂质，鲜用或晒干。

| **功能主治** | 苦，寒。归肺、肝经。清热解毒，去腐生肌，清肝明目。用于热毒炽盛，疮疡，肝火上炎之目暗昏花。

| **用法用量** | 内服煎汤，9 ～ 15 g，鲜品加倍；或入丸、散剂。外用适量，捣敷。

菊科 Compositae 千里光属 Senecio

细梗千里光

Senecio krascheninnikovii Schichk.

| 药 材 名 | 千里光（药用部位：全草）。

| 形态特征 | 一年生草本。高 10 ～ 40 cm。茎直立，单一，不分枝或上部分枝，具由叶脉下延所形成的细棱，基部无毛，向上渐有稀疏或长或短的白色柔毛，叶腋、枝腋的毛较密较长，有时下部淡紫色。叶肉质，下部者线形，长约 1 cm，长者可达 3 cm，先端稍宽，有微齿，向上渐成 1 回羽状全裂，叶轴具翅；裂片 2 ～ 4 对，线形，长约 1 cm，宽 1 ～ 2 mm，斜向上展开，先端中裂片及两侧裂片下侧各有 1（～ 2）齿，两面有长的白色单毛。头状花序排列成聚伞状、伞房状，长 3 ～ 6 cm；花序梗长 1.2 ～ 2.5 cm，有小的丝状苞叶；总苞钟状，长 6 ～ 7 mm，宽 4 ～ 6 mm；总苞片 15，条形或长圆形，先端渐尖，

中脉明显，边缘窄膜质；舌状花黄色，约8，舌片长圆形，长约1.8 mm，干时后卷；筒状花多数，黄色，长约4 mm，筒部长约2.5 mm，冠檐5裂。瘦果柱状，长1.5 ~ 2.5 mm，淡黄褐色，被短纤毛；冠毛白色，于筒状花等长或略长于筒状花。花期5 ~ 6月。

| **生境分布** | 生于海拔1 780 ~ 3 900 m的多砂砾山坡和砂地。分布于新疆和静县、察布查尔锡伯自治县、巩留县、和田县、塔什库尔干塔吉克自治县、叶城县、和硕县、乌什县、霍城县、皮山县、特克斯县等。

| **资源情况** | 野生资源较少。药材来源于野生。

| **采收加工** | 夏、秋季采收，除去杂质，鲜用或晒干。

| **功能主治** | 清热解毒，去腐生肌，清肝明目。用于热毒炽盛，疮疡，肝火上炎之目暗昏花。

菊科 Compositae 千里光属 Senecio

昆仑山千里光 Senecio kunlunshanicus Z. X. An

| 药材名 | 千里光 (药用部位：全草)。

| 形态特征 | 一年生草本。高 20 ~ 30 cm。茎直立，无毛，分枝多，呈帚状。基生叶早枯未见；茎生叶羽状深裂，长 2 ~ 4 cm，裂片对生，3 ~ 4 对，偶互生，近基部 2 ~ 3 对较接近，长三角形或线状披针形，长 1.5 ~ 5 cm，叶轴宽 3 ~ 4 mm，向上叶轴变窄，宽 1.5 ~ 2.5 mm，先端急尖或渐尖，中部有 1 裂片较长，条形，长 8 ~ 10 mm；最上部叶的裂片简化成齿状，叶脉及背面基部有白色长柔毛。头状花序排列成聚伞状、伞房状；花序梗长 1 ~ 3 cm，中部以上有小苞片；总苞钟状，长 7 ~ 8 mm，宽 6 ~ 7 mm；总苞片 1 层，无毛，条形，先端渐尖，背部有 3 脉，中脉稍高出，侧脉以外为膜质边缘，淡黄

褐色；舌状花无；筒状花多数，长 7 ~ 8 mm，筒部长 4 ~ 6 mm，冠檐 5 裂。瘦果柱状，背腹略扁压，长 3 ~ 3.2 mm，褐色，密被向上的白色短柔毛，基部内侧有 1 簇白色皱曲的长柔毛，长约 2 mm；冠毛白色，与花冠等长，白色，下部皱曲。花期 6 ~ 7 月。

| **生境分布** | 生于海拔 2 300 m 的地区。分布于新疆若羌县等。

| **资源情况** | 野生资源较少。药材来源于野生。

| **采收加工** | 夏、秋季采收，除去杂质，鲜用或晒干。

| **功能主治** | 苦，寒。归肺、肝经。清热解毒，去腐生肌，清肝明目。用于热毒炽盛，疮疡，肝火上炎之目暗昏花。

| **用法用量** | 内服煎汤，9 ~ 15 g，鲜品加倍；或入、丸散剂。外用适量，捣敷。

菊科 Compositae 千里光属 Senecio

林荫千里光 *Senecio nemorensis* L.

| 药 材 名 |

千里光（药用部位：全草）。

| 形态特征 |

多年生草本。根茎短粗，具多数被绒毛的纤维状根。茎单生或数个，直立，高达 1m，花序以下的茎不分枝，被疏柔毛或近无毛。基生叶和下部茎生叶在花期凋落；中部茎生叶多数，近无柄，披针形或长圆状披针形，长 10 ~ 18 cm，宽 2.5 ~ 4 cm，先端渐尖或长渐尖，基部楔状渐狭或多少半抱茎，边缘具密锯齿，稀具粗齿，纸质，两面被疏短柔毛或近无毛，叶脉羽状，侧脉 7 ~ 9 对；上部叶渐小，线状披针形至线形，无柄。头状花序具舌状花，多数，在茎端、枝端或上部叶腋排成复伞房花序；花序梗细，长 1.5 ~ 3 mm，具 3 ~ 4 小苞片；小苞片线形，长 5 ~ 10 mm，被疏柔毛，总苞近圆柱形，长 6 ~ 7 mm，宽 4 ~ 5 mm，具外层苞片，苞片 4 ~ 5，线形，短于总苞；总苞片 12 ~ 18，长圆形，长 6 ~ 7 mm，宽 1 ~ 2 mm，先端三角状渐尖，被褐色短柔毛，草质，边缘宽，干膜质，外面被短柔毛；舌状花 8 ~ 10，管部长 5 mm，舌片黄色，线状长圆形，长 11 ~ 13 mm，宽 2.5 ~ 3 mm，具 4 脉，先端具 3 细齿；管状花 15 ～ 16，花冠黄色，长 8 ～ 9 mm，管部长 3.5 ～ 4 mm，檐部漏斗状，裂片卵状三角形，长 1 mm，尖，上端具乳头状毛，花药长约 3 mm，基部具耳，附片卵状披针形，颈部略粗短，基部稍膨大，花柱分枝长 1.3 mm，截形，被乳头状毛。瘦果圆柱形，长 4 ～ 5 mm，无毛；冠毛白色，长 7 ～ 8 mm。花期 6 ～ 7 月。

| 生境分布 | 生于海拔 1 100 ～ 2 300 m 的林中开旷处、草地或溪边。新疆各地均有分布。

| 资源情况 | 野生资源较少。药材来源于野生。

| 采收加工 | 夏、秋季采收，除去杂质，鲜用或晒干。

| 功能主治 | 苦，寒。归肺、肝经。清热解毒，去腐生肌，清肝明目。用于热毒炽盛，疮疡，肝火上炎之目暗昏花。

| 用法用量 | 内服煎汤，9 ～ 15 g，鲜品加倍；或入、丸散剂。外用适量，捣敷。

菊科 Compositae 千里光属 Senecio

近全缘千里光 *Senecio subdentatus* Ledeb.

| 药 材 名 | 千里光（药用部位：全草）。

| 形态特征 | 一年生草本。高 5 ~ 25 cm。茎于基部及中部分枝，无毛。叶宽线形或长圆形，长 2.5 ~ 5 cm，宽 2 ~ 10 mm，先端略钝，基部半抱茎，全缘或有不多的齿；上部叶较小；苞叶线形，无毛或有睫毛。头状花序排列成伞房圆锥状；花序梗长 1.5 ~ 4 mm；总苞长约 6 mm，上部宽约 6 mm；外层总苞片有或无，有时呈线形，内层总苞片线形，边缘膜质；舌状花比总苞长 1.5 ~ 2 倍。瘦果柱状，密被短毛，长 3 ~ 5 mm；冠毛白色，长 5 ~ 6 mm。花期 5 ~ 6 月。

| 生境分布 | 生于海拔 450 ~ 700 m 的荒漠带、荒漠草原带的水边、林缘、沙丘背风面、农田边。分布于新疆克拉玛依市、米东区、五家渠市、察

布查尔锡伯自治县、昌吉市、和布克赛尔蒙古自治县、沙湾县、呼图壁县等。

| **资源情况** | 野生资源较少。药材来源于野生。

| **采收加工** | 夏、秋季采收，除去杂质，鲜用或晒干。

| **功能主治** | 清热解毒，去腐生肌，清肝明目。用于热毒炽盛，疮疡，肝火上炎之目暗昏花。

菊科 Compositae 千里光属 Senecio

天山千里光

Senecio thianschanicus Regel. et Schmalh.

药材名

千里光（药用部位：全草）。

形态特征

多年生植物。高 5 ~ 35 cm。根茎短，须根多数。茎直立，单生，具细棱，被蛛丝状毛，后期常无毛。基生叶具柄，叶柄长 1.5 ~ 3 cm，扁平，基部更宽，抱茎，叶片长圆形、倒卵状长圆形或披针形，长 2.5 ~ 6 cm，宽 1.5 ~ 2 cm，先端钝或急尖，基部渐窄，边缘近基部多浅裂或呈凸锯齿状，向上羽状深裂；最上部叶呈苞叶状，多全缘，条状，下面被皱曲的白色单毛，上面被稀疏的白色单毛。头状花序排列成伞房状；花序梗长 1 ~ 10 cm；总苞宽钟状，长 7 ~ 8 mm，宽 6 ~ 8 mm；总苞片 14 ~ 18，宽 1 ~ 2 mm，近先端浅褐色，边缘黑色，有小外苞片，无毛或被蛛丝状毛；舌状花黄色，约 10，舌片长圆形，长 16 mm，宽约 4 mm，有 4 褐色脉纹，筒部长约 5.2 mm，花柱 2 深裂；筒状花多数，长 7 ~ 9 mm，筒部长 3 ~ 4 mm，先端 5 齿裂，花药内藏。瘦果圆柱形，长约 3 mm，无毛；冠毛白色，与筒状花等长或稍短于筒状花。花期 7 ~ 8 月。

| **生境分布** | 生于海拔 1 800 ～ 4 000 m 的高山草甸、林缘。分布于新疆昌吉回族自治州（奇台县、阜康市）、乌鲁木齐市、塔城地区（沙湾市）、巴音郭楞蒙古自治州（和静县、库尔勒市、轮台县）、阿克苏地区（库车市、阿克苏市）等。 |

| **资源情况** | 野生资源较少。药材来源于野生。 |

| **采收加工** | 夏、秋季采收，除去杂质，鲜用或晒干。 |

| **功能主治** | 清热解毒，去腐生肌，清肝明目。用于热毒炽盛，疮疡，肝火上炎之目暗昏花。 |

菊科 Compositae 绢蒿属 Seriphidium

伊塞克绢蒿

Seriphidium issykkulense (Poljak.) Poljak.

| **药材名** | 绢蒿（药用部位：全草）。

| **形态特征** | 半灌木状草本。高 20 ～ 40 cm。主根明显，木质，粗，呈绳索状；根茎粗，木质，上部具多数多年生营养枝。茎多数，细，下部木质或半木质，自中下部分枝；分枝细，长或短，斜向上开展，植株被灰绿色短柔毛。茎下部叶和营养枝上的叶卵形或长卵形，长1.5 ～ 2.5 cm，宽 0.4 ～ 0.6 cm，2 回羽状全裂，每侧有 2 ～ 4 裂片，再次羽状全裂，小裂片狭线形，长 1.5 ～ 2.5 mm，宽 0.3 ～ 0.5 mm，先端钝尖，叶柄长 0.5 ～ 1.5 mm；中部叶小，羽状全裂，无柄，基部裂片半抱茎；上部叶和苞叶小，分裂或不分裂，狭线状披针形；全部叶被灰绿色短柔毛。头状花序多数，卵形或长卵形，长 3 ～ 4 mm，

宽 1.5 ~ 2.5 mm，直立，无梗，在分枝上排列成密集的穗状，并在茎上组成中等开展或稍狭的圆锥状；总苞片 4 ~ 5 层，覆瓦状排列，外层短小，卵形，中内层向内渐次增长，披针形或长椭圆状披针形，外中层总苞片背面疏被短柔毛，边缘宽膜质，内层总苞片近膜质，背面无毛；两性花 5 ~ 6，筒状，黄色，檐部 5 齿裂。瘦果卵形或倒卵形。花果期 8 ~ 11 月。

| 生境分布 | 生于海拔 500 ~ 2 400 m 的荒漠、荒漠草原、砾石戈壁和坡地。分布于新疆塔什库尔干塔吉克自治县等。

| 资源情况 | 野生资源较少。药材来源于野生。

| 采收加工 | 夏、秋季采收，除去杂质，鲜用或晒干。

| 功能主治 | 利水消肿。用于多种水肿。

菊科 Compositae 绢蒿属 Seriphidium

三裂叶绢蒿
Seriphidium junceum (Kar. et Kir.) Poljak.

| 药 材 名 | 绢蒿（药用部位：全草）。

| 形态特征 | 半灌木状草本。高 20 ～ 40 cm。主根明显，粗，木质；根茎短，粗，木质，具多数多年生木质化的营养枝。茎多数，直立，下部木质，上部半木质，并有长而略开展的分枝；分枝长 10 ～ 15 cm，茎枝均密被灰白色、平贴的短柔毛。茎下部叶和营养枝上的叶宽卵形或倒卵形，长 1.5 ～ 4 cm，宽 1.5 ～ 3 cm，1 回三出全裂或第一回三出全裂，每侧裂片具 1 ～ 2 小裂片，裂片线形或线状披针形，长 1 ～ 1.5 cm，宽 1 ～ 1.5 mm，叶柄长 1.5 ～ 3 cm；中部叶三出全裂，裂片线状披针形或线形，长 1 ～ 1.5 cm，宽 2 ～ 4 mm，叶柄长 0.5 ～ 1 cm；上部叶与苞叶不分裂，线形或线状披针形；全部叶密被灰白色短柔毛。

头状花序长卵圆形，长 3 ～ 4 mm，宽 2.5 ～ 3 mm，有梗，梗长 2 ～ 5 cm，在分枝上排列成穗状或狭窄的总状，并在茎上组成狭窄或中等开展的圆锥状；总苞片 4 ～ 5 层，外层苞片小，卵形，背面密被灰白色半贴的短柔毛，边缘窄膜质，中内层苞片略长，椭圆形，中层总苞片背面疏被毛，边缘宽膜质，内层总苞片半膜质，背面无毛；两性花 4 ～ 5，花冠管状，檐部 5 齿裂。花期 8 ～ 10 月。

| **生境分布** | 生于海拔 1 200 m 的砾质山坡、戈壁、荒漠及半荒漠草原。分布于新疆托里县、伽师县等。

| **资源情况** | 野生资源较少。药材来源于野生。

| **采收加工** | 夏、秋季采收，除去杂质，鲜用或晒干。

| **功能主治** | 利水消肿。用于水肿。

菊科 Compositae 绢蒿属 Seriphidium

新疆绢蒿

Seriphidium kaschgaricum (Karsch.) Poljak.

| 药 材 名 | 绢蒿（药用部位：全草）。

| 形态特征 | 半灌木状草本。高 30 ~ 35 cm。主根粗，木质，垂直；根茎粗大，木质，上部常分化，密生多年生木质的营养枝，枝上密生叶。茎多数，木质或半木质，自基部分枝；分枝多，长 10 ~ 25 cm，开展，多少弯曲；茎、枝初时密被灰白色蛛丝状柔毛，后脱落无毛或近无毛。茎下部叶、中部叶及营养枝上的叶长椭圆形或长卵形，长 1.5 ~ 2 cm，宽 1 ~ 1.5 cm，1 ~ 2 回羽状全裂，每侧有 2 ~ 3 裂片，不分裂或再分裂，裂片或小裂片狭线状披针形，长 3 ~ 5 mm，宽 0.5 ~ 1.5 mm，叶柄长 0.5 ~ 0.8 cm；中部叶基部有小型羽状分裂的假托叶；上部叶与苞叶小，不分裂，狭线形，基部有小型假托叶；

全部叶稍硬，两面初时被灰白色蛛丝状疏柔毛，后脱落近无毛。头状花序长卵形，直径 2 ~ 3 mm，无梗或有短梗，在分枝上密集着生并排列成穗状，在茎上组成开展的圆锥状，花后头状花序易脱落；总苞片 4 ~ 5 层，外层总苞片短小，卵形，背面明显隆起，中内层总苞片略长，椭圆状披针形，外中层总苞片背面初时被灰白色蛛丝状短柔毛，后脱落无毛，绿色，边缘膜质，内层总苞片半膜质，背面无毛，果熟时总苞片渐脱落；两性花 4 ~ 6，筒状，檐部红色。瘦果小，卵形。花果期 8 ~ 10 月。

| 生境分布 | 生于海拔 500 ~ 1 200 m 的砾质坡地、戈壁、干河谷及滩地。分布于新疆巴里坤哈萨克自治县、石河子市、博湖县等。

| 资源情况 | 野生资源较少。药材来源于野生。

| 采收加工 | 夏、秋季采收，除去杂质，鲜用或晒干。

| 功能主治 | 利水消肿。用于水肿。

菊科 Compositae 绢蒿属 *Seriphidium*

高山绢蒿

Seriphidium rhodanthum (Rupr.) Poljak.

| 药 材 名 | 绢蒿（药用部位：全草）。

| 形态特征 | 多年生草本。高 4 ~ 15（~ 20）cm。主根粗，木质；根茎粗大，木质，上部有多数短的木质化茎，上端生多数一年生营养枝。茎直立，不分枝，或上部有极短的分枝，与营养枝组成矮小的密丛，茎枝密被白色绒毛，后毛多少脱落。茎下部叶和营养枝上的叶宽卵形，2（~ 3）回羽状全裂，每裂片再羽状全裂，小裂片细小，狭线形，长 2 ~ 3 mm，先端尖或钝，叶柄长 0.5 ~ 1 cm；中部叶具短柄或近无柄，2 回羽状全裂，基部常有小型羽状全裂的假托叶；上部叶羽状全裂；苞叶不分裂，宽线形或线形，略长于头状花序；全部叶小，两面被白色绒毛。头状花序卵形，长 3 ~ 3.5 mm，宽 2 ~ 2.5 mm，

无梗，在短的分枝顶部密集排列成短穗状或近复头状，在茎上组成总状式或穗状式的圆锥状；总苞片 4 ~ 5 层，覆瓦状排列，外层总苞片短小，椭圆状披针形，中内层总苞片长椭圆形或披针形，外中层总苞片背面密被灰白色蛛丝状绒毛，边缘膜质，内层总苞片半膜质，背面近无毛；两性花 5 ~ 7，花冠筒状，檐部红色，5 齿裂。瘦果小，卵形。花果期 8 ~ 10 月。

| **生境分布** | 生于海拔 1 000 ~ 4 500 m 的高山、高寒草原、荒漠草原、冲积扇及河谷地带。分布于新疆青河县、和布克赛尔蒙古自治县、托里县、若羌县、乌恰县、塔什库尔干塔吉克自治县、策勒县、皮山县等。

| **资源情况** | 野生资源较少。药材来源于野生。

| **采收加工** | 夏、秋季采收，除去杂质，鲜用或晒干。

| **功能主治** | 利水消肿。用于水肿。

菊科 Compositae 绢蒿属 Seriphidium

草原绢蒿
Seriphidium schrenkianum (Ledeb.) Poljak.

| 药 材 名 | 绢蒿（药用部位：全草）。

| 形态特征 | 多年生草本。高 30 ~ 50 cm。主根粗，木质；根茎粗，木质，具多数一年生营养枝；枝上密生叶。茎直立或基部弯曲，下部半木质或近木质，上部具分枝，枝长 10 ~ 15 cm；植株密被灰白色平贴的蛛丝状长柔毛。茎下部叶和营养枝上的叶长卵形或宽卵形，长 3 ~ 6 cm，宽 1.5 ~ 2 cm，2 ~ 3 回羽状全裂，每侧有 4 ~ 6 裂片，再次羽状全裂，小裂片狭线形，长 3 ~ 5 mm，宽 0.6 ~ 1 mm，先端钝或稍尖，叶柄长 2 ~ 4 cm，基部具羽状分裂半抱茎的假托叶；中部叶 2 回羽状全裂，几无柄，基部具假托叶；上部叶和苞叶羽状全裂或苞叶不分裂，基部具假托叶；全部叶质柔软，两面被白色

蛛丝状长柔毛。头状花序长卵形或椭圆状长卵形，长 3.5 ～ 4 mm，宽 2 ～ 2.5
（～ 3） mm，无梗或具短梗，多数在分枝上排列成较密或疏的穗状，在茎上组
成密或疏的圆锥状；总苞片 3 ～ 5 层，覆瓦状排列，外层总苞片短小，卵形，
中内层总苞片向内渐次增长，倒披针形或长椭圆状倒披针形，外中层总苞片背
面被灰白色蛛丝状绒毛，边缘膜质，内层总苞片膜质或半膜质，背面几无毛；
两性花 5 ～ 6，花冠筒状，黄色或橘黄色，檐部 5 齿裂。瘦果小，卵圆形。花
果期 6 ～ 10 月。

| 生境分布 | 生于海拔 500 ～ 1 700 m 的荒漠、半荒漠化草原及草甸状草原。分布于新疆伊
犁哈萨克自治州（霍城县）、阿克苏地区、克孜勒苏柯尔克孜自治州（阿图什
市）等。

| 资源情况 | 野生资源较少。药材来源于野生。

| 采收加工 | 夏、秋季采收，除去杂质，鲜用或晒干。

| 功能主治 | 利水消肿。用于水肿。

菊科 Compositae 绢蒿属 *Seriphidium*

针裂叶绢蒿

Seriphidium sublessingianum (Kell.) Poljak.

| 药 材 名 |　绢蒿（药用部位：全草）。

| 形态特征 |　半灌木状或近小灌木状草本。主根粗，木质；根茎粗大，木质，直径 1 ~ 4 cm 或更粗，具褐色呈片状脱落的外皮，上部常分化，具少数或多数木质短的老茎，老茎斜生或稍匍地，上端发育或当年茎及多数短的营养枝。茎直立，高 30 ~ 45 cm，多数，常与营养枝组成密丛，下部木质，上部半木质，自上部分枝，枝长 2 ~ 4 cm，斜向茎端；初时茎、枝被灰绿色蛛丝状细柔毛，后脱落无毛或近无毛。叶质硬，两面初时被灰绿色蛛丝状短柔毛，后毛渐稀疏或近无毛；茎下部叶与营养枝上的叶长卵形或宽卵形，长 3 ~ 4 cm，宽 1 ~ 2 cm，2 回羽状全裂，每侧有裂片 3 ~ 4（~ 5），裂片羽状全裂或 3 全

裂，小裂片狭线形，长 5 ～ 12 mm，宽 0.3 ～ 0.5 mm，先端微尖，叶柄长 1 ～ 2（～ 2.5）cm；中部叶与上部叶 1 ～ 2 回羽状全裂，具短柄或近无柄，基部常有小型羽状全裂的假托叶；苞片叶羽状全裂、3 全裂，或不分裂呈狭线形。头状花序长卵形或长椭圆状卵形，直径 1 ～ 2 mm，无梗，直立，在分枝上常 2 ～ 3 成簇着生，排成狭窄的穗状花序，在茎上组成狭窄或略开展的扫帚形圆锥花序；总苞片 4 ～ 5 层，外层总苞片最小，长卵形或椭圆形，背面凸起，密被灰绿色绒毛，边膜质，中内层总苞片长椭圆形或长卵形，背面毛少或无毛；两性花 2 ～ 7（～ 8），花冠管状，花药线形，先端附属物披针形或线状披针形，基部有短尖头，花柱短，花期先端稍开叉，叉端截形，有睫毛。瘦果小，卵形或倒卵形。花果期 8 ～ 10 月。

| 生境分布 | 生于海拔 500 ～ 1 300 m 的砾质坡地、戈壁、干河谷及半荒漠草原及固定沙丘的上部。局部地区为植物群落的优势种。分布于新疆青河县、布尔津县、吉木乃县等。

| 资源情况 | 野生资源较少。药材来源于野生。

| 采收加工 | 夏、秋季采收，除去杂质，鲜用或晒干。

| 功能主治 | 利水消肿。用于水肿。

菊科 Compositae 绢蒿属 Seriphidium

白茎绢蒿

Seriphidium terrae-albae (Krasch.) Poljak.

| 药 材 名 | 绢蒿（药用部位：全草）。

| 形态特征 | 半灌木状草本。高 20 ~ 35 cm。主根粗，木质；根茎粗大，常分化，其上有多年生木质短茎，茎上有一年生密生叶的营养枝。茎多数，细，直立或基部斜升，常与营养枝组成稍膨大的密丛，茎下半部木质，上部草质，自上部分枝；分枝长 3 ~ 10 cm，斜向上，常再分成小枝；茎枝幼时被白色蛛丝状长柔毛，后部分毛脱落。茎下部叶与营养枝上的叶卵形，长 1 ~ 2.5 cm，宽 0.8 ~ 1 cm，1 ~ 2 回羽状全裂，每侧有 3 ~ 4 裂片，裂片羽状分裂或 3 全裂，小裂片线形，长 2 ~ 3 mm，宽 0.3 ~ 0.5 mm，叶柄短，长 3 ~ 5（~ 10）mm；中部叶和下部叶同形，小，羽状全裂，无柄，基部有小羽状全裂的假

托叶；上部叶与苞叶不裂，线形；全部叶两面被蛛丝状绒毛，开花前叶干枯早落。头状花序小，卵形或长卵形，长 2.5 ~ 3.5 mm，宽 1 ~ 2 mm，直立或斜展，有短梗或无梗，在小枝上密集或疏生成短穗状，在分枝上组成复穗状，在茎上再排列成疏松中等开展的圆锥状；总苞片 4 ~ 5 层，覆瓦状排列，外层总苞片短小，卵形或长卵形，稍肥厚，背面凸起，密被蛛丝状柔毛，中内层总苞片向内渐长，披针形或椭圆形，中层总苞片背面稍凸起，背面被蛛丝状柔毛，边缘狭膜质，内层总苞片近膜质，背面几无毛；两性花 3 ~ 6，花冠筒状，黄色，檐部 5 齿裂，红色。瘦果小，卵形。花果期 8 ~ 10 月。

| **生境分布** | 生于海拔 500 ~ 2 000 m 的沙漠、戈壁、半固定沙丘上。分布于新疆和布克赛尔蒙古自治县、乌苏市、博乐市、霍城县、伊吾县等。

| **资源情况** | 野生资源较少。药材来源于野生。

| **采收加工** | 夏、秋季采收，除去杂质，鲜用或晒干。

| **功能主治** | 利水消肿。用于水肿。

菊科 Compositae 伪泥胡菜属 Serratula

伪泥胡菜
Serratula coronata L.

| 药 材 名 |

伪泥胡菜（药用部位：根）。

| 形态特征 |

多年生草本。高 70 ～ 150 cm。根茎粗厚，横走。茎直立，上部有伞房花序状分枝，极少不分枝，全部茎枝无毛。基生叶与下部茎生叶长圆形或长椭圆形，长达 40 cm，宽达 12 cm，羽状全裂，有长 5 ～ 16 cm 的柄，侧裂片 8 对，全部裂片长椭圆形，宽 1.5 ～ 3 cm；中上部茎生叶与基生叶及下部茎生叶同形并同样分裂，但无柄，裂片倒披针形、披针形或椭圆形，头状花序下部的叶有时大头羽状全裂，侧裂片 1 ～ 2 对；全部叶裂片边缘有锯齿或大锯齿，两面绿色，有短糙毛或脱毛。头状花序异型，少数在茎枝先端排成伞房花序，稀头状花序单生于茎顶；总苞碗状或钟状，直径 1.5 ～ 3 cm，无毛，上部无收缢；总苞片约 7 层，覆瓦状排列，向内层渐长，外层三角形或卵形，长 1 ～ 7 mm，宽 1.5 ～ 4 mm，先端急尖；中层及内层椭圆形、长椭圆形至披针形，长 1 ～ 1.8 cm，宽 3 ～ 4 mm，先端渐尖或急尖；最内层线形，长 2 cm，宽 1 mm，全部总苞片外面紫红色；边花雌性，雄蕊发育不全，中央盘花两性，有发育的雌蕊和雄蕊，全部小花紫色，雌花花冠长 2.6 cm，细管部长 1.2 cm，檐部长 1.4 cm，花冠裂片线形，长 5 mm；两性花花冠长 2 cm，檐部与细管部等长，花冠裂片披针形或线状披针形，长 5 mm。瘦果倒披针状长椭圆形，长 7 mm，宽 2 mm，有多数高起的细条纹。冠毛黄褐色，长达 1.2 cm；冠毛刚毛糙毛状，分散脱落。花果期 7 ～ 9 月。

| **生境分布** | 生于海拔 1 800 ～ 4 000 m 的高山草甸、林缘。分布于新疆呼图壁县、乌鲁木齐县、乌苏市、玛纳斯县、达坂城区、沙湾县、昌吉市、托克逊县、乌什县、和静县等。

| **资源情况** | 野生资源较少。药材来源于野生。

| **采收加工** | 秋季采收，除去泥土，鲜用或阴干。

| **功能主治** | 清热燥湿，安胎止血。用于湿热诸证，血热胎动不安。

菊科 Compositae 一枝黄花属 Solidago

毛果一枝黄花 Solidago virgaurea L.

药材名

一枝黄花（药用部位：全草）。

形态特征

多年生草本。高 15 ～ 100 cm。根茎平卧或斜升。茎直立，不分枝或上部有花序状分枝，通常上部被稀疏的短柔毛，中下部无毛。中部茎生叶椭圆形、长椭圆形或披针形，长 5 ～ 17 cm，宽 2 ～ 3 cm；茎下部叶与中部茎生叶同形，少卵形；自中部向上叶渐变小；全部叶两面无毛或沿叶脉有稀疏的短柔毛，下部渐狭，沿叶柄下延成翅，下部叶的叶柄通常与叶片等长，边缘具粗或细的锯齿。头状花序较大，长 10 ～ 12 mm，宽约 10 mm，多数在茎上部的分枝上排成紧密或疏松的长圆锥状花序（圆锥花序长可达 30 cm），或排成长 10 ～ 12 cm 的总状花序，少紧缩成复头状花序；总苞钟状；总苞片 4 ～ 6 层，披针形或长披针形，长 5 ～ 8 mm，边缘狭膜质，先端长渐尖或急尖；边缘舌状花黄色，7 ～ 13；两性花多数。瘦果有纵棱，长 3 ～ 4 mm，全部被稀疏的短柔毛；冠毛白色，长 4 ～ 5 mm。花果期 6 ～ 9 月。

| 生境分布 | 生于海拔 1 000 ~ 3 000 m 的林下、林缘和灌丛中。分布于新疆乌鲁木齐市、昌吉回族自治州、阿勒泰地区等。

| 资源情况 | 野生资源较少。药材来源于野生。

| 采收加工 | 秋季花果期采收，除去泥沙，鲜用或晒干。

| 功能主治 | 辛、苦，凉；有小毒。归肺、肝经。清热解毒，疏散风热。用于喉痹，乳蛾，咽喉肿痛，疮疖肿毒，风热感冒。

| 用法用量 | 内服煎汤，9 ~ 15 g，鲜品 20 ~ 30 g。外用适量，鲜品捣敷；或煎汤搽。

苣荬菜 *Sonchus arvensis* L.

|药材名|

苦荬菜（药用部位：全草）。

|形态特征|

多年生草本。根垂直直伸，多少有根茎。茎直立，高 30 ~ 150 cm，有细条纹，上部或顶部有伞房状花序分枝，花序分枝与花序梗被稠密的头状具柄的腺毛。基生叶多数，与中下部茎生叶倒披针形或长椭圆形，羽状或倒向羽状深裂、半裂或浅裂，长 6 ~ 24 cm，高 1.5 ~ 6 cm，侧裂片 2 ~ 5 对，偏斜半椭圆形、椭圆形、卵形、偏斜卵形、偏斜三角形、半圆形或耳状，顶裂片稍大，长卵形、椭圆形或长卵状椭圆形；全部叶裂片边缘有小锯齿或无锯齿而有小尖头；上部茎生叶及花序分枝下部的叶披针形或线状钻形，小或极小；全部叶基部渐窄成长或短的翼柄，中部以上茎生叶无柄，基部呈圆耳状扩大，半抱茎，先端急尖、短渐尖或钝，两面光滑无毛。头状花序在茎枝先端排成伞房状花序；总苞钟状，长 1 ~ 1.5 cm，宽 0.8 ~ 1 cm，基部有稀疏或稍稠密的长或短的绒毛；总苞片 3 层，外层披针形，长 4 ~ 6 mm，宽 1 ~ 1.5 mm，中内层披针形，长可达 1.5 cm，宽约 3 mm，全部总苞片先端长渐尖，外面沿中脉有 1 行头状具柄的腺毛；舌状小花多数，黄色。瘦果稍压扁，长椭圆形，长 3.7 ~ 4 mm，宽 0.8 ~ 1 mm，每面有 5 细肋，肋间有横皱纹；冠毛白色，长 1.5 cm，柔软，彼此缠绕，基部联合成环。花果期 6 ~ 9 月。

| 生境分布 | 生于海拔 300 ~ 2 300 m 的山坡草地、林间草地、潮湿地或水旁、村边或河边砾石滩。分布于新疆博湖县、石河子县、特克斯等。

| 资源情况 | 野生资源较少。药材来源于野生。

| 采收加工 | 春、夏季花开前采收，除去杂质，鲜用或晒干。

| 功能主治 | 清湿热，消肿排脓，化瘀解毒。用于阑尾炎，肠炎，痢疾，疮疖痈肿，产后瘀血腹痛，痔疮。

菊科 Compositae 苦苣菜属 Sonchus

续断菊 Sonchus asper (L.) Hill

| **药 材 名** | 续断菊（药用部位：全草）。

| **形态特征** | 一年生草本。根倒圆锥状，褐色，垂直直伸。茎单生或少数茎簇生，直立，高 20 ～ 50 cm，有纵纹或纵棱，上部有长或短的总状或伞房状花序分枝，或花序分枝极短缩，全部茎枝光滑无毛或上部及花梗被头状具柄的腺毛。基生叶与茎生叶同形，较小；中下部茎生叶长椭圆形、倒卵形、匙状或匙状椭圆形，包括渐狭的翼柄长 7 ～ 13 cm，宽 2 ～ 5 cm，先端渐尖、急尖或钝，基部渐狭成短或较长的翼柄，柄基耳状抱茎，或基部无柄，耳状抱茎；上部茎生叶披针形，不裂，基部扩大，圆耳状抱茎；下部叶或全部茎生叶羽状浅裂、半裂或深裂，侧裂片 4 ～ 5 对，椭圆形、三角形、宽镰形或半圆形；全部叶

及裂片与抱茎的圆耳边缘有尖齿刺，两面光滑无毛，质薄。头状花序少数（5）或较多（10）在茎枝先端排成稠密的伞房花序；总苞宽钟状，长约 1.5 cm，宽 1 cm；总苞片 3 ~ 4 层，向内层渐长，覆瓦状排列，绿色，草质，外层长披针形或长三角形，长 3 mm，宽不足 1 mm，中内层长椭圆状披针形至宽线形，长达 1.5 cm，宽 1.5 ~ 2 mm，全部总苞片先端急尖，外面光滑无毛；舌状小花黄色。瘦果倒披针状，褐色，长 3 mm，宽 1.1 mm，压扁，两面各有 3 细纵肋，肋间无横皱纹；冠毛白色，长达 7 mm，柔软，彼此缠绕，基部联合成环。花期 7 ~ 9 月。

| **生境分布** | 生于海拔 1 100 ~ 2 000 m 的山坡林下、林缘、草原山坡、河边灌丛、草甸、河滩地。分布于新疆博乐市、额敏县、和布克赛尔蒙古自治县、乌鲁木齐县、霍城县等。

| **资源情况** | 野生资源较少。药材来源于野生。

| **采收加工** | 春、夏季花开前采收，除去杂质，鲜用或晒干。

| **功能主治** | 消肿化瘀，凉血止血。用于血瘀，水肿，血热出血。

菊科 Compositae 苦苣菜属 Sonchus

长裂苦苣菜

Sonchus brachyotus DC.

| **药 材 名** | 苣荬菜（药用部位：全草）。

| **形态特征** | 一年生草本。高 50 ~ 100 cm。根垂直直伸，生多数须根。茎直立，有纵条纹，基部直径可达 1.2 mm，上部有伞房状花序分枝，分枝长或短或极短，全部茎枝光滑无毛。基生叶与下部茎生叶卵形、长椭圆形或倒披针形，长 6 ~ 19 cm，宽 1.5 ~ 11 cm，羽状深裂、半裂或浅裂，极少不裂，向下渐狭，无柄或有长 1 ~ 2 cm 的短翼柄，基部呈圆耳状扩大，半抱茎，侧裂片 3 ~ 5 对或奇数，对生、部分互生或偏斜互生，线状长椭圆形、长三角形或三角形，极少半圆形，顶裂片披针形，全部裂片全缘，有缘毛或无缘毛或有缘毛状微齿，先端急尖、钝或圆形；中上部茎生叶与基生叶和下部茎生叶同形并

同样分裂，较小；最上部茎生叶宽线形或宽线状披针形；花序下部的叶常钻形；全部叶两面光滑无毛。头状花序少数在茎枝先端排成伞房状花序。总苞钟状，长 1.5 ~ 2 cm，宽 1 ~ 1.5 cm；总苞片 4 ~ 5 层，最外层卵形，长 6 mm，宽 3 mm，中层长三角形至披针形，长 9 ~ 13 mm，宽 2.5 ~ 3 mm，内层长披针形，长 1.5 cm，宽 2 mm，全部总苞片先端急尖，外面光滑无毛；舌状小花多数，黄色。瘦果长椭圆状，褐色，稍压扁，长约 3 mm，宽约 1.5 mm，每面有 5 高起的纵肋，肋间有横皱纹；冠毛白色，纤细，柔软，纠缠，单毛状，长 1.2 cm。花果期 6 ~ 9 月。

| **生境分布** | 生于海拔 350 ~ 2 260 m 的山坡草地、河边或碱地。新疆各地均有分布。

| **资源情况** | 野生资源丰富。药材来源于野生。

| **采收加工** | 春、夏季花开前采收，除去杂质，晒干。

| **功能主治** | 清热解毒，行瘀活血，消肿排脓。用于热毒炽盛，血瘀，疖毒痈肿。

菊科 Compositae 苦苣菜属 Sonchus

苦苣菜 *Sonchus oleraceus* L.

| **药 材 名** | 苦苣菜（药用部位：全草）。

| **形态特征** | 一年生或二年生草本。根圆锥状，垂直直伸，有多数纤维状的须根。茎直立，单生，高40～150 cm，有纵条棱或条纹，不分枝或上部有短的伞房花序状或总状花序式分枝，全部茎枝光滑无毛，或上部花序分枝及花序梗被头状具柄的腺毛。基生叶羽状深裂，长椭圆形或倒披针形，大头羽状深裂或不裂，椭圆形、椭圆状戟形、三角形、三角状戟形或圆形，基部渐狭成长或短的翼柄；中下部茎生叶羽状深裂或大头状羽状深裂，椭圆形或倒披针形，长3～12 cm，宽2～7 cm，基部急狭成翼柄，翼狭窄或宽大，向柄基逐渐加宽，柄基圆耳状抱茎，顶裂片与侧裂片等大或较大，宽三角形、戟状宽三

角形、卵状心形, 侧生裂片 1 ~ 5 对, 椭圆形, 常下弯, 全部裂片先端急尖或渐尖; 下部茎生叶或花序分枝下方的叶与中下部茎生叶同形, 等样分裂或不分裂而呈披针形或线状披针形, 先端长渐尖, 下部宽大, 基部半抱茎; 全部叶或裂片边缘及抱茎小耳边缘有大小不等的急尖锯齿或大锯齿, 上部及花序分枝处的叶大部分全缘或上半部全缘, 先端急尖或渐尖, 两面光滑无毛, 质薄。头状花序少数在茎枝先端排成紧密的伞房花序或总状花序, 或单生于茎枝先端; 总苞宽钟状, 长 1.5 cm, 宽 1 cm; 总苞片 3 ~ 4 层, 覆瓦状排列, 向内层渐长, 外层长披针形或长三角形, 长 3 ~ 7 mm, 宽 1 ~ 3 mm, 中内层长披针形至线状披针形, 长 8 ~ 11 mm, 宽 1 ~ 2 mm, 全部总苞片先端长急尖, 外面无毛或外层、中内层上部沿中脉有少数头状具柄的腺毛; 舌状小花多数, 黄色。瘦果褐色, 长椭圆形或长椭圆状倒披针形, 长 3 mm, 宽不足 1 mm, 压扁, 每面各有 3 细脉, 肋间有横皱纹, 先端狭, 无喙; 冠毛白色, 长 7 mm, 单毛状, 彼此缠绕。花果期 5 ~ 9 月。

| 生境分布 | 生于海拔 1 200 ~ 3 200 m 的山坡或山谷林缘、林下或平地田间、空旷处或近水处。分布于新疆乌鲁木齐市、吐鲁番市、伊犁哈萨克自治州 (昭苏县、新源县)、塔城地区等。

| 资源情况 | 野生资源丰富。药材来源于野生。

| 采收加工 | 春、夏季花开前采收, 除去杂质, 鲜用或晒干。

| 功能主治 | 消肿化瘀, 凉血止血, 利水。用于血瘀肿痛, 血热出血, 水肿。

菊科 Compositae 苦苣菜属 Sonchus

沼生苦苣菜 *Sonchus palustris* L.

|药 材 名|

苦苣菜（药用部位：全草）。

|形态特征|

多年生草本。根茎短。茎直立粗壮，高达 180 cm，基部直径达 3 cm，上部伞房状或伞房圆锥状分枝，分枝粗壮，上部及花序分枝、花序梗被稠密的头状具柄的腺毛。下部茎生叶披针形，长 15 ~ 35 cm，宽 5 ~ 20 cm，无柄，基部箭头状抱茎，侧裂片 1 ~ 3 对，披针形，先端急尖，顶裂片三角形或三角状披针形；中部茎生叶小或较小，披针形，不分裂，先端长渐尖，无柄，基部箭头状抱茎；上部及最上部茎生叶线状披针形或线形，不分裂；全部叶及裂片边缘有针刺状锯齿或细密针刺，两面光滑无毛。头状花序多数在茎枝先端排成伞房状或伞房圆锥状花序；总苞宽钟状，长达 1.5 cm，宽 1 cm；总苞片 3 ~ 4 层，外层卵状披针形，长 6 ~ 7 mm，宽 1 ~ 2 mm，中内层长圆状披针形或披针形，长 12 ~ 14 mm，宽 2 ~ 3 mm，全部总苞片先端长急尖或稍钝，外面被稠密具柄的头状腺毛；舌状小花多数，黄色。瘦果椭圆状，长 3 mm，宽 1.5 mm，有 5 高起的纵肋，无横皱纹，先端平截，无喙；冠毛白色，单毛状，长 8 mm，缠绕，易脱落。花果期 6 ～ 9 月。

| 生境分布 | 生于海拔 420 ～ 900 m 的水边或湖边。分布于新疆裕民县、霍城县等。

| 资源情况 | 野生资源较丰富。药材来源于野生。

| 采收加工 | 春、夏季花开前采收，除去杂质，鲜用或晒干。

| 功能主治 | 消肿化瘀，凉血止血。用于血热出血，下肢溃疡，疮毒痈毒，瘀血证等。

菊科 Compositae 万寿菊属 *Tagetes*

万寿菊 *Tagetes erecta* L.

| 药 材 名 | 万寿菊（药用部位：全草）、万寿菊花（药用部位：花）。

| 形态特征 | 一年生草本。高 50 ~ 150 cm。茎直立，粗壮，具纵细条棱；分枝向上平展。叶羽状分裂，长 5 ~ 10 cm，宽 4 ~ 8 cm，裂片长椭圆形或披针形，边缘具锐锯齿，上部叶的裂片齿端有长细芒，沿叶缘有少数腺体。头状花序单生，直径 5 ~ 8 cm；花序梗先端呈棍棒状膨大；总苞长 1.8 ~ 2 cm，宽 1 ~ 1.5 cm，杯状，先端具齿尖；舌状花黄色或暗橙色，长约 2.9 cm，舌片倒卵形，长约 1.4 cm，宽约 1.2 cm，基部收缩成长爪，先端微弯缺；管状花花冠黄色，长约 9 mm，先端 5 齿裂。瘦果线形，基部缩小，黑色或褐色，长 8 ~ 11 mm，被短微毛；冠毛有 1 ~ 2 长芒和 2 ~ 3 短而钝的鳞片。花期 7 ~ 8 月。

| 生境分布 | 栽培种。新疆各地均有栽培。

| 采收加工 | **万寿菊**：秋、冬季采收，除去杂质，鲜用或晒干。

万寿菊花：秋、冬季采收，除去杂质，鲜用或晒干。

| 功能主治 | **万寿菊**：外用于乳腺炎，无名肿毒，疔疮。

万寿菊花：平肝清热，祛风化痰。用于肝热诸证，风热痰涎壅盛，百日咳。

菊科 Compositae 菊蒿属 Tanacetum

新疆匹菊

Tanacetum alatavicum Herder.

| 药 材 名 | 匹菊（药用部位：头状花序）。

| 形态特征 | 多年生草本。高 25 ~ 100 cm。茎直立，单生或簇生，通常上部分枝或不分枝。基生叶与下部茎生叶长椭圆形、线状长椭圆形或倒披针形，长 10 ~ 18 cm，宽 3 ~ 4 cm，2 回羽状分裂，一、二回全部全裂，或二回几全裂，一回侧裂片 5 ~ 14 对，末回裂片长椭圆形、宽线形或线状披针形，宽 0.5 ~ 1 mm，少有宽达 2 mm 的，叶柄长 4 ~ 7 cm；中、上部叶渐小，卵形、长卵形或椭圆形，与基生叶和下部茎生叶同样分裂；花序下部的叶常羽裂或不裂；茎生叶无柄；全部叶绿色，两面有稀疏的弯曲单毛至无毛。茎生 2 ~ 5 头状花序，并不形成规则的伞房花序，极少有花序单生；花梗长 9 ~ 19 cm；

总苞直径 10 ～ 18 mm；总苞片约 4 层，外层苞片长披针形或线状披针形，长约 6 mm，中、内层长椭圆形或倒披针形，长 6 ～ 6.5 mm，全部苞片边缘黑褐色，膜质；舌状花白色，舌片长 14 ～ 16 mm，长椭圆形，先端全缘。瘦果长 2.5 mm，有 5 ～ 7 纵肋；冠状冠毛长 0.5 ～ 1 mm，分裂至中部或近基部。花果期 7 ～ 8 月。

| 生境分布 | 生于海拔 1 800 ～ 2 200 m 的山地草甸、山坡。分布于新疆布尔津县、精河县、特克斯县、和静县、乌什县等。

| 资源情况 | 野生资源丰富。药材来源于野生。

| 采收加工 | 除去杂草，阴干或晒干。

| 功能主治 | 疏风清热，平肝明目，清热解毒。用于风热感冒，目赤昏花，疮痈肿毒。

菊科 Compositae 菊蒿属 Tanacetum

阿尔泰菊蒿
Tanacetum barclayanum DC.

| 药 材 名 | 菊蒿（药用部位：全草）。

| 形态特征 | 多年生草本。高 25 ~ 60 cm，有短缩的根茎分枝。茎单生或少数茎簇生，直立，通常上部花序分枝。基生叶长椭圆形或线状长椭圆形，长 8 ~ 10 cm，宽 1 ~ 2 cm，2 回羽状分裂，一、二回全部全裂，一回侧裂片 10 ~ 18 对，末回裂片线状披针形至卵形，长 1 ~ 1.5 mm，叶柄长可达 8 cm；茎生叶少数，与基生叶同形并同样分裂，无柄；全部叶绿色或灰绿色，有丁字毛和单毛，毛稀疏或稍多。茎生头状花序 6 ~ 18，排列成疏散的不规则伞房花序；花梗长 0.8 ~ 6 cm，不增粗；总苞直径 7 ~ 12 mm。总苞片硬草质，4 层，外层披针形，先端白色膜质，中、内层长圆形，长 3 ~ 4 mm，有狭的白色膜质边

缘；边缘雌花常由管状向舌状转变，先端3裂。瘦果长2mm，有7～9椭圆形凸起的纵肋；冠状冠毛长0.1mm，全缘或具微齿。花果期6～8月。

| **生境分布** | 生于海拔540～2100m的山坡灌丛中。分布于新疆托里县、阿勒泰市、霍城县、布尔津县等。

| **资源情况** | 野生资源丰富。药材来源于野生。

| **功能主治** | 清热，止咳。用于气管炎，支气管炎等。

菊科 Compositae 菊蒿属 Tanacetum

密头菊蒿 *Tanacetum crassipes* (Stschegl.) Tzvelev

| 药 材 名 |

菊蒿（药用部位：全草）。

| 形态特征 |

多年生草本。高 20 ~ 60 cm，有分枝短的根茎。茎单生或少数茎簇生，仅上部有极短的花序分枝，有稀疏的丁字毛和单毛。基生叶长 8 ~ 15 cm，宽 2 cm，长椭圆形，2 回羽状分裂，一、二回全部全裂。一回侧裂片 10 ~ 15 对，末回裂片线状长椭圆形，宽约 1 mm，叶柄长 3 ~ 5 cm；茎生叶少数，与基生叶同形并同样分裂，但无柄；全部叶绿色或暗绿色，有贴伏的丁字形毛及单毛。头状花序 3 ~ 7，在茎顶密集排列；花梗增粗，长 0.5 ~ 1.5 cm；总苞直径 0.7 ~ 1（~ 1.4）cm；总苞片 3 ~ 4 层，硬草质，中、外层披针形，长 2.5 ~ 4 mm，内层线状长椭圆形，长约 4 mm，全部苞片外面有单毛，仅先端光亮，膜质扩大；边缘雌花有时由管状向舌状转变。瘦果长 2 mm，有 5 ~ 8 椭圆形凸起的纵肋；冠状冠毛长达 0.3 mm，边缘有细齿。花果期 6 ~ 8 月。

| 生境分布 |

生于海拔 2 100 m 左右的石质山坡、草原、针叶林带。分布于新疆精河县、额敏县、和布克赛尔蒙古自治县等。

| **资源情况** | 野生资源丰富。药材来源于野生。

| **采收加工** | 春季至秋季花初开时采收，洗净，鲜用或晒干。

| **功能主治** | 清热解毒，消肿散结。用于肺热咳嗽。

菊科 Compositae 菊蒿属 Tanacetum

黑苞匹菊

Tanacetum krylovianum (Krasch.) K. Bremer & Humphries

| 药 材 名 | 黑苞匹菊（药用部位：花）。

| 形态特征 | 多年生草本。高 30 ~ 70 cm，具短的根茎。茎单生或少数簇生，直立，不分枝或有 1 ~ 2 花序侧枝，被稀疏的柔毛，混生短腺毛。基生叶及下部茎生叶长椭圆形，长 5 ~ 20 cm，宽约 3 cm，2 回羽状全裂，一回侧裂片 7 ~ 12 对，末回裂片斜三角形或披针形，宽约 1 mm，柄长 7 ~ 45 mm；中上部茎生叶与基生叶同形并同样分裂，无叶柄；全部叶被稀疏柔毛，并混生短腺毛。头状花序单生，少数 2 ~ 4；总苞直径 1.5 ~ 1.8 cm，总苞片 4 层，外层卵形，长约 3 mm，中内层椭圆形至宽线形，长 4 ~ 7 mm，全部苞片边缘黑色，宽膜质；边缘雌花舌状，白色，舌片长椭圆形，长 14 ~ 25 mm，先端具 2 ~ 3 齿；

中央两性花筒状，黄色，长约 2.5 mm，先端 5 齿裂，筒部和子房具腺体。瘦果圆柱形，长约 2.5 mm，有 5 ～ 7 椭圆形凸起的纵肋；冠状冠毛长 0.4 ～ 0.7 mm，齿裂至中部。花果期 8 ～ 9 月。

| 生境分布 | 生于高山草甸、森林带的山坡。分布于新疆新源县、特克斯县、和静县、古木乃县、察布查尔锡伯自治县、阿勒泰市、青河县、于回县等。

| 功能主治 | 杀虫。

菊科 Compositae 菊蒿属 Tanacetum

美丽匹菊

Tanacetum pulchrum (Ledeb.) Sch.-Bip.

| 药 材 名 | 美丽匹菊（药用部位：花）。

| 形态特征 | 多年生草本。高 15 ~ 35 cm，具根茎。茎单生或少数簇生，直立，不分枝，被弯曲的长单毛；茎下部常呈紫色，上部绿色，近花序处被密毛，呈灰绿色。基生叶线形或宽线形，长 2 ~ 10 cm，宽 1 ~ 2 cm，2 回羽状全裂，一回侧裂片 6 ~ 12 对，二回为掌状或掌式羽状分裂，末回裂片线形或线状披针形，宽达 1 mm，叶柄长约 4 cm；茎生叶少数，与基生叶同形并同样分裂，花序下部的叶羽状全裂，茎生叶无柄；全部叶绿色，无毛或被稀疏、弯曲的长单毛。头状花序单生于茎顶；花序梗长；总苞直径 15 ~ 25 mm，总苞片 5 层，外层卵形或宽卵形，长 5 ~ 6 mm，中、内层椭圆形或宽线形，

长 8 ～ 10 mm，中、外层外面被弯曲的长单毛，内层无毛，全部苞片边缘黑褐色，宽膜质；边缘雌花舌状，白色，舌片线形，长 15 ～ 30 mm，宽约 3 mm，先端全缘；中央两性花筒状，黄色，长约 3.5 mm，先端 5 齿裂。瘦果圆柱形，长 2.5 ～ 3 mm，有 10 椭圆形、凸起的纵肋；冠状冠毛长 1 ～ 1.2 mm，分裂至中部。花果期 7 ～ 8 月。

| 生境分布 | 生于高山草甸、山坡。分布于新疆呼图壁县、达坂城区、昌吉市、巩留县、富蕴县、新源县等。

| 功能主治 | 杀虫。

菊科 Compositae 菊蒿属 Tanacetum

单头匹菊

Tanacetum richterioides (C. Winkl.) K. Bremer & Humphries

| 药 材 名 | 单头匹菊（药用部位：花）。

| 形态特征 | 多年生草本。高 5 ~ 35 cm，具根茎。茎单生或少数簇生，不分枝，被稀疏、弯曲的长单毛，近花序处的毛稍多或稠密。基生叶与下部茎生叶长椭圆形，长 2.5 ~ 8 cm，宽 1.5 ~ 2 cm，2 回羽状同形并同样全裂，一回侧裂片 4 ~ 10 对，二回为掌状或掌式羽状分裂，末回侧裂片长椭圆形，宽 1 ~ 2 mm，叶柄长约 4 cm；中上部茎生叶少数，与基生叶分裂，但较小，具柄；全部叶绿色或淡绿色，被稀疏的弯曲长单毛。头状花序单生于茎端，有长或短的梗；总苞直径 1.5 ~ 2 cm，总苞片 4 层，外层披针形，长 5 ~ 6 mm，基部有稀疏、弯曲的长单毛，中、内层长椭圆形，长 5 ~ 6.5 mm，无毛，全部苞

片边缘黑褐色,宽膜质;边缘雌花舌状,舌片红色或淡紫色,宽线形,长 1.5 ~ 2 cm,先端具 3 微齿;中央两性花筒状,黄色,长约 2.5 mm,先端 5 齿裂。瘦果圆柱形,长约 1.5 mm,棕色,具 7 纵肋;冠状冠毛长 0.3 ~ 0.5 mm,分裂至中部。花果期 8 ~ 9 月。

| **生境分布** | 生于海拔 3 500 ~ 5 100 m 的草原带山地、山地灌丛。分布于新疆呼图壁县、乌鲁木齐县、乌苏市、塔什库尔干塔吉克自治县、和静县、达坂城区、阿克陶县、乌恰县、阿图什市、阿合奇县、皮山县等。

| **资源情况** | 野生资源一般。药材主要来源于野生。

| **功能主治** | 杀虫。

菊科 Compositae 菊蒿属 Tanacetum

岩菊蒿 *Tanacetum scopulorum* (Krasch.) Tzvelev

| **药 材 名** | 菊蒿（药用部位：全草）。

| **形态特征** | 多年生草本。高达 35 cm，有分枝的根茎。茎直立，上部有花序分枝。茎单生或少数茎簇生，有稠密的或稀疏的丁字毛或单毛。基生叶线状长椭圆形或椭圆形，长 4 ~ 8 cm，宽 1 ~ 2 cm，2 回羽状分裂，一、二回全部全裂或二回为浅裂，末回裂片卵状披针形或斜三角形，叶柄长达 2 cm；茎生叶少数，无柄，下部茎生叶 2 回羽状分裂，二回为半裂或深裂，有时下部茎生叶羽状分裂，裂片全缘或有单齿，最上部茎生叶羽状分裂或基部羽状分裂；全部叶绿色或淡灰白色，有较多或稍多的单毛或丁字毛。茎生头状花序 3 ~ 6，排成不规则的疏散伞房花序；花梗长 1 ~ 8 cm；总苞直径 7 ~ 10 mm；总苞片

硬草质，约 4 层，外层披针形，长 2.5 mm，中、内层长椭圆形至线状长椭圆形，长 3 ~ 5 mm，全部苞片有长毛或短毛，先端白色，膜质扩大；边缘雌花管状，多少向舌状花转变，先端 3 ~ 4 齿裂。瘦果长 2 ~ 2.3 mm，约有 8 椭圆形纵肋；冠状冠毛长 0.2 ~ 0.3 mm，边缘呈不规则齿裂。花果期 6 ~ 9 月。

| **生境分布** | 生于海拔 1 000 ~ 2 000 m 的山坡。分布于新疆福海县、哈巴河县等。

| **资源情况** | 野生资源丰富。药材来源于野生。

| **采收加工** | 春季至秋季花初开时采收，洗净，鲜用或晒干。

| **功能主治** | 清热解毒，消肿散结。用于肺热咳嗽。

菊科 Compositae 菊蒿属 Tanacetum

伞房菊蒿

Tanacetum tanacetoides (DC.) Tzvelev

| 药 材 名 | 菊蒿（药用部位：全草）。

| 形态特征 | 多年生草本。高 20 ~ 85 cm，有分枝短的根茎。茎单生或少数茎簇生，直立，仅上部有花序分枝，被稀疏的丁字毛及单毛。基生叶长可达 10 cm，宽可达 2.5 cm，长椭圆形，2 回羽状分裂，1 ~ 2 回全部全裂，一回侧裂片 10 ~ 15 对，末回裂片线形至卵形，宽约 1.5 mm，全缘、偶有单齿或 3 裂，叶柄长 6 ~ 9 cm；茎生叶少数，与基生叶同形并同样分裂，无柄，最上部叶羽状全裂；全部茎生叶绿色或灰绿色，有稀疏或稍多的丁字毛或单毛。头状花序 3 ~ 10（~ 18），在茎端排成稍疏松的伞房花序；花梗长 2 ~ 5 cm；总苞直径 6 ~ 8 mm；总苞片约 4 层，硬草质，中、外层三角状披针形至长披针形，长

2 ～ 4.5 mm，内层线状长椭圆形，长 4 mm，全部苞片外面有长或短单毛，先端光亮，膜质扩大；边缘雌花通常由管状向具 3 裂的舌片转变。瘦果长达 2.5 mm，有 6 ～ 8 椭圆形突起的纵肋；冠状冠毛长 0.1 ～ 0.3 mm，边缘齿裂。花果期 6 ～ 8 月。

| 生境分布 | 生于海拔 540 ～ 1 800 m 的石质山坡。分布于新疆塔城市、和布克赛尔蒙古自治县、福海县、布尔津县等。

| 资源情况 | 野生资源丰富。药材来源于野生。

| 采收加工 | 春季至秋季花初开时采收，洗净，鲜用或晒干。

| 功能主治 | 清热解毒，消肿散结。用于肺热咳嗽。

菊科 Compositae 菊蒿属 Tanacetum

菊蒿
Tanacetum vulgare L.

| 药 材 名 |

菊蒿（药用部位：全草）。

| 形态特征 |

多年生草本。高 30 ~ 150 cm。茎直立，单生或少数茎簇生，仅上部有分枝，有极稀疏的单毛，但通常光滑无毛。茎生叶多数，椭圆形或椭圆状卵形，长可达 25 cm，2 回羽状分裂，一回为全裂，侧裂片 12 对；二回为深裂，裂片卵形、线状披针形、斜三角形或长椭圆形，全缘、有浅齿或半裂而叶 3 回羽状分裂，羽轴有齿；下部茎生叶有长柄；中、上部茎生叶无柄；全部叶绿色或淡绿色，有极稀疏的毛或几无毛。头状花序多数，在茎枝先端排成稠密的伞房或复伞房花序；总苞直径 5 ~ 13 mm；总苞片 3 层，草质，外层卵状披针形，长约 1.5 mm，中、内层披针形或长椭圆形，长 3 ~ 4 mm，全部苞片边缘白色或浅褐色，狭膜质，先端膜质扩大。全部小花管状，边缘雌花小于两性花。瘦果长 1.2 ~ 2 mm；冠状冠毛长 0.1 ~ 0.4 mm，冠缘浅齿裂。花果期 6 ~ 8 月。

| 生境分布 |

生于海拔 1 200 ~ 2 400 m 的山坡、河滩、

草地、丘陵及桦木林下。分布于新疆阿尔泰山、天山。

| **资源情况** | 野生资源丰富。药材来源于野生。

| **采收加工** | 春季至秋季花初开时采收，洗净，鲜用或晒干。

| **功能主治** | 清热解毒，消肿散结。用于气管炎，支气管炎等。

菊科 Compositae 蒲公英属 *Taraxacum*

白花蒲公英
Taraxacum albiflos Kirschner & Štěpánek

| **药 材 名** | 蒲公英（药用部位：全草）。

| **形态特征** | 多年生矮小草本。根颈部被大量黑褐色残存叶基。叶线状披针形，近全缘至浅裂，少半裂，具很小的齿，长 2.3 ~ 5.8 cm，宽 2 ~ 5 mm，两面无毛。花葶 1 或更多，长 2 ~ 6 cm，无毛或先端疏被蛛丝状柔毛；头状花序直径 25 ~ 30 mm；总苞长 9 ~ 13 mm；总苞片干后变淡墨绿色或墨绿色，先端具小角或增厚，外层总苞片卵状披针形，与内层总苞片近等宽或稍宽，具宽的膜质边缘；舌状花通常白色，稀淡黄色；边缘花舌片背面有暗色条纹，柱头干时黑色。瘦果倒卵状长圆形，枯麦秆黄色至淡褐色或灰褐色，长 4 mm，上部 1/4 具小刺，先端逐渐收缩为长 0.5 ~ 1.2 mm 的喙基，喙较粗壮，长 3 ~ 6 mm；

冠毛长 4 ～ 5 mm，带淡红色或稀为污白色。花果期 6 ～ 8 月。

| **生境分布** | 生于海拔 2 500 ～ 6 000 m 的山坡湿润草地、沟谷、河滩草地、沼泽草甸。新疆各地均有分布。

| **资源情况** | 野生资源丰富。药材来源于野生。

| **采收加工** | 春季至秋季花初开时采收，洗净，鲜用或晒干。

| **功能主治** | 清热解毒，消肿散结，利尿通淋。用于疔疮肿毒，乳痈，目赤，咽痛，肺痈，肠痈，湿热黄疸，热淋涩痛。

菊科 Compositae 蒲公英属 Taraxacum

窄苞蒲公英

Taraxacum bessarabicum (Hornem.) Hand.-Mazz.

| **药 材 名** | 蒲公英（药用部位：全草）。

| **形态特征** | 多年生草本。根颈部密被黑褐色残存叶基，叶基腋内有少数的暗棕色细毛。叶线形至狭倒披针形，长 4 ~ 16 cm，宽 5 ~ 25 mm，不分裂而全缘或具波状齿至羽状浅裂，稀近深裂，有时稍肉质而呈灰绿色，分裂叶的先端裂片长三角形至宽三角形，全缘，先端钝或急尖，每侧有裂片 4 ~ 8，三角形，平展或倒向，急尖或钝，全缘或具齿，裂片间有或无齿及小裂片。花葶与叶等长或稍长，高 6 ~ 20 cm，有时带紫红色，先端有少数蛛丝状短毛，有时果期无毛；头状花序直径 15 ~ 20 mm；总苞钟状，长 8 ~ 15 mm；总苞片先端无角或有不明显的胼胝状增厚，外层总苞片淡绿色、带紫红色或全部呈红紫色，

狭披针形至近线形，长 4 ~ 9 mm，宽 1 ~ 1.5 mm，伏贴或稍开展，边缘膜质，上部有缘毛，基部最宽处常与内层总苞片等宽，中部以上明显变窄，内层总苞片绿色，长为外层总苞片的 1.5 ~ 2 倍；舌状花黄色，花冠喉部至舌片下部的外面疏生短柔毛，舌片长约 7 mm，宽约 1 mm，基部花冠筒长约 4 mm；边缘花舌片背面有紫色条纹，柱头黄色。瘦果浅灰褐色，长 4 ~ 5 mm，上部 1/4 ~ 1/3 有少数小刺，其余部分无瘤状突起，先端逐渐收缩为长 1 ~ 1.5 mm 的喙基，喙长 3 ~ 5 mm；冠毛污白色，长 5 ~ 6 mm。花果期 7 ~ 10 月。

| 生境分布 | 生于河漫滩草甸、盐碱地、农田、路边。分布于新疆巴里坤哈萨克自治县、岳普湖县、泽普县、英吉沙县、和田市、塔什库尔干塔吉克自治县、皮山县、和田县、乌恰县、阿图什市、和硕县、拜城县、库车市、米东区等。

| 资源情况 | 野生资源丰富，栽培资源较少。药材来源于野生和栽培。

| 采收加工 | 春季至秋季花初开时采收，洗净，鲜用或晒干。

| 功能主治 | 清热解毒，消肿散结，利尿通淋。用于疔疮肿毒，乳痈，目赤，咽痛，肺痈，肠痈，湿热黄疸，热淋涩痛。

菊科 Compositae 蒲公英属 Taraxacum

双角蒲公英 *Taraxacum bicorne* Dahlst.

| **药 材 名** | 蒲公英（药用部位：全草）。

| **形态特征** | 多年生草本。根颈部被黑褐色残存叶基，叶基腋部有少数褐色皱曲毛。叶线形、狭倒披针形或长椭圆形，长 5 ~ 20 cm，宽 7 ~ 35 mm，羽状浅裂或深裂，有时呈灰蓝绿色，先端裂片不大，三角状戟形或长戟形，全缘，先端急尖或钝尖，每侧裂片 5 ~ 7，裂片三角形、长圆形或线形，裂片先端急尖或渐尖，全缘或具牙齿，裂片间有齿或小裂片，叶基有时呈紫红色。花葶 2 ~ 5，高 10 ~ 25 cm，稍长于叶，基部常带紫红色，先端密被蛛丝状毛；头状花序直径 30 ~ 35 mm；总苞钟状，长 11 ~ 13（~ 15）mm，外层总苞片白绿色，卵状披针形，长 3 ~ 5 mm，宽 1.5 ~ 2.5 mm，伏贴，具白

色的膜质边缘，先端常呈紫红色，具长角，与内层总苞片等宽，内层总苞片绿色，长为外层总苞片的 2.5 倍，先端常具 1 或 2 明显的小角；舌状花黄色，花冠喉部及舌片下部的背面被短柔毛，舌片长 8 ~ 9 mm，宽约 1 mm，基部花冠筒长约 5 mm；边缘花舌片背面有紫色条纹，柱头黄色。瘦果黄褐色，圆柱形，长 3 ~ 4 mm，中部以上有多数小刺，下部具小瘤状突起，喙基长 0.8 ~ 1.2 mm，喙纤细，长 7 ~ 9 mm；冠毛雪白色，长 5.5 ~ 7 mm。花果期 4 ~ 7 月。

| 生境分布 | 生于河漫滩草甸、盐碱地、农田水渠旁。新疆各地均有分布。

| 资源情况 | 野生资源丰富。药材来源于野生。

| 采收加工 | 春季至秋季花初开时采收，洗净，鲜用或晒干。

| 功能主治 | 清热解毒，消肿散结，利尿通淋。用于疔疮肿毒，乳痈，目赤，咽痛，肺痈，肠痈，湿热黄疸，热淋涩痛。

菊科 Compositae 蒲公英属 *Taraxacum*

堆叶蒲公英

Taraxacum compactum Schischk.

| 药 材 名 | 蒲公英（药用部位：全草）。

| 形态特征 | 多年生草本。根颈部有极少的黑褐色残存叶基。叶倒披针形至椭圆形，长 5 ~ 10 cm，宽 10 ~ 30 mm，羽状深裂或近全裂，先端裂片短戟形、半圆形或三角形，全缘或具尖锐牙齿，先端急尖或圆钝，每侧裂片 4 ~ 6，裂片三角状线形，稀三角形，倒向或平展，先端渐尖，全缘或具牙齿，裂片间具齿或小裂片。花葶 4 ~ 8，高10 ~ 20 cm，长于叶，无毛或先端有稀疏的蛛丝状毛；总苞钟状，长 10 ~ 15 mm；总苞片先端常呈紫红色，渐尖，无角或具短角，外层总苞片淡绿色，卵状披针形至披针状线形，长 5 ~ 8 mm，宽1 ~ 3 mm，反卷，具极窄的膜质边缘或无膜质边缘，较内层总苞片

窄或与内层总苞片等宽，内层总苞片绿色，长为外层总苞片的 2.5 ~ 3 倍；舌状花黄色，花冠无毛，舌片长 8 ~ 9 mm，宽约 1 mm，基部花冠筒长约 5 mm；边缘花舌片背面有紫色条纹，柱头深黄色。瘦果浅褐色，圆柱形，长 2.2 ~ 2.8 mm，上部或几乎全部被多数小刺，喙基长 1 ~ 1.4 mm，喙纤细，长 8 ~ 11 mm；冠毛白色，长 5 ~ 6 mm。花果期 6 ~ 8 月。

| **生境分布** | 生于森林草甸、低山草原、荒漠草原。新疆各地均有分布。

| **资源情况** | 野生资源丰富。药材来源于野生。

| **采收加工** | 春季至秋季花初开时采收，洗净，鲜用或晒干。

| **功能主治** | 清热解毒，消肿散结，利尿通淋。用于疔疮肿毒，乳痈，目赤，咽痛，肺痈，肠痈，湿热黄疸，热淋涩痛。

菊科 Compositae 蒲公英属 Taraxacum

粉绿蒲公英
Taraxacum dealbatum Hand.-Mazz.

| **药 材 名** | 蒲公英（药用部位：全草）。

| **形态特征** | 多年生草本。根颈部密被黑褐色残存叶基，叶基腋部有丰富的褐色皱曲毛。叶倒披针形或倒披针状线形，长5～15 cm，宽5～20 mm，羽状深裂，顶裂片线状戟形，全缘，先端急尖或渐尖，每侧有裂片4～9，长三角形或线形，平展或倒向，裂片先端渐尖，全缘，裂片间无齿且无小裂片；叶柄常呈紫红色。花葶1～7，花时与叶等长或稍长于叶，高10～20 cm，果时伸长，长于叶，常带粉红色，先端密被蛛丝状短毛；头状花序直径15～20 mm；总苞钟状，长10～15 mm；总苞片先端常呈紫红色，无角，外层总苞片淡绿色，卵状披针形至披针形，长4～7 mm，宽2～3 mm，伏贴，边缘白

色，膜质，等宽或稍宽于内层总苞片，内层总苞片绿色，长为外层总苞片的 2 倍；舌状花淡黄色或白色，基部、喉部及舌片下部外面被短柔毛，舌片长 9 ~ 10 mm，宽 1 ~ 1.5 mm，基部花冠筒长约 4 mm；边缘花舌片背面有紫色条纹，柱头深黄色。瘦果淡黄褐色或浅褐色，长约 3 mm，上部 1/3 有少数小刺，其余部分具小瘤状突起，喙基长 0.6 ~ 1 mm，喙长 3 ~ 6（~ 8）mm；冠毛白色，长 6 ~ 7 mm。花果期 6 ~ 8 月。

| 生境分布 | 生于河漫滩草甸、农田水边。新疆各地均有分布。

| 资源情况 | 野生资源丰富。药材来源于野生。

| 采收加工 | 春季至秋季花初开时采收，洗净，鲜用或晒干。

| 功能主治 | **藏医** 清热，解毒，健脾。用于培根病，木保病，时疫，血病，赤巴病。

菊科 Compositae 蒲公英属 Taraxacum

多裂蒲公英 *Taraxacum dissectum* (Ledeb.) Ledeb.

| 药 材 名 | 蒲公英（药用部位：全草）。

| 形态特征 | 多年生草本。根颈部密被黑褐色的残存叶基，叶腋有褐色细毛。叶线形，稀披针形，长 2 ~ 5 cm，宽 3 ~ 10 mm，羽状全裂，先端裂片长三角状戟形，全缘，先端钝或急尖，每侧有裂片 3 ~ 7，裂片线形，先端钝或渐尖，全缘，裂片间无齿及小裂片，两面被蛛丝状短毛，叶基有时呈紫红色。花葶 1 ~ 6，长于叶，高 4 ~ 7 cm，花时常被丰富的蛛丝状毛；头状花序直径 10 ~ 25 mm；总苞钟状，长 8 ~ 11 mm；总苞片绿色，先端常显紫红色，无角，外层总苞片卵圆形至卵状披针形，长（3.5 ~ ）5 ~ 6 mm，宽（1.5 ~ ）3.5 ~ 4 mm，伏贴，中央部分绿色，具宽膜质边缘，内层总苞片长为外层总苞片

的 2 倍；舌状花黄色或亮黄色，花冠喉部的外面疏生短柔毛，舌片长 7 ～ 8 mm，宽 1 ～ 1.5 mm，基部花冠筒长约 4 mm；边缘花舌片背面有紫色条纹，柱头淡绿色。瘦果淡灰褐色，长（4 ～）4.4 ～ 4.6 mm，中部以上具大量小刺，中部以下具小瘤状突起，先端逐渐收缩为长 0.8 ～ 1 mm 的喙基，喙长 4.5 ～ 6 mm；冠毛白色，长 6 ～ 7 mm。花果期 6 ～ 9 月。

| 生境分布 | 生于高山湿草甸。分布于新疆伊吾县、乌鲁木齐县、沙湾县、乌尔禾区、塔什库尔干塔吉克自治县、皮山县、鄯善县、且末县、民丰县、策勒县、和静县等。

| 资源情况 | 野生资源丰富，栽培资源较少。药材来源于野生和栽培。

| 采收加工 | 春季至秋季花初开时采收，洗净，鲜用或晒干。

| 功能主治 | 清热解毒，消肿散结，利尿通淋。用于疔疮肿毒，乳痈，目赤，咽痛，肺痈，肠痈，湿热黄疸，热淋涩痛。

菊科 Compositae 蒲公英属 Taraxacum

红果蒲公英
Taraxacum erythrospermum Andrz. ex Besser.

| **药 材 名** | 蒲公英（药用部位：全草）。

| **形态特征** | 多年生草本。根颈部被大量暗褐色残存叶基，腋间具少数褐色弯曲细毛。叶平展，长椭圆形，长 3 ~ 8 cm，宽 0.5 ~ 1.6 cm，羽状深裂，先端裂片小，狭戟形，稀三角形，先端急尖，全缘或有尖锐粗齿，每侧有裂片 3 ~ 8，裂片线形或长三角形，稀三角形，倒向，先端急尖，边缘具尖锐小齿或线形的小裂片，裂片间具齿或小裂片。花葶 2 ~ 10，与叶等长或稍长于叶，高 8 ~ 15 cm，花时下弯，果时下弯或直立，上端密被蛛丝状毛，果时毛少；头状花序直径 15 ~ 35 mm；总苞钟状，长 8 ~ 12 mm；外层总苞片浅绿色，披针状卵圆形至披针形，长 4 ~ 6 mm，宽 1 ~ 2 mm，边缘膜质，先端钝或渐尖，无角，稀

具不明显的角，无毛或上部有缘毛，等宽或宽于内层总苞片，花时伏贴，果时开展，内层总苞片绿色，无角或具小角，长为外层总苞片的 2 ~ 2.5 倍；舌状花亮黄色，花冠喉部及舌片下部被疏散的细柔毛，舌片长 7 ~ 8 mm，宽约 1.5 mm，基部花冠筒长约 3 mm；边缘花舌片背面有紫色条纹，柱头黄褐色。瘦果红褐色，长 2.5 ~ 3 mm，上部 1/3 具多数尖锐小瘤，向下棱上具钝瘤，先端突然缢缩成长 0.5 ~ 0.7 mm 的圆柱状喙基，喙纤细，长 5 ~ 8 mm；冠毛白色或污白色，长 5 ~ 6 mm。花果期 5 ~ 7 月。

| 生境分布 | 生于山地草原、森林草甸、荒漠草原及荒漠带的河谷、渠边。分布于新疆伊州区、额敏县、阿勒泰市、察布查尔锡伯自治县等。

| 资源情况 | 野生资源丰富。药材来源于野生。

| 采收加工 | 春季至秋季花初开时采收，洗净，鲜用或晒干。

| 功能主治 | 清热解毒，消肿散结，利尿通淋。用于疔疮肿毒，乳痈，目赤，咽痛，肺痈，肠痈，湿热黄疸，热淋涩痛。

菊科 Compositae 蒲公英属 Taraxacum

光果蒲公英 *Taraxacum glabrum DC.*

| 药 材 名 | 蒲公英（药用部位：全草）。

| 形态特征 | 多年生草本。根颈部密被黑褐色残存叶基，腋间有褐色长曲毛。叶狭倒卵形至倒披针形，长 4 ~ 9 cm，宽 4 ~ 10 (~ 20) mm，不分裂，全缘或具齿至羽状浅裂，先端裂片三角形，全缘，先端急尖或钝，每侧裂片 2 ~ 3，裂片三角形，平展，先端急尖或钝，全缘，裂片间无齿且无小裂片。花葶 2 ~ 4，较粗壮，长于叶，高 5 ~ 10 cm，常带紫红色，无毛；头状花序直径 30 ~ 40 mm；总苞钟状，长 8 ~ 16 mm，外层总苞片暗绿色，卵状披针形至披针形，长 4 ~ 6 mm，宽 1.5 ~ 3 mm，伏贴，渐尖，无膜质边缘，与内层总苞片等宽或稍宽于内层总苞片，无角，内层总苞片暗绿色，先端

钝，无角或稀具短角，长为外层总苞片的 2 ~ 2.5 倍；舌状花黄色，花冠无毛，舌片长 10 ~ 14 mm，宽 1.5 ~ 2.5 mm，基部花冠筒长 3 ~ 5 mm；边缘花舌片背面有紫色条纹，柱头干时黑色。瘦果淡褐色，长 3.5 ~ 4 mm，光滑，稀于上部可见小瘤状突起，先端逐渐收缩为长约 0.6 mm 的喙基，喙长 5 ~ 7 mm；冠毛白色，长 5 ~ 6 mm。花果期 7 ~ 8 月。

| 生境分布 | 生于高山、亚高山草甸至草甸草原。分布于新疆乌鲁木齐县、阜康市、尼勒克县、和硕县、轮台县、库车市、阿图什市、叶城县、察布查尔锡伯自治县、霍城县等。

| 资源情况 | 野生资源丰富。药材来源于野生。

| 采收加工 | 春季至秋季花初开时采收，洗净，鲜用或晒干。

| 功能主治 | 清热解毒，消肿散结，利尿通淋。用于疔疮肿毒，乳痈，目赤，咽痛，肺痈，肠痈，湿热黄疸，热淋涩痛。

菊科 Compositae 蒲公英属 Taraxacum

小叶蒲公英 *Taraxacum goloskokovii* Schischk.

| **药 材 名** | 蒲公英（药用部位：全草）。

| **形态特征** | 多年生草本。根颈部被黑褐色的残存叶基，叶基腋部有大量褐色皱曲毛。叶披针形，长 2 ~ 4 cm，宽 3 ~ 4 mm，全缘或具波状齿，先端钝或急尖。花葶 1 ~ 2，高 6 ~ 8 cm，较叶长或与叶等长，无毛；总苞窄钟状，长 8 ~ 12 mm；总苞片绿色，无角或具不明显的小角，外层总苞片披针状卵圆形至披针形，长 2 ~ 6 mm，宽约 2 mm，伏贴，边缘膜质，较内层总苞片宽或与内层总苞片等宽，内层总苞片长为外层总苞片的 2 ~ 2.5 倍；舌状花黄色，花冠喉部及舌片下部的外面被短柔毛，舌片长 10 ~ 11 mm，宽 1 ~ 2 mm，基部花冠筒长 2.5 ~ 3 mm；边缘花舌片背面有紫色条纹，柱头干时黑色。瘦果

淡褐色，长 4 ~ 5 mm，光滑或顶部有极少数的小瘤，无明显的喙基，喙粗壮，长 1 ~ 2 mm；冠毛白色，长约 5 mm。花果期 7 ~ 8 月。

| **生境分布** | 生于海拔 3 000 ~ 3 700 m 的河漫滩草甸、洼地。分布于新疆塔什库尔干塔吉克自治县、拜城县、若羌县等。

| **资源情况** | 野生资源丰富。药材来源于野生。

| **采收加工** | 春季至秋季花初开时采收，洗净，鲜用或晒干。

| **功能主治** | 清热解毒，消肿散结，利尿通淋。用于疗疮肿毒，乳痈，目赤，咽痛，肺痈，肠痈，湿热黄疸，热淋涩痛。

菊科 Compositae 蒲公英属 *Taraxacum*

紫花蒲公英 *Taraxacum lilacinum* krasn. ex Schischk.

| 药 材 名 | 蒲公英（药用部位：全草）。

| 形态特征 | 多年生草本。根颈部被少数黑褐色残存叶基，叶基腋部被稀少的长曲毛。叶长 3 ～ 10 cm，宽 5 ～ 15 mm，长椭圆形，不分裂、全缘、具齿或羽状浅裂，顶裂片小，先端急尖，全缘，每侧有裂片 2 ～ 3 片，三角形，平展，先端急尖，全缘，裂片间无齿或具小裂片，无毛。花葶 1 ～ 2，较粗壮，长于叶，高 7 ～ 15 cm，无毛；头状花序直径 15 ～ 20 mm；总苞宽钟状，长 9 ～ 14 mm；总苞片黑绿色，先端无角或稍有胼胝状增厚，外层总苞片卵状披针形至披针形，长 3 ～ 4 mm，宽 2 ～ 2.5 mm，伏贴或稍开展，几无膜质边缘，与内层总苞片等宽或稍宽，内层总苞片长为外层总苞片的 1.5 ～ 2 倍；

舌状花紫红色，花冠无毛，舌片长 10 ~ 11 mm，宽 1.5 ~ 2 mm，基部花冠筒长 3 ~ 3.5 mm，柱头干时黑色。瘦果淡黄褐色，长约 3 mm，上部 1/4 有多数小刺，其余部分具少数小瘤状突起或无瘤状突起，先端渐缩为长 0.5 ~ 0.7 mm 的喙基，喙长 2.5 ~ 4 mm；冠毛白色，长约 6 mm。花果期 6 ~ 7 月。

| **生境分布** | 生于海拔 2 500 m 以上的高山草甸、草甸草原。分布于新疆乌鲁木齐县、阜康市、布尔津县、精河县、乌苏市、察布查尔锡伯自治县、尼勒克县、昭苏县、和静县、温宿县、若羌县等。

| **资源情况** | 野生资源丰富。药材来源于野生。

| **采收加工** | 春季至秋季花初开时采收，洗净，鲜用或晒干。

| **功能主治** | 清热解毒，消肿散结，利尿通淋。用于疗疮肿毒，乳痈，目赤，咽痛，肺痈，肠痈，湿热黄疸，热淋涩痛。

长锥蒲公英 *Taraxacum longipyramidatum* Schischk.

| **药 材 名** | 蒲公英（药用部位：全草）。

| **形态特征** | 多年生草本。根颈部无残存叶基。叶狭倒卵圆形、长椭圆形或狭倒披针形，长 6 ~ 20 cm，宽 15 ~ 40 mm，全缘、具波状齿至羽状深裂，顶裂片大，三角形、宽三角形或菱形，全缘，少具齿，先端急尖或圆钝，每侧有裂片 3 ~ 5，三角形至三角状线形，裂片先端急尖或渐尖，全缘或具牙齿，裂片间常具齿或小裂片，叶基常呈红紫色。花葶 2 ~ 6，高 10 ~ 25 cm，长于叶，先端有稀疏的蛛丝状毛，基部常呈红紫色；总苞宽钟状，长 13 ~ 20 mm；总苞片绿色，先端无角或增厚为不明显的小角，外层总苞片卵圆形至披针状卵圆形，长 5 ~ 8 mm，宽 2.5 ~ 3 mm，反卷，具白色的膜质边缘，先端渐尖，窄于或等宽于

内层总苞片，内层总苞片先端钝，长为外层总苞片的 2 ～ 2.5 倍；舌状花黄色，
花冠喉部及舌片下部的背面密生短柔毛，舌片长 8 ～ 10 mm，宽约 1.5 mm，基
部花冠筒长约 4 mm；边缘花舌片背面有紫色条纹，柱头深黄色。瘦果浅黄褐色，
圆柱形，长 3 ～ 4 mm，上部 1/3 ～ 1/2 有多数小刺，其余部分具多数小瘤状突起，
先端突然缢缩为长 1.2 ～ 1.8 mm 的喙基，喙长 8 ～ 10（～ 13）mm；冠毛白色，
长约 7 mm。花果期 6 ～ 8 月。

| 生境分布 | 生于低海拔地区的草原、荒漠的洼地、农田水边、路旁。分布于新疆乌鲁木齐县、
玛纳斯县、塔城市、石河子市、沙湾县、伊吾县、伊宁县、洛浦县、博湖县等。

| 资源情况 | 野生资源丰富。药材来源于野生。

| 采收加工 | 春季至秋季花初开时采收，洗净，鲜用或晒干。

| 功能主治 | 清热解毒，消肿散结，利尿通淋。用于疔疮肿毒，乳痈，目赤，咽痛，肺痈，肠痈，
湿热黄疸，热淋涩痛。

红角蒲公英 *Taraxacum luridum* C. E. Haglund.

| 药 材 名 | 蒲公英（药用部位：全草）。

| 形态特征 | 多年生草本。根颈部被褐色残存叶基，叶基腋部有稀疏的细毛。叶狭长椭圆形至线形，长 5 ~ 8 cm，宽 8 ~ 20 mm，羽状深裂，顶裂片长戟形，全缘，先端渐尖，每侧有裂片 4 ~ 6，线形，倒向或平展，裂片先端急尖，全缘，裂片间无齿或有小裂片，两面无毛，叶脉常呈紫红色。花葶少数，高 5 ~ 10 cm，与叶等长或稍长于叶，常带紫红色，先端密生蛛丝状毛；头状花序直径约 30 mm；总苞钟状，长 9 ~ 13 mm，绿色；外层总苞片三角状披针形至宽或窄披针形，长 5 ~ 6 mm，宽 2 ~ 3 mm，伏贴或稍开展，先端常呈暗红色，无角或具极小的角，具窄的白色膜质边缘，宽于内层总苞片；内层总

苞片有暗红色小角，长为外层总苞片的 2 ～ 2.5 倍；舌状花上部白色，下部黄色，舌片长 8 ～ 10 mm，宽 1.5 ～ 2 mm，基部花冠筒长约 4 mm，边缘花舌片背面有紫色条纹，柱头黄色。瘦果浅褐色，倒卵状披针形，长 3 ～ 4.5 mm，上部 1/3 具小刺，其余部分具小瘤状突起，先端逐渐收缩为长 0.7 ～ 1 mm 的喙基，喙长 5 ～ 7 mm；冠毛白色或污白色，长约 6 mm。

| **生境分布** | 生于海拔 3 000 m 左右的河谷草甸及洼地处。分布于新疆塔什库尔干塔吉克自治县、且末县、吉木乃县等。

| **资源情况** | 野生资源丰富，栽培资源较少。药材来源于野生和栽培。

| **采收加工** | 春季至秋季花初开时采收，洗净，鲜用或晒干。

| **功能主治** | 清热解毒，消肿散结，利尿通淋。用于疔疮肿毒，乳痈，目赤，咽痛，肺痈，肠痈，湿热黄疸，热淋涩痛。

菊科 Compositae 蒲公英属 *Taraxacum*

毛叶蒲公英
Taraxacum minutilobum Popov ex Kovalevsk.

| **药 材 名** | 蒲公英（药用部位：全草）。

| **形态特征** | 多年生草本。根颈部被大量黑褐色残存叶基，叶基腋部有褐色皱曲毛。叶狭倒披针形或长椭圆形，长 3.5 ~ 6 cm，宽 6 ~ 10 mm，羽状深裂，顶裂片戟形或三角形，全缘，急尖，每侧有裂片 5 ~ 10，裂片线形至椭圆形，先端急尖或渐尖，边缘具少数小齿或无齿，两侧常有 2 大齿，裂片间无齿且无小裂片，稀具细小的牙齿，两面均被较密的蛛丝状毛。花葶少数，高 3 ~ 8 cm，被蛛丝状毛，先端附近毛尤其丰富；总苞窄钟状，长 10 ~ 13 mm；总苞片密被蛛丝状毛，先端有暗紫色小角，外层总苞片淡绿色，披针状卵圆形至宽披针形，长 3 ~ 4 mm，宽 2 ~ 2.5 mm，伏贴，边缘宽膜质，窄于内层总苞片；内层总苞片绿色，长为外层总苞片的 2 ~ 2.5 倍；舌状花黄色，

舌片无毛，长 8 ~ 9 mm，宽约 1.5 mm，基部花冠筒长约 3 mm；边缘花舌片背面有紫色条纹，柱头黄色。瘦果黄褐色，长 5.5 ~ 6 mm，仅顶部有极少数的小瘤状突起，喙基分化不甚明显，喙粗壮，长 0.5 ~ 1.5 mm；冠毛白色或污白色，长 4 ~ 5 mm。花果期 6 ~ 7 月。

| **生境分布** | 生于海拔 3 000 ~ 3 700 m 的河漫滩草甸、洼地。分布于新疆塔什库尔干塔吉克自治县、且末县、和静县等。

| **资源情况** | 野生资源丰富。药材来源于野生。

| **采收加工** | 春季至秋季花初开时采收，洗净，鲜用或晒干。

| **功能主治** | 清热解毒，消肿散结，利尿通淋。用于乳痈，疮肿，痰热，咽痛，热淋，目赤肿痛，湿热黄疸。

菊科 Compositae 蒲公英属 *Taraxacum*

荒漠蒲公英 *Taraxacum monochlamydeum* Hand.-Mazz.

| 药 材 名 | 蒲公英（药用部位：全草）。

| 形态特征 | 多年生草本。根颈部被少数暗褐色残存叶基，腋间有褐色的皱曲柔毛，有时无毛。叶灰绿色，狭倒披针形或长椭圆形，长 5 ~ 10 cm，宽 10 ~ 30 mm，羽状浅裂或深裂，先端裂片长三角形、长戟形或三角状戟形，全缘，先端急尖或渐尖，侧裂片长三角形或三角形，稀线形，裂片先端渐尖，边缘具齿，少全缘，裂片间有齿或小裂片，叶脉常呈紫红色。花葶 1 ~ 5，有时基部呈红色，高 8 ~ 15 cm，与叶等长或稍长于叶，无毛；头状花序直径 15 ~ 30 mm；总苞钟状，长 8 ~ 14 mm；外层总苞片淡绿色，卵圆形至卵状披针形，长 4 ~ 6 mm，宽 2 ~ 3 mm，稍开展至反卷，具白色的膜质边缘，先端渐尖，常呈

紫红色，有小角，稀无角，宽于内层总苞片，内层总苞片绿色，先端渐尖，有
角，长为外层总苞片的 2.5 ～ 3 倍；舌状花黄色，花冠无毛，舌片长 6 ～ 7 mm，
宽约 1 mm，基部花冠筒长 5 ～ 6 mm；边缘花舌片背面有紫色条纹，柱头黄色。
瘦果灰褐色，长 2.5 ～ 3（～ 3.5）mm，中部以上具大量小刺，其余部分有小
瘤状突起，喙基长 1 ～ 1.3 mm，喙纤细，长 6 ～ 9 mm；冠毛白色，长 5 ～ 6 mm。
花果期 4 ～ 7 月。

| 生境分布 | 生于荒漠区汇水洼地、盐渍化草甸、农田水边、路旁。新疆各地均有分布。

| 资源情况 | 野生资源丰富。药材来源于野生。

| 采收加工 | 春季至秋季花初开时采收，洗净，鲜用或晒干。

| 功能主治 | 清热解毒，消肿散结，利尿通淋。用于疔疮肿毒，乳痈，目赤，咽痛，肺痈，肠痈，
湿热黄疸，热淋涩痛。

菊科 Compositae 蒲公英属 *Taraxacum*

多莛蒲公英

Taraxacum multiscaposum Schischk.

| 药 材 名 | 蒲公英（药用部位：全草）。

| 形态特征 | 多年生草本。根颈部无残存叶基。叶倒卵圆形、狭倒卵形至长椭圆形，长 5 ~ 9 cm，宽 10 ~ 30 mm，不分裂且具波状齿，或羽状浅裂至深裂，先端裂片宽三角形，少为菱形，裂片边缘有小牙齿，先端急尖或钝尖，每侧有裂片 3 ~ 5，裂片三角形至长三角线形，平展，先端急尖，全缘或具牙齿，裂片间有小牙齿或无，叶基常呈红紫色。花莛 5 ~ 10，高 10 ~ 20 cm，长于叶，先端被稀疏的蛛丝状毛或无毛；总苞宽钟状，长 9 ~ 13 mm；总苞片先端钝，无角或增厚为不明显的小角，外层总苞片浅绿色，卵圆形至宽披针形，长 3 ~ 5 mm，宽 2 ~ 3 mm，反卷，具窄的膜质边缘，与内层总苞片

近等宽，内层总苞片绿色，长为外层总苞片的 2.5～3 倍；舌状花黄色，花冠无毛，舌片长 6～8 mm，宽约 1 mm，基部花冠筒长 3～4 mm；边缘花舌片背面有紫色条纹；柱头深黄色。瘦果黄褐色，长 2.3～3 mm，上部 1/3 有多数小刺，其余部分具小瘤状突起，喙基长 1～1.4 mm，喙纤细，长 6～8 mm；冠毛白色，长 5～6 mm。花果期 5～7 月。

| **生境分布** | 生于低山草原、荒漠区水洼地、农田水边、路旁。分布于新疆乌鲁木齐县、乌苏市、沙雅县、察布查尔锡伯自治县、木垒哈萨克自治县等。

| **资源情况** | 野生资源丰富。药材来源于野生。

| **采收加工** | 春季至秋季花初开时采收，洗净，鲜用或晒干。

| **功能主治** | 清热解毒，消肿散结，利尿通淋。用于疔疮肿毒，乳痈，目赤，咽痛，肺痈，肠痈，湿热黄疸，热淋涩痛。

菊科 Compositae 蒲公英属 Taraxacum

尖角蒲公英

Taraxacum pingue Schischk.

| **药 材 名** | 蒲公英（药用部位：全草）。

| **形态特征** | 多年生草本。根颈部被暗褐色的残存叶基，叶基腋部有褐色皱曲毛。叶狭倒卵形或倒披针形，长 7 ~ 9 cm，宽 10 ~ 25 mm，不分裂，具波状齿，先端圆钝。花葶少数，较粗，与叶等长或稍长于叶，高 10 ~ 12 cm，先端被少数蛛丝状毛；总苞宽钟状，长 15 ~ 20 mm；总苞片暗绿色，先端具长而尖的角，外层总苞片披针状卵圆形至披针形，长 6 ~ 8 mm，宽 2.5 ~ 3 mm，伏贴，具极窄的白色膜质边缘，先端渐尖，较内层总苞片宽或稍窄，内层总苞片先端钝，稀渐尖，长为外层总苞片的 2 倍；舌状花白色，干后常呈黄色，无毛，舌片长 9 ~ 10 mm，宽约 2 mm，基部花冠筒长约 5 mm，边缘花舌片背

面有紫色条纹，柱头干时黑色。瘦果浅黄褐色，长约 4 mm，上部 1/3 有小刺，喙基长 0.6 ~ 0.8 mm，喙长 7 ~ 8 mm；冠毛白色，长 7 ~ 8 mm。花果期 7 ~ 8 月。

| **生境分布** | 生于高寒荒漠、高山草甸。分布于新疆塔什库尔干塔吉克自治县、和静县等。

| **资源情况** | 野生资源丰富。药材来源于野生。

| **采收加工** | 春季至秋季花初开时采收，洗净，鲜用或晒干。

| **功能主治** | 清热解毒，消肿散结，利尿通淋。用于疔疮肿毒，乳痈，目赤，咽痛，肺痈，肠痈，湿热黄疸，热淋涩痛。

菊科 Compositae 蒲公英属 Taraxacum

葱岭蒲公英

Taraxacum pseudominutilobum S. Koval

| 药 材 名 | 蒲公英（药用部位：全草）。

| 形态特征 | 多年生草本。根颈部被暗褐色残存叶基，叶基腋部有少数褐色细毛。叶线状披针形，少数为长椭圆形，长 3 ~ 7 cm，宽 5 ~ 10 mm，羽状深裂或浅裂，稀不分裂，先端裂片小，戟形，全缘，先端急尖或渐尖，每侧有裂片 2 ~ 5，平展或倒向，线状披针形，先端渐尖，全缘或具小齿，裂片间常具齿或小裂片，两面无毛。花葶 2 ~ 5（~ 11），高 3 ~ 6 cm，先端密生蛛丝状毛；总苞窄钟状，长 8 ~ 12 mm；总苞片暗绿色，被蛛丝状毛，稀无毛或仅边缘有睫毛；外层总苞片披针形至线状披针形，长 3 ~ 5 mm，宽 1 ~ 2 mm，伏贴，具窄膜质边缘，无角或有暗色小角，窄于内层总苞片，内层总苞片有角，长

为外层总苞片的 2 ~ 2.5 倍；舌状花黄色，花冠喉部及舌片下部疏生短柔毛或无毛，舌片长 7 mm，宽 1.5 ~ 2 mm，基部花冠筒长 2 ~ 2.5 mm，边缘花舌片背面有紫色条纹，柱头黄色。瘦果黄褐色或暗褐色，长 4.5 ~ 5.5 mm，纵沟少，仅于顶部有极少数的小刺，喙基很短，喙粗壮，长 1 ~ 2 mm；冠毛白色，长 4 ~ 5 mm。花果期 8 ~ 9 月。

| 生境分布 | 生于草甸草原、河谷草甸、洼地。分布于新疆塔什库尔干塔吉克自治县、阿图什市、若羌县、且末县等。

| 资源情况 | 野生资源丰富。药材来源于野生。

| 采收加工 | 春季至秋季花初开时采收，洗净，鲜用或晒干。

| 功能主治 | 清热解毒，消肿散结，利尿通淋。用于疔疮肿毒，乳痈，目赤，咽痛，肺痈，肠痈，湿热黄疸，热淋涩痛。

菊科 Compositae 蒲公英属 *Taraxacum*

绯红蒲公英

Taraxacum pseudoroseum Schischk.

| 药 材 名 | 蒲公英（药用部位：全草）。

| 形态特征 | 多年生草本。根颈部无残存叶基。叶倒披针形，长 4 ~ 15 cm，宽 8 ~ 25 mm，羽状浅裂至羽状深裂，先端裂片大，三角形至长三角形，全缘，先端钝，每侧有裂片 2 ~ 4，裂片三角形，平展或倒向，先端急尖，全缘，裂片间无齿且无小裂片，叶基常呈紫红色，两面无毛。花葶 2 ~ 5，较粗壮，高 10 ~ 20 cm，有时带紫红色，无毛；头状花序直径 25 ~ 30 mm；总苞宽钟状，长 14 ~ 20 mm；总苞片先端渐尖，无角，外层总苞片淡绿色，卵状披针形至披针形，长 6 ~ 8 mm，宽 2 ~ 4 mm，花时反卷，具极窄的膜质边缘，等宽或宽于内层总苞片，内层总苞片绿色，长为外层总苞片的 2 倍；舌状花紫红色，喉

部及舌片下部的背面有少量短毛，舌片长 8 ~ 13 mm，宽 1 ~ 1.5 mm，基部花冠筒长 2.5 ~ 4 mm，柱头黄褐色。瘦果淡黄褐色，长 3 ~ 3.5 mm，中部以上被小刺，以下具少数小瘤状突起或无瘤状突起，喙基长约 0.5 mm，喙长 6 ~ 8 mm；冠毛白色，长 6 ~ 7 mm。

| **生境分布** | 生于高山、亚高山草甸及森林草甸。分布于新疆和静县、木垒哈萨克自治县、新源县等。

| **资源情况** | 野生资源丰富。药材来源于野生。

| **采收加工** | 春季至秋季花初开时采收，洗净，鲜用或晒干。

| **功能主治** | 清热解毒，消肿散结，利尿通淋。用于疔疮肿毒，乳痈，目赤，咽痛，肺痈，肠痈，湿热黄疸，热淋涩痛。

菊科 Compositae 蒲公英属 Taraxacum

深裂蒲公英 Taraxacum scariosum (Tausch) Kirschner & Štěpánek

| 药 材 名 | 蒲公英（药用部位：全草）。

| 形态特征 | 多年生草本。根颈部有暗褐色残存叶基。叶线形或狭披针形，长
4 ~ 20 cm，宽 3 ~ 9 mm，具波状齿，羽状浅裂至羽状深裂，顶裂
片较大，戟形或狭戟形，两侧的小裂片狭尖，侧裂片三角状披针形
至线形，裂片间常有缺刻或小裂片，无毛或被疏柔毛。花葶数个，
高 10 ~ 30 cm，与叶等长或长于叶，先端光滑或被蛛丝状柔毛；头
状花序直径 30 ~ 35 mm；总苞长 10 ~ 12 mm，基部卵形；外层总
苞片宽卵形、卵形或卵状披针形，有明显的宽膜质边缘，先端有紫
红色突起或较短的小角，内层总苞片线形或披针形，较外层总苞片
长 2 ~ 2.5 倍，先端有紫色略钝的突起或不明显的小角；舌状花黄色，

稀白色；边缘花舌片背面有暗紫色条纹，柱头淡黄色或暗绿色。瘦果倒卵状披针形，麦秆黄色或褐色，长 3 ~ 4 mm，上部有短刺状小瘤，下部近光滑，先端逐渐收缩为长 1 mm 的圆柱形喙基，喙长 5 ~ 9 mm；冠毛污白色，长 5 ~ 7 mm。花果期 4 ~ 9 月。

| 生境分布 | 生于河谷草甸、低山草原。新疆各地均有分布。

| 资源情况 | 野生资源丰富。药材来源于野生。

| 采收加工 | 春季至秋季花初开时采收，洗净，鲜用或晒干。

| 功能主治 | 清热解毒，消肿散结，利尿通淋。用于疔疮肿毒，乳痈，目赤，咽痛，肺痈，肠痈，湿热黄疸，热淋涩痛。

菊科 Compositae 蒲公英属 *Taraxacum*

寒生蒲公英 *Taraxacum subglaciale* Schischk.

| 药 材 名 | 蒲公英（药用部位：全草）。

| 形态特征 | 多年生草本。根颈部密被黑褐色的残存叶基。叶线形至狭倒披针形，长 2.5 ～ 6 cm，宽 3 ～ 8 mm，不分裂，具齿或羽状浅裂，先端裂片长三角形，先端急尖或钝，全缘，每侧裂片 2 ～ 4，小，裂片齿状三角形或线形，倒向，全缘，先端渐尖，裂片间无齿且无小裂片。花葶少数，长于叶，高 4 ～ 6 cm，直立，纤细，无毛；总苞狭钟状，长 10 ～ 14 mm；总苞片绿色，先端钝，无角，外层总苞片卵圆形、卵状披针形至狭椭圆形，长 5 ～ 6 mm，宽 1.5 ～ 3 mm，伏贴，边缘宽膜质，等宽或稍宽于内层总苞片，内层总苞片长为外层总苞片的 2 倍；舌状花黄色或亮黄色，花冠无毛，舌片长 8 ～ 10 mm，宽

约 2 mm，基部花冠筒长约 4 mm；边缘花舌片背面有紫色条纹，柱头黄色。瘦果淡褐色，长 3.5 ～ 4.5 mm，几乎完全平滑，先端逐渐收缩为长约 0.5 mm 的喙基，喙长 3.5 ～ 5 mm；冠毛白色，长 5 ～ 6 mm。花果期 7 ～ 8 月。

| 生境分布 | 生于海拔 3 500 ～ 4 500 m 的高寒荒漠带。分布于新疆新源县、洛浦县等。

| 资源情况 | 野生资源丰富。药材来源于野生。

| 采收加工 | 春季至秋季花初开时采收，洗净，鲜用或晒干。

| 功能主治 | 清热解毒，消肿散结，利尿通淋。用于疔疮肿毒，乳痈，目赤，咽痛，肺痈，肠痈，湿热黄疸，热淋涩痛。

天山蒲公英 *Taraxacum tianschnicum* Pavl.

| 药 材 名 | 蒲公英（药用部位：全草）。

| 形态特征 | 多年生草本。根颈部具黑褐色残存叶基或无残存叶基，腋间有少量褐色皱曲毛或几无毛。叶长椭圆形至倒披针形，长 5 ~ 25 cm，宽 1.5 ~ 4.5 cm，羽状浅裂或大头羽状深裂，顶裂片宽三角形、三角形或短戟形，先端钝或急尖，每侧裂片 3 ~ 6，裂片三角形、长三角形、线形或披针形，裂片渐尖，全缘、具牙齿或具小裂片，裂片间有齿或小裂片，稀全缘，叶基有时呈紫红色。花葶 2 ~ 5（~ 9），常呈紫红色，高 10 ~ 35（~ 40）cm，与叶等长或长于叶，较粗，上端密被蛛丝状毛，果时毛少；头状花序直径 25 ~ 35 mm；总苞宽钟状，长 10 ~ 15 mm；外层总苞片浅绿色，卵圆状披针形，长 5 ~ 8 mm，

宽 2 ~ 4 mm，边缘窄膜质，先端渐尖，无角，常呈紫红色，稀具不明显的小角，开展至反卷，等宽或稍宽于内层总苞片，内层总苞片绿色，无角或具暗色小角，长为外层总苞片的 1.5 ~ 2 倍；舌状花黄色，花冠喉部及舌片下部的外面具稀疏的短柔毛；舌片长约 8 mm，宽约 1.5 mm，基部花冠筒长约 5 mm；边缘花舌片背面有紫色条纹，柱头深黄色。瘦果红褐色或浅红色，长（2.3 ~）2.5 ~ 3 mm，上部 1/3 具多数尖瘤，下部具钝瘤，先端逐渐收缩成圆锥状的喙基，喙基长 0.8 ~ 1 mm，喙长 7 ~ 10 mm；冠毛白色，长 4 ~ 5 mm。花果期 6 ~ 8 月。

| 生境分布 | 生于海拔 900 ~ 2 500 m 的草甸草原、森林草甸、山地草原、荒漠草原带、平原地区的农田、水旁。分布于新疆天山等。

| 资源情况 | 野生资源丰富。药材来源于野生。

| 采收加工 | 春季至秋季花初开时采收，洗净，鲜用或晒干。

| 功能主治 | 清热解毒，消肿散结，利尿通淋。用于疔疮肿毒，乳痈，目赤，咽痛，肺痈，肠痈，湿热黄疸，热淋涩痛。

菊科 Compositae 蒲公英属 Taraxacum

新源蒲公英 Taraxacum xinyuanicum D. T. Zhai & C. H. An

| 药 材 名 | 蒲公英（药用部位：全草）。

| 形态特征 | 多年生草本。根颈部具残存叶基，叶基腋部有少数褐色绒毛。叶绿色，椭圆形至狭倒披针形，长 3.5 ～ 9 cm，宽 1 ～ 3.6 cm，羽状深裂，间具小裂片或小齿，先端裂片三角形，全缘，侧裂片上倾或倒向，先端急尖，全缘或具齿，被少量柔毛或近无毛。花葶数个，高 5 ～ 18 cm，长于叶，黄绿色，先端被丰富的蛛丝状毛；总苞长9 ～ 12 mm；外层总苞片披针形至卵状披针形，淡绿色，宽于内层总苞片，花期水平张开，无角，内层总苞片绿色，无角，长为外层总苞片的 1.5 倍；舌状花黄色，花冠无毛；边缘花舌片背面有宽的暗色条带。瘦果褐色，长 2.5 mm，有较多的纵棱，上部 1/3 被小尖刺，

其余部分无刺且无瘤状突起，喙基长 0.2 ~ 0.4 mm，喙纤细，长 4 ~ 5 mm；冠毛白色，长 4 ~ 5 mm。

| **生境分布** | 生于海拔 1 500 m 左右的森林草甸带。分布于新疆新源县、疏勒县、昌吉市等。

| **资源情况** | 野生资源丰富。药材来源于野生。

| **采收加工** | 春季至秋季花初开时采收，洗净，鲜用或晒干。

| **功能主治** | 清热解毒，消肿散结，利尿通淋。用于疔疮肿毒，乳痈，目赤，咽痛，肺痈，肠痈，湿热黄疸，热淋涩痛。

头状婆罗门参 *Tragopogon capitatus* S. A. Nikitin.

| 药 材 名 |

婆罗门参叶（药用部位：叶）、婆罗门参根（药用部位：根）。

| 形态特征 |

二年生草本。根垂直直伸。茎单生，无毛，有多数纵沟纹，中部以上分枝。基生叶及下部茎叶线形，长 12 ~ 15 cm，先端渐尖；茎生叶基部扩大，宽 1 ~ 2 cm，半抱茎，中上部茎叶线状披针形。头状花序大，单生于茎顶或枝端；花序梗上部膨大，直径达 1.5 cm，膨大部分长于头状花序；总苞长 5 ~ 8.5 cm，宽 1.7 ~ 3 cm，总苞片 8 ~ 12，极少为 8 ~ 14，线状披针形，长渐尖；舌状小花黄色。边缘瘦果微弯曲，长 2.8 ~ 3.8 cm，土黄色，5 肋，沿肋有鳞片状突起，向上渐窄成细喙，喙长 1.7 ~ 2.5 cm，喙顶头状扩大，与冠毛连接处有蛛丝状毛环，向内排列的瘦果渐平滑，中央的瘦果沿肋无鳞片状突起；冠毛淡黄色，长 2.5 ~ 3 cm。花果期 5 ~ 6 月。

| 生境分布 |

生于海拔 700 ~ 2 000 m 的田边、水沟旁及山前草坡。分布于新疆阿勒泰市、托里县、石河子市、乌鲁木齐县、奇台县、木垒哈萨克自治县、霍城县、伊宁县、特克斯县、昭苏县等。

| 资源情况 | 野生资源丰富。药材来源于野生。

| 采收加工 | **婆罗门参叶**：春、夏季采收，鲜用或晒干。
婆罗门参根：秋季采挖，鲜用或晒干。

| 功能主治 | **婆罗门参叶**：健脾益气，提神。用于病后体虚，小便失禁，崩漏，黄疸，疳积，头癣等。
婆罗门参根：健脾益气，提神。用于病后体虚，小便失禁，崩漏，黄疸，疳积，头癣等。

菊科 Compositae 婆罗门参属 *Tragopogon*

长茎婆罗门参

Tragopogon elongatus S. A. Nikitin.

| 药 材 名 | 婆罗门参叶（药用部位：叶）、婆罗门参根（药用部位：根）。

| 形态特征 | 多年生草本。高 15 ～ 30 cm。根细，垂直，根茎被残存的枯叶柄。茎直立，中空，有棱槽，下部及中部分枝。茎、叶无毛，仅叶腋及花序下有蛛丝状绵毛或绒毛。基生叶线形，长 5 ～ 15 cm，宽 2 ～ 4 mm，先端渐尖，全缘，基部宽，抱茎，叶脉 5 ～ 7；茎生叶披针形，长 5 ～ 13 cm，宽 8 ～ 14 mm，先端长渐尖，常弯曲，边缘窄，白色，膜质，常于近基部处扩大成椭圆形或菱形，然后突然变窄成窄披针形；上部叶更小，披针形，长 2 ～ 3 cm，先端尾尖。头状花序单生于枝端；总苞宽柱状，长约 2.8 cm，直径约 1 cm，果时增大，长 4 ～ 5 cm，无毛；总苞片披针形，向先端渐尖，基部有时具蛛丝状毛；舌状花

蓝紫色，长 2 ~ 2.2 cm，舌片长约 1.5 cm。瘦果纺锤形，边缘的瘦果连同喙长 2.2 ~ 2.6 cm，淡褐色，五棱形，有 5 粗棱，粗棱间具细棱，各棱上均有鳞片状突起，向上渐窄成喙，喙淡黄色或淡白色，短于果体或与果体等长；冠毛驼色或淡驼色，羽毛状，长约 2.3 cm，短于连喙的果实。花期 4 ~ 5 月。

| **生境分布** | 生于海拔 800 ~ 900 m 的荒漠草原带。分布于新疆乌鲁木齐县、石河子市、霍城县、温泉县、额敏县、福海县、昌吉市、呼图壁县、奇台县等。

| **资源情况** | 野生资源丰富。药材来源于野生。

| **采收加工** | **婆罗门参叶**：春、夏季采收，鲜用或晒干。
婆罗门参根：秋季采挖，鲜用或晒干。

| **功能主治** | **婆罗门参叶**：健脾益气，提神。用于病后体虚，小便失禁，崩漏，黄疸，疳积，头癣等。
婆罗门参根：健脾益气，提神。用于病后体虚，小便失禁，崩漏，黄疸，疳积，头癣等。

菊科 Compositae 婆罗门参属 Tragopogon

中亚婆罗门参

Tragopogon kasachstanicus S. A. Nikitin

| 药 材 名 | 婆罗门参叶（药用部位：叶）、婆罗门参根（药用部位：根）。

| 形态特征 | 多年生草本。高 15 ~ 35 cm，灰绿色，叶柄及花序下有白色的绵毛，偶无毛。根垂直；根颈被残存的深褐色枯叶柄。茎直立，单一或数个，下部分枝。下部叶线形或线状披针形，长 8 ~ 25 cm，宽 5 ~ 10 mm，具窄的膜质边缘，两面无毛。头状花序单生于茎顶或枝端；花序梗稍膨大；总苞宽柱状，花时长 2.7 ~ 3 cm，直径 7 ~ 10 cm，果时可长 2.8 ~ 5.7 cm，直径约 1.3 cm；总苞片 7 ~ 8，披针形，宽 4 ~ 6 mm；舌状花紫色，长 2.4 ~ 2.5 cm，舌片长 2.15 cm，宽约 3 mm，先端 5 裂，有 4 明显的脉纹，边缘具 2 稍明显的脉纹，花药黑色，药托白色。边缘的瘦果纺锤状，长 1 ~ 2.1 cm，

下部略内曲，上部渐窄成喙，果体五棱形，有 5 较粗的棱，粗棱间有细棱，各棱上有锯齿状或鳞片状的突起，突起向上渐小，果体淡褐色，喙淡白色，喙的上端有黑色的纤毛及毛环；冠毛羽状，淡黄褐色，近末端处较粗，有 1 ～ 3 冠毛较长。花期 4 ～ 5 月。

| **生境分布** | 生于海拔 500 ～ 1 400 m 的荒草地。分布于新疆和静县、裕民县、伊宁市、水磨沟区等。

| **资源情况** | 野生资源丰富。药材来源于野生。

| **采收加工** | 婆罗门参叶：春、夏季采收，鲜用或晒干。
婆罗门参根：秋季采挖，鲜用或晒干。

| **功能主治** | 婆罗门参叶：健脾益气，提神。用于病后体虚，小便失禁，崩漏，黄疸，疳积，头癣等。
婆罗门参根：健脾益气，提神。用于病后体虚，小便失禁，崩漏，黄疸，疳积，头癣等。

菊科 Compositae 婆罗门参属 *Tragopogon*

蒜叶婆罗门参 *Tragopogon porrifolius* L.

| 药 材 名 | 婆罗门参叶（药用部位：叶）、婆罗门参根（药用部位：根）。

| 形态特征 | 一年生或二年生草本。高 25 ~ 40 cm。根粗壮，垂直，根颈处有少数残存叶柄或无叶柄，根颈处分枝。数茎丛生，直立，常于下部分枝，有细的棱槽，无毛或有少数蛛丝状毛。基生叶与下部茎生叶线形，长 10 ~ 18 cm，宽 3 ~ 4 mm，先端渐尖，基部宽，基生叶宽膜质，腋部有驼色的蛛丝状毛团；中、上部叶明显短，披针形，近基部明显宽，长圆形。花序单生于茎顶或枝端；花序梗果时明显膨大，直径可达 8 mm；总苞片 8，偶为 5，披针形，长 4 ~ 8 cm，先端渐尖，无毛或被蛛丝状毛，中脉明显粗，长于或等长于带冠毛的瘦果；花序托蜂窝状；花深红色或紫红色；花药黄色。瘦果连同喙长约 2.2 cm，

黄褐色或淡黄色，果体有 5 明显较粗的棱，粗棱间具细棱，粗棱上有微小的齿状突起，向上渐窄成喙，黄白色，长为果体的 2 倍，先端膨大成冠毛盘；冠毛羽毛状，污白色，长约 2.5（～3）cm，长于果体，基部有毛环。花期 6 月。

| **生境分布** | 生于海拔 730 m 左右的河滩、荒地、田野、荒漠等。分布于新疆察布查尔锡伯自治县、吉木乃县等。

| **资源情况** | 野生资源丰富。药材来源于野生。

| **采收加工** | **婆罗门参叶**：春、夏季采收，鲜用或晒干。
婆罗门参根：秋季采挖，鲜用或晒干。

| **功能主治** | **婆罗门参叶**：健脾益气。用于病后体虚，小便失禁，崩漏，黄疸，提神，疳积，头癣等。
婆罗门参根：健脾益气，提神。用于病后体虚，小便失禁，崩漏，黄疸，疳积，头癣等。

菊科 Compositae 婆罗门参属 Tragopogon

婆罗门参 *Tragopogon pratensis* L.

| 药 材 名 | 婆罗门参叶（药用部位：叶）、婆罗门参根（药用部位：根）。

| 形态特征 | 二年生或多年生草本。高 10 ～ 40 cm。根粗壮，垂直，根颈处有残存的枯叶柄及叶柄纤维。茎直立，单一，分枝。基生叶条形，长 10 ～ 30 cm，宽 4 ～ 6 mm，先端渐尖，基部渐宽，膜质，抱茎；中、下部叶条状披针形，长 10 ～ 20 cm，基部宽卵形或长圆形，长 2 ～ 4 cm，宽 8 ～ 12 mm，后变窄，呈条状披针形，先端渐窄，基部抱茎；上部叶短。头状花序单生于茎顶或枝端，呈稀疏的聚伞房状；总苞窄钟状，花时长 2 ～ 2.5 cm，果时增大，长 3.5 ～ 4.5 cm；总苞片 8，披针形或线状披针形，先端渐尖，中脉清楚。瘦果连同喙长 1.8 ～ 2.5 cm，果体弧曲，于喙等长或长于喙，具 5 棱，棱上

有钝齿状的微小突起，棱间有槽，槽延长于喙上；冠毛羽毛状，长约 1.5 cm，基部无毛环。花期 6 ~ 7 月。

| **生境分布** | 生于海拔 1 200 ~ 2 500 m 的灌丛中、林缘。分布于新疆布尔津县、哈巴河县、奇台县、乌鲁木齐县、玛纳斯县、沙湾市、尼勒克县，巩留县、昭苏县、阿克苏市、乌恰县等。

| **资源情况** | 野生资源丰富。药材来源于野生。

| **采收加工** | 婆罗门参叶：春、夏季采收，鲜用或晒干。
婆罗门参根：秋季采挖，鲜用或晒干。

| **功能主治** | 婆罗门参叶：健脾益气，提神。用于病后体虚，小便失禁，崩漏，黄疸，疳积，头癣等病症。
婆罗门参根：健脾益气，提神。用于病后体虚，小便失禁，崩漏，黄疸，疳积，头癣等。

菊科 Compositae 婆罗门参属 Tragopogon

红花婆罗门参 *Tragopogon ruber* S. G. Gmel.

| **药 材 名** | 婆罗门参叶（药用部位：叶）、婆罗门参根（药用部位：根）。

| **形态特征** | 多年生草本。高 10 ~ 35（~ 40） cm。根垂直直伸，根颈被残存的基生叶的叶柄。茎直立，有纵沟纹，不分枝或自基部分枝，无毛。叶灰蓝色，基生叶和下部茎生叶线形，长 10 ~ 20 cm，宽 5 ~ 15（~ 20） mm，基部扩大；中部茎生叶线状披针形，基部扩大，半抱茎，先端渐尖，边缘皱波状，狭膜质，向上的叶渐小。头状花序单生于茎顶或枝端；花序梗果期不膨大；总苞圆柱状钟形，长 2 ~ 3 cm，果期长 4 ~ 5 cm；总苞片 8 ~ 10，披针形，长 2 ~ 3 cm，宽 2 ~ 4 mm，初时被蛛丝状柔毛，后无毛，先端渐尖；舌状小花紫色或淡紫色，明显长于总苞。边缘瘦果长 1.3 ~ 1.5 cm，肋稍凸出，沿肋有尖锐

的鳞片状突起，先端渐尖成粗而直的喙，喙长 7 ~ 10 mm，喙顶与冠毛联结处无蛛丝状毛环；冠毛暗黄褐色，长 2 ~ 2.5 cm。花期 5 ~ 6 月，果期 6 ~ 8 月。

| 生境分布 | 生于海拔 450 ~ 1 200 m 的草原带及农区。分布于新疆托里县、青河县、乌鲁木齐县、察布查尔锡伯自治县、巩留县、石河子市、米东区等。

| 资源情况 | 野生资源丰富。药材来源于野生。

| 采收加工 | 婆罗门参叶：春、夏季采收，鲜用或晒干。
婆罗门参根：秋季采挖，鲜用或晒干。

| 功能主治 | 婆罗门参叶：健脾益气，提神。用于病后体虚，小便失禁，崩漏，黄疸，疳积，头癣等。
婆罗门参根：健脾益气，提神。用于病后体虚，小便失禁，崩漏，黄疸，疳积，头癣等。

菊科 Compositae 婆罗门参属 Tragopogon

准噶尔婆罗门参

Tragopogon songoricus S. A. Nikitin.

药材名

婆罗门参叶（药用部位：叶）、婆罗门参根（药用部位：根）。

形态特征

草本。高 10 ~ 35 cm，无毛。茎单一或数个，直立，基部有残存的枯叶柄。基生叶及下部茎生叶条形，长 8 ~ 25 cm，宽 4 ~ 7 mm，先端长渐尖，基部宽，抱茎，叶脉 3 ~ 5，中脉明显，全缘，中、下部或下部具白色的膜质边缘，上部叶线形或近基部宽大成卵形。头状花序单生于茎顶；花序梗不膨大或仅花序附近稍膨大；总苞钟状，长约 2 cm，宽约 8 mm，果时增大，长约 3.5 cm；总苞片 7 ~ 8，披针形，开花时长于花，基部常有褐色斑点，边缘白色，膜质；花黄色，干时淡蓝紫色。边缘瘦果纺锤状柱形，长 1.7 ~ 1.8 cm，稍弧曲，果体长于喙部，二者无明显界限，果体淡黄色，喙麦秆黄色，果体有 5 粗棱，偶有隐约可见的折皱，棱间有 1 细沟，先端有褐色的冠毛盘，其上有稀疏的柔毛；冠毛淡黄褐色，羽毛状，长约 1.6 cm，有 1 ~ 2 冠毛较长。花期 6 ~ 7 月。

| 生境分布 | 生于山谷、田埂边。分布于新疆富蕴县、奇台县、玛纳斯县、和布克赛尔蒙古自治县、沙湾市、博乐市、霍城县、新源县、尼勒克县、巩留县、昭苏县、巴里坤哈萨克自治县、乌恰县、塔什库尔干塔吉克自治县等。

| 资源情况 | 野生资源丰富。药材来源于野生。

| 采收加工 | **婆罗门参叶：**春、夏季采收，鲜用或晒干。
婆罗门参根：秋季采挖，鲜用或晒干。

| 功能主治 | **婆罗门参叶：**健脾益气，提神。用于病后体虚，小便失禁，崩漏，黄疸，疳积，头癣等。
婆罗门参根：健脾益气，提神。用于病后体虚，小便失禁，崩漏，黄疸，疳积，头癣等。

菊科 Compositae 三肋果属 Tripleurospermum

新疆三肋果

Tripleurospermum inodorum (L.) Sch.-Bip.

| 药 材 名 | 三肋果（药用部位：鳞茎）。

| 形态特征 | 一年生或二年生草本。茎直立或上升，高 30 ~ 70 cm，圆柱形，中空，有细沟纹，无毛，上半部多分枝。叶卵状矩圆形或矩圆形，长 2 ~ 4 cm，宽 1 ~ 2.5 cm，羽状全裂，末回裂片狭条形，先端具短尖头，两面无毛，无叶柄，基部稍扩大。头状花序数个或多数生于茎枝先端，直径 2 ~ 3 cm；花序梗长，先端膨大；总苞半球形，直径 7 ~ 10 mm；总苞片 3 ~ 4 层，外层披针形，苍白绿色，无明显的膜质边缘，中、内层矩圆形至倒披针形，边缘狭膜质，白色或淡绿色；花托半球形或宽圆锥形；舌状花舌片白色，平展，长约 10 mm，宽约 3.5 mm；管状花黄色，花冠长 1.8 mm，上半部扩大，

冠檐 5 裂，裂片先端有红色的树脂状腺点。瘦果长 2 mm，褐色，多皱纹，有 3 苍白色的肋，背面先端有 2 红色的圆形腺体；冠状冠毛短，坚硬，近全缘。花果期 8 ～ 9 月。

| **生境分布** | 生于海拔 540 ～ 1 900 m 的山麓河谷草甸。分布于新疆布尔津县、塔城市、和布克赛尔蒙古自治县、尼勒克县、昭苏县、阿勒泰市、特克斯县、裕民县等。

| **资源情况** | 野生资源一般。药材主要来源于野生。

| **采收加工** | 秋季采收，鲜用或晒干。

| **功能主治** | 理气散结，止痛。

菊科 Compositae 款冬属 *Tussilago*

款冬 *Tussilago farfara* L.

| 药 材 名 | 款冬花（药用部位：花蕾）。

| 形态特征 | 多年生草本。根茎横生地下，褐色。花叶抽出数个花葶，花葶高5～10 cm，密被白色茸毛，有鳞片状的互生苞叶，苞叶淡紫色。头状花序单生于先端，直径2.5～3 cm，初时直立，花后下垂；总苞片1～2层，总苞钟状，果时长15～18 mm，总苞片线形，先端钝，常带紫色，被白色柔毛，后脱毛，有时具黑色腺毛；边缘有多层雌花，花冠舌状，黄色，子房下位，柱头2裂；中央的两性花少数，花冠管状，先端5裂，花药基部尾状，柱头头状，通常不结实。瘦果圆柱形，长3～4 mm；冠毛白色，长10～15 mm。花期5～6月。

| 生境分布 | 生于海拔 600 ~ 2 000 m 的山谷湿地或林下。分布于新疆阿勒泰市、青河县、乌鲁木齐县、塔城市、霍城县、尼勒克县、新源县等。 |

| 资源情况 | 野生资源一般。药材主要来源于野生。 |

| 采收加工 | 12 月或花尚未出土时采收，阴干，除去泥土，去净花梗。 |

| 功能主治 | 润肺下气，止咳化痰。用于咳嗽，喘咳痰多，劳嗽咯血。 |

菊科 Compositae 斑鸠菊属 Vernonia

驱虫斑鸠菊

Vernonia anthelmintica (L.) Willd.

|药材名|

驱虫斑鸠菊（药用部位：果实）。

|形态特征|

一年生高大草本。茎直立，粗壮，高达
60 cm，上部多分枝，具明显的槽沟，被腺
状柔毛。叶膜质，卵形、卵状披针形或披针
形，长 6 ~ 15 cm，宽 1.5 ~ 4.5 cm，先端
尖或渐尖，基部渐狭成长 1 cm 的叶柄，边
缘具粗或锐的锯齿，侧脉 8 对或更多，细脉
密，网状，两面被短柔毛，下面的脉上毛较
密，有腺点。头状花序多数，较大，直径
15 ~ 20 mm，在茎和枝端排列成疏伞房状；
花序梗长 5 ~ 15 mm；苞片线形，先端稍增
粗，密被短柔毛及腺点；总苞半球形；总苞
片约 3 层，近等长，外层线形，稍开展，长
10 ~ 12 mm，绿色，叶质，外面被短柔毛
和腺点，中层长圆状线形，先端尖，上部常
缩狭，绿色，叶质，内层长圆形，从基部向
先端渐膜质，先端尖，总苞片在结果后全部
反折；花托平或稍凹，有蜂窝状突起；小花
40 ~ 50，淡紫色，全部结实，花冠管状，
长 9 ~ 10 mm，管部细长，长 6 ~ 7 mm，
檐部狭钟状，有 5 披针形裂片。瘦果近圆柱
形，基部缩狭，黑色，长约 4 mm，具 10

纵肋，被微毛，肋间有褐色腺点；冠毛 2 层，淡红色，外层极短，近膜片状，宿存，内层糙毛状，易脱落。花期 9 月至翌年 2 月。

| 生境分布 | 生于干旱、半干旱的砂土和壤土中。分布于新疆和田县、皮山县等。新疆和田县、皮山县等有栽培。

| 采收加工 | 秋季果实成熟时采收，除去杂质，晒干。

| 功能主治 | 苦，凉。祛风活血，杀虫解毒。用于白癜风，蛔虫病，蛲虫病，疮疖肿痛。

| 用法用量 | 内服入丸、散剂，2 ~ 4 g。外用适量，研末调敷。

菊科 Compositae 无鞘橐吾属 Vickifunkia

准噶尔无鞘橐吾 Vickifunkia songarica (Fisch.) C. Ren, Long Wang, I. D. Illar. & Q. E. Yang

| **药 材 名** | 准格尔橐吾（药用部位：根）。

| **形态特征** | 多年生草本。高 40 ~ 70 cm。须根多数，细长，肉质。茎直立，基部被驼色绒毛，有时具残存的枯叶鞘，茎有细棱，中下部或下部被蛛丝状绵毛。基生叶与下部茎生叶具长柄，柄长 3 ~ 18 cm，中下部茎生叶被毛与茎相同，基部变宽，抱茎，叶片箭形、卵形或卵状长三角形，长 6 ~ 14 cm，宽 4 ~ 10 cm，先端急尖或钝，边缘有较长的牙齿或锯齿，基部箭形或平截，两侧裂片具大齿，两面无毛，有时叶缘具蛛丝状毛，叶脉羽状，最下面 1 对沿叶柄下延而直达茎；中部叶与下部叶同形而较小，叶柄短，叶腋被白色绵毛；上部叶无柄，卵状披针形至窄披针形，边缘的齿变小，齿端增厚。头状

花序排列成复伞房状聚伞花序，花序分枝长 8 ~ 13 cm，各级分枝均有线状苞叶，花序辐射状，多数；花序梗长 4 ~ 20 mm；总苞窄钟状，长 7 ~ 8 mm，宽 3 ~ 5 mm，总苞片 5，排列成 2 层，长圆形或长圆状倒卵形，先端尖，被短绒毛，内层在边缘与膜质边缘之间有 1 折皱，外层的边缘插于其中，外面有小苞片 2；边缘舌状花黄色，有 3 ~ 4 花，雌性，能育，舌片长椭圆形，长约 9 mm，宽约 5 mm，前端钝，脉纹 4；筒状部分长约 4 mm，花柱 2 裂，分枝棒状，长约 1.2 mm；筒状花 6 ~ 8，黄色，檐部呈窄的漏斗状，5 裂，裂片三角形，雄蕊长于花冠，花药的附属器披针形，筒部长约 2 mm。瘦果略压扁，长约 4.5 mm，两侧棱略宽而似窄翅，其余棱细，先端呈浅的衣领状，其上着生冠毛；冠毛麦秆黄色。花期 5 ~ 8 月。

| **生境分布** | 生于海拔 930 ~ 1 200 m 的草原带及森林带的下缘。分布于新疆青河县、布尔津县、吉木乃县、奇台县、乌鲁木齐县、和布克赛尔蒙古自治县、塔城市、裕民县、精河县、石河子市、和静县、特克斯县、裕民县等。

| **功能主治** | 止咳化痰，温肺平喘。

刺苍耳

Xanthium spinosum L.

| 药 材 名 | 苍耳（药用部位：果实）。

| 形态特征 | 一年生草本。高 40 ~ 120 cm。茎直立，上部多分枝，节上具 3 叉状棘刺，刺长 1 ~ 3 cm。叶狭卵状披针形或阔披针形，长 3 ~ 8 cm，宽 6 ~ 30 mm，边缘 3 ~ 6 浅裂或不裂，全缘，中间裂片较长，长渐尖，基部楔形，下延至柄，背面密被灰白色毛；叶柄细，长 5 ~ 15 mm，被绒毛。花单性，雌雄同株；雄花序球状，生于上部，总苞片 1 层，雄花管状，先端 5 裂，雄蕊 5；雌花序卵形，生于雄花序下部，总苞囊状，长 8 ~ 14 mm，具钩刺，先端具 2 喙，内有 2 花，无花冠，花柱线形，柱头 2 深裂。总苞内有 2 瘦果，瘦果长椭圆形。果实纺锤形，长 8 ~ 12 mm，直径 4 ~ 7 mm，表面黄绿色，具先端膨大

的钩刺，长 2 mm，外皮坚韧，内分 2 室，各有 1 纺锤状瘦果；种皮膜质，灰黑色，种子浅灰色，子叶 2，胚根位于尖端。花果期 7 ~ 10 月。

| 生境分布 | 生于海拔 600 ~ 1 200 m 的平原、丘陵、低山的荒野、路边、旱地。分布于新疆富蕴县、布尔津县、奇台县、乌鲁木齐县、玛纳斯县、沙湾市、塔城市、霍城县、察布查尔锡伯自治县、特克斯县等。

| 资源情况 | 野生资源一般。药材主要来源于野生。

| 采收加工 | 秋季果实成熟时采收，除去梗、叶，扬净，晒干。

| 功能主治 | 散风寒，通鼻窍，祛风湿。用于风寒头痛，鼻衄，鼻渊，风疹瘙痒，湿痹拘挛。

菊科 Compositae 苍耳属 Xanthium

苍耳

Xanthium strumarium L.

| 药 材 名 | 苍耳（药用部位：果实）。

| 形态特征 | 一年生草本。高 20 ~ 90 cm。根纺锤状，分枝或不分枝。茎直立，不分枝或少有分枝，下部圆柱形，直径 4 ~ 10 mm，上部有纵沟，被灰白色糙伏毛。叶三角状卵形或心形，长 4 ~ 9 cm，宽 5 ~ 10 cm，近全缘或有 3 ~ 5 不明显的浅裂，先端尖或钝，基部稍心形或截形，与叶柄连接处成相等的楔形，边缘有不规则的粗锯齿，有基出脉 3，侧脉弧形，直达叶缘，脉上密被糙伏毛，上面绿色，下面苍白色，被糙伏毛；叶柄长 3 ~ 11 cm。雄性的头状花序球形，直径 4 ~ 6 mm；有或无花序梗；总苞片长圆状披针形，长 1 ~ 1.5 mm，被短柔毛；花托柱状，托片倒披针形，长约 2 mm，先端尖，有微毛，有多数的

雄花；花冠钟形，管部上端有 5 宽裂片；花药长圆状线形。雌性的头状花序椭圆形，外层总苞片小，披针形，长约 3 mm，被短柔毛，内层总苞片结合成囊状，宽卵形或椭圆形，绿色、淡黄绿色或带红褐色，在瘦果成熟时变坚硬，连同喙部长12 ~ 15 mm，宽 4 ~ 7 mm，外面疏生具钩状的刺，刺极细而直，基部微增粗或几不增粗，长 1 ~ 1.5 mm，基部被柔毛，有腺点或全部无毛；喙坚硬，锥形，上端略呈镰状，长 1.5 ~ 2.5 mm，常不等长，少有结合而成 1 喙。瘦果 2，倒卵形。花期 7 ~ 8 月，果期 9 ~ 10 月。

| 生境分布 | 生于平原、丘陵、低山、荒野路边、田边。分布于新疆哈密市、吐鲁番市及富蕴县、布尔津县、奇台县、乌鲁木齐县、玛纳斯县、沙湾市、塔城市、霍城县、察布查尔锡伯自治县、特克斯县、伊吾县、焉耆回族自治区、尉犁县、阿图什市、喀什市、巴楚县、莎车县等。

| 资源情况 | 野生资源一般。药材主要来源于野生。

| 采收加工 | 秋季果实成熟时采收，除去梗、叶，扬净，晒干。

| 功能主治 | 散风寒，通鼻窍，祛风湿。用于风寒头痛，鼻鼽，鼻渊，风疹瘙痒，湿痹拘挛。

菊科 Compositae 黄鹌菜属 Youngia

阿尔泰黄鹌菜

Youngia altaica (Babc. et Stebb.) Czer.

|药材名|

黄鹌菜（药用部位：全草）。

|形态特征|

多年生草本。高 15 ~ 35 cm。根粗，木质化，有直立的短根茎，被宿存的深褐色枯叶柄，叶柄腋部有驼色的绒毛。叶多基生，具长柄，柄长 2 ~ 6 cm，基部变宽且变厚，宿存，叶片羽状全裂，连同叶柄长 4 ~ 18 (~ 20) cm，裂片丝状或线状，长 0.3 ~ 2 cm，先端尖，基部有时变宽，叶轴具窄翅或宿存，中、下部叶与基生叶相似而较短，上部叶则简化成线状或丝状，无裂片。头状花序多数，呈伞房状排列；花序梗长 3 ~ 5 mm，花序密集；总苞长圆状柱形，两端稍收缩，长 7.5 ~ 9.5 (~ 10) mm，直径 2.5 ~ 3.5 mm，外层总苞片 5 ~ 7，长 1 ~ 3 mm，内层总苞片 6 ~ 8，披针形，黑绿色或深绿色，先端有角，背面有短的绒毛，边缘被遮盖处有膜质边缘；舌状花黄色，长 8 ~ 14 mm，舌片宽约 2 mm，筒部长 2 ~ 3 mm。瘦果黑色，纺锤状柱形，长 4 ~ 4.5 mm，中、下部较粗，微弧曲，有 10 ~ 20 棱；冠毛污白色，长 4 ~ 5 mm。花期 7 ~ 8 月。

| **生境分布** | 生于海拔 1 800 ~ 2 600 m 的林缘。分布于新疆阿勒泰市、哈巴河县、布尔津县、昭苏县、民丰县、沙湾县、乌鲁木齐县、玛纳斯县、裕民县等。

| **资源情况** | 野生资源一般。药材来源于野生。

| **功能主治** | 清热解毒，利水消肿。

附录 新疆维吾尔自治区植物药资源名录

本名录中所列植物药资源在《中国中药资源大典·新疆卷》1 ~ 4 册正文中未收载。

编号	科名	科拉丁学名	属名	属拉丁学名	种名	种拉丁学名
1	瓶尔小草科	Ophioglossaceae	瓶尔小草属	*Ophioglossum*	瓶尔小草	*Ophioglossum vulgatum* L.
2	阴地蕨科	Botrychiaceae	阴地蕨属	*Botrychium*	扇羽阴地蕨	*Botrychium lunaria* (L.) Sw.
3	中国蕨科	Sinopteridaceae	珠蕨属	*Cryptogramma*	稀叶珠蕨	*Cryptogramma stelleri* (Gmel.) Prantl
4	中国蕨科	Sinopteridaceae	旱蕨属	*Pellaea*	禾秆旱蕨	*Pellaea straminea* Ching
5	蹄盖蕨科	Athyriaceae	冷蕨属	*Cystopteris*	北方冷蕨	*Cystopteris dichieana* R. Sim.
6	蹄盖蕨科	Athyriaceae	冷蕨属	*Cystopteris*	冷蕨	*Cystopteris fragilis* (L.) Benh.
7	蹄盖蕨科	Athyriaceae	羽叶蕨属	*Gymnocarpium*	腺毛羽叶蕨	*Gymnocarpium continentale* (V. Petrov) Pojark.
8	金星蕨科	Thelypteridaceae	沼泽蕨属	*Thelypteris*	沼泽蕨	*Thelypteris palustris* (Salisb.) Schott
9	铁角蕨科	Aspleniaceae	铁角蕨属	*Asplenium*	西藏铁角蕨	*Asplenium pseudofontanum* Kossinsky
10	铁角蕨科	Aspleniaceae	铁角蕨属	*Asplenium*	卵叶铁角蕨	*Asplenium rutamuraria* L.
11	铁角蕨科	Aspleniaceae	铁角蕨属	*Asplenium*	天山铁角蕨	*Asplenium tianshanense* Ching
12	岩蕨科	Woodsiaceae	岩蕨属	*Woodsia*	岩蕨	*Woodsia ilvensis* (L.) R. Bir.
13	鳞毛蕨科	Dryopteridaceae	鳞毛蕨属	*Dryopteris*	欧洲鳞毛蕨	*Dryopteris filix-mas* (L.) Schott.
14	鳞毛蕨科	Dryopteridaceae	耳蕨属	*Polystichum*	棕鳞耳蕨	*Polystichum braunii* (Spenn.) Fee.
15	鳞毛蕨科	Dryopteridaceae	耳蕨属	*Polystichum*	耳蕨	*Polystichum lonchitis* (L.) Roth
16	鳞毛蕨科	Dryopteridaceae	耳蕨属	*Polystichum*	中华耳蕨	*Polystichum sinense* Christ
17	水龙骨科	Polypodiaceae	瓦韦属	*Lepisorus*	天山瓦韦	*Lepisorus albertii* (Rgl.) Ching
18	水龙骨科	Polypodiaceae	多足蕨属	*Polypodium*	水龙骨	*Polypodium vulgare* L.
19	石松科	Lycopodiaceae	扁枝石松属	*Diphasiastrum*	高山扁枝石松	*Diphasiastrum alpinum* (L.) Holub.
20	卷柏科	Selaginellaceae	卷柏属	*Selaginella*	圆枝卷柏	*Selaginella sanguinolenta* (L.) Spring
21	木贼科	Equisetaceae	木贼属	*Equisetum*	水木贼	*Equisetum fluviatile* L.
22	木贼科	Equisetaceae	木贼属	*Equisetum*	小木贼	*Equisetum scirpoides* Michx.
23	木贼科	Equisetaceae	木贼属	*Equisetum*	山木贼	*Equisetum sylvaticum* L.
24	松科	Pinaceae	冷杉属	*Abies*	西伯利亚冷杉	*Abies sibirica* Ldb.

编号	科名	科拉丁学名	属名	属拉丁学名	种名	种拉丁学名
25	松科	Pinaceae	落叶松属	*Larix*	落叶松	*Larix gmelinii* (Rupr.) Rupr.
26	松科	Pinaceae	落叶松属	*Larix*	西伯利亚落叶松	*Larix sibirica* Ledeb.
27	松科	Pinaceae	云杉属	*Picea*	青海云杉	*Picea crassifolia* Kom.
28	松科	Pinaceae	云杉属	*Picea*	红皮云杉	*Picea koraiensis* Nakai
29	松科	Pinaceae	云杉属	*Picea*	西伯利亚云杉	*Picea obovate* Ledeb.
30	松科	Pinaceae	云杉属	*Picea*	雪岭杉	*Picea schrenkiana* Fisch. et Mey.
31	松科	Pinaceae	松属	*Pinus*	五针松	*Pinus sibirica* Du. Tour.
32	松科	Pinaceae	松属	*Pinus*	樟子松	*Pinus sylvestris* L. var. *mongolica* Litv.
33	松科	Pinaceae	松属	*Pinus*	油松	*Pinus tabulaeformis* Carr.
34	柏科	Cuperssaceae	刺柏属	*Juniperus*	刺柏	*Juniperus formosana* Hayata
35	柏科	Cuperssaceae	刺柏属	*Juniperus*	昆仑圆柏	*Juniperus jarkendensis* Kom.
36	柏科	Cuperssaceae	刺柏属	*Juniperus*	欧亚圆柏	*Juniperus sabina* L.
37	柏科	Cuperssaceae	侧柏属	*Platycladus*	侧柏	*Platycladus orientalis* (L.) Franch.
38	柏科	Cuperssaceae	圆柏属	*Sabina*	昆仑方枝柏	*Sabina centrasiatica* Kom.
39	柏科	Cuperssaceae	圆柏属	*Sabina*	圆柏	*Sabina chinensis* (L.) Ant.
40	柏科	Cuperssaceae	圆柏属	*Sabina*	龙柏	*Sabina chinensis* (L.) Ant. cv. 'Kaizuca'
41	柏科	Cuperssaceae	圆柏属	*Sabina*	塔柏	*Sabina chinensis* (L.) Ant. cv. 'Pyramidalis'
42	柏科	Cuperssaceae	圆柏属	*Sabina*	叉子圆柏	*Sabina vulgaris* Ant.
43	麻黄科	Ephedraceae	麻黄属	*Ephedra*	蛇麻黄	*Ephedra distachya* L.
44	麻黄科	Ephedraceae	麻黄属	*Ephedra*	雌雄麻黄	*Ephedra fedtschenkoae* Pauls.
45	麻黄科	Ephedraceae	麻黄属	*Ephedra*	蓝枝麻黄	*Ephedra glauca* Regel
46	麻黄科	Ephedraceae	麻黄属	*Ephedra*	砂地麻黄	*Ephedra lomatolepis* Schrenk
47	麻黄科	Ephedraceae	麻黄属	*Ephedra*	膜果麻黄	*Ephedra przewalskii* Stapf
48	麻黄科	Ephedraceae	麻黄属	*Ephedra*	喀什膜果麻黄	*Ephedra przewalskii* Stapf var. *kaschgarica* (B. Fedtsch. et Bobr.) C. Y. Cheng
49	麻黄科	Ephedraceae	麻黄属	*Ephedra*	细子麻黄	*Ephedra regeliana* Florin.
50	麻黄科	Ephedraceae	麻黄属	*Ephedra*	西藏麻黄	*Ephedra tibetica* (Stapf) V. Nit.
51	香蒲科	Typhaceae	香蒲属	*Typha*	长苞香蒲	*Typha angustata* Bory et Chaub.
52	香蒲科	Typhaceae	香蒲属	*Typha*	达香蒲	*Typha davidiana* (Kronf.) Hand.-Mazz.
53	香蒲科	Typhaceae	香蒲属	*Typha*	短序香蒲	*Typha gracilis* Jord.

编号	科名	科拉丁学名	属名	属拉丁学名	种名	种拉丁学名
54	香蒲科	Typhaceae	香蒲属	*Typha*	缺苞香蒲	*Typha laxmannii* Lep.
55	香蒲科	Typhaceae	香蒲属	*Typha*	球序香蒲	*Typha pallida* Pob.
56	眼子菜科	Potamogetonaceae	眼子菜属	*Potamogeton*	菹草	*Potamogeton crispus* L.
57	眼子菜科	Potamogetonaceae	眼子菜属	*Potamogeton*	异叶眼子菜	*Potamogeton heterophyllus* Schreb.
58	眼子菜科	Potamogetonaceae	眼子菜属	*Potamogeton*	眼子菜	*Potamogeton nodosus* Pair
59	眼子菜科	Potamogetonaceae	眼子菜属	*Potamogeton*	龙须眼子菜	*Potamogeton pectinatus* L.
60	眼子菜科	Potamogetonaceae	眼子菜属	*Potamogeton*	小眼子菜	*Potamogeton pusillus* L.
61	茨藻科	Najadaceae	茨藻属	*Najas*	大茨藻	*Najas marina* L.
62	泽泻科	Alismataceae	泽泻属	*Alisma*	草泽泻	*Alisma gramineum* Lej.
63	泽泻科	Alismataceae	泽泻属	*Alisma*	小泽泻	*Alisma nanum* D. F. Cui
64	花蔺科	Butomaceae	花蔺草	*Butomus*	花蔺草	*Butomus umbellatus* L.
65	禾本科	Gramineae	芨芨草属	*Achnatherum*	小芨芨草	*Achnatherum caragana* (Trin.) Nevski
66	禾本科	Gramineae	山羊草属	*Aegilops*	节节麦	*Aegilops tauschii* Coss.
67	禾本科	Gramineae	獐毛属	*Aeluropus*	密穗小獐毛	*Aeluropus micrantherus* Tzvel.
68	禾本科	Gramineae	獐毛属	*Aeluropus*	刺叶獐毛	*Aeluropus pungens* (M. Bieb.) C. Koch var. *hirtulus* S. L. Chen ex X. L. Yang
69	禾本科	Gramineae	冰草属	*Agropyron*	冰草	*Agropyron cristatum* (L.) Beauv.
70	禾本科	Gramineae	冰草属	*Agropyron*	篦穗冰草	*Agropyron pectinatum* (M. Bieb.) Beauv.
71	禾本科	Gramineae	剪股颖属	*Agrostis*	西伯利亚剪股颖	*Agrostis stolonifera* L.
72	禾本科	Gramineae	看麦娘属	*Alopecurus*	喜马拉雅看麦娘	*Alopecurus himalaicus* Hook. f.
73	禾本科	Gramineae	三芒草属	*Aristida*	羽毛三芒草	*Aristida pennata* Trin.
74	禾本科	Gramineae	燕麦属	*Avena*	光稃野燕麦	*Avena fatua* L. var. *glabrata* Peterm.
75	禾本科	Gramineae	燕麦属	*Avena*	燕麦	*Avena sativa* L.
76	禾本科	Gramineae	茵草属	*Beckmannia*	茵草	*Beckmannia syzigachne* (Steud.) Fern.
77	禾本科	Gramineae	孔颖草属	*Bothriochloa*	白羊草	*Bothriochloa ischaemum* (L.) Keng
78	禾本科	Gramineae	短柄草属	*Brachypodium*	短芒短柄草	*Brachypodium pinnatum* (L.) Beauv.
79	禾本科	Gramineae	雀麦属	*Bromus*	尖齿雀麦	*Bromus oxyodon* Schrenk

编号	科名	科拉丁学名	属名	属拉丁学名	种名	种拉丁学名
80	禾本科	Gramineae	拂子茅属	*Calamagrostis*	短毛野青茅	*Calamagrostis anthoxanthoides* (Munro) Regel
81	禾本科	Gramineae	拂子茅属	*Calamagrostis*	可疑拂子茅	*Calamagrostis pseudophragmites* (Hall. f.) Koel subsp. *dubia* (Bunge) Tzvel.
82	禾本科	Gramineae	拂子茅属	*Calamagrostis*	短芒拂子茅	*Calamagrostis tatarica* (Hook. f.) D. F. Cui
83	禾本科	Gramineae	拂子茅属	*Calamagrostis*	天山野青茅	*Calamagrostis tianschanica* Rupr.
84	禾本科	Gramineae	拂子茅属	*Calamagrostis*	突厥拂子茅	*Calamagrostis turkestanica* Hack.
85	禾本科	Gramineae	沿沟草属	*Catabrosa*	沿沟草	*Catabrosa aquatica* (L.) Beauv.
86	禾本科	Gramineae	虎尾草属	*Chloris*	虎尾草	*Chloris virgata* Sw.
87	禾本科	Gramineae	隐花草属	*Crypsis*	隐花草	*Crypsis aculeata* (L.) Ait.
88	禾本科	Gramineae	隐花草属	*Crypsis*	蔺状隐花草	*Crypsis schoenoides* (L.) Lam.
89	禾本科	Gramineae	鸭茅属	*Dactylis*	鸭茅	*Dactylis glomerata* L.
90	禾本科	Gramineae	发草属	*Deschampsia*	发草	*Deschampsia caespitosa* (L.) Beauv.
91	禾本科	Gramineae	发草属	*Deschampsia*	穗发草	*Deschampsia koelerioides* Regel
92	禾本科	Gramineae	马唐属	*Digitaria*	升马唐	*Digitaria ciliaris* (Retz.) Koel.
93	禾本科	Gramineae	稗属	*Echinochloa*	长芒稗	*Echinochloa caudata* Roshev.
94	禾本科	Gramineae	稗属	*Echinochloa*	无芒稗	*Echinochloa crusgalli* (L.) Beauv. var. *mitis* (Pursh) Peterm.
95	禾本科	Gramineae	披碱草属	*Elymus*	大穗鹅观草	*Elymus abolinii* (Drob.) Tzvel.
96	禾本科	Gramineae	披碱草属	*Elymus*	长芒大穗披碱草	*Elymus abolinii* (Drob.) Tzvel. var. *diraricans* (Nevski) Tzvel.
97	禾本科	Gramineae	披碱草属	*Elymus*	黑紫披碱草	*Elymus atratus* (Nevski) Hand.-Mazz.
98	禾本科	Gramineae	披碱草属	*Elymus*	犬草	*Elymus caninus* (L.) L.
99	禾本科	Gramineae	披碱草属	*Elymus*	大芒鹅观草	*Elymus curvatus* (Nevski) D. F. Cui
100	禾本科	Gramineae	披碱草属	*Elymus*	圆柱批碱草	*Elymus cylindricus* (Franch.) Honda
101	禾本科	Gramineae	披碱草属	*Elymus*	圆柱披碱草	*Elymus dahuricus* Turcz. var. *cylindricus* Franch.
102	禾本科	Gramineae	披碱草属	*Elymus*	鹅观草	*Elymus kamojus* (Ohwi) S. L. Chen
103	禾本科	Gramineae	披碱草属	*Elymus*	偏穗鹅观草	*Elymus komarovii* (Nevski) Tzvel.

编号	科名	科拉丁学名	属名	属拉丁学名	种名	种拉丁学名
104	禾本科	Gramineae	披碱草属	*Elymus*	狭颖披碱草	*Elymus mutabilis* (Drobow) Tzvel.
105	禾本科	Gramineae	披碱草属	*Elymus*	齿披碱草	*Elymus nevskii* Tzvel.
106	禾本科	Gramineae	披碱草属	*Elymus*	垂穗披碱草	*Elymus nutans* Griseb.
107	禾本科	Gramineae	披碱草属	*Elymus*	密丛鹅观草	*Elymus praecaespitosus* (Nevski) Tzvel.
108	禾本科	Gramineae	披碱草属	*Elymus*	扭轴鹅观草	*Elymus schrenkianus* (Fisch. et Mey.) Tzvel.
109	禾本科	Gramineae	披碱草属	*Elymus*	老芒麦	*Elymus sibiricus* L.
110	禾本科	Gramineae	披碱草属	*Elymus*	新疆鹅观草	*Elymus sinkiangenisis* D. F. Cui
111	禾本科	Gramineae	披碱草属	*Elymus*	麦宾草	*Elymus tangutorum* (Nevski) Hand.-Mazz.
112	禾本科	Gramineae	披碱草属	*Elymus*	曲芒鹅观草	*Elymus tschimuganicus* (Drob.) Tzvel.
113	禾本科	Gramineae	披碱草属	*Elymus*	短芒披碱草	*Elymus yilianus* S. L. Chen
114	禾本科	Gramineae	偃麦草属	*Elytrigia*	多花偃麦草	*Elytrigia elongatiformis* (Drob.) Nevski
115	禾本科	Gramineae	偃麦草属	*Elytrigia*	费尔干偃麦草	*Elytrigia ferganensis* (Drob.) Nevski
116	禾本科	Gramineae	偃麦草属	*Elytrigia*	偃麦草	*Elytrigia repens* (L.) Nevski
117	禾本科	Gramineae	偃麦草属	*Elytrigia*	芒偃麦草	*Elytrigia repens* (L.) Nevski subsp. *longearistata* N. R. Cui
118	禾本科	Gramineae	偃麦草属	*Elytrigia*	毛偃麦草	*Elytrigia trichophora* Nevski
119	禾本科	Gramineae	九顶草属	*Enneapogon*	九顶草	*Enneapogon borealis* (Griseb.) Honda
120	禾本科	Gramineae	画眉草属	*Eragrostis*	弯叶画眉草	*Eragrostis curvula* (Schrad.) Nees
121	禾本科	Gramineae	画眉草属	*Eragrostis*	香画眉草	*Eragrostis suaveolens* A. Beck. ex Claus
122	禾本科	Gramineae	旱麦草属	*Eremopyrum*	东方旱麦草	*Eremopyrum orientale* (L.) Jaub et Spash
123	禾本科	Gramineae	旱麦草属	*Eremopyrum*	旱麦草	*Eremopyrum triticeum* (Gaertn.) Nevski
124	禾本科	Gramineae	蔗茅属	*Erianthus*	皮山蔗茅	*Erianthus ravennae* (L.) Beauv.
125	禾本科	Gramineae	羊茅属	*Festuca*	阿拉套羊茅	*Festuca alatavica* (St. Yves) Roshev.
126	禾本科	Gramineae	羊茅属	*Festuca*	矮羊茅	*Festuca coelestis* (St.-Yves) Krecz.
127	禾本科	Gramineae	羊茅属	*Festuca*	寒生羊茅	*Festuca kryloviana* Reverd.
128	禾本科	Gramineae	羊茅属	*Festuca*	羊茅	*Festuca ovina* L.

编号	科名	科拉丁学名	属名	属拉丁学名	种名	种拉丁学名
129	禾本科	Gramineae	羊茅属	*Festuca*	草甸羊茅	*Festuca pratensis* Huds.
130	禾本科	Gramineae	羊茅属	*Festuca*	毛稃羊茅	*Festuca rubra* L. subsp. *arctica* (Hack.) Govor
131	禾本科	Gramineae	羊茅属	*Festuca*	瑞士羊茅	*Festuca valesiaca* Schleich. ex Gaud.
132	禾本科	Gramineae	羊茅属	*Festuca*	假羊茅	*Festuca valesiaca* Schleich. ex Gaud. subsp. *pseudovina* (Hack. ex Wiesb.)
133	禾本科	Gramineae	甜茅属	*Glyceria*	折甜茅	*Glyceria plicata* (Fries) Fries
134	禾本科	Gramineae	异燕麦属	*Helictotrichon*	细叶异燕麦	*Helictotrichon hissaricum* (Roshev.) Henr.
135	禾本科	Gramineae	异燕麦属	*Helictotrichon*	亚洲异燕麦	*Helictotrichon hookeri* (Scribn.) Henr.
136	禾本科	Gramineae	异燕麦属	*Helictotrichon*	蒙古异燕麦	*Helictotrichon mongolicum* (Roshev.) Henr.
137	禾本科	Gramineae	异燕麦属	*Helictotrichon*	毛轴异燕麦	*Helictotrichon pubescens* (Huds.) Pilger
138	禾本科	Gramineae	异燕麦属	*Helictotrichon*	异燕麦	*Helictotrichon schellianum* (Hack.) Kitag.
139	禾本科	Gramineae	茅香属	*Hierochloe*	光稃香草	*Hierochloe glabra* Trin.
140	禾本科	Gramineae	茅香属	*Hierochloe*	茅香	*Hierochloe odorata* (L.) Beauv.
141	禾本科	Gramineae	大麦属	*Hordeum*	聂威大麦草	*Hordeum brevisubulatum* (Trin.) Link var. *nevskianum* (Bowd.) Tzvel.
142	禾本科	Gramineae	大麦属	*Hordeum*	栽培二棱大麦	*Hordeum distichon* L.
143	禾本科	Gramineae	大麦属	*Hordeum*	芒颖大麦草	*Hordeum jubatum* L.
144	禾本科	Gramineae	大麦属	*Hordeum*	诺谢维奇大麦草	*Hordeum roshevitzii* Howden.
145	禾本科	Gramineae	大麦属	*Hordeum*	糙稃大麦草	*Hordeum turkestanicum* Nevski
146	禾本科	Gramineae	大麦属	*Hordeum*	紫大麦草	*Hordeum violaceum* Boiss. et Huet
147	禾本科	Gramineae	大麦属	*Hordeum*	大麦	*Hordeum vlgare* L.
148	禾本科	Gramineae	洽草属	*Koeleria*	洽草	*Koeleria cristata* (L.) Pers.
149	禾本科	Gramineae	洽草属	*Koeleria*	芒洽草	*Koeleria litvinowii* Domin
150	禾本科	Gramineae	银穗草属	*Leucopoa*	新疆银穗草	*Leucopoa olgae* Krecz. et Bobr.
151	禾本科	Gramineae	赖草属	*Leymus*	若羌赖草	*Leymus aergishanicus* D. F. Cui subsp. *ruqiangensis* (S. L. La) D. F. Cui
152	禾本科	Gramineae	赖草属	*Leymus*	高株赖草	*Leymus altus* D. F. Cui
153	禾本科	Gramineae	赖草属	*Leymus*	窄颖赖草	*Leymus angustus* (Trin.) Pilg.

编号	科名	科拉丁学名	属名	属拉丁学名	种名	种拉丁学名
154	禾本科	Gramineae	赖草属	*Leymus*	褐穗赖草	*Leymus bruneostachyus* N. R. Cui
155	禾本科	Gramineae	赖草属	*Leymus*	羊草	*Leymus chinensis* (Trin.) Tzvel.
156	禾本科	Gramineae	赖草属	*Leymus*	卡瑞赖草	*Leymus karelinii* (Turcz.) Tvzel.
157	禾本科	Gramineae	赖草属	*Leymus*	多枝赖草	*Leymus multicaulis* (Kar. et Kir.) Tzvel.
158	禾本科	Gramineae	赖草属	*Leymus*	宽穗赖草	*Leymus ovatus* (Trin.) Tzvel.
159	禾本科	Gramineae	赖草属	*Leymus*	毛穗赖草	*Leymus paboanus* (Claus) Pilger
160	禾本科	Gramineae	赖草属	*Leymus*	大赖草	*Leymus racemosus* (Lam.) Tzvel.
161	禾本科	Gramineae	赖草属	*Leymus*	单穗赖草	*Leymus ramosus* (Trin.) Tzvel.
162	禾本科	Gramineae	赖草属	*Leymus*	赖草	*Leymus secalinus* (Georgi) Tirel.
163	禾本科	Gramineae	赖草属	*Leymus*	短毛叶赖草	*Leymus secalinus* (Georgi) Tirel. subsp. *pubescens* (O. Fedtsch.) Tzvel.
164	禾本科	Gramineae	赖草属	*Leymus*	天山赖草	*Leymus tianschanicus* (Drob.) Tzvel.
165	禾本科	Gramineae	赖草属	*Leymus*	伊吾赖草	*Leymus yiunensis* N. R. Cui
166	禾本科	Gramineae	黑麦草属	*Lolium*	多花黑麦草	*Lolium muliflorum* Lam.
167	禾本科	Gramineae	黑麦草属	*Lolium*	黑麦草	*Lolium perenne* L.
168	禾本科	Gramineae	黑麦草属	*Lolium*	疏花黑麦草	*Lolium remotum* Schrank
169	禾本科	Gramineae	臭草属	*Melica*	高臭草	*Melica altissima* L.
170	禾本科	Gramineae	粟草属	*Milium*	粟草	*Milium effusum* L.
171	禾本科	Gramineae	黍属	*Panicum*	稷	*Panicum miliaceum* L.
172	禾本科	Gramineae	黍属	*Panicum*	野稷	*Panicum miliaceum* L. subsp. *ruderale* (Kitag.) Tzvel.
173	禾本科	Gramineae	虉草属	*Phalaris*	虉草	*Phalaris arundinacea* L.
174	禾本科	Gramineae	梯牧草属	*Phleum*	高山梯牧草	*Phleum alpinum* L.
175	禾本科	Gramineae	梯牧草属	*Phleum*	假梯牧草	*Phleum phleoides* (L.) Karst.
176	禾本科	Gramineae	梯牧草属	*Phleum*	梯牧草	*Phleum pratense* L.
177	禾本科	Gramineae	落芒草属	*Piptatherum*	新疆落芒草	*Piptatherum songaricum* (Trin. et Rupr.) Roshev.
178	禾本科	Gramineae	早熟禾属	*Poa*	高原早熟禾	*Poa alpigena* (Blytt) Lindm
179	禾本科	Gramineae	早熟禾属	*Poa*	细叶早熟禾	*Poa angustifolia* L.
180	禾本科	Gramineae	早熟禾属	*Poa*	疏穗早熟禾	*Poa angustifolia* L. subsp. *laxuspicula* D. F. Cui

续表

编号	科名	科拉丁学名	属名	属拉丁学名	种名	种拉丁学名
181	禾本科	Gramineae	早熟禾属	*Poa*	早熟禾	*Poa annua* L.
182	禾本科	Gramineae	早熟禾属	*Poa*	渐狭早熟禾	*Poa attenuata* Trin.
183	禾本科	Gramineae	早熟禾属	*Poa*	葡系早熟禾	*Poa attenuata* Trin. subsp. *botryoides* (Trin. ex Griseb.) Tzvel.
184	禾本科	Gramineae	早熟禾属	*Poa*	荒漠胎生早熟禾	*Poa bactriana* Rosbev.
185	禾本科	Gramineae	早熟禾属	*Poa*	鳞茎早熟禾	*Poa bulbosa* L.
186	禾本科	Gramineae	早熟禾属	*Poa*	胎生鳞茎早熟禾	*Poa bulbosa* L. subsp. *vivipara* (Koeler) Arcang.
187	禾本科	Gramineae	早熟禾属	*Poa*	美丽早熟禾	*Poa calliopsis* Litv. ex Ovcz.
188	禾本科	Gramineae	早熟禾属	*Poa*	羊茅状早熟禾	*Poa festucoides* N. R. Cui
189	禾本科	Gramineae	早熟禾属	*Poa*	昆仑羊茅状早熟禾	*Poa festucoides* N. R. Cui var. *kunlunensis* N. R. Cui
190	禾本科	Gramineae	早熟禾属	*Poa*	多花早熟禾	*Poa florida* N. R. Cui
191	禾本科	Gramineae	早熟禾属	*Poa*	昆仑早熟禾	*Poa litwinowiana* Ovcz.
192	禾本科	Gramineae	早熟禾属	*Poa*	膜颖早熟禾	*Poa menbranigluma* D. F. Cui
193	禾本科	Gramineae	早熟禾属	*Poa*	疏穗林地早熟禾	*Poa nemoralis* L. subsp. *parca* N. R. Cui
194	禾本科	Gramineae	早熟禾属	*Poa*	小早熟禾	*Poa parvissima* Kuo ex D. F. Cui
195	禾本科	Gramineae	早熟禾属	*Poa*	波伐早熟禾	*Poa poiphagorum* Bor
196	禾本科	Gramineae	早熟禾属	*Poa*	草地早熟禾	*Poa pratensis* L.
197	禾本科	Gramineae	早熟禾属	*Poa*	雪地早熟禾	*Poa rangkulensis* Ovcz. et Czuk.
198	禾本科	Gramineae	早熟禾属	*Poa*	糙茎早熟禾	*Poa scabricumis* N. R. Cui
199	禾本科	Gramineae	早熟禾属	*Poa*	密穗早熟禾	*Poa spiciforms* D. F. Cui
200	禾本科	Gramineae	早熟禾属	*Poa*	西藏早熟禾	*Poa tibetica* Munro ex Stapf
201	禾本科	Gramineae	早熟禾属	*Poa*	新疆早熟禾	*Poa versicolor* Bess. subsp. *relaxa* (Ovcz.) Tzvel.
202	禾本科	Gramineae	新麦草属	*Psathyrostachys*	新麦草	*Psathyrostachys juncea* (Fisch.) Nevski
203	禾本科	Gramineae	细柄茅属	*Ptilagrostis*	细柄茅	*Ptilagrostis mongholica* (Turcz.) Griseb.
204	禾本科	Gramineae	细柄茅属	*Ptilagrostis*	中亚细柄茅	*Ptilagrostis pelliotii* (Danguy) Grub.
205	禾本科	Gramineae	碱茅属	*Puccinellia*	碱茅	*Puccinellia distans* (L.) Parl.
206	禾本科	Gramineae	碱茅属	*Puccinellia*	多花碱茅	*Puccinellia florida* D. F. Cui
207	禾本科	Gramineae	碱茅属	*Puccinellia*	小林碱茅	*Puccinellia hauptiana* (Krecz.) Kitag.

编号	科名	科拉丁学名	属名	属拉丁学名	种名	种拉丁学名
208	禾本科	Gramineae	碱茅属	*Puccinellia*	喜马拉雅碱茅	*Puccinellia himalaica* Tzvel.
209	禾本科	Gramineae	碱茅属	*Puccinellia*	小药碱茅	*Puccinellia microanthera* D. F. Cui
210	禾本科	Gramineae	齿稃草属	*Schismus*	齿稃草	*Schismus arabicus* Nees
211	禾本科	Gramineae	狗尾草属	*Setaria*	金色狗尾草	*Setaria glauca* (L.) Beauv.
212	禾本科	Gramineae	狗尾草属	*Setaria*	粱	*Setaria italica* (L.) Beauv.
213	禾本科	Gramineae	狗尾草属	*Setaria*	长穗狗尾草	*Setaria viridis* (L.) Beauv. subsp. *pycnocoma* (Steud.) Tzvel.
214	禾本科	Gramineae	冠毛草属	*Stephanachne*	冠毛草	*Stephanachne pappophorea* (Hack.) Keng
215	禾本科	Gramineae	针茅属	*Stipa*	狼针茅	*Stipa baicalensis* Roshev.
216	禾本科	Gramineae	针茅属	*Stipa*	短花针茅	*Stipa breviflora* Griseb.
217	禾本科	Gramineae	针茅属	*Stipa*	针茅	*Stipa capillata* L.
218	禾本科	Gramineae	针茅属	*Stipa*	镰芒针茅	*Stipa caucasica* Schmalh.
219	禾本科	Gramineae	针茅属	*Stipa*	荒漠镰芒针茅	*Stipa caucasica* Schmalh. subsp. *desertorum* (Roshev.) Tzvel.
220	禾本科	Gramineae	针茅属	*Stipa*	沙生针茅	*Stipa glareosa* P. Smirn.
221	禾本科	Gramineae	针茅属	*Stipa*	长羽针茅	*Stipa kirghisorum* P. Smirn.
222	禾本科	Gramineae	针茅属	*Stipa*	长舌针茅	*Stipa macroglossa* P. Smirn.
223	禾本科	Gramineae	针茅属	*Stipa*	东方针茅	*Stipa orientalis* Trin.
224	禾本科	Gramineae	针茅属	*Stipa*	紫花针茅	*Stipa purpurea* Griseb.
225	禾本科	Gramineae	针茅属	*Stipa*	瑞氏针茅	*Stipa richteriana* Kar. et Kir.
226	禾本科	Gramineae	针茅属	*Stipa*	西北针茅	*Stipa sareptana* Becker subsp. *krylovii* (Roshev.) D. F. Cui
227	禾本科	Gramineae	针茅属	*Stipa*	新疆针茅	*Stipa sareptana* Becker subsp. *sareptana* (Beck) Schmalh.
228	禾本科	Gramineae	针茅属	*Stipa*	座花针茅	*Stipa subsessiliflora* (Rupr.) Roshev.
229	禾本科	Gramineae	针茅属	*Stipa*	戈壁针茅	*Stipa tianschanica* Roshev. subsp. *gobica* (Roshev.) D. F. Cui
230	禾本科	Gramineae	三毛草属	*Trisetum*	长穗三毛草	*Trisetum clarkei* (Hook. f.) R. R. Stewart
231	禾本科	Gramineae	三毛草属	*Trisetum*	穗三毛	*Trisetum spicatum* (L.) Richt.
232	禾本科	Gramineae	三毛草属	*Trisetum*	绿丝穗三毛	*Trisetum spicatum* (L.) Richt. subsp. *virescens* (Regel) Tzvel.
233	禾本科	Gramineae	小麦属	*Triticum*	密穗小麦	*Triticum compactum* Host.

编号	科名	科拉丁学名	属名	属拉丁学名	种名	种拉丁学名
234	禾本科	Gramineae	小麦属	*Triticum*	硬粒小麦	*Triticum durum* Desf.
235	莎草科	Cyperaceae	扁穗草	*Blysmus*	扁穗草	*Blysmus compressus* (L.) Panz.
236	莎草科	Cyperaceae	扁穗草	*Blysmus*	华扁穗草	*Blysmus sinocompressus* Tang et Wang
237	莎草科	Cyperaceae	苔草属	*Carex*	褐鞘苔草	*Carex acuta* L.
238	莎草科	Cyperaceae	苔草属	*Carex*	刺苞苔草	*Carex alexeenkoana* Litv.
239	莎草科	Cyperaceae	苔草属	*Carex*	歪嘴苔草	*Carex aneurocarpa* V. Krecz.
240	莎草科	Cyperaceae	苔草属	*Carex*	箭叶苔草	*Carex bigelowii* Torr. ex Schwein.
241	莎草科	Cyperaceae	苔草属	*Carex*	纤弱苔草	*Carex capillaris* L.
242	莎草科	Cyperaceae	苔草属	*Carex*	八脉苔草	*Carex diluta* Bieb.
243	莎草科	Cyperaceae	苔草属	*Carex*	无脉苔草	*Carex enervis* C. A. Mey.
244	莎草科	Cyperaceae	苔草属	*Carex*	华北苔草	*Carex hancockiana* Maxim.
245	莎草科	Cyperaceae	苔草属	*Carex*	多花苔草	*Carex karoi* (Freyn) Freyn
246	莎草科	Cyperaceae	苔草属	*Carex*	梨囊苔草	*Carex macroura* Meinsh.
247	莎草科	Cyperaceae	苔草属	*Carex*	黑鳞苔草	*Carex melanocephala* Turcz.
248	莎草科	Cyperaceae	苔草属	*Carex*	凹脉苔草	*Carex melanostachys* M. Bieb. ex Willd.
249	莎草科	Cyperaceae	苔草属	*Carex*	尖苞苔草	*Carex microglochin* Wahl.
250	莎草科	Cyperaceae	苔草属	*Carex*	青藏苔草	*Carex moocroftii* Falc.
251	莎草科	Cyperaceae	苔草属	*Carex*	北苔草	*Carex obtusata* Liljebl.
252	莎草科	Cyperaceae	苔草属	*Carex*	圆囊苔草	*Carex orbicularis* Bott
253	莎草科	Cyperaceae	苔草属	*Carex*	粗柱苔草	*Carex pachystylis* J. Gay
254	莎草科	Cyperaceae	苔草属	*Carex*	短柄苔草	*Carex perdiformis* C. A. Mey.
255	莎草科	Cyperaceae	苔草属	*Carex*	多叶苔草	*Carex polyphylla* Kar. et Kir.
256	莎草科	Cyperaceae	苔草属	*Carex*	假莎草	*Carex pseudocyperus* V. Krecz.
257	莎草科	Cyperaceae	苔草属	*Carex*	无味苔草	*Carex pseudofoetida* Kük.
258	莎草科	Cyperaceae	苔草属	*Carex*	瘦果苔草	*Carex regeliana* (Kük.) Litv.
259	莎草科	Cyperaceae	苔草属	*Carex*	大穗苔草	*Carex rhynchophysa* C. A. Mey.
260	莎草科	Cyperaceae	苔草属	*Carex*	尖嘴苔草	*Carex rostrata* Stokes
261	莎草科	Cyperaceae	苔草属	*Carex*	沙地苔草	*Carex sabulosa* Turcz. ex Wahl.
262	莎草科	Cyperaceae	苔草属	*Carex*	晚苔草	*Carex serotina* Merat
263	莎草科	Cyperaceae	苔草属	*Carex*	柄囊苔草	*Carex stenophylla* Wahl.
264	莎草科	Cyperaceae	苔草属	*Carex*	小囊果苔草	*Carex subhysodes* M. Pop.

编号	科名	科拉丁学名	属名	属拉丁学名	种名	种拉丁学名
265	莎草科	Cyperaceae	苔草属	*Carex*	仰卧苔草	*Carex supina* Willd. ex Wahl.
266	莎草科	Cyperaceae	苔草属	*Carex*	天山苔草	*Carex tianschanica* Egor.
267	莎草科	Cyperaceae	苔草属	*Carex*	绿囊苔草	*Carex ungurensis* Litv.
268	莎草科	Cyperaceae	苔草属	*Carex*	膜囊苔草	*Carex vesicaria* L.
269	莎草科	Cyperaceae	莎草属	*Cyperus*	褐鳞莎草	*Cyperus brunnescens* (Pers.) Poir.
270	莎草科	Cyperaceae	莎草属	*Cyperus*	密穗莎草	*Cyperus difformis* L.
271	莎草科	Cyperaceae	莎草属	*Cyperus*	头穗莎草	*Cyperus glomeratus* L.
272	莎草科	Cyperaceae	莎草属	*Cyperus*	旋鳞莎草	*Cyperus michelianus* (L.) Link
273	莎草科	Cyperaceae	荸荠属	*Eleocharis*	银鳞荸荠	*Eleocharis argyrolepis* Kjeruff. ex Bunge
274	莎草科	Cyperaceae	荸荠属	*Eleocharis*	中间型荸荠	*Eleocharis intersita* Zinserl.
275	莎草科	Cyperaceae	荸荠属	*Eleocharis*	南方荸荠	*Eleocharis meridionlis* Zinserl.
276	莎草科	Cyperaceae	荸荠属	*Eleocharis*	木贼荸荠	*Eleocharis mitracarps* Steud.
277	莎草科	Cyperaceae	荸荠属	*Eleocharis*	具槽秆荸荠	*Eleocharis valleculosa* Ohwi
278	莎草科	Cyperaceae	羊胡子草属	*Eriophorum*	细秆羊胡子草	*Eriophorum gracile* Roth
279	莎草科	Cyperaceae	羊胡子草属	*Eriophorum*	羊胡子草	*Eriophorum scheuchzeri* Hoppe
280	莎草科	Cyperaceae	嵩草属	*Kobresia*	嵩草	*Kobresia bellardii* (All.) Degl.
281	莎草科	Cyperaceae	嵩草属	*Kobresia*	矮生嵩草	*Kobresia humilis* (C. A. Mey. ex Trautv.) Serg.
282	莎草科	Cyperaceae	嵩草属	*Kobresia*	大花嵩草	*Kobresia macrantha* Boeck.
283	莎草科	Cyperaceae	嵩草属	*Kobresia*	喜马拉雅嵩草	*Kobresia royleana* (Nees) Boeck.
284	莎草科	Cyperaceae	嵩草属	*Kobresia*	窄果嵩草	*Kobresia stenocarpa* (Kar. et Kir.) Steud.
285	莎草科	Cyperaceae	藨草属	*Scirpus*	滨海藨草	*Scirpus maritimus* L.
286	莎草科	Cyperaceae	藨草属	*Scirpus*	北水毛花	*Scirpus mucronatus* L.
287	莎草科	Cyperaceae	藨草属	*Scirpus*	扁秆藨草	*Scirpus planiculmis* Fr. Schmidt
288	莎草科	Cyperaceae	藨草属	*Scirpus*	球穗藨草	*Scirpus strobilinus* Roxb.
289	莎草科	Cyperaceae	藨草属	*Scirpus*	羽状刚毛藨草	*Scirpus subulatus* Vahl
290	莎草科	Cyperaceae	藨草属	*Scirpus*	藨草	*Scirpus triqueter* L.
291	莎草科	Cyperaceae	藨草属	*Scirpus*	荆三棱	*Scirpus yagara* Ohwi
292	莎草科	Cyperaceae	藨草属	*Scirpus*	水葱	*Scirpus tabernaemontani* Gmel.
293	灯心草科	Juncaceae	灯心草属	*Juncus*	阿勒泰灯心草	*Juncus aletaiensis* K. F. Wu
294	灯心草科	Juncaceae	灯心草属	*Juncus*	棱叶灯心草	*Juncus articulatus* L.

编号	科名	科拉丁学名	属名	属拉丁学名	种名	种拉丁学名
295	灯心草科	Juncaceae	灯心草属	*Juncus*	栗花灯心草	*Juncus casteneus* Smith
296	灯心草科	Juncaceae	灯心草属	*Juncus*	团花灯心草	*Juncus gerardii* Lois.
297	灯心草科	Juncaceae	灯心草属	*Juncus*	玛纳斯灯心草	*Juncus manasiensis* K. F. Wu
298	灯心草科	Juncaceae	灯心草属	*Juncus*	泡果灯心草	*Juncus sphaerocarpus* Nees
299	灯心草科	Juncaceae	灯心草属	*Juncus*	展苞灯心草	*Juncus thomsonii* Buchen.
300	灯心草科	Juncaceae	灯心草属	*Juncus*	土厥灯心草	*Juncus turkestanicus* V. Krecz.
301	灯心草科	Juncaceae	地杨梅属	*Luzula*	西伯利亚地杨梅	*Luzula sibirica* V. Krecz.
302	灯心草科	Juncaceae	地杨梅属	*Luzula*	低头地杨梅	*Luzula spicata* (L.) DC.
303	百合科	Lilliaceae	百合属	*Allium*	矮韭	*Allium anisopodium* Ldb.
304	百合科	Lilliaceae	百合属	*Allium*	疏生韭	*Allium caespitosum* Siev. ex Bong. et Mey.
305	百合科	Lilliaceae	百合属	*Allium*	天山韭	*Allium deserticolum* M. Pop.
306	百合科	Lilliaceae	百合属	*Allium*	多籽葱	*Allium fetisovii* Regel
307	百合科	Lilliaceae	百合属	*Allium*	长喙葱	*Allium globosum* M. Bieb. ex Redoute
308	百合科	Lilliaceae	百合属	*Allium*	北疆韭	*Allium hymenorrhizum* Ledb.
309	百合科	Lilliaceae	百合属	*Allium*	草地韭	*Allium kaschianum* Regel
310	百合科	Lilliaceae	百合属	*Allium*	褐皮韭	*Allium korolkowii* Regel
311	百合科	Lilliaceae	百合属	*Allium*	小根蒜	*Allium macrostemon* Bge.
312	百合科	Lilliaceae	百合属	*Allium*	高葶韭	*Allium obiquum* L.
313	百合科	Lilliaceae	百合属	*Allium*	石生葱	*Allium petraeum* Kar. et Kir.
314	百合科	Lilliaceae	百合属	*Allium*	青甘韭	*Allium przewalskianum* Regel
315	百合科	Lilliaceae	百合属	*Allium*	北葱	*Allium schoenoprasum* L.
316	百合科	Lilliaceae	百合属	*Allium*	西疆韭	*Allium teretifolium* Regel
317	百合科	Lilliaceae	天门冬属	*Asparagus*	石刀柏	*Asparagus officinalis* L.
318	百合科	Lilliaceae	天门冬属	*Asparagus*	西北天东门	*Asparagus persicus* Baker.
319	百合科	Lilliaceae	独尾草属	*Eremurus*	阿尔泰独尾草	*Eremurus altaicus* (Pall.) Stev.
320	百合科	Lilliaceae	独尾草属	*Eremurus*	异翅独尾草	*Eremurus anisopterum* (Kar. et Kir.) Regel
321	百合科	Lilliaceae	顶冰花属	*Gagea*	毛梗顶冰花	*Gagea albertii* Regel
322	百合科	Lilliaceae	顶冰花属	*Gagea*	顶冰花	*Gagea divaricata* Regel
323	百合科	Lilliaceae	顶冰花属	*Gagea*	粒鳞顶冰花	*Gagea granulosa* Turcz.
324	百合科	Lilliaceae	顶冰花属	*Gagea*	高山顶冰花	*Gagea jaeschkei* Pasch.
325	百合科	Lilliaceae	顶冰花属	*Gagea*	黑鳞顶冰花	*Gagea nigra* L.
326	百合科	Lilliaceae	顶冰花属	*Gagea*	囊瓣顶冰花	*Gagea sacculifera* Regel

编号	科名	科拉丁学名	属名	属拉丁学名	种名	种拉丁学名
327	百合科	Lilliaceae	黄精属	*Polygonatum*	新疆玉竹	*Polygonatum roseum* (Ledeb.) Kunth
328	百合科	Lilliaceae	郁金香属	*Tulipa*	毛蕊郁金香	*Tulipa dasystemon* (Regel) Regel
329	百合科	Lilliaceae	郁金香属	*Tulipa*	柔毛郁金香	*Tulipa huhseana* Boiss.
330	百合科	Lilliaceae	郁金香属	*Tulipa*	新疆郁金香	*Tulipa sinkiangensis* Z. M. Mao
331	石蒜科	Amaryllidaceae	鸢尾蒜属	*Ixiolirion*	准噶尔鸢尾蒜	*Ixiolirion songaricum* P. Yan
332	鸢尾科	Iridaceae	鸢尾属	*Iris*	黄花鸢尾	*Iris flavissima* Pall.
333	鸢尾科	Iridaceae	鸢尾属	*Iris*	德国鸢尾	*Iris germanica* L.
334	鸢尾科	Iridaceae	鸢尾属	*Iris*	卷鞘鸢尾	*Iris potaninii* Maxim.
335	鸢尾科	Iridaceae	鸢尾属	*Iris*	蓝花卷鞘鸢尾	*Iris potaninii* Maxim. var. *ionantha* Y. T. Zhao
336	鸢尾科	Iridaceae	鸢尾属	*Iris*	矮紫苞鸢尾	*Iris ruthenica* Ker-Gawl. var. *nana* Maxim.
337	鸢尾科	Iridaceae	鸢尾属	*Iris*	西伯利亚鸢尾	*Iris sibirica* L.
338	鸢尾科	Iridaceae	鸢尾属	*Iris*	准葛尔鸢尾	*Iris songarica* Schrenk
339	兰科	Orchidaceae	火烧兰属	*Epipactis*	北火烧兰	*Epipactis xanthophaea* Schltr.
340	兰科	Orchidaceae	鸟巢兰属	*Neottia*	堪察加鸟巢兰	*Neottia camtschatea* (L.) Rchb.
341	兰科	Orchidaceae	红门兰属	*Orchis*	紫点叶红门兰	*Orchis cruenta* Muell.
342	兰科	Orchidaceae	红门兰属	*Orchis*	宽叶红门兰	*Orchis latifolia* L.
343	兰科	Orchidaceae	红门兰属	*Orchis*	阴生红门兰	*Orchis umbrosa* Kar. et Kir.
344	兰科	Orchidaceae	舌唇兰属	*Platanthera*	小花舌唇兰	*Platanthera minutiflora* Schltr.
345	杨柳科	Salicaceae	杨属	*Populus*	阿富汗杨	*Populus afghanica* (Aitch. et Hemsl.) Sarg.
346	杨柳科	Salicaceae	杨属	*Populus*	银白杨	*Populus alba* L.
347	杨柳科	Salicaceae	杨属	*Populus*	新疆杨	*Populus alba* L. var. *pyramidalis* Bunge
348	杨柳科	Salicaceae	杨属	*Populus*	加杨	*Populus × canadensis* Moench
349	杨柳科	Salicaceae	杨属	*Populus*	青杨	*Populus cathayana* Rehd.
350	杨柳科	Salicaceae	杨属	*Populus*	山杨	*Populus davidiana* Dode
351	杨柳科	Salicaceae	杨属	*Populus*	美洲黑杨	*Populus deltoides* Marshall
352	杨柳科	Salicaceae	杨属	*Populus*	胡杨	*Populus euphratica* Oliv.
353	杨柳科	Salicaceae	杨属	*Populus*	苦杨	*Populus laurifolia* Ledeb.
354	杨柳科	Salicaceae	杨属	*Populus*	钻天杨	*Populus nigra* L. var. *italica* Munchhausen
355	杨柳科	Salicaceae	杨属	*Populus*	箭杆杨	*Populus nigra* L. var. *thevestina* (Dode) Bean

编号	科名	科拉丁学名	属名	属拉丁学名	种名	种拉丁学名
356	杨柳科	Salicaceae	杨属	*Populus*	灰胡杨	*Populus pruinosa* Schrenk
357	杨柳科	Salicaceae	杨属	*Populus*	小青杨	*Populus pseudosimonii* Kitag.
358	杨柳科	Salicaceae	杨属	*Populus*	小叶杨	*Populus simonii* Carr.
359	杨柳科	Salicaceae	柳属	*Salix*	白柳	*Salix alba* L.
360	杨柳科	Salicaceae	柳属	*Salix*	二色柳	*Salix albertii* Rgl.
361	杨柳科	Salicaceae	柳属	*Salix*	北极柳	*Salix arctica* Pall.
362	杨柳科	Salicaceae	柳属	*Salix*	银柳	*Salix argyracea* E. Wolf
363	杨柳科	Salicaceae	柳属	*Salix*	垂柳	*Salix babylonica* L.
364	杨柳科	Salicaceae	柳属	*Salix*	黄花柳	*Salix caprea* L.
365	杨柳科	Salicaceae	柳属	*Salix*	毛枝柳	*Salix dasyclados* Wimm.
366	杨柳科	Salicaceae	柳属	*Salix*	黄线柳	*Salix linearifolia* E. Wolf
367	杨柳科	Salicaceae	柳属	*Salix*	旱柳	*Salix matshudana* Koidz.
368	杨柳科	Salicaceae	柳属	*Salix*	米黄柳	*Salix michelsonii* Goerz ex Nas.
369	杨柳科	Salicaceae	柳属	*Salix*	五蕊柳	*Salix pentandra* L.
370	杨柳科	Salicaceae	柳属	*Salix*	密穗柳	*Salix pycrostachya* Anderss.
371	杨柳科	Salicaceae	柳属	*Salix*	萨彦柳	*Salix sajanensis* Nas.
372	杨柳科	Salicaceae	柳属	*Salix*	灌木柳	*Salix saposhnikovii* A. Skv
373	杨柳科	Salicaceae	柳属	*Salix*	齿叶柳	*Salix serrulatifolia* E. Wolf
374	杨柳科	Salicaceae	柳属	*Salix*	疏锯齿柳	*Salix serrulatifolia* E. Wolf var. *subintegrifolia* C. Y. Yang
375	杨柳科	Salicaceae	柳属	*Salix*	准葛尔柳	*Salix songarica* Anderss.
376	杨柳科	Salicaceae	柳属	*Salix*	蒿柳	*Salix viminalis* L.
377	杨柳科	Salicaceae	柳属	*Salix*	宽线叶柳	*Salix wilhelmsiana* M. B. var. *latifolia* Chang Y. Yang
378	桦木科	Betulaceae	桦木属	*Betula*	小叶桦	*Betula microphylla* Bunge
379	桦木科	Betulaceae	桦木属	*Betula*	垂枝桦	*Betula pendula* Roth
380	桦木科	Betulaceae	桦木属	*Betula*	圆叶桦	*Betula rotundifolia* Spach
381	壳斗科	Fagaceae	麻栎属	*Quercus*	夏橡	*Quercus robur* L.
382	榆科	Ulmaceae	榆属	*Ulmus*	美国榆	*Ulmus americana* L.
383	榆科	Ulmaceae	榆属	*Ulmus*	裂叶榆	*Ulmus laciniata* (Trautv.) Mayr.
384	榆科	Ulmaceae	榆属	*Ulmus*	钻天榆	*Ulmus pumila* L. cv. 'Pyramidalis' Wang
385	榆科	Ulmaceae	榆属	*Ulmus*	金叶榆	*Ulmus pumila* L. cv. 'Tinye'
386	榆科	Ulmaceae	榆属	*Ulmus*	龙爪榆	*Ulmus pumila* L. var. *pendula* (Kirchn.) Rehd.

编号	科名	科拉丁学名	属名	属拉丁学名	种名	种拉丁学名
387	桑科	Moraceae	大麻属	*Cannabis*	大麻	*Cannabis sativa* L.
388	桑科	Moraceae	葎草属	*Humulus*	啤酒花	*Humulus lupulus* L.
389	桑科	Moraceae	桑属	*Morus*	白桑	*Morus alba* L.
390	桑科	Moraceae	桑属	*Morus*	鞑靼桑	*Morus albus* L. var. *tatarica* (L.) Ser.
391	荨麻科	Urticaceae	荨麻属	*Urtica*	麻叶荨麻	*Urtica cannabina* L.
392	荨麻科	Urticaceae	荨麻属	*Urtica*	高原荨麻	*Urtica hyperborea* Jacq. ex Wedd.
393	檀香科	Santalaceae	百蕊草属	*Thesium*	阿拉套百蕊草	*Thesium alatavicum* Kar. et Kir.
394	檀香科	Santalaceae	百蕊草属	*Thesium*	急折百蕊草	*Thesium refractum* C. A. Mey.
395	蓼科	Polygonaceae	木蓼属	*Atraphaxis*	美丽木蓼	*Atraphaxis decipiens* Jaub. et Spach
396	蓼科	Polygonaceae	木蓼属	*Atraphaxis*	木蓼	*Atraphaxis frutescens* (L.) Ewersm.
397	蓼科	Polygonaceae	木蓼属	*Atraphaxis*	乳头叶木蓼	*Atraphaxis frutescens* (L.) Ewersm. var. *papillosa* Y. L. Liu
398	蓼科	Polygonaceae	木蓼属	*Atraphaxis*	锐枝木蓼	*Atraphaxis pungens* (M. B.) Jaub. et Spach
399	蓼科	Polygonaceae	木蓼属	*Atraphaxis*	梨叶木蓼	*Atraphaxis pyrifolia* Bge.
400	蓼科	Polygonaceae	木蓼属	*Atraphaxis*	长枝木蓼	*Atraphaxis virgata* (Rgl.) Krassn.
401	蓼科	Polygonaceae	沙拐枣属	*Calligonum*	戈壁沙拐枣	*Calligonum gobicum* (Bge.) A. Los.
402	蓼科	Polygonaceae	沙拐枣属	*Calligonum*	泡果沙拐枣	*Calligonum junceum* (Fisch. et Mey.) Litv.
403	蓼科	Polygonaceae	沙拐枣属	*Calligonum*	奇台沙拐枣	*Calligonum klementzii* A. Los.
404	蓼科	Polygonaceae	沙拐枣属	*Calligonum*	库尔勒沙拐枣	*Calligonum kuerlese* Z. M. Mao
405	蓼科	Polygonaceae	沙拐枣属	*Calligonum*	淡枝沙拐枣	*Calligonum leucocladum* (Schrenk) Bge.
406	蓼科	Polygonaceae	沙拐枣属	*Calligonum*	沙拐枣	*Calligonum mongolicum* Turcz.
407	蓼科	Polygonaceae	沙拐枣属	*Calligonum*	塔里木沙拐枣	*Calligonum roborovskii* A. Los.
408	蓼科	Polygonaceae	沙拐枣属	*Calligonum*	红果沙拐枣	*Calligonum rubicundum* Bge.
409	蓼科	Polygonaceae	沙拐枣属	*Calligonum*	英吉沙沙拐枣	*Calligonum yingisaricum* Z. M. Mao
410	蓼科	Polygonaceae	荞麦属	*Fagopyrum*	苦荞麦	*Fagopyrum tataricum* (L.) Gaertn.

编号	科名	科拉丁学名	属名	属拉丁学名	种名	种拉丁学名
411	蓼科	Polygonaceae	何首乌属	*Fallopia*	卷茎蓼	*Fallopia convolvulus* L.
412	蓼科	Polygonaceae	冰岛蓼属	*Koenigia*	冰岛蓼	*Koenigia islandica* L.
413	蓼科	Polygonaceae	蓼属	*Polygonum*	灰绿蓼	*Polygonum acetosum* Bieb.
414	蓼科	Polygonaceae	蓼属	*Polygonum*	萹蓄	*Polygonum aviculare* L.
415	蓼科	Polygonaceae	蓼属	*Polygonum*	拳参	*Polygonum bistorta* L.
416	蓼科	Polygonaceae	蓼属	*Polygonum*	酸模叶蓼	*Polygonum capathifolium* L.
417	蓼科	Polygonaceae	蓼属	*Polygonum*	篱蓼	*Polygonum dumetorum* L.
418	蓼科	Polygonaceae	蓼属	*Polygonum*	拳参	*Polygonum historta* L.
419	蓼科	Polygonaceae	蓼属	*Polygonum*	灯心草蓼	*Polygonum jenceum* Ledeb.
420	蓼科	Polygonaceae	蓼属	*Polygonum*	短柄蓼	*Polygonum nitens* (Fisch. et Mey.) V. Petr. ex Kom.
421	蓼科	Polygonaceae	蓼属	*Polygonum*	荭蓼	*Polygonum orientale* L.
422	蓼科	Polygonaceae	蓼属	*Polygonum*	新疆蓼	*Polygonum patulum* M. B.
423	蓼科	Polygonaceae	蓼属	*Polygonum*	桃叶蓼	*Polygonum persicaria* L.
424	蓼科	Polygonaceae	蓼属	*Polygonum*	习见蓼	*Polygonum plebium* R. Br.
425	蓼科	Polygonaceae	蓼属	*Polygonum*	针叶蓼	*Polygonum polycnemoides* Jaub. et Spach
426	蓼科	Polygonaceae	蓼属	*Polygonum*	细叶西伯利亚蓼	*Polygonum sibiricum* Laxm. var. *thomsonii* Meisn. ex Stew.
427	蓼科	Polygonaceae	大黄属	*Rheum*	鞑靼大黄	*Rheum tataricum* L. f.
428	蓼科	Polygonaceae	酸模属	*Rumex*	紫茎水生酸模	*Rumex aquaticus* L. subsp. *schischkinii* (A. Los) Rech. f.
429	蓼科	Polygonaceae	酸模属	*Rumex*	皱叶酸模	*Rumex crispus* L.
430	蓼科	Polygonaceae	酸模属	*Rumex*	齿果酸模	*Rumex dentatus* L.
431	蓼科	Polygonaceae	酸模属	*Rumex*	喀什酸膜	*Rumex kaschgaricus* C. Y. Yang
432	蓼科	Polygonaceae	酸模属	*Rumex*	盐生酸模	*Rumex marschallianus* Rchb.
433	蓼科	Polygonaceae	酸模属	*Rumex*	帕米尔酸蓼	*Rumex pamiricus* Rech. f
434	蓼科	Polygonaceae	酸模属	*Rumex*	中亚酸模	*Rumex popovii* Pachom.
435	蓼科	Polygonaceae	酸模属	*Rumex*	披针叶酸模	*Rumex pseudonatronatus* (Borb.) Borb. ex Murb.
436	蓼科	Polygonaceae	酸模属	*Rumex*	红干酸模	*Rumex rechingerianus* A. Los
437	蓼科	Polygonaceae	酸模属	*Rumex*	窄叶酸模	*Rumex stemphyllus* Ledeb.
438	蓼科	Polygonaceae	酸模属	*Rumex*	长刺酸模	*Rumex trisetifer* Stokes
439	藜科	Chenopodiaceae	沙蓬属	*Agriophyllum*	侧花沙蓬	*Agriophyllum lateriflorum* (Lam.) Moq.
440	藜科	Chenopodiaceae	假木贼属	*Anabasis*	短叶假木贼	*Anabasis brevifolia* C. A. Mey.

编号	科名	科拉丁学名	属名	属拉丁学名	种名	种拉丁学名
441	藜科	Chenopodiaceae	假木贼属	*Anabasis*	粗糙假木贼	*Anabasis pelliotii* Danguy
442	藜科	Chenopodiaceae	节节木属	*Arthrophytum*	长枝节节木	*Arthrophytum iliense* Iljin
443	藜科	Chenopodiaceae	滨藜属	*Atriplex*	野榆钱菠菜	*Atriplex aucheri* Moq.
444	藜科	Chenopodiaceae	滨藜属	*Atriplex*	白滨藜	*Atriplex cana* C. A. Mey.
445	藜科	Chenopodiaceae	滨藜属	*Atriplex*	戟叶滨藜	*Atriplex prostrata* Boucher ex Candolle
446	藜科	Chenopodiaceae	轴藜属	*Axyris*	轴藜	*Axyris amaranthoides* L.
447	藜科	Chenopodiaceae	轴藜属	*Axyris*	杂配轴藜	*Axyris hybrida* L.
448	藜科	Chenopodiaceae	雾冰藜属	*Bassia*	钩刺雾冰藜	*Bassia hyssopifolia* (Pall.) O. Kuntze
449	藜科	Chenopodiaceae	樟味藜属	*Camphorosma*	同齿樟味藜	*Camphorosma monspeliaca* L. subsp. *lessingii* (Litv.) Aellen
450	藜科	Chenopodiaceae	驼绒藜属	*Ceratoides*	心叶驼绒藜	*Ceratoides ewersmannia* (Stschegleev ex Losina-Losinskaja) Grubov
451	藜科	Chenopodiaceae	驼绒藜属	*Ceratoides*	驼绒藜	*Ceratoides latens* (J. F. Gmel.) Reveal et Holmgren
452	藜科	Chenopodiaceae	藜属	*Chenopodium*	球花藜	*Chenopodium foliosum* (Moench) Aschers.
453	藜科	Chenopodiaceae	藜属	*Chenopodium*	杂配藜	*Chenopodium hybridum* L.
454	藜科	Chenopodiaceae	藜属	*Chenopodium*	平卧藜	*Chenopodium prostratum* Bunge ex Herder
455	藜科	Chenopodiaceae	藜属	*Chenopodium*	红叶藜	*Chenopodium rubrum* L.
456	藜科	Chenopodiaceae	藜属	*Chenopodium*	市藜	*Chenopodium urbicum* L.
457	藜科	Chenopodiaceae	藜属	*Chenopodium*	东亚市藜	*Chenopodium urbicum* L. subsp. *sinicum* Kung et G. L. Chu
458	藜科	Chenopodiaceae	虫实属	*Corispermum*	绳虫实	*Corispermum declinatum* Step. ex Stev.
459	藜科	Chenopodiaceae	虫实属	*Corispermum*	粗喙虫实	*Corispermum dutreuilii* Iljin
460	藜科	Chenopodiaceae	虫实属	*Corispermum*	蒙古虫实	*Corispermum mongolicum* Iljin
461	藜科	Chenopodiaceae	对叶盐蓬属	*Girgensohnia*	对叶盐蓬	*Girgensohnia oppositiflora* (Pall.) Fenzl
462	藜科	Chenopodiaceae	盐蓬属	*Halimocnemis*	知包盐蓬	*Halimocnemis karelinii* Moq.
463	藜科	Chenopodiaceae	盐蓬属	*Halimocnemis*	柔毛盐蓬	*Halimocnemis viiosa* Kar. et Kir.
464	藜科	Chenopodiaceae	盐节木属	*Halocnemum*	盐节木	*Halocnemum strobiaccnum* (Pall.) Bieb.
465	藜科	Chenopodiaceae	对节刺属	*Horaninowia*	对节刺	*Horaninowia ulicina* Fisch. et Mey.

编号	科名	科拉丁学名	属名	属拉丁学名	种名	种拉丁学名
466	藜科	Chenopodiaceae	戈壁藜属	*Iljinia*	戈壁藜	*Iljinia regelii* (Bge.) Korov.
467	藜科	Chenopodiaceae	盐爪爪属	*Kalidium*	尖叶盐爪爪	*Kalidium cuspidatum* (Ung. Sternb.) Grub.
468	藜科	Chenopodiaceae	盐爪爪属	*Kalidium*	细枝盐爪爪	*Kalidium gracile* Fenzl
469	藜科	Chenopodiaceae	棉藜属	*Kirilowia*	棉藜	*Kirilowia eriantha* Bge.
470	藜科	Chenopodiaceae	地肤属	*Kochia*	伊朗地肤	*Kochia iranica* Litv. ex Bornm.
471	藜科	Chenopodiaceae	地肤属	*Kochia*	黑翅地肤	*Kochia melanoptera* Bge.
472	藜科	Chenopodiaceae	地肤属	*Kochia*	灰毛木地肤	*Kochia prostrata* (L.) Schrad. var. *canescens* Moq.
473	藜科	Chenopodiaceae	地肤属	*Kochia*	密毛木地肤	*Kochia prostrata* (L.) Schrad. var. *villosissima* Bong. et Mey.
474	藜科	Chenopodiaceae	地肤属	*Kochia*	碱地肤	*Kochia scoparia* (L.) Schrad. var. *sieversiana* (Pall.)
475	藜科	Chenopodiaceae	绒藜属	*Londesia*	绒藜	*Londesia eriantha* Fisch. et May.
476	藜科	Chenopodiaceae	叉毛蓬属	*Petrosimonia*	叉毛蓬	*Petrosimonia sibirica* (Pall.) Bge.
477	藜科	Chenopodiaceae	叉毛蓬属	*Petrosimonia*	粗糙叉毛蓬	*Petrosimonia squarrosa* (Schrenk) Bunge
478	藜科	Chenopodiaceae	盐角草属	*Salicornia*	盐角草	*Salicornia enropaea* L.
479	藜科	Chenopodiaceae	猪毛菜属	*Salsola*	蒿叶猪毛菜	*Salsola abrotanoides* Bge.
480	藜科	Chenopodiaceae	猪毛菜属	*Salsola*	紫翅猪毛菜	*Salsola affilis* C. A. Mey.
481	藜科	Chenopodiaceae	猪毛菜属	*Salsola*	木本猪毛菜	*Salsola arbuscula* Pall.
482	藜科	Chenopodiaceae	猪毛菜属	*Salsola*	散枝猪毛菜	*Salsola brachiata* Pall.
483	藜科	Chenopodiaceae	猪毛菜属	*Salsola*	猪毛菜	*Salsola collina* Pall.
484	藜科	Chenopodiaceae	猪毛菜属	*Salsola*	准噶尔猪毛菜	*Salsola dshungarica* Iljin
485	藜科	Chenopodiaceae	猪毛菜属	*Salsola*	浆果猪毛菜	*Salsola foliosa* (L.) Schrad.
486	藜科	Chenopodiaceae	猪毛菜属	*Salsola*	蒙古猪毛菜	*Salsola ikonnikovii* Iljin
487	藜科	Chenopodiaceae	猪毛菜属	*Salsola*	褐翅猪毛菜	*Salsola korshinskyi* Drob.
488	藜科	Chenopodiaceae	猪毛菜属	*Salsola*	短柱猪毛菜	*Salsola lanata* Pall.
489	藜科	Chenopodiaceae	猪毛菜属	*Salsola*	钠猪毛菜	*Salsola nitraria* Pall.
490	藜科	Chenopodiaceae	猪毛菜属	*Salsola*	长刺猪毛菜	*Salsola paulsenii* Litv.
491	藜科	Chenopodiaceae	猪毛菜属	*Salsola*	薄翅猪毛菜	*Salsola pellucida* Litv.
492	藜科	Chenopodiaceae	猪毛菜属	*Salsola*	粗枝猪毛菜	*Salsola subcrassa* M. Pop.
493	藜科	Chenopodiaceae	猪毛菜属	*Salsola*	长柱猪毛菜	*Salsola sukaczevii* (Botsch.) A. J. Li
494	藜科	Chenopodiaceae	碱蓬属	*Suaeda*	五蕊碱蓬	*Suaeda arcuata* Bunge
495	藜科	Chenopodiaceae	碱蓬属	*Suaeda*	角果碱蓬	*Suaeda corniculata* (C. A. Meyer) Bunge

编号	科名	科拉丁学名	属名	属拉丁学名	种名	种拉丁学名
496	藜科	Chenopodiaceae	碱蓬属	*Suaeda*	盘果碱蓬	*Suaeda heterophylla* (Kar. et Kir.) Bunge
497	藜科	Chenopodiaceae	碱蓬属	*Suaeda*	肥叶碱蓬	*Suaeda kossinskyi* Iljin
498	藜科	Chenopodiaceae	碱蓬属	*Suaeda*	平卧碱蓬	*Suaeda prostrata* Pall.
499	藜科	Chenopodiaceae	碱蓬属	*Suaeda*	盐地碱蓬	*Suaeda salsa* (L.) Pall.
500	藜科	Chenopodiaceae	合头草属	*Sympegma*	单花合头草	*Sympegma elegans* G. L. Chu
501	藜科	Chenopodiaceae	合头草属	*Sympegma*	合头草	*Sympegma regelii* Bge.
502	苋科	Amaranthaceae	莲子草属	*Alternanthera*	华莲子草	*Alternanthera paronychioides* A. Saint-Hilaire
503	苋科	Amaranthaceae	苋属	*Amaranthus*	白苋	*Amaranthus albus* L.
504	苋科	Amaranthaceae	苋属	*Amaranthus*	北美苋	*Amaranthus blitoides* S. Watson
505	苋科	Amaranthaceae	苋属	*Amaranthus*	千惠谷	*Amaranthus hypochondriacus* L.
506	苋科	Amaranthaceae	苋属	*Amaranthus*	繁穗苋	*Amaranthus paniculatus* L.
507	苋科	Amaranthaceae	苋属	*Amaranthus*	腋花苋	*Amaranthus roxburghianus* Kung
508	苋科	Amaranthaceae	苋属	*Amaranthus*	苋	*Amaranthus tricolor* L.
509	苋科	Amaranthaceae	苋属	*Amaranthus*	皱果苋	*Amaranthus viridis* L.
510	苋科	Amaranthaceae	千日红属	*Gomphrena*	千日红	*Gomphrena globosa* L.
511	马齿苋科	Portulacaceae	马齿苋属	*Portulaca*	大花马齿苋	*Portulaca grandiflora* Hook.
512	石竹科	Caryophyllaceae	刺叶属	*Acanthophyllum*	刺叶	*Acanthophyllum pungens* (Bge.) Boiss.
513	石竹科	Caryophyllaceae	麦毒草属	*Agrostemma*	麦毒草	*Agrostemma githago* L.
514	石竹科	Caryophyllaceae	无心菜属	*Arenaria*	雪灵芝	*Arenaria brevipetala* Y. W. Tsui et L. H. Zhou
515	石竹科	Caryophyllaceae	无心菜属	*Arenaria*	狐茅状雪灵芝	*Arenaria festucoides* Benth.
516	石竹科	Caryophyllaceae	无心菜属	*Arenaria*	甘肃雪灵芝	*Arenaria kansuensis* Maxim.
517	石竹科	Caryophyllaceae	无心菜属	*Arenaria*	细枝无心菜	*Arenaria leptoclados* Guss.
518	石竹科	Caryophyllaceae	无心菜属	*Arenaria*	高山老牛筋	*Arenaria meyeri* Fenzl
519	石竹科	Caryophyllaceae	无心菜属	*Arenaria*	无心菜	*Arenaria serpyllifolia* L.
520	石竹科	Caryophyllaccac	卷耳属	*Cerastium*	田野卷耳	*Cerastium arvense* L.
521	石竹科	Caryophyllaceae	卷耳属	*Cerastium*	二岐卷耳	*Cerastium dichotomum* L.
522	石竹科	Caryophyllaceae	卷耳属	*Cerastium*	镰刀叶卷耳	*Cerastium falcatum* Bge.
523	石竹科	Caryophyllaceae	卷耳属	*Cerastium*	长蒴卷耳	*Cerastium fischerianum* Ser.
524	石竹科	Caryophyllaceae	卷耳属	*Cerastium*	簇生卷耳	*Cerastium fontanum* Baumg. subsp. *vulgare* (Hartman) Greuter et Burdet
525	石竹科	Caryophyllaceae	卷耳属	*Cerastium*	膨萼卷耳	*Cerastium inflatum* Link

编号	科名	科拉丁学名	属名	属拉丁学名	种名	种拉丁学名
526	石竹科	Caryophyllaceae	卷耳属	*Cerastium*	紫草叶卷耳	*Cerastium lithospermifolium* Fisch.
527	石竹科	Caryophyllaceae	卷耳属	*Cerastium*	寄奴花	*Cerastium pauciflorum* Stev.
528	石竹科	Caryophyllaceae	卷耳属	*Cerastium*	山卷耳	*Cerastium pusillum* Ser.
529	石竹科	Caryophyllaceae	卷耳属	*Cerastium*	天山卷耳	*Cerastium tianschanicum* Schischk.
530	石竹科	Caryophyllaceae	石竹属	*Dianthus*	针叶石竹	*Dianthus acicularis* Fisch. ex Ldb.
531	石竹科	Caryophyllaceae	石竹属	*Dianthus*	香石竹	*Dianthus caryophyllus* L.
532	石竹科	Caryophyllaceae	石竹属	*Dianthus*	高石竹	*Dianthus elatus* Winkl.
533	石竹科	Caryophyllaceae	石竹属	*Dianthus*	大苞石竹	*Dianthus hoeltzeri* Winkl
534	石竹科	Caryophyllaceae	石竹属	*Dianthus*	长萼石竹	*Dianthus kuschakewiczii* Regel et Schmalh.
535	石竹科	Caryophyllaceae	石竹属	*Dianthus*	多枝石竹	*Dianthus ramosissimus* Pall. ex Poir.
536	石竹科	Caryophyllaceae	石竹属	*Dianthus*	狭叶石竹	*Dianthus semenovii* (Rgl. et Herd.) Vierh.
537	石竹科	Caryophyllaceae	石竹属	*Dianthus*	准葛尔石竹	*Dianthus songaricus* Shischk.
538	石竹科	Caryophyllaceae	石竹属	*Dianthus*	土耳其石竹	*Dianthus turkestanicus* Preobr.
539	石竹科	Caryophyllaceae	石竹属	*Dianthus*	兴安石竹	*Dianthus versicolor* Fisch.
540	石竹科	Caryophyllaceae	石头花属	*Gypsophila*	高石头花	*Gypsophila altissima* L.
541	石竹科	Caryophyllaceae	石头花属	*Gypsophila*	头状石头花	*Gypsophila capituliflora* Rupr.
542	石竹科	Caryophyllaceae	石头花属	*Gypsophila*	膜苞石头花	*Gypsophila cephalotes* (Schrenk) Williams
543	石竹科	Caryophyllaceae	石头花属	*Gypsophila*	圆锥石头花	*Gypsophila paniculata* L.
544	石竹科	Caryophyllaceae	石头花属	*Gypsophila*	紫萼石头花	*Gypsophila patrinii* Ser.
545	石竹科	Caryophyllaceae	治疝草属	*Herniaria*	杂性治疝草	*Herniaria polygama* J. Gay
546	石竹科	Caryophyllaceae	薄蒴草属	*Lepyrodiclis*	繁缕叶薄蒴草	*Lepyrodiclis stellarioides* Schrenk
547	石竹科	Caryophyllaceae	剪秋罗属	*Lychnis*	皱叶剪秋罗	*Lychnis chalcedonica* L.
548	石竹科	Caryophyllaceae	女娄菜属	*Melandrium*	异株女娄菜	*Melandrium album* (Mill.) Garcke
549	石竹科	Caryophyllaceae	女娄菜属	*Melandrium*	小瓣女娄菜	*Melandrium apetalum* (L.) Fenzl
550	石竹科	Caryophyllaceae	女娄菜属	*Melandrium*	女娄菜	*Melandrium apricum* (Turcz. ex Fisch. et Mey.) Rohrb.
551	石竹科	Caryophyllaceae	女娄菜属	*Melandrium*	兴安女娄菜	*Melandrium brachypetalum* (Horn.) Fenzl
552	石竹科	Caryophyllaceae	女娄菜属	*Melandrium*	腋花女娄菜	*Melandrium noctiflorum* (L.) Fries.

编号	科名	科拉丁学名	属名	属拉丁学名	种名	种拉丁学名
553	石竹科	Caryophyllaceae	女娄菜属	*Melandrium*	四裂女娄菜	*Melandrium quadrilobum* (Turcz.) Schischk.
554	石竹科	Caryophyllaceae	女娄菜属	*Melandrium*	紫萼女娄菜	*Melandrium sordidum* (Kar. et Kir.) Rohrb.
555	石竹科	Caryophyllaceae	女娄菜属	*Melandrium*	细女娄菜	*Melandrium tenellum* Tolm.
556	石竹科	Caryophyllaceae	女娄菜属	*Melandrium*	粘女娄菜	*Melandrium viscosum* (L.) Cel.
557	石竹科	Caryophyllaceae	米努草属	*Minuartia*	二花米努草	*Minuartia biflora* (L.) Schinz et Thell.
558	石竹科	Caryophyllaceae	米努草属	*Minuartia*	腺毛米努草	*Minuartia helmii* (Fisch. ex Ser.) Schischk.
559	石竹科	Caryophyllaceae	米努草属	*Minuartia*	长冠米努草	*Minuartia kryloviana* Schischk.
560	石竹科	Caryophyllaceae	米努草属	*Minuartia*	小米努草	*Minuartia schischkinii* Adyl.
561	石竹科	Caryophyllaceae	米努草属	*Minuartia*	直立米努草	*Minuartia stricta* (Sw.) Hiern
562	石竹科	Caryophyllaceae	米努草属	*Minuartia*	土库曼米努草	*Minuartia turcomanica* Schischk.
563	石竹科	Caryophyllaceae	米努草属	*Minuartia*	早春米努草	*Minuartia verna* (L.) Hiern
564	石竹科	Caryophyllaceae	种阜草属	*Moehringia*	喜阴种阜草	*Moehringia umbrosa* (Bge.) Fenzl
565	石竹科	Caryophyllaceae	漆姑草属	*Sagina*	漆姑草	*Sagina japonica* (Sw.) Ohwi
566	石竹科	Caryophyllaceae	漆姑草属	*Sagina*	匍匐漆姑草	*Sagina procumbens* L.
567	石竹科	Caryophyllaceae	蝇子草属	*Silene*	腺花蝇了草	*Silene adenopetala* H. Raik.
568	石竹科	Caryophyllaceae	蝇子草属	*Silene*	高雪轮	*Silene armeria* L.
569	石竹科	Caryophyllaceae	蝇子草属	*Siline*	长果蝇子草	*Silene cyri* Schischk.
570	石竹科	Caryophyllaceae	蝇子草属	*Silene*	密花蝇子草	*Silene densiflora* Dum.-Urv.
571	石竹科	Caryophyllaceae	蝇子草属	*Silene*	粘蝇子草	*Silene heptapotamica* Schischk.
572	石竹科	Caryophyllaceae	蝇子草属	*Silene*	全缘蝇子草	*Silene holopetala* Bge.
573	石竹科	Caryophyllaceae	蝇子草属	*Silene*	紫花蝇子草	*Silene karaczukuri* B. Fedtech.
574	石竹科	Caryophyllaceae	蝇子草属	*Silene*	喜岩蝇子草	*Silene lithophila* Kar. et Kir.
575	石竹科	Caryophyllaceae	蝇子草属	*Silene*	香蝇子草	*Silene odoratissima* Bge.
576	石竹科	Caryophyllaccac	蝇子草属	*Silene*	沙生蝇子草	*Silene olgiana* B. Fcdtsch.
577	石竹科	Caryophyllaceae	蝇子草属	*Silene*	蔓茎蝇子草	*Silene repens* Patr.
578	石竹科	Caryophyllaceae	蝇了草属	*Silene*	宽叶蝇了草	*Silene repens* Patr. var. *latifolia* Turcz.
579	石竹科	Caryophyllaceae	蝇子草属	*Silene*	狗筋蝇子草	*Silene venosa* (Gilib.) Aschers
580	石竹科	Caryophyllaceae	蝇子草属	*Silene*	白玉草	*Silene vulgaris* (Moench) Garcke

编号	科名	科拉丁学名	属名	属拉丁学名	种名	种拉丁学名
581	石竹科	Caryophyllaceae	蝇子草属	*Silene*	伏尔加蝇子草	*Silene wolgensis* (Hornemann) Otth
582	石竹科	Caryophyllaceae	拟漆姑属	*Spergularia*	二雄拟漆菇	*Spergularia diandra* (Guss.) Heldr. et Sart.
583	石竹科	Caryophyllaceae	拟漆姑属	*Spergularia*	拟漆姑	*Spergularia marina* (L.) Grisebach
584	石竹科	Caryophyllaceae	繁缕属	*Stellaria*	阿拉套繁缕	*Stellaria alatavica* M. Pop.
585	石竹科	Caryophyllaceae	繁缕属	*Stellaria*	钝萼繁缕	*Stellaria amblyosepala* Schrenk
586	石竹科	Caryophyllaceae	繁缕属	*Stellaria*	沙生繁缕	*Stellaria arenaria* Maxim.
587	石竹科	Caryophyllaceae	繁缕属	*Stellaria*	二柱繁缕	*Stellaria bistyla* Y. Z. Zhao
588	石竹科	Caryophyllaceae	繁缕属	*Stellaria*	厚叶繁缕	*Stellaria crassifolia* Fhrh.
589	石竹科	Caryophyllaceae	繁缕属	*Stellaria*	叉繁缕	*Stellaria dichotoma* L.
590	石竹科	Caryophyllaceae	繁缕属	*Stellaria*	银柴胡	*Stellaria dichotoma* L. var. *lanceolata* Bge.
591	石竹科	Caryophyllaceae	繁缕属	*Stellaria*	禾叶繁缕	*Stellaria graminea* L.
592	石竹科	Caryophyllaceae	繁缕属	*Stellaria*	光萼繁缕	*Stellaria kostchyana* Fenzl ex Boiss.
593	石竹科	Caryophyllaceae	繁缕属	*Stellaria*	繁缕	*Stellaria media* (L.) Vill.
594	石竹科	Caryophyllaceae	繁缕属	*Stellaria*	鸡肠繁缕	*Stellaria neglecta* Weihe ex Bluff et Fingerh.
595	石竹科	Caryophyllaceae	繁缕属	*Stellaria*	湿地繁缕	*Stellaria uda* F. N. Willians
596	石竹科	Caryophyllaceae	繁缕属	*Stellaria*	雀舌草	*Stellaria uliginosa* Murr.
597	石竹科	Caryophyllaceae	王不留行属	*Vaccaria*	王不留行	*Vaccaria hispanica* (Mill.) Rauschert
598	石竹科	Caryophyllaceae	王不留行属	*Vaccaria*	麦蓝菜	*Vaccaria segetalis* (Neck.) Garcke
599	毛茛科	Ranunculaceae	乌头属	*Aconitum*	牛扁	*Aconitum barbatum* Pers. var. *puberulum* Ledeb.
600	毛茛科	Ranunculaceae	乌头属	*Aconitum*	露蕊乌头	*Aconitum gymnandrum* Maxim.
601	毛茛科	Ranunculaceae	乌头属	*Aconitum*	展毛多根乌头	*Aconitum karakolicum* Rapaics var. *patentipilum* W. T. Wang
602	毛茛科	Ranunculaceae	乌头属	*Aconitum*	毛序准噶尔乌头	*Aconitum soongarium* Stapf var. *pubescens* Steinb.
603	毛茛科	Ranunculaceae	侧金盏属	*Adonis*	夏侧金盏花	*Adonis aestivalis* L.
604	毛茛科	Ranunculaceae	侧金盏属	*Adonis*	金黄侧金盏	*Adonis chrysocyatha* Hook. f. et Thomes.
605	毛茛科	Ranunculaceae	侧金盏属	*Adonis*	北侧金盏	*Adonis sibirica* Patr.
606	毛茛科	Ranunculaceae	银莲花属	*Anemone*	长毛银莲花	*Anemone narcissiflora* L. var. *crinita* (Juz.) Tamura

续表

编号	科名	科拉丁学名	属名	属拉丁学名	种名	种拉丁学名
607	毛茛科	Ranunculaceae	银莲花属	*Anemone*	天山银莲花	*Anemone narcissiflora* L. var. *turkestanica* Schipcz.
608	毛茛科	Ranunculaceae	银莲花属	*Anemone*	小花草玉梅	*Anemone rivularis* Buch.-Ham. ex DC. var. *flore-minore* Maxim.
609	毛茛科	Ranunculaceae	楼斗菜属	*Aquilegia*	短距楼斗菜	*Aquilegia brevicalcarata* Kolokoln. ex Serg.
610	毛茛科	Ranunculaceae	楼斗菜属	*Aquilegia*	长距楼斗菜	*Aquilegia karelini* (Baker.) O. et B. Fedtsch.
611	毛茛科	Ranunculaceae	楼斗菜属	*Aquilegia*	白花楼斗菜	*Aquilegia lactiflora* Kar. et Kir.
612	毛茛科	Ranunculaceae	水毛茛属	*Batrachium*	硬叶水毛茛	*Batrachium foenticulaceum* (Gilib.) Krecz.
613	毛茛科	Ranunculaceae	美花草属	*Callianthemum*	薄叶美花草	*Callianthemum angustifolium* Witak.
614	毛茛科	Ranunculaceae	星叶草属	*Circaeaster*	星叶草	*Circaeaster agrestis* Maxim.
615	毛茛科	Ranunculaceae	铁线莲属	*Clematis*	角萼铁线莲	*Clematis corniculata* W. T. Wang
616	毛茛科	Ranunculaceae	翠雀属	*Delphinium*	绢毛高翠雀花	*Delphinium elatum* L. var. *sericeum* W. T. Wang
617	毛茛科	Ranunculaceae	翠雀属	*Delphinium*	毛果船苞翠雀花	*Delphinium narviculare* W. T. Wang var. *lasiocarpum* W. T. Wang
618	毛茛科	Ranunculaceae	翠雀属	*Delphinium*	温泉翠雀花	*Delphinium winklerianum* Huth
619	毛茛科	Ranunculaceae	碱毛茛属	*Halerpestes*	三裂碱毛茛	*Halerpestes tricuspis* (Maxim.) Hand.-Mazz.
620	毛茛科	Ranunculaceae	獐耳细辛属	*Hepatica*	凡可獐耳细辛	*Hepatica falconeri* (Thoms.) Juz.
621	毛茛科	Ranunculaceae	扁果草属	*Isopyrum*	扁果草	*Isopyrum anemonoicles* Kar. et Kir.
622	毛茛科	Ranunculaceae	蓝堇草属	*Leptopyrum*	蓝堇草	*Leptopyrum fumarioicles* (L.) Reichb.
623	毛茛科	Ranunculaceae	芍药属	*Paeonia*	块根芍药	*Paeonia anomala* L.
624	毛茛科	Ranunculaceae	芍药属	*Paeonia*	窄叶芍药	*Paeonia hybrida* Pall.
625	毛茛科	Ranunculaceae	芍药属	*Paeonia*	芍药	*Paeonia lactiflora* Pall.
626	毛茛科	Ranunculaceae	芍药属	*Paeonia*	新疆芍药	*Paeonia sinjiangesis* K. Y. Pan
627	毛茛科	Ranunculaceae	芍药属	*Paeonia*	牡丹	*Paeonia suffruticosa* Andr.
628	毛茛科	Ranunculaceae	拟楼斗菜属	*Paraquilegia*	拟楼斗菜	*Paraqulegia microphylla* (Royle) Drumm. et Hutch.
629	毛茛科	Ranunculaceae	白头翁属	*Pulsatilla*	丛毛蒙古白头翁	*Pulsatilla ambigua* Turcz. var. *barbata* J. G. Liou

编号	科名	科拉丁学名	属名	属拉丁学名	种名	种拉丁学名
630	毛茛科	Ranunculaceae	白头翁属	*Pulsatilla*	掌叶白头翁	*Pulsatilla patens* (L.) Mill.
631	毛茛科	Ranunculaceae	毛茛属	*Ranunculus*	宽瓣毛茛	*Ranunculus albertii* Regel et Schmalk.
632	毛茛科	Ranunculaceae	毛茛属	*Ranunculus*	班戈毛茛	*Ranunculus banguoensis* L. Liou
633	毛茛科	Ranunculaceae	毛茛属	*Ranunculus*	青河毛茛	*Ranunculus chingoensis* L. Liou
634	毛茛科	Ranunculaceae	毛茛属	*Ranunculus*	大叶毛茛	*Ranunculus grandifolius* C. A. Mey.
635	毛茛科	Ranunculaceae	毛茛属	*Ranunculus*	毛瓣毛茛	*Ranunculus hamiensis* J. G. Liu
636	毛茛科	Ranunculaceae	毛茛属	*Ranunculus*	短喙毛茛	*Ranunculus meyerianus* Rupr.
637	毛茛科	Ranunculaceae	毛茛属	*Ranunculus*	浮毛茛	*Ranunculus natans* C. A. Mey.
638	毛茛科	Ranunculaceae	毛茛属	*Ranunculus*	长茎毛茛	*Ranunculus nephelogenes* Edgew. var. *longicaulis* (Trautvetter) W. T. Wang
639	毛茛科	Ranunculaceae	毛茛属	*Ranunculus*	沼泽毛茛	*Ranunculus nephelogenes* Edgew. var. *pseudohirculus* (Trautvetter) J. G. Liu
640	毛茛科	Ranunculaceae	毛茛属	*Ranunculus*	多根毛茛	*Ranunculus polyrhizus* Steph.
641	毛茛科	Ranunculaceae	毛茛属	*Ranunculus*	多瓣毛茛	*Ranunculus propinquus* C. A. Mey.
642	毛茛科	Ranunculaceae	毛茛属	*Ranunculus*	红萼毛茛	*Ranunculus rubrocalyx* Rgl.
643	毛茛科	Ranunculaceae	毛茛属	*Ranunculus*	苞毛茛	*Ranunculus similis* Hemsley
644	毛茛科	Ranunculaceae	毛茛属	*Ranunculus*	毛托毛茛	*Ranunculus trautvetterianuns* Rgl.
645	毛茛科	Ranunculaceae	唐松草属	*Thalictrum*	长梗亚欧唐松草	*Thalictrum minus* L. var. *stipellatum* (C. A. Mey.) Tamura
646	小檗科	Berberidaceae	小檗属	*Berberis*	黑果小檗	*Berberis heteropoda* Schrenk
647	小檗科	Berberidaceae	小檗属	*Berberis*	红果小檗	*Berberis nummularia* Bge.
648	小檗科	Berberidaceae	牡丹草属	*Gymnospermium*	阿尔泰新牡丹草	*Gymnospermium altaicum* (Pall.) Spach
649	罂粟科	Papaveraceae	紫堇属	*Corydalis*	铁线蕨叶黄堇	*Corydalis adiantifolia* Hook. et Thoms.
650	罂粟科	Papaveraceae	紫堇属	*Corydalis*	山黄堇	*Corydalis capnodies* (L.) Pers
651	罂粟科	Papaveraceae	紫堇属	*Corydalis*	灰叶延胡索	*Corydalis glaucescens* Rgl.
652	罂粟科	Papaveraceae	紫堇属	*Gorydalis*	高山黄堇	*Corydalis gortschakovii* Schrenk
653	罂粟科	Papaveraceae	紫堇属	*Corydalis*	尼泊尔黄堇	*Corydalis hendersonii* Hemsl.
654	罂粟科	Papaveraceae	紫堇属	*Corydalis*	二色堇	*Corydalis inconspicua* Bge.

编号	科名	科拉丁学名	属名	属拉丁学名	种名	种拉丁学名
655	罂粟科	Papaveraceae	紫堇属	*Corydalis*	对叶元胡	*Corydalis ledebouraiana* Kar. et Kir.
656	罂粟科	Papaveraceae	紫堇属	*Corydalis*	疆堇	*Corydalis mira* (Batalin) C. Y. Wu et H. Chuang
657	罂粟科	Papaveraceae	紫堇属	*Corydalis*	长花延胡索	*Corydalis schanginii* (Pall.) B. Fedtsch.
658	罂粟科	Papaveraceae	紫堇属	*Corydalis*	天山黄堇	*Corydalis semenovii* Regel et Herd.
659	罂粟科	Papaveraceae	紫堇属	*Corydalis*	直立黄堇	*Corydalis stricta* Steph.
660	罂粟科	Papaveraceae	秃疮花属	*Dicranostigma*	伊犁秃疮花	*Dicranostigma iliensis* C. Y. Wu et H. Chuang.
661	罂粟科	Papaveraceae	花菱草属	*Eschscholtzia*	花菱草	*Eschscholtzia california* Charm.
662	罂粟科	Papaveraceae	烟堇属	*Fumaria*	烟堇	*Fumaria schleicheri* Soy.-Wil.
663	罂粟科	Papaveraceae	海罂粟属	*Glaucium*	短梗海罂粟	*Glaucium elegans* Fisch. et Mey.
664	罂粟科	Papaveraceae	海罂粟属	*Glaucium*	鳞果海罂粟	*Glaucium squamigerum* Kar. et Kir.
665	罂粟科	Papaveraceae	角茴香属	*Hypecoum*	角茴香	*Hypecoum erectum* L.
666	罂粟科	Papaveraceae	角茴香属	*Hypecoum*	锈斑角茴香	*Hypecoum ferrugineum-maculae* Z. X. An
667	罂粟科	Papaveraceae	角茴香属	*Hypecoum*	乳白花角茴香	*Hypecoum lactiflorum* (Kar. et Kir.) Pazij
668	罂粟科	Papaveraceae	罂粟属	*Papaver*	橙黄罂粟	*Papaver croceum* Ldb.
669	罂粟科	Papaveraceae	罂粟属	*Papaver*	天山罂粟	*Papaver tianschamicum* M. Pop.
670	罂粟科	Papaveraceae	裂叶罂粟属	*Roemeria*	红裂叶罂粟	*Roemeria refracta* (Stev.) DC.
671	十字花科	Cruciferae	庭荠属	*Alyssum*	庭荠	*Alyssum desertorum* Stapf
672	十字花科	Cruciferae	庭荠属	*Alyssum*	条叶庭荠	*Alyssum linifolium* Steph. ex Willd.
673	十字花科	Cruciferae	庭荠属	*Alyssum*	西伯利亚庭荠	*Alyssum sibircum* Willd.
674	十字花科	Cruciferae	鼠耳芥属	*Arabidopsis*	小鼠耳芥	*Arabidopsis pumila* (Steph.) N. Busch
675	十字花科	Cruciferae	鼠耳芥属	*Arabidopsis*	鼠耳芥	*Arabidopsis thaliana* (L.) Heynh.
676	十字花科	Cruciferae	鼠耳芥属	*Arabidopsis*	弓叶鼠耳芥	*Arabidopsis toxophylla* (M. B.) N. Busch
677	十字花科	Cruciferae	南芥属	*Arabis*	耳叶南芥	*Arabis auriculata* Lam.
678	十字花科	Cruciferae	南芥属	*Arabis*	新疆南芥	*Arabis borealis* Andrz.
679	十字花科	Cruciferae	南芥属	*Arabis*	半灌木南芥	*Arabis fruticalosa* C. A. Mey.

编号	科名	科拉丁学名	属名	属拉丁学名	种名	种拉丁学名
680	十字花科	Cruciferae	团扇荠属	*Berteroa*	大果团扇荠	*Berteroa potanini* Maxim.
681	十字花科	Cruciferae	芸苔属	*Brassica*	短喙芥	*Brassica brevirostrata* Z. X. An
682	十字花科	Cruciferae	芸苔属	*Brassica*	芸苔	*Brassica campestris* L.
683	十字花科	Cruciferae	芸苔属	*Brassica*	青菜	*Brassica chinensis* L.
684	十字花科	Cruciferae	芸苔属	*Brassica*	油芥菜	*Brassica juncea* (L.) Czern. et Coss. var. *gracilis* Tsen et Lee
685	十字花科	Cruciferae	芸苔属	*Brassica*	油菜	*Brassica pekinensis* (Lour.) Rupr.
686	十字花科	Cruciferae	芸苔属	*Brassica*	芜菁	*Brassica rapa* L.
687	十字花科	Cruciferae	肉叶芥属	*Braya*	红花肉叶芥	*Braya rosea* (Turcz.) Bge.
688	十字花科	Cruciferae	肉叶芥属	*Braya*	西藏肉叶芥	*Braya tibetica* Hook. f. et Thoms.
689	十字花科	Cruciferae	亚麻芥属	*Camelina*	小叶亚麻芥	*Camelina microphylla* Z. X. An
690	十字花科	Cruciferae	荠属	*Capsella*	荠菜	*Capsella bursa-pastoria* (L.) Medic.
691	十字花科	Cruciferae	碎米荠属	*Cardamine*	弯曲碎米荠	*Cardamine flexuosa* With.
692	十字花科	Cruciferae	碎米荠属	*Cardamine*	小花碎米荠	*Cardamine parviflora* L.
693	十字花科	Cruciferae	离子芥属	*Choriapora*	大果离子芥	*Chorispora macropoda* Tranv.
694	十字花科	Cruciferae	高原芥属	*Christolea*	高原芥	*Christolea crassifolia* Camb.
695	十字花科	Cruciferae	高原芥属	*Christolea*	喀什高原芥	*Christolea kaschgarica* (Botsch.) A. X. An
696	十字花科	Cruciferae	高原芥属	*Christolea*	尼亚高原芥	*Christolea niyaiza* Z. X. An
697	十字花科	Cruciferae	高原芥属	*Christolea*	线果高原芥	*Christolea parkeri* (O. E. Schulz) Jafri.
698	十字花科	Cruciferae	隐子芥属	*Cyptospora*	隐子芥	*Cyptospora falcata* Kar. et Kir.
699	十字花科	Cruciferae	双脊荠属	*Dilophia*	无苞双脊荠	*Dilophia ebracteata* Maxim.
700	十字花科	Cruciferae	双脊荠属	*Dilophia*	盐泽双脊荠	*Dilophia salsa* Thoms.
701	十字花科	Cruciferae	异蕊芥属	*Dimorphostemon*	异蕊芥	*Dimorphostemon glandulosus* (Kar. et Kir.)
702	十字花科	Cruciferae	花旗杆属	*Dontostemon*	扭果花旗杆	*Dontostemon elegans* Maxim.
703	十字花科	Cruciferae	葶苈属	*Draba*	高山葶苈	*Draba alpine* L.
704	十字花科	Cruciferae	葶苈属	*Draba*	硬毛葶苈	*Draba hirta* L.
705	十字花科	Cruciferae	葶苈属	*Draba*	惠特葶苈	*Draba huetii* Boiss.
706	十字花科	Cruciferae	葶苈属	*Draba*	总苞葶苈	*Draba involucrate* (W. W. Smith)
707	十字花科	Cruciferae	葶苈属	*Draba*	天山葶苈	*Draba melanopus* Kom.

续表

编号	科名	科拉丁学名	属名	属拉丁学名	种名	种拉丁学名
708	十字花科	Cruciferae	葶苈属	*Draba*	光果葶苈	*Draba nemorosa* L. var. *leicarpa* Lindl.
709	十字花科	Cruciferae	葶苈属	*Draba*	毛果喜山葶苈	*Draba oreades* Schrenk var. *ciliolata* O. E. Schrenk
710	十字花科	Cruciferae	葶苈属	*Draba*	沼泽葶苈	*Draba rockii* O. E. Schulz
711	十字花科	Cruciferae	葶苈属	*Draba*	伊宁葶苈	*Draba stylaris* J. Gay. ex E. Thomas
712	十字花科	Cruciferae	葶苈属	*Draba*	半抱茎葶苈	*Draba subamplexicaulis* C. A. Mey.
713	十字花科	Cruciferae	葶苈属	*Draba*	光果西藏葶苈	*Draba tibetica* Hook. f. et Thoms. var. *duthiei* O. E. Schulz
714	十字花科	Cruciferae	葶苈属	*Draba*	屠氏葶苈	*Draba turczaninovii* Pahlec et N. Busch
715	十字花科	Cruciferae	糖芥属	*Erysimum*	灰毛糖芥	*Erysimum diffusum* Ehrh.
716	十字花科	Cruciferae	糖芥属	*Erysimum*	蒙古糖芥	*Erysimum flavum* (Georgi) Bobrov
717	十字花科	Cruciferae	糖芥属	*Erysimum*	山柳菊叶糖芥	*Erysimum hieracifolium* L.
718	十字花科	Cruciferae	糖芥属	*Erysimum*	小糖芥	*Erysimum sisymbrioides* C. A. Mey.
719	十字花科	Cruciferae	鸟头荠属	*Euclidium*	鸟头荠	*Euclidium syriacum* (L.) R. Br.
720	十字花科	Cruciferae	山嵛菜属	*Eutrema*	密序山嵛菜	*Eutrema compactum* O. E.
721	十字花科	Cruciferae	山嵛菜属	*Eutrema*	西北山嵛菜	*Eutrema edwardsii* R. Br.
722	十字花科	Cruciferae	山嵛菜属	*Eutrema*	全缘山嵛菜	*Eutrema integrifolium* (DC.) Bge.
723	十字花科	Cruciferae	山嵛菜属	*Eutrema*	北疆山嵛菜	*Eutrema pseudocardifolium* M. Pop.
724	十字花科	Cruciferae	藏荠属	*Hedinia*	塔什库尔干藏荠	*Hedinia taxkarganica* G. L. Zhou et Z. X. An
725	十字花科	Cruciferae	藏荠属	*Hedinia*	扭果藏荠	*Hedinia taxkorfanica* G. L. Zhou et Z. X. An var. *hejingensis* G. L. Zhou et Z. X. An
726	十字花科	Cruciferae	薄果荠属	*Hymenolobus*	薄果荠	*Hymenolobus procumbens* (L.) Nutt. ex Engl. et Prantl
727	十字花科	Cruciferae	独行菜属	*Lepidium*	盐独行菜	*Lepidium cartilagineum* (J. Mey.) Thell.
728	十字花科	Cruciferae	独行菜属	*Lepidium*	光果宽叶独行菜	*Lepidium latifolium* L. var. *affine* (Ledeb.) C. A. Mey.
729	十字花科	Cruciferae	独行菜属	*Lepidium*	玛卡	*Lepidium meyenii* Walp.
730	十字花科	Cruciferae	丝叶芥属	*Leptaleum*	丝叶芥	*Leptaleum filifolium* (Willd.) DC.

编号	科名	科拉丁学名	属名	属拉丁学名	种名	种拉丁学名
731	十字花科	Cruciferae	脱喙荠属	*Litwinowia*	脱喙荠	*Litwinowia tenuissima* (Pall.) N. Busch
732	十字花科	Cruciferae	香雪球属	*Lobularia*	香雪球	*Lobularia maritima* (L.) Desv.
733	十字花科	Cruciferae	长柄芥属	*Macropodium*	长柄芥	*Macropodium nivale* (Pall.) R. Br.
734	十字花科	Cruciferae	涩荠属	*Malcolmia*	涩荠	*Malcolmia africana* (L.) R. Br.
735	十字花科	Cruciferae	涩荠属	*Malcolmia*	硬毛涩荠	*Malcolmia africana* (L.) R. Br. var. *trichocarpa* (Boiss. et Bernb) Boiss.
736	十字花科	Cruciferae	涩荠属	*Malcolmia*	刚毛涩荠	*Malcolmia hispida* Litw.
737	十字花科	Cruciferae	涩荠属	*Malcolmia*	小涩荠	*Malcolmia humilis* Z. X. An
738	十字花科	Cruciferae	涩荠属	*Malcolmia*	卷果涩荠	*Malcolmia scopioides* (Bge.) Boiss.
739	十字花科	Cruciferae	紫罗兰属	*Matthiola*	香紫罗兰	*Matthiola odoratissima* (Pall.) R. Br.
740	十字花科	Cruciferae	小蒜芥属	*Microsisymbrium*	叶城小蒜芥	*Microsisymbrium yechengicum* Z. X. An
741	十字花科	Cruciferae	念珠芥属	*Neotorularia*	具苞念珠芥	*Neotorularia bracteate* (S. L. Yang) Z. X. An
742	十字花科	Cruciferae	念珠芥属	*Neotorularia*	绒毛念珠芥	*Neotorularia mollipia* (Maxim.) Z. X. An
743	十字花科	Cruciferae	念珠芥属	*Neotorularia*	帕米尔念珠芥	*Neotorularia pamirica* Z. X. An
744	十字花科	Cruciferae	念珠芥属	*Neotorularia*	莲座念珠芥	*Neotorularia rosulfolia* (K. C. Kum et X. X. An) Z. X. An
745	十字花科	Cruciferae	球果芥属	*Neslia*	球果芥	*Neslia paniculata* (L.) Pesv.
746	十字花科	Cruciferae	诸葛菜属	*Orychophragmus*	诸葛菜	*Orychophragmus violaceus* (L.) O. E. Schulz
747	十字花科	Cruciferae	厚翅荠属	*Pachypterygium*	厚翅荠	*Pachypterygium multicaule* (Kar. et Kir.) Bge.
748	十字花科	Cruciferae	条果芥属	*Parrya*	灌木条果芥	*Parrya fruticulosa* Rgl. et Schmalh.
749	十字花科	Cruciferae	条果芥属	*Parrya*	毛叶条果芥	*Parrya pinnatifida* Kar. et Kir. var. *hissuta* N. Busch
750	十字花科	Cruciferae	条果芥属	*Parrya*	无茎条果芥	*Parrya exscapa* C. A. Mey.
751	十字花科	Cruciferae	条果芥属	*Parrya*	长角条果芥	*Parrya subsiliquosa* M. Pop.
752	十字花科	Cruciferae	燥原荠属	*Ptilotricum*	西藏燥原荠	*Ptilotricum wageri* Jafri.
753	十字花科	Cruciferae	蔊菜属	*Rorippa*	沼生蔊菜	*Rorippa islandica* (Oed.) Borb.
754	十字花科	Cruciferae	大蒜芥属	*Sisymbrium*	无毛大蒜芥	*Sisymbrium brassiciforme* C. A. Mey.

编号	科名	科拉丁学名	属名	属拉丁学名	种名	种拉丁学名
755	十字花科	Cruciferae	大蒜芥属	*Sisymbrium*	水蒜芥	*Sisymbrium irio* L.
756	十字花科	Cruciferae	大蒜芥属	*Sisymbrium*	多型大蒜芥	*Sisymbrium polymorphum* (Murray) Roth
757	十字花科	Cruciferae	大蒜芥属	*Sisymbrium*	大叶大蒜芥	*Sisymbrium polymorphum* (Murray) Roth var. *latifolium* (Korsk) O. E. Schulz
758	十字花科	Cruciferae	棒果芥属	*Sterigmostemum*	福海棒果芥	*Sterigmostemum fuhaiense* H. L. Yang
759	十字花科	Cruciferae	棒果芥属	*Sterigmostemum*	大花棒果芥	*Sterigmostemum grandiflorum* K. C. Kuan
760	十字花科	Cruciferae	棒果芥属	*Sterigmostemum*	棒果芥	*Sterigmostemum tomentosum* (Willd.) M. B.
761	十字花科	Cruciferae	棒果芥属	*Sterigmostemum*	青新棒果芥	*Sterigmostemum violacemum* (Botsch.) H. L. Yang
762	十字花科	Cruciferae	革叶芥属	*Stroganowia*	革叶芥	*Stroganowia brachyata* Kar. et Kir.
763	十字花科	Cruciferae	沟子荠属	*Taphropermum*	沟子荠	*Taphropermum altaium* C. A. Mey.
764	十字花科	Cruciferae	菥蓂属	*Thlaspi*	新疆菥蓂	*Thlaspi ferganense* N. Busch
765	十字花科	Cruciferae	阴山荠属	*Yinshania*	戈壁阴山荠	*Yinshania albiflora* Y. C. Ma et Y. A. Zhao var. *gobica* Z. X. An
766	景天科	Crassulaceae	八宝属	*Hylotelephium*	八宝	*Hylotelephium erythrostictum* (Miq.) H. Ohba
767	景天科	Crassulaceae	八宝属	*Hylotelephium*	长药八宝	*Hylotelephium spectabile* (Bor.) H. Ohba
768	景天科	Crassulaceae	合景天属	*Pseudosedum*	白花合景天	*Pseudosedum affine* (Schrenk) Berger
769	景天科	Crassulaceae	合景天属	*Pseudosedum*	合景天	*Pseudosedum lievenii* (Ledeb.) A. Berger
770	景天科	Crassulaceae	红景天属	*Rhodiola*	大红红景天	*Rhodiola coccinea* (Royle) A. Bor.
771	景天科	Crassulaceae	红景天属	*Rhodiola*	条叶红景天	*Rhodiola linearifolia* A. Bor.
772	景天科	Crassulaceae	红景天属	*Rhodiola*	红景天	*Rhodiola rosea* L.
773	景天科	Crassulaceae	红景天属	*Rhodiola*	东疆红景天	*Rhodiola telephioides* (Maxim.) S. H. Fu.
774	景天科	Crassulaceae	瓦莲属	*Rosularia*	中亚瓦莲	*Rosularia turkestanica* (Regl et Winkl.) Berger
775	景天科	Crassulaceae	景天属	*Sedum*	杂交景天	*Sedum hybridum* L.
776	虎耳草科	Saxifragaceae	金腰属	*Chrysosplenium*	长梗金腰	*Chrysosplenium axillare* Maxim.
777	虎耳草科	Saxifragaceae	醋栗属	*Grossularia*	刺醋栗	*Grossularia acicularis* (Smith) Spach

编号	科名	科拉丁学名	属名	属拉丁学名	种名	种拉丁学名
778	虎耳草科	Saxifragaceae	醋栗属	*Grossularia*	元醋栗	*Grossularia reclinata* (L.) Mill.
779	虎耳草科	Saxifragaceae	梅花草属	*Parnassia*	山地梅花草	*Parnassia oreophylla* Hance
780	虎耳草科	Saxifragaceae	梅花草属	*Parnassia*	绿叶梅花草	*Parnassia viridiflora* Batal.
781	虎耳草科	Saxifragaceae	茶藨属	*Ribes*	高茶藨	*Ribes altissimum* Turci.
782	虎耳草科	Saxifragaceae	茶藨属	*Ribes*	小叶茶藨	*Ribes heterotrichum* C. A. Mey.
783	虎耳草科	Saxifragaceae	茶藨属	*Ribes*	北疆茶藨	*Ribes meyeri* Maxim. var. *pubescens* L.
784	虎耳草科	Saxifragaceae	茶藨属	*Ribes*	天山毛茶藨	*Ribes meyeri* Maxim. var. *tianschanicum* C. Y. Yang
785	虎耳草科	Saxifragaceae	茶藨属	*Ribes*	黑果茶藨	*Ribes nignum* L.
786	虎耳草科	Saxifragaceae	虎耳草属	*Saxifraga*	挪威虎耳草	*Saxifraga oppositifolia* L.
787	虎耳草科	Saxifragaceae	虎耳草属	*Saxifraga*	斑点虎耳草	*Saxifraga punctata* L.
788	悬铃木科	Platanaceae	悬铃木属	*Plantanus*	一球悬铃木	*Plantanus occidentalis* L.
789	悬铃木科	Platanaceae	悬铃木属	*Plantanus*	三球悬铃木	*Plantanus orientalis* L.
790	蔷薇科	Rosaceae	桃属	*Amygdalus*	扁桃	*Amygdalus communis* L.
791	蔷薇科	Rosaceae	桃属	*Amygdalus*	山桃	*Amygdalus davidiana* (Carr.) C. de Vos ex Henry
792	蔷薇科	Rosaceae	桃属	*Amygdalus*	费尔干桃	*Amygdalus ferganensis* (Kost. et Rjab.) Yu et Lu
793	蔷薇科	Rosaceae	桃属	*Amygdalus*	榆叶梅	*Amygdalus triloba* (Lindl.) Richer
794	蔷薇科	Rosaceae	樱桃属	*Cerasus*	欧李	*Cerasus humulis* (Bge.) Sok.
795	蔷薇科	Rosaceae	樱桃属	*Cerasus*	天山樱桃	*Cerasus tianschanica* Pojark.
796	蔷薇科	Rosaceae	沼委陵菜属	*Comarum*	白花沼委陵菜	*Comarum salesovianum* (Steph.) Asch.
797	蔷薇科	Rosaceae	枸子属	*Cotoneaster*	多花枸子	*Cotoneaster multiflorus* Bge.
798	蔷薇科	Rosaceae	枸子属	*Cotoneaster*	毛叶枸子	*Cotoneaster submultiflorus* M. Pop.
799	蔷薇科	Rosaceae	山楂属	*Crataegus*	黄果山楂	*Crataegus chlorocarpa* L.
800	蔷薇科	Rosaceae	山楂属	*Crataegus*	山楂	*Crataegus pinnatifida* Bge.
801	蔷薇科	Rosaceae	山楂属	*Crataegus*	红果山楂	*Crataegus sanguimea* Pall.
802	蔷薇科	Rosaceae	仙女木属	*Dryas*	仙女木	*Dryas oxyodonta* Juz.
803	蔷薇科	Rosaceae	合叶子属	*Filipendula*	榆叶合叶子	*Filipendula ulmaria* (L.) Maxim.
804	蔷薇科	Rosaceae	草莓属	*Fragaria*	森林草莓	*Fragaria vesca* L.
805	蔷薇科	Rosaceae	水杨梅属	*Geum*	水杨梅	*Geum aleppicum* Saq.
806	蔷薇科	Rosaceae	单叶蔷薇属	*Hulthemia*	单叶蔷薇	*Hulthemia berberifolia* (Pall.) Dumort.

编号	科名	科拉丁学名	属名	属拉丁学名	种名	种拉丁学名
807	蔷薇科	Rosaceae	苹果属	*Malus*	樱桃苹果	*Malus cerasifera* Spach
808	蔷薇科	Rosaceae	苹果属	*Malus*	西府海棠	*Malus micromalus* Makino
809	蔷薇科	Rosaceae	苹果属	*Malus*	红肉苹果	*Malus niedzwetzkyana* Dieck.
810	蔷薇科	Rosaceae	苹果属	*Malus*	楸子	*Malus prunifolia* (Willd.) Borkh.
811	蔷薇科	Rosaceae	稠李属	*Padus*	亚洲稠李	*Padus asiatica* Kom.
812	蔷薇科	Rosaceae	稠李属	*Padus*	欧洲稠李	*Padus avium* Mill.
813	蔷薇科	Rosaceae	风箱果属	*Physocarpus*	风箱果	*Physocarpus amurensis* (Maxim.) Maxim.
814	蔷薇科	Rosaceae	委陵菜属	*Potentilla*	星毛委陵菜	*Potentilla acaulis* L.
815	蔷薇科	Rosaceae	委陵菜属	*Potentilla*	银背委陵菜	*Potentilla argentea* L.
816	蔷薇科	Rosaceae	委陵菜属	*Potentilla*	亚洲委陵菜	*Potentilla asiatica* (Wolf) Juz.
817	蔷薇科	Rosaceae	委陵菜属	*Potentilla*	长叶二裂委陵菜	*Potentilla bifurca* L. var. *major* Ldb.
818	蔷薇科	Rosaceae	委陵菜属	*Potentilla*	黄花委陵菜	*Potentilla chrysantha* Trev.
819	蔷薇科	Rosaceae	委陵菜属	*Potentilla*	草原委陵菜	*Potentilla desertorum* Bge.
820	蔷薇科	Rosaceae	委陵菜属	*Potentilla*	疏毛委陵菜	*Potentilla erestita* Wdf.
821	蔷薇科	Rosaceae	委陵菜属	*Potentilla*	绿叶委陵菜	*Potentilla gelida* C. A. Mey.
822	蔷薇科	Rosaceae	委陵菜属	*Potentilla*	全白委陵菜	*Potentilla hololeuca* Boiss.
823	蔷薇科	Rosaceae	委陵菜属	*Potentilla*	灰毛委陵菜	*Potentilla inclinata* Vill.
824	蔷薇科	Rosaceae	委陵菜属	*Potentilla*	掌叶多裂委陵菜	*Potentilla multifida* L. var. *ornithopoda* Wolf
825	蔷薇科	Rosaceae	委陵菜属	*Potentilla*	灰白委陵菜	*Potentilla strigosa* Pall.
826	蔷薇科	Rosaceae	委陵菜属	*Potentilla*	朝天委菱菜	*Potentilla supina* L.
827	蔷薇科	Rosaceae	杏属	*Prunus*	紫杏	*Prunus dasycarpa* Borkh.
828	蔷薇科	Rosaceae	梨属	*Pyrus*	西洋梨	*Pyrus communis* L.
829	蔷薇科	Rosaceae	梨属	*Pyrus*	褐梨	*Pyrus phaeocarpa* Rehd.
830	蔷薇科	Rosaceae	蔷薇属	*Rosa*	落花蔷薇	*Rosa beggeriana* Shrenk.
831	蔷薇科	Rosaceae	蔷薇属	*Rosa*	小叶叶蔷薇	*Rosa berberifolia* Pall.
832	蔷薇科	Rosaceae	蔷薇属	*Rosa*	紫花月季	*Rosa chinensis* Jacq. var. *semperflorens* (Curtis.) Koehne.
833	蔷薇科	Rosaceae	蔷薇属	*Rosa*	樟味蔷薇	*Rosa cinnamomea* L.
834	蔷薇科	Rosaceae	蔷薇属	*Rosa*	突厥蔷薇	*Rosa damasecena* Mill.
835	蔷薇科	Rosaceae	蔷薇属	*Rosa*	臭蔷薇	*Rosa foetida* Herrm.
836	蔷薇科	Rosaceae	蔷薇属	*Rosa*	野蔷薇	*Rosa multiflora* Thunb.
837	蔷薇科	Rosaceae	蔷薇属	*Rosa*	粉团蔷薇	*Rosa multiflora* Thunb. var. *cathayensis* Rehd. et Wils.

编号	科名	科拉丁学名	属名	属拉丁学名	种名	种拉丁学名
838	蔷薇科	Rosaceae	蔷薇属	*Rosa*	矮蔷薇	*Rosa nanothamnus* Bouleng.
839	蔷薇科	Rosaceae	蔷薇属	*Rosa*	伊犁蔷薇	*Rosa silverhjelmii* Schrenk
840	蔷薇科	Rosaceae	蔷薇属	*Rosa*	大果蔷薇	*Rosa webbiana* Wall. ex Royle
841	蔷薇科	Rosaceae	蔷薇属	*Rosa*	黄刺玫	*Rosa xanthina* Lidi.
842	蔷薇科	Rosaceae	山莓草属	*Sibbaldia*	十蕊山莓草	*Sibbaldia adpressa* Bge.
843	蔷薇科	Rosaceae	山莓草属	*Sibbaldia*	高山山莓草	*Sibbaldia tetrandra* Bge.
844	蔷薇科	Rosaceae	珍珠梅属	*Sorbaria*	珍珠梅	*Sorbaria sorbifolia* (L.) A. Br.
845	蔷薇科	Rosaceae	花楸属	*Sorbus*	天山毛花楸	*Sorbus tianschanica* Rupr. var. *tomentosa* Yang et Han
846	蔷薇科	Rosaceae	绣线菊属	*Spiraea*	高山绣线菊	*Spiraea alpine* Pall.
847	蔷薇科	Rosaceae	绣线菊属	*Spiraea*	华北绣线菊	*Spiraea fritschiana* Schneid.
848	豆科	Leguminosae	骆驼刺属	*Alhagi*	骆驼刺	*Alhagi sparsifolia* Shap.
849	豆科	Leguminosae	银砂槐属	*Ammodendron*	银砂槐	*Ammodendron bifolium* (Pall.) Yakovl.
850	豆科	Leguminosae	沙冬青属	*Ammopiptanthus*	蒙古沙冬青	*Ammopiptanthus mongolicus* (Maxim. ex Kom.) Cheng f.
851	豆科	Leguminosae	沙冬青属	*Ammopiptanthus*	小沙冬青	*Ammopiptanthus nanus* (M. Pop.) Cheng f.
852	豆科	Leguminosae	黄耆属	*Astragalus*	斜茎黄耆	*Astragalus adsurgens* Pall.
853	豆科	Leguminosae	黄耆属	*Astragalus*	阿克苏黄耆	*Astragalus aksuensis* Bge.
854	豆科	Leguminosae	黄耆属	*Astragalus*	长尾黄耆	*Astragalus alopecias* Pall.
855	豆科	Leguminosae	黄耆属	*Astragalus*	狐尾黄耆	*Astragalus alopecurus* DC.
856	豆科	Leguminosae	黄耆属	*Astragalus*	阿尔泰黄耆	*Astragalus altaicus* Bge.
857	豆科	Leguminosae	黄耆属	*Astragalus*	沙生黄耆	*Astragalus ammophilus* Kar. et Kir.
858	豆科	Leguminosae	黄耆属	*Astragalus*	镰荚黄耆	*Astragalus arpilobus* Kar. et Kir.
859	豆科	Leguminosae	黄耆属	*Astragalus*	漠北黄耆	*Astragalus austrasibiricus* Schischk.
860	豆科	Leguminosae	黄耆属	*Astragalus*	西伯利亚黄耆	*Astragalus austrosicus* Schischk.
861	豆科	Leguminosae	黄耆属	*Astragalus*	斑果黄耆	*Astragalus beketovii* (Krassn.) B. Fedtsch.
862	豆科	Leguminosae	黄耆属	*Astragalus*	破洛丁黄耆	*Astragalus borodinii* Krashn.
863	豆科	Leguminosae	黄耆属	*Astragalus*	布河黄耆	*Astragalus buchtormensis* Pall.
864	豆科	Leguminosae	黄耆属	*Astragalus*	亮白黄耆	*Astragalus candidissimus* Ledeb.
865	豆科	Leguminosae	黄耆属	*Astragalus*	角黄耆	*Astragalus ceratoides* Bieb.

续表

编号	科名	科拉丁学名	属名	属拉丁学名	种名	种拉丁学名
866	豆科	Leguminosae	黄耆属	*Astragalus*	中天山黄耆	*Astragalus chomutovii* B. Fedtsch.
867	豆科	Leguminosae	黄耆属	*Astragalus*	淡黄耆	*Astragalus clilutus* Bge.
868	豆科	Leguminosae	黄耆属	*Astragalus*	沙丘黄耆	*Astragalus cognatus* C. A. Mey.
869	豆科	Leguminosae	黄耆属	*Astragalus*	混合黄耆	*Astragalus commixtus* Bge.
870	豆科	Leguminosae	黄耆属	*Astragalus*	扁序黄耆	*Astragalus compressus* Ledeb.
871	豆科	Leguminosae	黄耆属	*Astragalus*	环荚黄耆	*Astragalus contortuplicatus* L.
872	豆科	Leguminosae	黄耆属	*Astragalus*	囊萼黄耆	*Astragalus cysticalyx* Ledeb.
873	豆科	Leguminosae	黄耆属	*Astragalus*	树黄耆	*Astragalus dendroides* Kar. et Kir.
874	豆科	Leguminosae	黄耆属	*Astragalus*	密花黄耆	*Astragalus densiflorus* Kar. et Kir.
875	豆科	Leguminosae	黄耆属	*Astragalus*	神圣黄耆	*Astragalus dignus* Boriss.
876	豆科	Leguminosae	黄耆属	*Astragalus*	浅黄耆	*Astragalus dilutes* Bge.
877	豆科	Leguminosae	黄耆属	*Astragalus*	詹加尔特黄耆	*Astragalus dschangartensis* Sumn.
878	豆科	Leguminosae	黄耆属	*Astragalus*	边陲黄耆	*Astragalus dschimensis* Gontsch.
879	豆科	Leguminosae	黄耆属	*Astragalus*	托木尔黄耆	*Astragalus dsharkenticus* Popov
880	豆科	Leguminosae	黄耆属	*Astragalus*	胀萼黄耆	*Astragalus ellipsoideus* Ledeb.
881	豆科	Leguminosae	黄耆属	*Astragalus*	准噶尔黄耆	*Astragalus gebleri* Fisch. ex Bong.
882	豆科	Leguminosae	黄耆属	*Astragalus*	哈密黄耆	*Astragalus hamiensis* S. B. Ho
883	豆科	Leguminosae	黄耆属	*Astragalus*	和田黄耆	*Astragalus hotianensis* S. B. Ho
884	豆科	Leguminosae	黄耆属	*Astragalus*	伊犁黄耆	*Astragalus iliensis* Bge.
885	豆科	Leguminosae	黄耆属	*Astragalus*	霍城黄耆	*Astragalus karkarensis* Popov
886	豆科	Leguminosae	黄耆属	*Astragalus*	库萨支黄耆	*Astragalus kuschakevitschii* B. Fedtsch. ex O. Fedtsch.
887	豆科	Leguminosae	黄耆属	*Astragalus*	兔尾黄耆	*Astragalus laguroides* Pall.
888	豆科	Leguminosae	黄耆属	*Astragalus*	棉毛黄耆	*Astragalus lanuginosus* Kar. et Kir.
889	豆科	Leguminosae	黄耆属	*Astragalus*	茧荚黄耆	*Astragalus lehmannianus* Bge.
890	豆科	Leguminosae	黄耆属	*Astragalus*	天山黄耆	*Astragalus lepsensis* Bge.
891	豆科	Leguminosae	黄耆属	*Astragalus*	白枝黄耆	*Astragalus leucocladus* Bge.

编号	科名	科拉丁学名	属名	属拉丁学名	种名	种拉丁学名
892	豆科	Leguminosae	黄耆属	*Astragalus*	光亮黄耆	*Astragalus luculentus* podlech et L. R. Xu.
893	豆科	Leguminosae	黄耆属	*Astragalus*	长荚黄耆	*Astragalus macroceras* C. A. Mey.
894	豆科	Leguminosae	黄耆属	*Astragalus*	大翼黄耆	*Astragalus macropterus* DC.
895	豆科	Leguminosae	黄耆属	*Astragalus*	长龙骨黄耆	*Astragalus macrotropis* Bge.
896	豆科	Leguminosae	黄耆属	*Astragalus*	马衔山黄耆	*Astragalus mahoschanicus* Hand.-Mazz.
897	豆科	Leguminosae	黄耆属	*Astragalus*	黄耆	*Astragalus membranaceus* (Fisch.) Bge.
898	豆科	Leguminosae	黄耆属	*Astragalus*	蒙古黄耆	*Astragalus membranaceus* (Fisch.) Bge. var. *mongholicus* (Bge.) P. K. Hsiao.
899	豆科	Leguminosae	黄耆属	*Astragalus*	长毛荚黄耆	*Astragalus monophyllus* Bge. ex Maxim.
900	豆科	Leguminosae	黄耆属	*Astragalus*	多茎黄耆	*Astragalus multicaulis* Ldb.
901	豆科	Leguminosae	黄耆属	*Astragalus*	类线叶黄耆	*Astragalus nematodioides* H. Ohba, S. Akiyama et S. K. Wu
902	豆科	Leguminosae	黄耆属	*Astragalus*	新霍尔果斯黄耆	*Astragalus neochorgosicus* Podlech.
903	豆科	Leguminosae	黄耆属	*Astragalus*	雪地黄耆	*Astragalus nivalis* Kar. et Kir.
904	豆科	Leguminosae	黄耆属	*Astragalus*	钝叶黄耆	*Astragalus obtusifoliolatus* (S. B. Ho) Podlech et L. R. Xu
905	豆科	Leguminosae	黄耆属	*Astragalus*	圆形黄耆	*Astragalus orbiculatus* Ledeb.
906	豆科	Leguminosae	黄耆属	*Astragalus*	雀喙黄耆	*Astragalus ornithorrhynchus* Pop.
907	豆科	Leguminosae	黄耆属	*Astragalus*	尖舌黄耆	*Astragalus oxyglottis* Stev.
908	豆科	Leguminosae	黄耆属	*Astragalus*	帕米尔黄耆	*Astragalus pamirensis* Franch.
909	豆科	Leguminosae	黄耆属	*Astragalus*	长喙黄耆	*Astragalus pavlovianus* Gamajun. var. *longirostris* S. B. Ho
910	豆科	Leguminosae	黄耆属	*Astragalus*	了敦黄耆	*Astragalus pavlovii* B. Fedtsch. et Basil.
911	豆科	Leguminosae	黄耆属	*Astragalus*	类组黄耆	*Astragalus persimilis* Podlech. et L. R. Xu.
912	豆科	Leguminosae	黄耆属	*Astragalus*	短柄黄耆	*Astragalus pesudobrachytropis* Gontsch.
913	豆科	Leguminosae	黄耆属	*Astragalus*	喜石黄耆	*Astragalus petraeus* Kar. et Kir.

续表

编号	科名	科拉丁学名	属名	属拉丁学名	种名	种拉丁学名
914	豆科	Leguminosae	黄耆属	*Astragalus*	宽叶黄耆	*Astragalus platyphyllus* Kar. et Kir.
915	豆科	Leguminosae	黄耆属	*Astragalus*	多枝黄耆	*Astragalus polycladus* Bur. et Franch.
916	豆科	Leguminosae	黄耆属	*Astragalus*	紫花黄耆	*Astragalus porphyreus* Podlech et L. R. Xu
917	豆科	Leguminosae	黄耆属	*Astragalus*	西域黄耆	*Astragalus pseudoborodinii* S. B. Ho
918	豆科	Leguminosae	黄耆属	*Astragalus*	类帚黄耆	*Astragalus pseudoscoparius* Gontsch.
919	豆科	Leguminosae	黄耆属	*Astragalus*	光萼黄耆	*Astragalus psilosepalus* Podlech et L. R. Xu
920	豆科	Leguminosae	黄耆属	*Astragalus*	流沙黄耆	*Astragalus sabuletorum* Ldb.
921	豆科	Leguminosae	黄耆属	*Astragalus*	粗毛黄耆	*Astragalus scabrisetus* Bong.
922	豆科	Leguminosae	黄耆属	*Astragalus*	帚黄耆	*Astragalus scoparius* Schrenk
923	豆科	Leguminosae	黄耆属	*Astragalus*	新疆黄耆	*Astragalus sinkiangensis* Podlech et L. R. Xu
924	豆科	Leguminosae	黄耆属	*Astragalus*	索戈塔黄耆	*Astragalus sogotensis* Lipsky
925	豆科	Leguminosae	黄耆属	*Astragalus*	球脬黄耆	*Astragalus sphaerophysa* Kar.
926	豆科	Leguminosae	黄耆属	*Astragalus*	细角黄耆	*Astragalus stenoceras* C. A. Mey.
927	豆科	Leguminosae	黄耆属	*Astragalus*	水定黄耆	*Astragalus suidenensis* Bge.
928	豆科	Leguminosae	黄耆属	*Astragalus*	藏新黄耆	*Astragalus tibetanus* Benth. ex Bge.
929	豆科	Leguminosae	黄耆属	*Astragalus*	展毛藏新黄耆	*Astragalus tibetanus* Benth. ex Bge. var. *patentipilus* K. T. Fu.
930	豆科	Leguminosae	黄耆属	*Astragalus*	蒺藜黄耆	*Astragalus tribuloides* Del.
931	豆科	Leguminosae	黄耆属	*Astragalus*	变异黄耆	*Astragalus variabilis* Bge. ex Maxim.
932	豆科	Leguminosae	黄耆属	*Astragalus*	温泉黄耆	*Astragalus wenquanensis* S. B. Ho
933	豆科	Leguminosae	黄耆属	*Astragalus*	长喙黄耆	*Astragalus yanerwoensis* Podlech et L. R. Xu
934	豆科	Leguminosae	锦鸡儿属	*Caragana*	边塞锦鸡儿	*Caragana bongardiana* (Fisch. et Mey.) Pojark.
935	豆科	Leguminosae	锦鸡儿属	*Caragana*	北疆锦鸡儿	*Caragana camilli-schneideri* Kom.
936	豆科	Leguminosae	锦鸡儿属	*Caragana*	密叶锦鸡儿	*Caragana densa* Kom.
937	豆科	Leguminosae	锦鸡儿属	*Caragana*	毛果金雀花	*Caragana frutex* (L.) C. Koch var. *lasiocarpa* C. Y. Yan et N. Li
938	豆科	Leguminosae	锦鸡儿属	*Caragana*	鬼箭愁锦鸡儿	*Caragana jubata* (Pall.) Poir.

编号	科名	科拉丁学名	属名	属拉丁学名	种名	种拉丁学名
939	豆科	Leguminosae	锦鸡儿属	*Caragana*	囊萼锦鸡儿	*Caragana kirghisorum* Pojark.
940	豆科	Leguminosae	锦鸡儿属	*Caragana*	草原锦鸡儿	*Caragana pumila* Pojark.
941	豆科	Leguminosae	锦鸡儿属	*Caragana*	荒漠锦鸡儿	*Caragana roborovskyi* Kom.
942	豆科	Leguminosae	紫荆属	*Cercis*	紫荆	*Cercis chinensis* Bge.
943	豆科	Leguminosae	山羊豆属	*Galega*	山羊豆	*Galega officinalis* L.
944	豆科	Leguminosae	皂荚属	*Gleditsia*	三刺皂荚	*Gleditsia triacanthos* L.
945	豆科	Leguminosae	甘草属	*Glycyrrhiza*	大叶甘草	*Glycyrrhiza aspera* Pall. var. *macrophylla* X. Y. Li
946	豆科	Leguminosae	甘草属	*Glycyrrhiza*	黄甘草	*Glycyrrhiza eurycarpa* P. C. Li
947	豆科	Leguminosae	甘草属	*Glycyrrhiza*	蜜腺甘草	*Glycyrrhiza glabra* L. var. *glandulosa* X. Y. Li
948	豆科	Leguminosae	甘草属	*Glycyrrhiza*	平卧甘草	*Glycyrrhiza prostrata* (X. Y. Li et D. C. Feng) J. H. Lu et X. Y. Li
949	豆科	Leguminosae	盐豆木属	*Halimodendron*	盐豆木	*Halimodendron halodendron* (Pall.) Voss
950	豆科	Leguminosae	岩黄耆属	*Hedysarum*	山岩黄耆	*Hedysarum alpinum* L.
951	豆科	Leguminosae	岩黄耆属	*Hedysarum*	乌恰炎黄耆	*Hedysarum flavescens* Rgl. et Schmalh. ex B. Fedtsch.
952	豆科	Leguminosae	岩黄耆属	*Hedysarum*	华北岩黄耆	*Hedysarum gmelinii* Ledeb.
953	豆科	Leguminosae	岩黄耆属	*Hedysarum*	黄耆	*Hedysarum jerganense* Korsh.
954	豆科	Leguminosae	岩黄耆属	*Hedysarum*	吉尔吉斯岩黄耆	*Hedysarum kirghisorum* B. Fedtsch.
955	豆科	Leguminosae	岩黄耆属	*Hedysarum*	红花岩黄耆	*Hedysarum multijugum* Maxim.
956	豆科	Leguminosae	岩黄耆属	*Hedysarum*	疏忽岩黄耆	*Hedysarum neglectum* Ledeb.
957	豆科	Leguminosae	岩黄耆属	*Hedysarum*	白花疏忽岩黄耆	*Hedysarum neglectum* Ledeb. var. *album* P. Yan
958	豆科	Leguminosae	岩黄耆属	*Hedysarum*	河滩岩黄耆	*Hedysarum poncinsii* Franch.
959	豆科	Leguminosae	岩黄耆属	*Hedysarum*	细枝岩黄耆	*Hedysarum scoparium* Fisch. et Mey.
960	豆科	Leguminosae	岩黄耆属	*Hedysarum*	天山岩黄耆	*Hedysarum semenovii* Regel et Herd.
961	豆科	Leguminosae	岩黄耆属	*Hedysarum*	乌鲁木齐岩黄耆	*Hedysarum songaricum* Bong. var. *urumchiense* L. Z. Shue
962	豆科	Leguminosae	落花生属	*Hrachis*	落花生	*Hrachis hypogaea* L.

编号	科名	科拉丁学名	属名	属拉丁学名	种名	种拉丁学名
963	豆科	Leguminosae	山黧豆属	*Lathyrus*	狭叶山黧豆	*Lathyrus krylovii* Serg.
964	豆科	Leguminosae	山黧豆属	*Lathyrus*	玫红山黧豆	*Lathyrus tuberosus* L.
965	豆科	Leguminosae	百脉根属	*Lotus*	尖齿百脉根	*Lotus angustissimus* L.
966	豆科	Leguminosae	百脉根属	*Lotus*	新疆百脉根	*Lotus frondosus* (Freyn) Kupr.
967	豆科	Leguminosae	百脉根属	*Lotus*	短果百脉根	*Lotus praetermissus* Kupr.
968	豆科	Leguminosae	百脉根属	*Lotus*	直立白脉根	*Lotus strictus* Fisch. et Mey.
969	豆科	Leguminosae	百脉根属	*Lotus*	细叶百脉根	*Lotus tenuis* Waldst. et Kit. ex Willd.
970	豆科	Leguminosae	苜蓿属	*Medicago*	克什米尔苜蓿	*Medicago cachemiriana* (Camb.) D. F. Cui
971	豆科	Leguminosae	苜蓿属	*Medicago*	卷果镰荚苜蓿	*Medicago falcata* L. var. *revolata* Sumn.
972	豆科	Leguminosae	苜蓿属	*Medicago*	罗马镰荚苜蓿	*Medicago falcata* L. var. *romanica* (Brand) Hayek.
973	豆科	Leguminosae	苜蓿属	*Medicago*	阔荚苜蓿	*Medicago platycarpa* (L.) Trautv.
974	豆科	Leguminosae	苜蓿属	*Medicago*	紫苜蓿	*Medicago sativa* L.
975	豆科	Leguminosae	苜蓿属	*Medicago*	大花苜蓿	*Medicago varia* Martyn f. *ambigua* (Trautv.) D. F. Cui
976	豆科	Leguminosae	苜蓿属	*Medicago*	西锡金苜蓿	*Medicago varia* Martyn f. *schischkinii* (Sumn.)
977	豆科	Leguminosae	苜蓿属	*Medicago*	天山苜蓿	*Medicago varia* Martyn f. *tianschanica* (Vass.) D. F. Cui
978	豆科	Leguminosae	草木犀属	*Melilotus*	白花草木犀	*Melilotus albus* Medic. ex Desr.
979	豆科	Leguminosae	草木犀属	*Melilotus*	细齿草木犀	*Melilotus dentatus* (Waldst. et Kit.) Pers.
980	豆科	Leguminosae	草木犀属	*Melilotus*	黄花草木犀	*Melilotus officinalis* (L.) Desr.
981	豆科	Leguminosae	草木犀属	*Melilotus*	草木犀	*Melilotus suaveolens* Ledeb.
982	豆科	Leguminosae	驴食草属	*Onobrychis*	美丽红豆草	*Onobrychis pulchella* Schrenk
983	豆科	Leguminosae	驴食草属	*Onobrychis*	驴食草	*Onobrychis viciifolis* Scop.
984	豆科	Leguminosae	芒柄花属	*Ononis*	伊犁芒柄花	*Ononis antiquorum* L.
985	豆科	Leguminosae	芒柄花属	*Ononis*	芒柄花	*Ononis arvensis* L.
986	豆科	Leguminosae	棘豆属	*Oxytropis*	猫头刺	*Oxytropis aciphylla* Ledeb.
987	豆科	Leguminosae	棘豆属	*Oxytropis*	瓶状棘豆	*Oxytropis ampullata* (Pall.) Pers.
988	豆科	Leguminosae	棘豆属	*Oxytropis*	巴里坤棘豆	*Oxytropis barkolensis* X. Y. Zhu, H. Ohashi et Y. B. Deng

编号	科名	科拉丁学名	属名	属拉丁学名	种名	种拉丁学名
989	豆科	Leguminosae	棘豆属	*Oxytropis*	二裂棘豆	*Oxytropis biloba* Saposhn
990	豆科	Leguminosae	棘豆属	*Oxytropis*	博格多山棘豆	*Oxytropis bogdoschanica* Jurtz.
991	豆科	Leguminosae	棘豆属	*Oxytropis*	雪地棘豆	*Oxytropis chionobia* Bge.
992	豆科	Leguminosae	棘豆属	*Oxytropis*	蓝花棘豆	*Oxytropis coerula* Pall.
993	豆科	Leguminosae	棘豆属	*Oxytropis*	尖喙棘豆	*Oxytropis cuspidata* Bge.
994	豆科	Leguminosae	棘豆属	*Oxytropis*	绵果棘豆	*Oxytropis eriocarpa* Bge.
995	豆科	Leguminosae	棘豆属	*Oxytropis*	镰荚棘豆	*Oxytropis falcata* Bge.
996	豆科	Leguminosae	棘豆属	*Oxytropis*	多花棘豆	*Oxytropis floribunda* (Pall.) DC.
997	豆科	Leguminosae	棘豆属	*Oxytropis*	小花棘豆	*Oxytropis glabra* (Lam.) DC.
998	豆科	Leguminosae	棘豆属	*Oxytropis*	细叶小花棘豆	*Oxytropis glabra* (Lam.) DC. var *tenuis* Palib.
999	豆科	Leguminosae	棘豆属	*Oxytropis*	砾石棘豆	*Oxytropis glareosa* Vass.
1000	豆科	Leguminosae	棘豆属	*Oxytropis*	古尔班棘豆	*Oxytropis gorbunovii* Boriss.
1001	豆科	Leguminosae	棘豆属	*Oxytropis*	短梗毛棘豆	*Oxytropis hirsutiuscula* Freyn
1002	豆科	Leguminosae	棘豆属	*Oxytropis*	和硕棘豆	*Oxytropis immersa* (Baker. ex Aitch) Bge. ex B. Fedtsch.
1003	豆科	Leguminosae	棘豆属	*Oxytropis*	拉德京棘豆	*Oxytropis ladyginii* Kryl.
1004	豆科	Leguminosae	棘豆属	*Oxytropis*	拉普兰棘豆	*Oxytropis lapponica* (Wahlenb.) J. Gay.
1005	豆科	Leguminosae	棘豆属	*Oxytropis*	等瓣棘豆	*Oxytropis lehmanni* Bge.
1006	豆科	Leguminosae	棘豆属	*Oxytropis*	马氏棘豆	*Oxytropis martijanovii* Kryl.
1007	豆科	Leguminosae	棘豆属	*Oxytropis*	萨拉套棘豆	*Oxytropis meinshausenii* C. A. Mey.
1008	豆科	Leguminosae	棘豆属	*Oxytropis*	黑萼棘豆	*Oxytropis melanocalyx* Bge.
1009	豆科	Leguminosae	棘豆属	*Oxytropis*	米尔克棘豆	*Oxytropis merkensis* Bge.
1010	豆科	Leguminosae	棘豆属	*Oxytropis*	小叶棘豆	*Oxytropis microphylla* (Pall.) DC.
1011	豆科	Leguminosae	棘豆属	*Oxytropis*	垂花棘豆	*Oxytropis nutans* Bge.
1012	豆科	Leguminosae	棘豆属	*Oxytropis*	淡黄棘豆	*Oxytropis ochroleuca* Bge.
1013	豆科	Leguminosae	棘豆属	*Oxytropis*	疏花棘豆	*Oxytropis oligantha* Bge.
1014	豆科	Leguminosae	棘豆属	*Oxytropis*	蓝垂花棘豆	*Oxytropis penduliflora* Gontsch.
1015	豆科	Leguminosae	棘豆属	*Oxytropis*	疏毛棘豆	*Oxytropis pilosa* (L.) DC.
1016	豆科	Leguminosae	棘豆属	*Oxytropis*	庞氏棘豆	*Oxytropis poncinsii* Franch.
1017	豆科	Leguminosae	棘豆属	*Oxytropis*	假长毛棘豆	*Oxytropis pseudohirsuta* C. Y. Yang

编号	科名	科拉丁学名	属名	属拉丁学名	种名	种拉丁学名
1018	豆科	Leguminosae	棘豆属	*Oxytropis*	微柔毛棘豆	*Oxytropis puberula* Boriss.
1019	豆科	Leguminosae	棘豆属	*Oxytropis*	斋桑棘豆	*Oxytropis recognita* Bge.
1020	豆科	Leguminosae	棘豆属	*Oxytropis*	萨氏棘豆	*Oxytropis saposhnikovii* Kryl.
1021	豆科	Leguminosae	棘豆属	*Oxytropis*	萨吾尔棘豆	*Oxytropis saurica* Saposchn.
1022	豆科	Leguminosae	棘豆属	*Oxytropis*	新疆棘豆	*Oxytropis sinkiangensis* Cheng f. ex C. W. Chang
1023	豆科	Leguminosae	棘豆属	*Oxytropis*	准噶尔棘豆	*Oxytropis soongarica* (Pall.) DC.
1024	豆科	Leguminosae	棘豆属	*Oxytropis*	胶黄耆状棘豆	*Oxytropis tragacanthoides* Fisch.
1025	豆科	Leguminosae	棘豆属	*Oxytropis*	毛齿棘豆	*Oxytropis trichocalycina* Bge.
1026	豆科	Leguminosae	豌豆属	*Pisum*	豌豆	*Pisum sativum* L.
1027	豆科	Leguminosae	刺槐属	*Robinia*	毛刺槐	*Robinia hispida* L.
1028	豆科	Leguminosae	刺槐属	*Robinia*	刺槐	*Robinia pseudoacacia* L.
1029	豆科	Leguminosae	刺槐属	*Robinia*	香花槐	*Robinia pseudoacacia* L. cv. Idaho
1030	豆科	Leguminosae	槐属	*Sophora*	苦豆子	*Sophora alopecuroides* L.
1031	豆科	Leguminosae	槐属	*Sophora*	毛苦豆子	*Sophora alopecuroides* L. var. *tomentosa* (Boiss.) Bornm.
1032	豆科	Leguminosae	槐属	*Sophora*	槐	*Sophora japonica* L.
1033	豆科	Leguminosae	槐属	*Sophora*	毛叶槐	*Sophora japonica* L. var. *pubescens* L.
1034	豆科	Leguminosae	苦马豆属	*Sphaerophysa*	苦马豆	*Sphaerophysa salsula* (Pall.) DC.
1035	豆科	Leguminosae	野决明属	*Thermopsis*	高山野决明	*Thermopsis alpina* (Pall.) Ledeb.
1036	豆科	Leguminosae	野决明属	*Thermopsis*	轮生叶野决明	*Thermopsis inflata* Camb.
1037	豆科	Leguminosae	野决明属	*Thermopsis*	披针叶野决明	*Thermopsis lanceolata* R. Br.
1038	豆科	Leguminosae	野决明属	*Thermopsis*	中亚黄华	*Thermopsis schischkinii* Czefr.
1039	豆科	Leguminosae	野决明属	*Thermopsis*	新疆野决明	*Thermopsis turkestanica* Gand.
1040	豆科	Leguminosae	车轴草属	*Trifolium*	大花车轴草	*Trifolium eximium* Steph. ex DC.
1041	豆科	Leguminosae	车轴草属	*Trifolium*	草莓车轴草	*Trifolium fragiferum* L.
1042	豆科	Leguminosae	车轴草属	*Trifolium*	野火球	*Trifolium lupinaster* L.
1043	豆科	Leguminosae	车轴草属	*Trifolium*	红车轴草	*Trifolium pratense* L.
1044	豆科	Leguminosae	车轴草属	*Trifolium*	白车轴草	*Trifolium repens* L.

编号	科名	科拉丁学名	属名	属拉丁学名	种名	种拉丁学名
1045	豆科	Leguminosae	胡卢巴属	*Trigonella*	弯果胡卢巴	*Trigonella arcuata* C. A. Mey.
1046	豆科	Leguminosae	胡卢巴属	*Trigonella*	网脉胡卢巴	*Trigonella cancellata* Desf.
1047	豆科	Leguminosae	胡卢巴属	*Trigonella*	胡卢巴	*Trigonella foenum-garecum* L.
1048	豆科	Leguminosae	胡卢巴属	*Trigonella*	单花胡卢巴	*Trigonella monantha* C. A. Mey.
1049	豆科	Leguminosae	胡卢巴属	*Trigonella*	直果胡卢巴	*Trigonella orthoceras* Kar. et Kir.
1050	豆科	Leguminosae	野豌豆属	*Vicia*	窄叶野豌豆	*Vicia angustifolia* L. ex Reichard
1051	豆科	Leguminosae	野豌豆属	*Vicia*	新疆野豌豆	*Vicia costata* Ledeb.
1052	豆科	Leguminosae	野豌豆属	*Vicia*	广布野豌豆	*Vicia cracca* L.
1053	豆科	Leguminosae	野豌豆属	*Vicia*	蚕豆	*Vicia faba* L.
1054	豆科	Leguminosae	野豌豆属	*Vicia*	阿尔泰野豌豆	*Vicia lilacina* Ledeb.
1055	豆科	Leguminosae	野豌豆属	*Vicia*	多茎野豌豆	*Vicia multicaulis* Ledeb.
1056	豆科	Leguminosae	野豌豆属	*Vicia*	救荒野豌豆	*Vicia sativa* L.
1057	豆科	Leguminosae	野豌豆属	*Vicia*	天山野豌豆	*Vicia semenovii* (Rgl. et Herd.) B. Fedtsch.
1058	豆科	Leguminosae	野豌豆属	*Vicia*	野豌豆	*Vicia sepium* L.
1059	豆科	Leguminosae	野豌豆属	*Vicia*	四籽野豌豆	*Vicia tetrasperma* (L.) Moench
1060	豆科	Leguminosae	野豌豆属	*Vicia*	长柔毛野豌豆	*Vicia villosa* Roth
1061	牻牛儿苗科	Geraniaceae	熏倒牛属	*Biebersteinia*	香倒牛	*Biebersteinia odora* Steph.
1062	牻牛儿苗科	Geraniaceae	牻牛儿苗属	*Erodium*	芹叶牻牛儿苗	*Erodium cicutarium* (L.) L'Her. ex Ait.
1063	牻牛儿苗科	Geraniaceae	牻牛儿苗属	*Erodium*	西藏牻牛儿苗	*Erodium tibetanum* Edgew
1064	牻牛儿苗科	Geraniaceae	老鹳草属	*Geranium*	阿尔泰老鹳草	*Geranium affine* Ledeb.
1065	牻牛儿苗科	Geraniaceae	老鹳草属	*Geranium*	丘陵老鹳草	*Geranium collinum* Steph. ex Willd.
1066	牻牛儿苗科	Geraniaceae	老鹳草属	*Geranium*	权枝老鹳草	*Geranium divaricatum* Bobr.
1067	牻牛儿苗科	Geraniaceae	老鹳草属	*Geranium*	草原老鹳草	*Geranium pratense* L.
1068	牻牛儿苗科	Geraniaceae	老鹳草属	*Geranium*	白花草原老鹳草	*Geranium pratense* L. var. *albiflorum* P. Yan
1069	牻牛儿苗科	Geraniaceae	老鹳草属	*Geranium*	蓝花老鹳草	*Geranium pseudosibiricum* J. Mayer
1070	牻牛儿苗科	Geraniaceae	老鹳草属	*Geranium*	串珠老鹳草	*Geranium transversale* (Kar. et Kir.) Vved.
1071	旱金莲科	Tropaeolaceae	旱金莲属	*Tropaeolum*	旱金莲	*Tropaeolum majus* L.
1072	亚麻科	Linaceae	亚麻属	*Linum*	长萼亚麻	*Linum corymbulosum* Reichb.
1073	亚麻科	Linaceae	亚麻属	*Linum*	天山亚麻	*Linum hetorosepalum* Rgl.

续表

编号	科名	科拉丁学名	属名	属拉丁学名	种名	种拉丁学名
1074	亚麻科	Linaceae	亚麻属	*Linum*	白花亚麻	*Linum pallescens* Bge.
1075	蒺藜科	Zygophyllaceae	白刺属	*Nitraria*	帕米尔白刺	*Nitraria pamirica* Vassil.
1076	蒺藜科	Zygophyllaceae	白刺属	*Nitraria*	毛瓣白刺	*Nitraria praevisa* Bobrov
1077	蒺藜科	Zygophyllaceae	白刺属	*Nitraria*	大果白刺	*Nitraria roborovskii* Kom.
1078	蒺藜科	Zygophyllaceae	白刺属	*Nitraria*	盐生白刺	*Nitraria schoberi* L.
1079	蒺藜科	Zygophyllaceae	白刺属	*Nitraria*	唐古特白刺	*Nitraria tangutorum* Bobr.
1080	蒺藜科	Zygophyllaceae	骆驼蓬属	*Peganum*	骆驼蓬	*Peganum harmala* L.
1081	蒺藜科	Zygophyllaceae	木霸王属	*Sarcozygium*	木霸王	*Sarcozygium xanthoxylon* Bge.
1082	蒺藜科	Zygophyllaceae	驼蹄瓣属	*Zygophyllum*	垫状霸王	*Zygophyllum cuspidatum* Boriss.
1083	蒺藜科	Zygophyllaceae	驼蹄瓣属	*Zygophyllum*	短果驼蹄瓣	*Zygophyllum fabago* L. subsp. *orientale* Boriss.
1084	蒺藜科	Zygophyllaceae	驼蹄瓣属	*Zygophyllum*	长果驼蹄瓣	*Zygophyllum jaxarticum* Popov
1085	蒺藜科	Zygophyllaceae	驼蹄瓣属	*Zygophyllum*	甘肃霸王	*Zygophyllum kansuense* Y. X. Liou
1086	蒺藜科	Zygophyllaceae	驼蹄瓣属	*Zygophyllum*	宽叶霸王	*Zygophyllum latifolium* Schrenk
1087	蒺藜科	Zygophyllaceae	驼蹄瓣属	*Zygophyllum*	列曼霸王	*Zygophyllum lehmannianum* Bge.
1088	蒺藜科	Zygophyllaceae	驼蹄瓣属	*Zygophyllum*	大叶驼蹄瓣	*Zygophyllum macropodum* Boriss.
1089	蒺藜科	Zygophyllaceae	驼蹄瓣属	*Zygophyllum*	帕米尔驼蹄瓣	*Zygophyllum pamiricum* Grub.
1090	蒺藜科	Zygophyllaceae	驼蹄瓣属	*Zygophyllum*	翼果驼蹄瓣	*Zygophyllum pterocarpum* Bge.
1091	蒺藜科	Zygophyllaceae	驼蹄瓣属	*Zygophyllum*	大花霸王	*Zygophyllum putannii* Maxim.
1092	蒺藜科	Zygophyllaceae	驼蹄瓣属	*Zygophyllum*	石生霸王	*Zygophyllum rosovii* Bunge
1093	蒺藜科	Zygophyllaceae	驼蹄瓣属	*Zygophyllum*	宽叶石生霸王	*Zygophyllum rosovii* Bunge var. *latifolium* (Schrenk) Popov
1094	蒺藜科	Zygophyllaceae	驼蹄瓣属	*Zygophyllum*	新疆驼蹄瓣	*Zygophyllum sinkiangense* Y. X. Liou
1095	蒺藜科	Zygophyllaceae	驼蹄瓣属	*Zygophyllum*	喀什霸王	*Zygophyllum xanthoxylon* (Bge.) Maxim.
1096	芸香科	Rutaceae	芸香属	*Haplophyllum*	宽叶芸香	*Haplophyllum latifolium* Kar. et Kir.
1097	芸香科	Rutaceae	芸香属	*Haplophyllum*	大叶芸香	*Haplophyllum perforatum* (M. B.) Kar. et Kir.
1098	大戟科	Euphorbiaceae	铁苋菜属	*Acalypha*	铁苋菜	*Acalypha australis* L.

编号	科名	科拉丁学名	属名	属拉丁学名	种名	种拉丁学名
1099	大戟科	Euphorbiaceae	沙戟属	*Chrozophora*	沙戟	*Chrozophora sabulosa* Kar. et Kir.
1100	大戟科	Euphorbiaceae	大戟属	*Euphorbia*	高山大戟	*Euphorbia alpina* C. A. M. ex Ldb.
1101	大戟科	Euphorbiaceae	大戟属	*Euphorbia*	阿尔泰大戟	*Euphorbia altaica* C. A. Mey. ex Ledeb.
1102	大戟科	Euphorbiaceae	大戟属	*Euphorbia*	异瓣状地锦	*Euphorbia anisopetala* Prokh.
1103	大戟科	Euphorbiaceae	大戟属	*Euphorbia*	灰地锦	*Euphorbia canescens* L.
1104	大戟科	Euphorbiaceae	大戟属	*Euphorbia*	三色大戟	*Euphorbia discolor* Ldb.
1105	大戟科	Euphorbiaceae	大戟属	*Euphorbia*	北疆大戟	*Euphorbia franchetii* B. Fedtsch.
1106	大戟科	Euphorbiaceae	大戟属	*Euphorbia*	密花大戟	*Euphorbia glomerulans* Prokh.
1107	大戟科	Euphorbiaceae	大戟属	*Euphorbia*	地锦	*Euphorbia humifusa* Willd. ex Schlecht.
1108	大戟科	Euphorbiaceae	大戟属	*Euphorbia*	英德尔大戟	*Euphorbia inderiensis* Less. ex Kar. et Kir.
1109	大戟科	Euphorbiaceae	大戟属	*Euphorbia*	新疆大戟	*Euphorbia jaxartica* Prokh.
1110	大戟科	Euphorbiaceae	大戟属	*Euphorbia*	粗根大戟	*Euphorbia macrorrhiza* C. A. Mey. ex Ledeb.
1111	大戟科	Euphorbiaceae	大戟属	*Euphorbia*	小果大戟	*Euphorbia microcarpa* Prokh.
1112	大戟科	Euphorbiaceae	大戟属	*Euphorbia*	长根大戟	*Euphorbia pachyrrhiza* Kar. et Kir.
1113	大戟科	Euphorbiaceae	大戟属	*Euphorbia*	小萝卜大戟	*Euphorbia rapulum* Kar.et. Kir.
1114	大戟科	Euphorbiaceae	大戟属	*Euphorbia*	西格尔大戟	*Euphorbia seguieriana* Neck.
1115	大戟科	Euphorbiaceae	大戟属	*Euphorbia*	光果大戟	*Euphorbia soongarica* Boiss. subsp. *lamprocarpa* (Prokh.) Prokh.
1116	大戟科	Euphorbiaceae	大戟属	*Euphorbia*	对叶大戟	*Euphorbia sororia* Schrenk
1117	大戟科	Euphorbiaceae	大戟属	*Euphorbia*	大戟	*Euphorbia talastavica* Prokh.
1118	大戟科	Euphorbiaceae	大戟属	*Euphorbia*	天山大戟	*Euphorbia tianshanica* Prokh.
1119	大戟科	Euphorbiaceae	大戟属	*Euphorbia*	西藏大戟	*Euphorbia tibetica* Boiss.
1120	大戟科	Euphorbiaceae	大戟属	*Euphorbia*	土库曼地锦	*Euphorbia turcomanica* Boiss.
1121	大戟科	Euphorbiaceae	大戟属	*Euphorbia*	乌拉尔大戟	*Euphorbia uralensis* Fisch. ex Link
1122	大戟科	Euphorbiaceae	蓖麻属	*Ricinus*	蓖麻	*Ricinus communis* L.
1123	黄杨科	Buxaceae	黄杨属	*Buxus*	锦熟黄杨	*Buxus sempervirens* L.
1124	漆树科	Anacardiaceae	黄连木属	*Pistacia*	阿月浑子	*Pistacia vera* L.
1125	漆树科	Anacardiaceae	盐肤木属	*Rhus*	火炬树	*Rhus typhina* L.
1126	卫矛科	Celastraceae	卫矛属	*Euonymus*	白杜	*Euonymus bungeane* Maxim.

编号	科名	科拉丁学名	属名	属拉丁学名	种名	种拉丁学名
1127	卫矛科	Celastraceae	卫矛属	*Euonymus*	冬青卫矛	*Euonymus japonica* Thunb.
1128	卫矛科	Celastraceae	卫矛属	*Euonymus*	华北卫矛	*Euonymus maackii* Rupr.
1129	卫矛科	Celastraceae	卫矛属	*Euonymus*	中亚卫矛	*Euonymus semenovii* Regel et Herd.
1130	槭树科	Aceraceae	槭属	*Acer*	茶条槭	*Acer ginnala* Maxim.
1131	槭树科	Aceraceae	槭属	*Acer*	复叶槭	*Acer negundo* L.
1132	槭树科	Aceraceae	槭属	*Acer*	天山槭	*Acer semenovii* Rgl. et Herd.
1133	槭树科	Aceraceae	槭属	*Acer*	元宝槭	*Acer truncatum* Bge.
1134	无患子科	Sapindaceae	栾属	*Koelreuteria*	栾树	*Koelreuteria paniculata* Laxm.
1135	无患子科	Sapindaceae	文冠果属	*Xanthoceras*	文冠果	*Xanthoceras sorbifolia* Bge.
1136	凤仙花科	Balsaminaceae	凤仙花属	*Impatiens*	凤仙花	*Impatiens balsamina* L.
1137	凤仙花科	Balsaminaceae	凤仙花属	*Impatiens*	短距凤仙花	*Impatiens brachycentra* Kar. et Kir.
1138	凤仙花科	Balsaminaceae	凤仙花属	*Impatiens*	小凤仙花	*Impatiens parviflora* DC.
1139	鼠李科	Rhamnaceae	鼠李属	*Rhamnus*	药鼠李	*Rhamnus cathartica* L.
1140	鼠李科	Rhamnaceae	鼠李属	*Rhamnus*	新疆鼠李	*Rhamnus songorica* Gontsch.
1141	鼠李科	Rhamnaceae	枣属	*Ziziphus*	枣	*Ziziphus jujuba* Mill.
1142	鼠李科	Rhamnaceae	枣属	*Ziziphus*	无刺枣	*Ziziphus jujuba* Mill. var. *inermis* (Bge.) Rehd.
1143	鼠李科	Rhamnaceae	枣属	*Ziziphus*	酸枣	*Ziziphus jujuba* Mill. var. *spinosa* (Bge.) Hu ex H. F. Chow
1144	葡萄科	Vitaceae	地锦属	*Parthenocissus*	五叶地锦	*Parthenocissus quinquefolia* (L.) Planch.
1145	葡萄科	Vitaceae	葡萄属	*Vitis*	琐琐葡萄	*Vitis adstricta* Hance
1146	葡萄科	Vitaceae	葡萄属	*Vitis*	葡萄	*Vitis vinifera* L.
1147	锦葵科	Malvaceae	蜀葵属	*Althaea*	蜀葵	*Althaea alopecuroides* L.
1148	锦葵科	Malvaceae	蜀葵属	*Althaea*	毛蜀葵	*Althaea rhyticarpa* Trautv.
1149	锦葵科	Malvaceae	棉属	*Gossypium*	陆地棉	*Gossypium hirsutum* L.
1150	锦葵科	Malvaceae	木槿属	*Hibiscus*	芙蓉葵	*Hibiscus moscheutos* L.
1151	锦葵科	Malvaceae	木槿属	*Hibiscus*	木槿	*Hibiscus syriacus* L.
1152	锦葵科	Malvaceae	木槿属	*Hibiscus*	野西瓜苗	*Hibiscus trionum* L.
1153	锦葵科	Malvaceae	花葵属	*Lavatera*	欧亚花葵	*Lavatera thuringiaca* L.
1154	锦葵科	Malvaceac	锦葵属	*Malva*	锦葵	*Malva sylvestris* L.
1155	锦葵科	Malvaceae	锦葵属	*Malva*	野葵	*Malva verticillata* L.
1156	锦葵科	Malvaceae	锦葵属	*Malva*	中华野葵	*Malva verticillata* L. var. *chinensis* (Miller) S. Y. Hu

续表

编号	科名	科拉丁学名	属名	属拉丁学名	种名	种拉丁学名
1157	藤黄科	Guttiferae	金丝桃属	*Hypericum*	毛金丝桃	*Hypericum hirsutum* L.
1158	藤黄科	Guttiferae	金丝桃属	*Hypericum*	贯叶连翘	*Hypericum perforatum* L.
1159	藤黄科	Guttiferae	金丝桃属	*Hypericum*	糙枝金丝桃	*Hypericum scabrum* L.
1160	柽柳科	Tamaricaceae	水柏枝属	*Myricaria*	秀丽水柏枝	*Myricaria elegans* Royle
1161	柽柳科	Tamaricaceae	水柏枝属	*Myricaria*	心叶水柏枝	*Myricaria pulcherrima* Batalin
1162	柽柳科	Tamaricaceae	水柏枝属	*Myricaria*	鳞序水柏枝	*Myricaria squamosa* Desv.
1163	柽柳科	Tamaricaceae	琵琶柴属	*Reaumuria*	五柱琵琶柴	*Reaumuria kaschgarica* Rupr.
1164	柽柳科	Tamaricaceae	琵琶柴属	*Reaumuria*	红砂	*Reaumuria songarica* (Pall.) Maxim.
1165	柽柳科	Tamaricaceae	柽柳属	*Tamarix*	紫杆柽柳	*Tamarix androssowii* Litvinov.
1166	柽柳科	Tamaricaceae	柽柳属	*Tamarix*	多枝柽柳	*Tamarix austromongolica* Nakai
1167	柽柳科	Tamaricaceae	柽柳属	*Tamarix*	多花柽柳	*Tamarix hohenacheri* Bge.
1168	柽柳科	Tamaricaceae	柽柳属	*Tamarix*	盐地柽柳	*Tamarix karelinii* Bge.
1169	柽柳科	Tamaricaceae	柽柳属	*Tamarix*	塔里木柽柳	*Tamarix tarimensis* P. Y. Zhang et M. T. Liu
1170	半日花科	Cistaceae	半日花属	*Helianthemum*	半日花	*Helianthemum songaricum* Schrenk
1171	堇菜科	Violaceae	堇菜属	*Viola*	紫花地丁	*Viola collina* Bess.
1172	堇菜科	Violaceae	堇菜属	*Viola*	高堇菜	*Viola elatior* Fries
1173	堇菜科	Violaceae	堇菜属	*Viola*	隐距堇菜	*Viola occulta* Lehm.
1174	堇菜科	Violaceae	堇菜属	*Viola*	天山堇菜	*Viola tianschanica* Maxim.
1175	瑞香科	Thymelaeaceae	草瑞香属	*Diarthron*	囊管草瑞香	*Diarthron vesiculosum* C. A. Mey.
1176	瑞香科	Thymelaeaceae	假狼毒属	*Stelleropsis*	天山假狼毒	*Stelleropsis tianschanica* Pobed.
1177	瑞香科	Thymelaeaceae	新瑞香属	*Thymelaea*	新瑞香	*Thymelaea passerina* (L.) Coss. et Germ.
1178	胡颓子科	Elaeagnaceae	沙枣属	*Elaeagnus*	东方沙枣	*Elaeagnus angustifolia* L. var. *orientalis* (L.) Kuntze
1179	胡颓子科	Elaeagnaceae	沙棘属	*Hippophae*	蒙古沙棘	*Hippophae rhamnoides* L. subsp. *mongolica* Rousi.
1180	胡颓子科	Elaeagnaceae	沙棘属	*Hippophae*	中亚沙棘	*Hippophae rhamnoides* L. subsp. *turkestanica* Rousi.
1181	千屈菜科	Lythraceae	水苋菜属	*Ammannia*	长叶水苋菜	*Ammannia coccinea* Rottb.
1182	千屈菜科	Lythraceae	紫薇属	*Lagerstroemia*	紫薇	*Lagerstroemia indica* L.
1183	千屈菜科	Lythraceae	千屈菜属	*Lythrum*	中千屈菜	*Lythrum intermedium* Ledeb.
1184	柳叶菜科	Onagraceae	露珠草属	*Circaea*	高山露珠草	*Circaea alpina* L.

续表

编号	科名	科拉丁学名	属名	属拉丁学名	种名	种拉丁学名
1185	柳叶菜科	Onagraceae	柳叶菜属	*Epilobium*	天山柳叶菜	*Epilobium cylindricum* D. Don
1186	柳叶菜科	Onagraceae	柳叶菜属	*Epilobium*	白花沼生柳叶菜	*Epilobium palustre* L. var. *album* P. Yan
1187	柳叶菜科	Onagraceae	柳叶菜属	*Epilobium*	长柄柳叶菜	*Epilobium roseum* Schreber
1188	柳叶菜科	Onagraceae	月见草属	*Oenothera*	月见草	*Oenothera biennis* L.
1189	柳叶菜科	Onagraceae	月见草属	*Oenothera*	长毛月见草	*Oenothera villosa* Thunb.
1190	伞形科	Apiaceae	当归属	*Angelica*	林当归	*Angelica sylvestris* L.
1191	伞形科	Apiaceae	峨参属	*Anthriscus*	刺果峨参	*Anthriscus nemorosa* (M. B.) Spreng.
1192	伞形科	Apiaceae	隐棱芹属	*Aphanopleura*	细叶隐棱芹	*Aphanopleura capillifolia* (Rgl. et Schmalh.) Lipsky.
1193	伞形科	Apiaceae	芹属	*Apium*	旱芹	*Apium graveolens* L.
1194	伞形科	Apiaceae	古当归属	*Archangelica*	短茎古当归	*Archangelica brevicaulis* (Rupr.) Rchb.
1195	伞形科	Apiaceae	古当归属	*Archangelica*	下延叶古当归	*Archangelica decurrens* Ledeb.
1196	伞形科	Apiaceae	槽子芹属	*Aulacospermum*	绿头种沟芹	*Aulacospermum anomalum* Ldb.
1197	伞形科	Apiaceae	泽芹属	*Berula*	天山泽芹	*Berula erecta* (Huds.) Cov.
1198	伞形科	Apiaceae	柴胡属	*Bupleurum*	短茎柴胡	*Bupleurum pusillum* Krylov
1199	伞形科	Apiaceae	柴胡属	*Bupleurum*	三幅柴胡	*Bupleurum triradiatum* Adams. ex Hoffmann
1200	伞形科	Apiaceae	葛缕子属	*Carum*	暗红葛缕子	*Carum atrosanguineum* Kar. et Kir.
1201	伞形科	Apiaceae	山芎属	*Coniaelinum*	鞘山芎	*Coniaelinum vaginatum* (Spreng.) Thell.
1202	伞形科	Apiaceae	毒参属	*Conium*	毒参	*Conium maculatum* L.
1203	伞形科	Apiaceae	芫荽属	*Coriandrum*	芫荽	*Coriandrum sativum* L.
1204	伞形科	Apiaceae	孜然芹属	*Cuminum*	孜然芹	*Cuminum cyminum* L.
1205	伞形科	Apiaceae	胡萝卜属	*Daucus*	野胡萝卜	*Daucus carota* L.
1206	伞形科	Apiaceae	阿魏属	*Ferula*	阿克奇阿魏	*Ferula akitschkensis* B. Fedtsen ex K.-Pol.
1207	伞形科	Apiaceae	阿魏属	*Ferula*	里海阿魏	*Ferula caspica* M. Bieb.
1208	伞形科	Apiaceac	阿魏属	*Ferula*	全裂叶阿魏	*Ferula diissecta* (Ledeb.) Ledeb.
1209	伞形科	Apiaceae	阿魏属	*Ferula*	沙生阿魏	*Ferula dubjanskyi* Korov. ex Pavl.
1210	伞形科	Apiaceae	阿魏属	*Ferula*	细茎阿魏	*Ferula gracilis* (Ledeb.) Ledeb.

编号	科名	科拉丁学名	属名	属拉丁学名	种名	种拉丁学名
1211	伞形科	Apiaceae	阿魏属	*Ferula*	山蛇床阿魏	*Ferula kirialovii* M. Pimen.
1212	伞形科	Apiaceae	阿魏属	*Ferula*	托里阿魏	*Ferula krylovii* Korov.
1213	伞形科	Apiaceae	阿魏属	*Ferula*	多石阿魏	*Ferula lapidosa* Korov.
1214	伞形科	Apiaceae	阿魏属	*Ferula*	光叶阿魏	*Ferula leiophylla* Korov.
1215	伞形科	Apiaceae	阿魏属	*Ferula*	麝香阿魏	*Ferula moschata* (Reinsch) K. Pol.
1216	伞形科	Apiaceae	阿魏属	*Ferula*	准噶尔阿魏	*Ferula soongarica* Pall. ex Spreng.
1217	伞形科	Apiaceae	茴香属	*Foeniculum*	茴香	*Foeniculum vulgare* L.
1218	伞形科	Apiaceae	独活属	*Heracleum*	阿尔泰独活	*Heracleum dissectum* Ldb.
1219	伞形科	Apiaceae	斑膜芹属	*Hyalolaena*	楚伊犁斑膜芹	*Hyalolaena tschuiliensis* (Pavl. ex Korov.) M. Pimen. ex Kljuykov
1220	伞形科	Apiaceae	欧当归属	*Levisticum*	欧当归	*Levisticum officinale* Koch
1221	伞形科	Apiaceae	岩风属	*Libanotis*	岩风	*Libanotis buchtormensis* (Fisch.) DC.
1222	伞形科	Apiaceae	岩风属	*Libanotis*	密花岩风	*Libanotis condensata* (L.) Crantz.
1223	伞形科	Apiaceae	岩风属	*Libanotis*	锐棱岩风	*Libanotis grubovii* (V. Vinogradova et Sanchir) M. L. Sheh et M. F. Watson
1224	伞形科	Apiaceae	岩风属	*Libanotis*	碎叶岩风	*Libanotis incana* (Steph. ex Willd.) B. Fedtsch.
1225	伞形科	Apiaceae	岩风属	*Libanotis*	亚洲岩风	*Libanotis sibirica* (L.) C. A. Mey.
1226	伞形科	Apiaceae	岩风属	*Libanotis*	准噶尔香芹	*Libanotis abolinii* Korov.
1227	伞形科	Apiaceae	藁本属	*Ligusticum*	异色藁本	*Ligusticum discolor* Ledeb.
1228	伞形科	Apiaceae	厚棱芹属	*Pachypleurum*	高山厚枝芹	*Pachypleurum alpinum* Ldb.
1229	伞形科	Apiaceae	厚棱芹属	*Pachypleurum*	短尖厚棱芹	*Pachypleurum mucronatum* (Schrenk) Schischk.
1230	伞形科	Apiaceae	前胡属	*Peucedanum*	准噶尔前胡	*Peucedanum morisonii* Bess. ex Spreng.
1231	伞形科	Apiaceae	茴芹属	*Pimpinella*	茴芹	*Pimpinella anisum* L.
1232	伞形科	Apiaceae	棱子芹属	*Pleurospermum*	畸形棱子芹	*Pleurospermum anomalum* B. Fedtsch.
1233	伞形科	Apiaceae	棱子芹属	*Pleurospermum*	膜苞棱子芹	*Pleurospermum lindleyanum* B. Fedtsch.
1234	伞形科	Apiaceae	棱子芹属	*Pleurospermum*	岩生棱子芹	*Pleurospermum rupestre* (M. Pop.) K. T. Fu et Y. C. Ho

续表

编号	科名	科拉丁学名	属名	属拉丁学名	种名	种拉丁学名
1235	伞形科	Apiaceae	棱子芹属	*Pleurospermum*	单茎棱子芹	*Pleurospermum simplex* (Rupr.) Benth. et Hook. f. ex Drude
1236	伞形科	Apiaceae	棱子芹属	*Pleurospermum*	天山棱子芹	*Pleurospermum tianschanicum* (Korov.) K. M. Shen
1237	伞形科	Apiaceae	栓翅芹属	*Prangos*	毛栓翅芹	*Prangos cachroides* (Schrenk) M. Pimen.
1238	伞形科	Apiaceae	栓翅芹属	*Prangos*	双生栓翅芹	*Prangos didyma* (Rgl.) M. Pimen. et V. Tichom.
1239	伞形科	Apiaceae	防风属	*Saposhnikovica*	防风	*Saposhnikovica divaricata* (Turcz.) Schischk.
1240	伞形科	Apiaceae	丝叶芹属	*Scaligeria*	丝叶芹	*Scaligeria setacea* (Schrenk) Korov.
1241	伞形科	Apiaceae	双球芹属	*Schrenkia*	双球芹	*Schrenkia vaginata* (Ledeb.) Fisch. et Mey.
1242	伞形科	Apiaceae	苞裂芹属	*Schulzia*	白花苞裂芹	*Schulzia albiflora* (Kar. et Kir.) M. Pop.
1243	伞形科	Apiaceae	苞裂芹属	*Schulzia*	长毛苞裂芹	*Schulzia crinita* (Pall.) Spreng.
1244	伞形科	Apiaceae	苞裂芹属	*Schulzia*	天山苞裂芹	*Schulzia prostrata* M. Pimen.
1245	伞形科	Apiaceae	球根阿魏属	*Schumannia*	球根阿魏	*Schumannia karelinii* (Bge.) Korov.
1246	伞形科	Apiaceae	大瓣芹属	*Semenovia*	毛果大瓣芹	*Semenovia dasycarpa* (Regel et Schmalh.) Korov.
1247	伞形科	Apiaceae	大瓣芹属	*Semenovia*	密毛大瓣芹	*Semenovia pimpinelloides* (Nevski) Manden.
1248	伞形科	Apiaceae	大瓣芹属	*Semenovia*	大瓣芹	*Semenovia transiliensis* Rgl. et Herd.
1249	伞形科	Apiaceae	西风芹属	*Seseli*	膜盘西风芹	*Seseli glabratum* Willd. ex Spreng.
1250	伞形科	Apiaceae	西风芹属	*Seseli*	叉枝西风芹	*Seseli valentinae* M. Pop.
1251	伞形科	Apiaceae	西归芹属	*Seselopsis*	西归芹	*Seselopsis tianschanicum* Schischk.
1252	伞形科	Apiaceae	泽芹属	*Sium*	欧泽芹	*Sium latifolium* L.
1253	伞形科	Apiaceae	泽芹属	*Sium*	新疆泽芹	*Sium sisaroideum* DC.
1254	伞形科	Apiaceae	簇花芹属	*Soranthus*	簇花芹	*Soranthus meyeri* Ledeb.
1255	伞形科	Apiaceae	狭腔芹属	*Stenocoelium*	狭腔芹	*Stenocoelium athamantoides* (M. B.) Ledeb.
1256	伞形科	Apiaceae	狭腔芹属	*Stenocoelium*	毛果狭腔芹	*Stenocoelium trichocarpum* Schrenk
1257	伞形科	Apiaceae	糙果芹属	*Trachyspermum*	细叶糙果芹	*Trachyspermum ammi* (L.) Sprague.
1258	山茱萸科	Cornaceae	山茱萸属	*Swida*	红瑞木	*Swida alba* Opiz.

编号	科名	科拉丁学名	属名	属拉丁学名	种名	种拉丁学名
1259	鹿蹄草科	Pyrolaceae	独丽花属	*Moneses*	独丽花	*Moneses uniflora* (L.) A. Cray.
1260	鹿蹄草科	Pyrolaceae	水晶兰属	*Monotropa*	水晶兰	*Monotropa hypopitys* (L.) Nied.
1261	鹿蹄草科	Pyrolaceae	单侧花属	*Orchilia*	圆叶单侧花	*Orthilia obtusata* (Turcz.) Hara
1262	鹿蹄草科	Pyrolaceae	单侧花属	*Orthilia*	单侧花	*Orthilia secunda* (L.) House.
1263	鹿蹄草科	Pyrolaceae	鹿蹄草属	*Pyrola*	阿勒泰鹿蹄草	*Pyrola chouana* C. Y. Yang
1264	鹿蹄草科	Pyrolaceae	鹿蹄草属	*Pyrola*	红花鹿蹄草	*Pyrola incarnata* Fisch. ex DC.
1265	鹿蹄草科	Pyrolaceae	鹿蹄草属	*Pyrola*	小叶鹿蹄草	*Pyrola media* Sw.
1266	鹿蹄草科	Pyrolaceae	鹿蹄草属	*Pyrola*	新疆鹿蹄草	*Pyrola xinjiangensis* Y. L. Chou
1267	杜鹃花科	Ericaceae	北极果属	*Arctous*	北极果	*Arctous alpinus* (L.) Nied.
1268	杜鹃花科	Ericaceae	越橘属	*Vaccinium*	黑果越橘	*Vaccinium myrtillus* L.
1269	杜鹃花科	Ericaceae	越橘属	*Vaccinium*	红莓苔子	*Vaccinium oxycoccus* L.
1270	杜鹃花科	Ericaceae	越橘属	*Vaccinium*	笃斯	*Vaccinium uliginosum* L.
1271	杜鹃花科	Ericaceae	越橘属	*Vaccinium*	越橘	*Vaccinium vitis-idaea* L.
1272	报春花科	Primulaceae	点地梅属	*Androsace*	毛叶点地梅	*Androsace dasyphylla* Bge.
1273	报春花科	Primulaceae	点地梅属	*Androsace*	短葶点地梅	*Androsace fedtschenkoi* Ovcz.
1274	报春花科	Primulaceae	点地梅属	*Androsace*	丝状点地梅	*Androsace filiformis* Retz.
1275	报春花科	Primulaceae	点地梅属	*Androsace*	黄花点地梅	*Androsace flavescens* Maxim.
1276	报春花科	Primulaceae	点地梅属	*Androsace*	白花点地梅	*Androsace incana* Lam.
1277	报春花科	Primulaceae	点地梅属	*Androsace*	高山点地梅	*Androsace olgae* Ovcz.
1278	报春花科	Primulaceae	点地梅属	*Androsace*	北方点地梅	*Androsace septentrionalis* L.
1279	报春花科	Primulaceae	点地梅属	*Androsace*	鳞叶点地梅	*Androsace squarrosula* Maxim.
1280	报春花科	Primulaceae	珍珠菜属	*Lysimachia*	珍珠菜	*Lysimachia vulgaris* L.
1281	报春花科	Primulaceae	报春花属	*Primula*	长葶报春	*Primula longiscapa* Ldb.
1282	报春花科	Primulaceae	报春花属	*Primula*	大萼报春	*Primula macrcalyx* Bge.
1283	报春花科	Primulaceae	报春花属	*Primula*	大叶报春	*Primula macrophylla* D. Don
1284	报春花科	Primulaceae	报春花属	*Primula*	雪地报春	*Primula nivalis* Pall.
1285	报春花科	Primulaceae	报春花属	*Primula*	少花报春	*Primula nutans* Georgi
1286	报春花科	Primulaceae	报春花属	*Primula*	帕米尔报春	*Primula pamirica* Fed.
1287	报春花科	Primulaceae	报春花属	*Primula*	突厥报春	*Primula turkestanica* (Rgl.) E. A. White.
1288	白花丹科	Plumbaginaceae	彩花属	*Acantholimon*	小叶彩花	*Acantholimon diapensioides* Boiss.

续表

编号	科名	科拉丁学名	属名	属拉丁学名	种名	种拉丁学名
1289	白花丹科	Plumbaginaceae	彩花属	*Acantholimon*	浩罕彩花	*Acantholimon kokandense* Bge.
1290	白花丹科	Plumbaginaceae	驼舌草属	*Goniolimon*	准噶尔驼舌草	*Goniolimon dschungaricum* (Rgl.) O. et. B. Fedtsch.
1291	白花丹科	Plumbaginaceae	驼舌草属	*Goniolimon*	团花驼舌草	*Goniolimon eximium* (Schrenk) Boiss.
1292	白花丹科	Plumbaginaceae	驼舌草属	*Goniolimon*	直杆驼舌草	*Goniolimon speciosum* (L.) Boiss. var. *strictum* (Rgl.) Peng
1293	白花丹科	Plumbaginaceae	伊犁花属	*Ikonnikovia*	伊犁花	*Ikonnikovia kaufmanniana* (Regel) Lincz.
1294	白花丹科	Plumbaginaceae	补血草属	*Limonium*	黄花补血草	*Limonium aureum* (L.) Hill
1295	白花丹科	Plumbaginaceae	补血草属	*Limonium*	二色补血草	*Limonium bicolor* (Bunge) Kuntze
1296	白花丹科	Plumbaginaceae	补血草属	*Limonium*	精河补血草	*Limonium leptolobum* (Regel) Kuntze
1297	白花丹科	Plumbaginaceae	补血草属	*Limonium*	灰杆补血草	*Limonium roborowskii* IK.- Gal.
1298	木犀科	Oleaceae	白蜡树属	*Fraxinus*	美国白蜡	*Fraxinus americana* L.
1299	木犀科	Oleaceae	白蜡树属	*Fraxinus*	披针叶白蜡	*Fraxinus lanceolata* Borkh.
1300	木犀科	Oleaceae	白蜡树属	*Fraxinus*	毛白蜡	*Fraxinus pennsylvanica* March.
1301	木犀科	Oleaceae	白蜡树属	*Fraxinus*	花曲柳	*Fraxinus rhynchophylla* Hance
1302	木犀科	Oleaceae	白蜡树属	*Fraxinus*	新疆小叶白蜡	*Fraxinus sogdiana* Bge.
1303	木犀科	Oleaceae	女贞属	*Ligustrum*	水蜡树	*Ligustrum obtusifolium* Sieb. et Zucc.
1304	木犀科	Oleaceae	女贞属	*Ligustrum*	小叶女贞	*Ligustrum quihoui* Carr.
1305	木犀科	Oleaceae	丁香属	*Syringa*	小叶丁香	*Syringa microphylla* Diels
1306	木犀科	Oleaceae	丁香属	*Syringa*	紫丁香	*Syringa oblata* Lindl.
1307	木犀科	Oleaceae	丁香属	*Syringa*	暴马丁香	*Syringa reticulata* (Blume) Hara var. *amurensis* (Rupr.) J. S. Pringle
1308	木犀科	Oleaceae	丁香属	*Syringa*	红丁香	*Syringa villosa* Vahl
1309	木犀科	Oleaceae	丁香属	*Syringa*	欧洲丁香	*Syringa vulgaris* L.
1310	木犀科	Oleaceae	丁香属	*Syringa*	辽东丁香	*Syringa wolfii* Schneid.
1311	龙胆科	Gentianaceae	百金花属	*Centaurium*	美丽百金花	*Centaurium pulchellum* (Sw.) Druce
1312	龙胆科	Gentianaceae	百金花属	*Centaurium*	穗状百金花	*Centaurium spicatum* (L.) Fritsch.
1313	龙胆科	Gentianaceae	喉毛花属	*Comastoma*	二歧喉毛花	*Comastoma dichotoma* Pall.

续表

编号	科名	科拉丁学名	属名	属拉丁学名	种名	种拉丁学名
1314	龙胆科	Gentianaceae	喉毛花属	*Comastoma*	长梗喉毛花	*Comastoma pedunculatum* (Royle ex D. Don) Holub.
1315	龙胆科	Gentianaceae	喉毛花属	*Comastoma*	喉毛花	*Comastoma pulmonarium* (Turcz.) Toyokuni
1316	龙胆科	Gentianaceae	龙胆属	*Gentiana*	西域龙胆	*Gentiana clarkei* Kusnez.
1317	龙胆科	Gentianaceae	龙胆属	*Gentiana*	斜升秦艽	*Gentiana decumbens* L.
1318	龙胆科	Gentianaceae	龙胆属	*Gentiana*	裂萼秦艽	*Gentiana fetissowii* Rgl. et Winkl.
1319	龙胆科	Gentianaceae	龙胆属	*Gentiana*	大花龙胆	*Gentiana grandiflora* Laxm.
1320	龙胆科	Gentianaceae	龙胆属	*Gentiana*	卡氏龙胆	*Gentiana karelinii* Griseb.
1321	龙胆科	Gentianaceae	龙胆属	*Gentiana*	奥氏龙胆	*Gentiana olgae* Rgl.
1322	龙胆科	Gentianaceae	龙胆属	*Gentiana*	集花龙胆	*Gentiana olivieri* Griseb.
1323	龙胆科	Gentianaceae	龙胆属	*Gentiana*	垂花龙胆	*Gentiana prostrata* Haenke.
1324	龙胆科	Gentianaceae	龙胆属	*Gentiana*	河边龙胆	*Gentiana riparia* Kar. et Kir.
1325	龙胆科	Gentianaceae	蔊蕾属	*Gentianopsis*	扁蕾	*Gentianopsis barbata* (Froel.) Ma
1326	龙胆科	Gentianaceae	蔊蕾属	*Gentianopsis*	黄白扁蕾	*Gentianopsis barbata* (Froel.) Ma var. *alboflavide* T. N. Ho
1327	龙胆科	Gentianaceae	花锚属	*Halenia*	椭圆叶花锚	*Halenia elliptica* D. Don
1328	龙胆科	Gentianaceae	花锚属	*Halenia*	花锚	*Halenia elliptica* L.
1329	龙胆科	Gentianaceae	肋柱花属	*Lomatogonium*	美丽肋柱花	*Lomatogonium bellun* (Hemsl.) H. Smith
1330	龙胆科	Gentianaceae	肋柱花属	*Lomatogonium*	宽叶肋柱花	*Lomatogonium carinthiacum* (Wulfen.) A. Br.
1331	龙胆科	Gentianaceae	肋柱花属	*Lomatogonium*	铺散肋柱花	*Lomatogonium thomsonii* (C. B. Clarke) Fern.
1332	龙胆科	Gentianaceae	獐牙菜属	*Swertia*	歧伞獐牙菜	*Swertia dichotoma* L.
1333	龙胆科	Gentianaceae	獐牙菜属	*Swertia*	膜边獐芽菜	*Swertia marginata* Schrenk
1334	龙胆科	Gentianaceae	獐牙菜属	*Swertia*	互叶獐牙菜	*Swertia obtusa* Ldb.
1335	龙胆科	Gentianaceae	獐牙菜属	*Swertia*	獐芽菜	*Swertia perennis* L.
1336	夹竹桃科	Apocynaceae	白麻属	*Poacynum*	大叶白麻	*Poacynum hendersonii* (Hook. f.) Woods.
1337	萝摩科	Asclepiadaceae	鹅绒藤属	*Cynanchum*	羊角子草	*Cynanchum cathayense* Tsiang et Zhang
1338	萝摩科	Asclepiadaceae	鹅绒藤属	*Cynanchum*	喀什牛皮消	*Cynanchum kashgaricum* Liou f.
1339	萝摩科	Asclepiadaceae	鹅绒藤属	*Cynanchum*	地梢瓜	*Cynanchum thesioides* (Freyn) K. Schum.
1340	旋花科	Convolvulaceae	旋花属	*Convolvulus*	灌木旋花	*Convolvulus fruticosus* Pall.
1341	旋花科	Convolvulaceae	菟丝子属	*Cuscuta*	杯花菟丝子	*Cuscuta cupulata* Engelm.

编号	科名	科拉丁学名	属名	属拉丁学名	种名	种拉丁学名
1342	旋花科	Convolvulaceae	牵牛属	*Pharbitis*	牵牛	*Pharbitis nil* (L.) Choisy.
1343	旋花科	Convolvulaceae	牵牛属	*Pharbitis*	圆叶牵牛	*Pharbitis purpurea* (L.) Voigt.
1344	花荵科	Polemoniaceae	花荵属	*Polemonium*	花荵	*Polemonium coeruleum* L.
1345	紫草科	Boraginaceae	牛舌草属	*Anchusa*	牛舌草	*Anchusa italica* Retz.
1346	紫草科	Boraginaceae	牛舌草属	*Anchusa*	药用牛舌草	*Anchusa officinalis* L.
1347	紫草科	Boraginaceae	牛舌草属	*Anchusa*	狼紫草	*Anchusa ovata* Lehm.
1348	紫草科	Boraginaceae	软紫草属	*Arnebia*	黄花软紫草	*Arnebia guttata* Bge.
1349	紫草科	Boraginaceae	软紫草属	*Arnebia*	紫筒花	*Arnebia obovata* Bge.
1350	紫草科	Boraginaceae	琉璃草属	*Cynoglossum*	大萼琉璃草	*Cynoglossum macrocaiycinum* Riedl.
1351	紫草科	Boraginaceae	齿缘草属	*Eritrichium*	阿克陶齿缘草	*Eritrichium aktoense* Lian et J. Q. Wang
1352	紫草科	Boraginaceae	齿缘草属	*Eritrichium*	灰毛齿缘草	*Eritrichium canum* (Benth.) Kitamura
1353	紫草科	Boraginaceae	齿缘草属	*Eritrichium*	少花齿缘草	*Eritrichium pauciflorum* (Ldb.) DC.
1354	紫草科	Boraginaceae	齿缘草属	*Eritrichium*	具柄齿缘草	*Eritrichium petiolare* W. T. Wang
1355	紫草科	Boraginaceae	齿缘草属	*Eritrichium*	长毛齿缘草	*Eritrichium villosum* (Ldb.) Bge.
1356	紫草科	Boraginaceae	腹脐草属	*Gastrocotyle*	腹脐草	*Gastrocotyle hispida* (Forssk.) Bge.
1357	紫草科	Boraginaceae	天芥菜属	*Heliotropium*	椭圆叶天芥菜	*Heliotropium ellipticum* Ldb.
1358	紫草科	Boraginaceae	天芥菜属	*Heliotropium*	天芥菜	*Heliotropium europaeum* L.
1359	紫草科	Boraginaceae	天芥菜属	*Heliotropium*	小花天芥菜	*Heliotropium micranthum* (Pall.) Bge.
1360	紫草科	Boraginaceae	异果鹤虱属	*Heterocaryum*	异果鹤虱	*Heterocaryum rigidum* DC.
1361	紫草科	Boraginaceae	鹤虱属	*Lappula*	密枝鹤虱	*Lappula balchaschensis* M. Pop. ex N. Pavl.
1362	紫草科	Boraginaceae	鹤虱属	*Lappula*	短刺鹤虱	*Lappula brachycentra* (Ldb.) Gürke
1363	紫草科	Boraginaceae	鹤虱属	*Lappula*	蓝刺鹤虱	*Lappula consangninea* (Fisch. et Mey.) Gürke
1364	紫草科	Boraginaccac	鹤虱属	*Lappula*	杯翅鹤虱	*Lappula consanguinea* (Fisch. et Mey.) Gürke var. *cupuliformis* C. J. Wang
1365	紫草科	Boraginaceae	鹤虱属	*Lappula*	两形果鹤虱	*Lappula duplicicarpa* N. Pavl.
1366	紫草科	Boraginaceae	鹤虱属	*Lappula*	费尔干鹤虱	*Lappula ferganensis* M. Pop.
1367	紫草科	Boraginaceae	鹤虱属	*Lappula*	光胖鹤虱	*Lappula karelinii* (Fisch. et C. A. M.) Kamelin.

编号	科名	科拉丁学名	属名	属拉丁学名	种名	种拉丁学名
1368	紫草科	Boraginaceae	鹤虱属	*Lappula*	白花鹤虱	*Lappula macra* M. Pop. ex Pavl.
1369	紫草科	Boraginaceae	鹤虱属	*Lappula*	膜翅鹤虱	*Lappula marginata* (M. B.) Gürke
1370	紫草科	Boraginaceae	鹤虱属	*Lappula*	小果鹤虱	*Lappula microcarpa* (Ldb.) Gürke
1371	紫草科	Boraginaceae	鹤虱属	*Lappula*	鹤虱	*Lappula myosotis* V. Wolf
1372	紫草科	Boraginaceae	鹤虱属	*Lappula*	隐果鹤虱	*Lappula occultata* M. Pop.
1373	紫草科	Boraginaceae	鹤虱属	*Lappula*	卵果鹤虱	*Lappula patula* (Lehm.) Asch. ex Gürke
1374	紫草科	Boraginaceae	鹤虱属	*Lappula*	草地鹤虱	*Lappula pratensis* C. J. Wang
1375	紫草科	Boraginaceae	鹤虱属	*Lappula*	多枝鹤虱	*Lappula ramulosa* C. J. Wang et X. D. Wang
1376	紫草科	Boraginaceae	鹤虱属	*Lappula*	卵盘鹤虱	*Lappula redoushii* (Honem.) Greene
1377	紫草科	Boraginaceae	鹤虱属	*Lappula*	狭果鹤虱	*Lappula semiglabra* (Ledeb.) Gürke
1378	紫草科	Boraginaceae	鹤虱属	*Lappula*	异形狭果鹤虱	*Lappula semiglabra* (Ledeb.) Gürke var. *heterocaryoides* M. Pop. ex C. J. Wang
1379	紫草科	Boraginaceae	鹤虱属	*Lappula*	绢毛鹤虱	*Lappula sericata* M. Pop.
1380	紫草科	Boraginaceae	鹤虱属	*Lappula*	石果鹤虱	*Lappula spinocarpos* (Forssk.) Aschers. ex O. Kuntze
1381	紫草科	Boraginaceae	鹤虱属	*Lappula*	异刺鹤虱	*Lappula squarrosa* (Retz.) Dum. subsp. *heteracantha* (Ldb.) Chater.
1382	紫草科	Boraginaceae	鹤虱属	*Lappula*	劲直鹤虱	*Lappula stricta* (Ledeb.) Gürke
1383	紫草科	Boraginaceae	鹤虱属	*Lappula*	短梗鹤虱	*Lappula tadshikorum* M. Pop.
1384	紫草科	Boraginaceae	鹤虱属	*Lappula*	细刺鹤虱	*Lappula tenuis* (Ldb.) Gürke
1385	紫草科	Boraginaceae	鹤虱属	*Lappula*	天山鹤虱	*Lappula tianschanica* M. Pop. et Zak.
1386	紫草科	Boraginaceae	鹤虱属	*Lappula*	阿尔泰鹤虱	*Lappula tianschanica* M. Pop. et Zak. var. *altaica* C. J. Wang
1387	紫草科	Boraginaceae	紫草属	*Lithospermum*	田紫草	*Lithospermum arvense* L.
1388	紫草科	Boraginaceae	紫草属	*Lithospermum*	小花紫草	*Lithospermum officinale* L.
1389	紫草科	Boraginaceae	长柱琉璃草属	*Lindelofia*	长柱琉璃草	*Lindelofia stylosa* (Kar. et Kir.) Brand.
1390	紫草科	Boraginaceae	微孔草属	*Microula*	西藏微孔草	*Microula tibetica* Benth.

编号	科名	科拉丁学名	属名	属拉丁学名	种名	种拉丁学名
1391	紫草科	Boraginaceae	微孔草属	*Microula*	小花西藏微孔草	*Microula tibetica* Benth. var. *pratensis* (Maxim.) W. T. Wang
1392	紫草科	Boraginaceae	勿忘草属	*Myosotis*	高山勿忘草	*Myosotis alpestris* F. W. Schmidt.
1393	紫草科	Boraginaceae	勿忘草属	*Myosotis*	亚洲勿忘草	*Myosotis asiatica* Schischk. et Serg.
1394	紫草科	Boraginaceae	勿忘草属	*Myosotis*	细根勿忘草	*Myosotis krylovii* Serg.
1395	紫草科	Boraginaceae	勿忘草属	*Myosotis*	小花勿忘草	*Myosotis micrantha* Pall. ex Lehm.
1396	紫草科	Boraginaceae	勿忘草属	*Myosotis*	草原勿忘草	*Myosotis suareolens* W. et K.
1397	紫草科	Boraginaceae	滇紫草属	*Onosma*	细尖滇紫草	*Onosma apiculatum* Riedl.
1398	紫草科	Boraginaceae	滇紫草属	*Onosma*	疏毛滇紫草	*Onosma irritans* M. Pop. ex N. Pavl.
1399	紫草科	Boraginaceae	翅果草属	*Rindera*	翅果草	*Rindera tetraspis* Pall.
1400	紫草科	Boraginaceae	李果鹤虱属	*Rochelia*	李果鹤虱	*Rochelia bungei* Trautv.
1401	紫草科	Boraginaceae	李果鹤虱属	*Rochelia*	光果李果鹤虱	*Rochelia leiocarpa* Ledeb.
1402	紫草科	Boraginaceae	长蕊琉璃草属	*Solenanthus*	长蕊琉璃草	*Solenanthus circinnatus* Ldb.
1403	唇形科	Labiatae	矮刺苏属	*Chamaesphacos*	矮刺苏	*Chamaesphacos ilicifolius* Schrenk
1404	唇形科	Labiatae	青兰属	*Dracocephalum*	和布克赛尔青兰	*Dracocephalum hobuksarensis* G. J. Liu
1405	唇形科	Labiatae	青兰属	*Dracocephalum*	光青兰	*Dracocephalum imberbe* Bge.
1406	唇形科	Labiatae	青兰属	*Dracocephalum*	全叶青兰	*Dracocephalum inregrifolium* Bge.
1407	唇形科	Labiatae	青兰属	*Dracocephalum*	香青兰	*Dracocephalum moldavica* L.
1408	唇形科	Labiatae	青兰属	*Dracocephalum*	垂花青兰	*Dracocephalum nutans* L.
1409	唇形科	Labiatae	青兰属	*Dracocephalum*	铺地青兰	*Dracocephalum origanoides* Stepb. et Willd.
1410	唇形科	Labiatae	青兰属	*Dracocephalum*	宽齿青兰	*Dracocephalum paulsenii* Briq.
1411	唇形科	Labiatae	青兰属	*Dracocephalum*	刺齿青兰	*Dracocephalum peregrinum* L.
1412	唇形科	Labiatae	青兰属	*Dracocephalum*	青兰	*Dracocephalum ruyschiana* L.
1413	唇形科	Labiatae	青兰属	*Dracocephalum*	长蕊青兰	*Dracocephalum staminea* (Kar. et Kit.) Kudr.
1414	唇形科	Labiatae	香薷属	*Elsholtzia*	香薷	*Elsholtzia ciliata* (Thunb.) Hyland.
1415	唇形科	Labiatae	香薷属	*Elsholtzia*	密花香薷	*Elsholtzia densa* Benth.
1416	唇形科	Labiatae	沙穗属	*Eremostachys*	光亮沙穗	*Eremostachys fulgens* Bgee.
1417	唇形科	Labiatae	沙穗属	*Eremostachys*	喀拉状沙穗	*Eremostachys karatavica* N. Pavl.

编号	科名	科拉丁学名	属名	属拉丁学名	种名	种拉丁学名
1418	唇形科	Labiatae	沙穗属	*Eremostachys*	沙穗	*Eremostachys moluccelloides* Bge.
1419	唇形科	Labiatae	沙穗属	*Eremostachys*	糙苏状沙穗	*Eremostachys phlomoides* Bge.
1420	唇形科	Labiatae	沙穗属	*Eremostachys*	美丽沙穗	*Eremostachys speciosa* Rupr.
1421	唇形科	Labiatae	鼬瓣花属	*Galeopsis*	鼬瓣花	*Galeopsis bifida* Boenn.
1422	唇形科	Labiatae	活血丹属	*Glechoma*	欧活血丹	*Glechoma hederacea* L.
1423	唇形科	Labiatae	神香草属	*Hyssopus*	硬尖神香草	*Hyssopus cuspidatus* Boriss.
1424	唇形科	Labiatae	神香草属	*Hyssopus*	大花神香草	*Hyssopus macramthus* Boriss.
1425	唇形科	Labiatae	兔唇花属	*Lagochilus*	冬青叶兔唇花	*Lagochilus ilicifolius* Bunge
1426	唇形科	Labiatae	兔唇花属	*Lagochilus*	宽齿兔唇花	*Lagochilus macrodentus* Knorr.
1427	唇形科	Labiatae	兔唇花属	*Lagochilus*	新疆兔唇花	*Lagochilus xinjiangensis* G. J. Liu
1428	唇形科	Labiatae	扁柄草属	*Lallemantia*	大花扁柄草	*Lallemantia peltata* Fisch. et Mey.
1429	唇形科	Labiatae	益母草属	*Leonurus*	益母草	*Leonurus artemisia* (Lour.) S. Y. Hu
1430	唇形科	Labiatae	益母草属	*Leonurus*	灰白益母草	*Leonurus glaucescens* Bge.
1431	唇形科	Labiatae	益母草属	*Leonurus*	新疆益母草	*Leonurus turkestanicus* V. Krecz. et Kupr.
1432	唇形科	Labiatae	扭藿香属	*Lophanthus*	扭藿香	*Lophanthus subnivolis* Lipsky.
1433	唇形科	Labiatae	地笋属	*Lycopus*	交株地笋	*Lycopus exaltatus* L.
1434	唇形科	Labiatae	地笋属	*Lycopus*	地笋	*Lycopus lucidus* Turcz.
1435	唇形科	Labiatae	薄荷属	*Mentha*	亚洲薄荷	*Mentha asiatia* Boriss.
1436	唇形科	Labiatae	薄荷属	*Mentha*	密毛薄荷	*Mentha haplocalyx* Briq. var. *pilosa* G. J. Liu
1437	唇形科	Labiatae	荆芥属	*Nepeta*	密花荆芥	*Nepeta densiflora* Kar. et Kir.
1438	唇形科	Labiatae	荆芥属	*Nepeta*	高山荆芥	*Nepeta mariae* Rgl.
1439	唇形科	Labiatae	荆芥属	*Nepeta*	平卧荆芥	*Nepeta supina* Stev.
1440	唇形科	Labiatae	荆芥属	*Nepeta*	伊犁荆芥	*Nepeta transiliensis* Pojark.
1441	唇形科	Labiatae	荆芥属	*Nepeta*	尖齿荆芥	*Nepeta ucranica* L.
1442	唇形科	Labiatae	分药花属	*Perovskia*	帕米尔分药花	*Perovskia pamirica* C. Y. Yang et B. Wang
1443	唇形科	Labiatae	糙苏属	*Phlomis*	无长毛山地糙苏	*Phlomis oreophila* Kar. et Kir. var. *evillosa* C. Y. Wu
1444	唇形科	Labiatae	鼠尾草属	*Salvia*	新疆鼠尾草	*Salvia deserta* Schang
1445	唇形科	Labiatae	黄芩属	*Scutellaria*	阿尔泰黄芩	*Scutellaria altaica* Fisch. ex Sueet.

编号	科名	科拉丁学名	属名	属拉丁学名	种名	种拉丁学名
1446	唇形科	Labiatae	黄芩属	*Scutellaria*	乌恰黄芩	*Scutellaria jodudiana* B. Fedtsch.
1447	唇形科	Labiatae	黄芩属	*Scutellaria*	少齿黄芩	*Scutellaria oligodonta* Juz.
1448	唇形科	Labiatae	黄芩属	*Scutellaria*	平卧黄芩	*Scutellaria prostrata* Jacq.
1449	唇形科	Labiatae	黄芩属	*Scutellaria*	平原黄芩	*Scutellaria sieversii* Bge.
1450	唇形科	Labiatae	硬萼草属	*Sideritis*	密序硬萼草	*Sideritis balansae* Boiss.
1451	唇形科	Labiatae	硬萼草属	*Sideritis*	山地硬萼草	*Sideritis montana* L.
1452	唇形科	Labiatae	百里香属	*Thymus*	阿尔泰百里香	*Thymus altaicus* Klok. et Schost.
1453	唇形科	Labiatae	百里香属	*Thymus*	亚洲百里香	*Thymus asiaticus* Serg.
1454	唇形科	Labiatae	新塔花属	*Ziziphora*	芳香新塔花	*Ziziphora clinopodioides* Lam.
1455	茄科	Solanaceae	天仙子属	*Hyoscgamus*	小天仙子	*Hyoscgamus pusillus* L.
1456	茄科	Solanaceae	枸杞属	*Lycium*	枸杞	*Lycium chinense* Mill.
1457	茄科	Solanaceae	枸杞属	*Lycium*	圆柱枸杞	*Lycium cylindricum* Kuang et A. M. Lu
1458	茄科	Solanaceae	假酸浆属	*Nicanda*	假酸浆	*Nicanda physaloides* (L.) Gaertn.
1459	茄科	Solanaceae	酸浆属	*Physalis*	毛酸浆	*Physalis pubescens* L.
1460	茄科	Solanaceae	茄属	*Solanum*	光白英	*Solanum boreali-sinense* C. Y. Wu et S. C. Huang
1461	茄科	Solanaceae	茄属	*Solanum*	黄花刺茄	*Solanum rostratum* Dunal
1462	玄参科	Scrophulariaceae	水八角属	*Gratiola*	药用水八角	*Gratiola officinalis* L.
1463	玄参科	Scrophulariaceae	兔耳草属	*Lagotis*	短筒兔耳草	*Lagotis brevituba* Maxim.
1464	玄参科	Scrophulariaceae	兔耳草属	*Lagotis*	全缘兔耳草	*Lagotis integra* W. W. Smith
1465	玄参科	Scrophulariaceae	兔耳草属	*Lagotis*	亚中兔耳草	*Lagotis integrifolia* (Willd.) Schischk. ex Vikulova.
1466	玄参科	Scrophulariaceae	柳穿鱼属	*Linaria*	帕米尔柳穿鱼	*Linaria kulabensis* B. Fedtsch.
1467	玄参科	Scrophulariaceae	柳穿鱼属	*Linaria*	长距柳穿鱼	*Linaria longicalcarata* Hong
1468	玄参科	Scrophulariaceae	柳穿鱼属	*Linaria*	新疆柳穿鱼	*Linaria vulgaris* Mill. subsp. *acutiloba* (Fisch. ex Rchb.) Hong
1469	玄参科	Scrophulariaceae	马先蒿属	*Pedicularis*	蓍叶马先蒿	*Pedicularis achilleifolia* Steph. ex Willd.
1470	玄参科	Scrophulariaceae	马先蒿属	*Pedicularis*	碎米蕨叶马先蒿	*Pedicularis cheilanthifolia* Schrenk
1471	玄参科	Scrophulariaceae	马先蒿属	*Pedicularis*	高丌马先蒿	*Pedicularis elata* Willd.
1472	玄参科	Scrophulariaceae	马先蒿属	*Pedicularis*	小根马先蒿	*Pedicularis leptorhiza* Rupr.
1473	玄参科	Scrophulariaceae	马先蒿属	*Pedicularis*	长花马先蒿	*Pedicularis longiflora* Rudolph.
1474	玄参科	Scrophulariaceae	马先蒿属	*Pedicularis*	膨萼马先蒿	*Pedicularis physocalyx* Bge.

续表

编号	科名	科拉丁学名	属名	属拉丁学名	种名	种拉丁学名
1475	玄参科	Scrophulariaceae	马先蒿属	*Pedicularis*	鼻喙马先蒿	*Pedicularis proboscidea* Stev.
1476	玄参科	Scrophulariaceae	马先蒿属	*Pedicularis*	假弯管马先蒿	*Pedicularis pseudocuvituba* Tsoong.
1477	玄参科	Scrophulariaceae	马先蒿属	*Pedicularis*	西敏诺夫阿马先蒿	*Pedicularis semenovii* Rgl.
1478	玄参科	Scrophulariaceae	马先蒿属	*Pedicularis*	三叶马先蒿	*Pedicularis ternata* Maxim.
1479	玄参科	Scrophulariaceae	鼻花属	*Rhinanthus*	鼻花	*Rhinanthus glaber* Lam.
1480	玄参科	Scrophulariaceae	玄参属	*Scrophularia*	翅茎玄参	*Scrophularia umbrosa* Dum.
1481	玄参科	Scrophulariaceae	毛蕊花属	*Verbascum*	毛瓣毛蕊花	*Verbascum blattaria* L.
1482	玄参科	Scrophulariaceae	毛蕊花属	*Verbascum*	毛蕊花	*Verbascum chaixii* Vill.
1483	玄参科	Scrophulariaceae	毛蕊花属	*Verbascum*	准噶尔毛蕊花	*Verbascum songaricum* Schrenk ex Fisch. et Mey.
1484	玄参科	Scrophulariaceae	婆婆纳属	*Veronica*	阿拉套婆婆纳	*Veronica alatavica* M. Pop.
1485	玄参科	Scrophulariaceae	婆婆纳属	*Veronica*	北水苦荬	*Veronica anagallis-aguatica* L.
1486	玄参科	Scrophulariaceae	婆婆纳属	*Veronica*	长果水苦荬	*Veronica anagalloides* Guss.
1487	玄参科	Scrophulariaceae	婆婆纳属	*Veronica*	直柄水苦荬	*Veronica beccabunga* L.
1488	玄参科	Scrophulariaceae	婆婆纳属	*Veronica*	二裂婆婆纳	*Veronica biloba* L.
1489	玄参科	Scrophulariaceae	婆婆纳属	*Veronica*	弯果婆婆纳	*Veronica campylopoda* Boiss.
1490	玄参科	Scrophulariaceae	婆婆纳属	*Veronica*	心果婆婆纳	*Veronica cardiocarpa* (Kar. et Kir.) Walpers.
1491	玄参科	Scrophulariaceae	婆婆纳属	*Veronica*	红叶婆婆纳	*Veronica ferganica* M. Pop.
1492	玄参科	Scrophulariaceae	婆婆纳属	*Veronica*	白婆婆纳	*Veronica incana* L.
1493	玄参科	Scrophulariaceae	婆婆纳属	*Veronica*	细叶婆婆纳	*Veronica linariifolia* Pall. ex Link
1494	玄参科	Scrophulariaceae	婆婆纳属	*Veronica*	兔尾儿苗	*Veronica longifolia* L
1495	玄参科	Scrophulariaceae	婆婆纳属	*Veronica*	羽叶婆婆纳	*Veronica pinnata* L.
1496	玄参科	Scrophulariaceae	婆婆纳属	*Veronica*	穗花婆婆纳	*Veronica spicata* L.
1497	玄参科	Scrophulariaceae	婆婆纳属	*Veronica*	轮叶婆婆纳	*Veronica spuria* L.
1498	玄参科	Scrophulariaceae	婆婆纳属	*Veronica*	卷毛婆婆纳	*Veronica teucrium* L.
1499	玄参科	Scrophulariaceae	婆婆纳属	*Veronica*	裂叶婆婆纳	*Veronica verna* L.
1500	紫葳科	Bignoniaceae	梓树属	*Catalpa*	梓树	*Catalpa ovata* G. Don
1501	紫葳科	Bignoniaceae	梓树属	*Catalpa*	黄金树	*Catalpa speciose* (Warder ex Barney) Engelmann.
1502	胡麻科	Pedaliaceae	胡麻属	*Sesamum*	芝麻	*Sesamum indicum* L.
1503	列当科	Orobanchaceae	列当属	*Orobanche*	分支列当	*Orobanche aegyptiaca* Pers.
1504	列当科	Orobanchaceae	列当属	*Orobanche*	毛列当	*Orobanche caesia* Reichenb.
1505	列当科	Orobanchaceae	列当属	*Orobanche*	丝毛列当	*Orobanche caryophyllacea* Smith

编号	科名	科拉丁学名	属名	属拉丁学名	种名	种拉丁学名
1506	列当科	Orobanchaceae	列当属	*Orobanche*	直管列当	*Orobanche cernua* Loefling var. *hansii* (A. Kerner) G. Beck.
1507	列当科	Orobanchaceae	列当属	*Orobanche*	淡黄列当	*Orobanche sordida* C. A. M.
1508	狸藻科	Lentibulariaceae	狸藻属	*Utricularia*	狸藻	*Utricularia vulgaris* L.
1509	车前科	Plantaginaceae	车前属	*Plantago*	绒毛车前	*Plantago arachnoidea* Schrenk
1510	车前科	Plantaginaceae	车前属	*Plantago*	亚洲车前	*Plantago asiatica* L.
1511	车前科	Plantaginaceae	车前属	*Plantago*	柯尔车前	*Plantago cornuti* Gouan
1512	车前科	Plantaginaceae	车前属	*Plantago*	喜马拉雅车前	*Plantago himalaica* Pilger.
1513	车前科	Plantaginaceae	车前属	*Plantago*	披针叶车前	*Plantago lanceolata* L.
1514	车前科	Plantaginaceae	车前属	*Plantago*	条叶车前	*Plantago lessingii* Fisch. et Mey.
1515	茜草科	Rubiaceae	拉拉藤属	*Galium*	拉拉藤	*Galium aparine* L.
1516	茜草科	Rubiaceae	拉拉藤属	*Galium*	拉拉藤	*Galium aparine* L. var. *echinospermum* (Wallr.) Cuf.
1517	茜草科	Rubiaceae	拉拉藤属	*Galium*	光果拉拉藤	*Galium aparine* L. var. *leiospermum* (Wallr.) Cuf.
1518	茜草科	Rubiaceae	拉拉藤属	*Galium*	猪殃殃	*Galium aparine* L. var. *tenerum* (Gren. et Godr.) Rchb.
1519	茜草科	Rubiaceae	拉拉藤属	*Galium*	硬毛拉拉藤	*Galium boreale* L. var. *ciliatum* Nakai
1520	茜草科	Rubiaceae	拉拉藤属	*Galium*	斐梭浦砧草	*Galium boreale* L. var. *hyssopifolium* (Pers.) DC.
1521	茜草科	Rubiaceae	拉拉藤属	*Galium*	勘察加拉拉藤	*Galium boreale* L. var. *kamtschaticum* (Maxim.) Nakai
1522	茜草科	Rubiaceae	拉拉藤属	*Galium*	披针叶砧草	*Galium boreale* L. var. *lancilimbum* W. C. Chen
1523	茜草科	Rubiaceae	拉拉藤属	*Galium*	宽叶拉拉藤	*Galium boreale* L. var. *latifolium* Turcz.
1524	茜草科	Rubiaceae	拉拉藤属	*Galium*	茜钻草	*Galium boreale* L. var. *rubioides* (L.) Celak.
1525	茜草科	Rubiaceae	拉拉藤属	*Galium*	单花拉拉腾	*Galium exile* Hook.
1526	茜草科	Rubiaccac	拉拉藤属	*Galium*	香拉拉藤	*Galium odoratum* (L.) Scop.
1527	茜草科	Rubiaceae	拉拉藤属	*Galium*	沼生拉拉藤	*Galium palustre* L.
1528	茜草科	Rubiaceae	拉拉藤属	*Galium*	中亚拉拉藤	*Galium rivale* (Sibth. et Smith) Griseb.
1529	茜草科	Rubiaceae	拉拉藤属	*Galium*	萨吾尔拉拉藤	*Galium saurense* Litv.
1530	茜草科	Rubiaceae	拉拉藤属	*Galium*	突厥拉拉藤	*Galium turkestanicum* Pobed.
1531	茜草科	Rubiaceae	拉拉藤属	*Galium*	蓬子菜	*Galium verum* L.

编号	科名	科拉丁学名	属名	属拉丁学名	种名	种拉丁学名
1532	茜草科	Rubiaceae	拉拉藤属	*Galium*	毛蓬子菜	*Galium verum* L. var. *tomentosum* (Nakai) Nakai
1533	茜草科	Rubiaceae	拉拉藤属	*Galium*	毛果蓬子菜	*Galium verum* L. var. *trachycarpum* DC.
1534	茜草科	Rubiaceae	拉拉藤属	*Galium*	粗糙蓬子菜	*Galium verum* L. var. *trachyphyllum* Wallr.
1535	茜草科	Rubiaceae	拉拉藤属	*Galium*	新疆拉拉藤	*Galium xinjiangensis* W. C. Chen
1536	茜草科	Rubiaceae	泡果茜草属	*Microphysa*	泡果茜草	*Microphysa elongata* Pobed.
1537	茜草科	Rubiaceae	茜草属	*Rubia*	四叶茜草	*Rubia schugnanica* B. Fedtsch. ex Pojock
1538	忍冬科	Caprifoliaceae	北极花属	*Linnaea*	北极花	*Linnaea borealis* L.
1539	忍冬科	Caprifoliaceae	忍冬属	*Lonicera*	阿尔泰忍冬	*Lonicera altaica* Pall.
1540	忍冬科	Caprifoliaceae	忍冬属	*Lonicera*	截萼忍冬	*Lonicera altmannii* Regel et Schmalh.
1541	忍冬科	Caprifoliaceae	忍冬属	*Lonicera*	阿尔泰忍冬	*Lonicera caerulea* L. var. *altaica* Pall.
1542	忍冬科	Caprifoliaceae	忍冬属	*Lonicera*	异叶忍冬	*Lonicera heterophylla* Decne.
1543	忍冬科	Caprifoliaceae	忍冬属	*Lonicera*	忍冬	*Lonicera japonica* Thunb.
1544	忍冬科	Caprifoliaceae	忍冬属	*Lonicera*	金银木	*Lonicera maackii* (Rupr.) Maxim.
1545	忍冬科	Caprifoliaceae	忍冬属	*Lonicera*	权枝忍冬	*Lonicera simulatrix* Pojark.
1546	忍冬科	Caprifoliaceae	忍冬属	*Lonicera*	新疆忍冬	*Lonicera tatarica* L.
1547	忍冬科	Caprifoliaceae	接骨木属	*Sambucus*	西伯利亚接骨木	*Sambucus sibirica* Nakai
1548	忍冬科	Caprifoliaceae	荚蒾属	*Viburnum*	欧洲荚蒾	*Viburnum opulus* L.
1549	五福花科	Adoxaceae	五福花属	*Adoxa*	五福花	*Adoxa moschatellina* L.
1550	败酱科	Valerianaceae	败酱属	*Patrinia*	西伯利亚败酱	*Patrinia sibirica* (L.) Juss.
1551	败酱科	Valerianaceae	缬草属	*Valeriana*	天山缬草	*Valeriana dubia* Bge.
1552	败酱科	Valerianaceae	缬草属	*Valeriana*	突厥缬草	*Valeriana turkestanica* Sumn.
1553	川续断科	Dipsacaceae	蓝盆花属	*Scabiosa*	高山黄盆花	*Scabiosa alpestris* Kar. et Kir.
1554	川续断科	Dipsacaceae	蓝盆花属	*Scabiosa*	黄盆花	*Scabiosa ochroleuca* L.
1555	川续断科	Dipsacaceae	蓝盆花属	*Scabiosa*	小花蓝盆花	*Scabiosa olivieri* Coult
1556	川续断科	Dipsacaceae	蓝盆花属	*Scabiosa*	准噶尔蓝盆花	*Scabiosa soongoria* Schrenk
1557	桔梗科	Campanulaceae	沙参属	*Adenophora*	新疆沙参	*Adenophora liliifolia* (L.) Bess.
1558	桔梗科	Campanulaceae	风铃草属	*Campanula*	聚花风铃草	*Campanula glomerata* L.
1559	菊科	Compositae	蓍属	*Achillea*	蓍	*Achillea millefolium* L.

编号	科名	科拉丁学名	属名	属拉丁学名	种名	种拉丁学名
1560	菊科	Compositae	猫儿菊属	*Achyrophorus*	猫儿菊	*Achyrophorus maculatus* (L.) Scop.
1561	菊科	Compositae	顶羽菊属	*Acroptilon*	顶羽菊	*Acroptilon repens* (L.) DC.
1562	菊科	Compositae	亚菊属	*Ajania*	新疆亚菊	*Ajania fastigiata* (Winkl.) Poljak.
1563	菊科	Compositae	亚菊属	*Ajania*	单头亚菊	*Ajania scharmhorstii* (Rgl. et Schmalh.) Tzvel.
1564	菊科	Compositae	翅膜菊属	*Alfredia*	薄叶翅膜菊	*Alfredia acantholepis* Kar. et Kir.
1565	菊科	Compositae	翅膜菊属	*Alfredia*	翅膜菊	*Alfredia cernua* Cass.
1566	菊科	Compositae	珀菊属	*Amberboa*	黄花珀菊	*Amberboa turanica* Iljin.
1567	菊科	Compositae	香青属	*Anaphalis*	帚枝香青	*Anaphalis virgata* Thoms.
1568	菊科	Compositae	肋果蓟属	*Ancathia*	肋果蓟	*Ancathia igniaria* (Spreng.) DC.
1569	菊科	Compositae	春黄菊属	*Anthemis*	春黄菊	*Anthemis tinctoria* L.
1570	菊科	Compositae	牛蒡属	*Arctium*	牛蒡	*Arctium lappa* L.
1571	菊科	Compositae	蒿属	*Artemisia*	莳萝蒿	*Artemisia amethoides* Mattf.
1572	菊科	Compositae	蒿属	*Artemisia*	银叶蒿	*Artemisia argyrophylla* Ledeb.
1573	菊科	Compositae	蒿属	*Artemisia*	纤杆蒿	*Artemisia demissa* Krasch.
1574	菊科	Compositae	蒿属	*Artemisia*	球序蒿	*Artemisia eranthema* Bge.
1575	菊科	Compositae	蒿属	*Artemisia*	冷蒿	*Artemisia frigida* Willd.
1576	菊科	Compositae	蒿属	*Artemisia*	细裂叶莲蒿	*Artemisia gmelinii* Web. ex Stechm.
1577	菊科	Compositae	蒿属	*Artemisia*	野艾蒿	*Artemisia larandulaefolia* DC.
1578	菊科	Compositae	蒿属	*Artemisia*	白叶蒿	*Artemisia leucophylla* (Turca. ex Boss) Clarke
1579	菊科	Compositae	蒿属	*Artemisia*	中亚旱蒿	*Artemisia marschalliana* Spreng.
1580	菊科	Compositae	蒿属	*Artemisia*	黑沙蒿	*Artemisia ordosica* Krasch.
1581	菊科	Compositae	蒿属	*Artemisia*	纤枝蒿	*Artemisia pewzowii* Winkl.
1582	菊科	Compositae	蒿属	*Artemisia*	大籽蒿	*Artemisia sieversiana* Ehehart. ex Willd.
1583	菊科	Compositae	蒿属	*Artemisia*	苏联肉质叶蒿	*Artemisia succulenta* Ledeb.
1584	菊科	Compositae	蒿属	*Artemisia*	裂叶蒿	*Artemisia tanacetifolia* L.
1585	菊科	Compositae	蒿属	*Artemisia*	毛莲蒿	*Artemisia vestita* Wall. ex Bcss.
1586	菊科	Compositae	紫菀属	*Aster*	腺毛菱软紫菀	*Aster flaccidus* Bunge subsp. *glandulosus* (Keissl.) Onno

续表

编号	科名	科拉丁学名	属名	属拉丁学名	种名	种拉丁学名
1587	菊科	Compositae	紫菀木属	*Asterothamnus*	高大中亚紫菀木	*Asterothamnus centrali-asiaticus* Novopokr. var. *procerior* Novopokr.
1588	菊科	Compositae	紫菀木属	*Asterothamnus*	毛叶紫菀木	*Asterothamnus poliifolius* Novopokr.
1589	菊科	Compositae	鬼针草属	*Bidens*	羽叶鬼针草	*Bidens maximovicziana* Oett.
1590	菊科	Compositae	鬼针草属	*Bidens*	狼把草	*Bidens tripartita* L.
1591	菊科	Compositae	鬼针草属	*Bidens*	矮狼把草	*Bidens tripartite* L. var. *repens* (D. Don) Sherff
1592	菊科	Compositae	短舌菊属	*Brachanthemum*	蒙古短舌菊	*Brachanthemum mongolicum* Krasch.
1593	菊科	Compositae	短舌菊属	*Brachanthemum*	星毛短舌菊	*Brachanthemum pulvinatum* (Hand.-Mazz.) Shih.
1594	菊科	Compositae	短星菊属	*Brachyactis*	短星菊	*Brachyactis cikiata* Ledeb.
1595	菊科	Compositae	短星菊属	*Brachyactis*	西疆短星菊	*Brachyactis roylei* (DC.) Wendelbo.
1596	菊科	Compositae	小甘菊属	*Cancrinia*	天山小甘菊	*Cancrinia tianschanica* (Krasch.) Tzvel.
1597	菊科	Compositae	天名精属	*Carpesium*	烟管头草	*Carpesium cernuum* L.
1598	菊科	Compositae	矢车菊属	*Centaurea*	糙叶矢车菊	*Centaurea adpressa* Ledeb.
1599	菊科	Compositae	矢车菊属	*Centaurea*	准噶尔矢车菊	*Centaurea dschungarica* Shih.
1600	菊科	Compositae	矢车菊属	*Centaurea*	亚欧矢车菊	*Centaurea ruthenia* Lam.
1601	菊科	Compositae	矢车菊属	*Centaurea*	矮小矢车菊	*Centaurea sibirica* L.
1602	菊科	Compositae	头嘴苣属	*Cephalorrhynchus*	头嘴苣	*Cephalorrhynchus soongoricus* (Rgl.) Kovalevsk.
1603	菊科	Compositae	粉苞菊属	*Chondrilla*	无喙粉苞菊	*Chondrilla ambigua* Fisch. ex Kar. et Kir.
1604	菊科	Compositae	粉苞菊属	*Chondrilla*	短喙粉苞菊	*Chondrilla brevirostris* Fisch. et Mey.
1605	菊科	Compositae	粉苞菊属	*Chondrilla*	宽冠粉苞菊	*Chondrilla laticoronata* Leonova.
1606	菊科	Compositae	粉苞菊属	*Chondrilla*	新疆粉苞菊	*Chondrilla lejosperma* Kar. et Kir.
1607	菊科	Compositae	粉苞菊属	*Chondrilla*	中亚粉苍苣	*Chondrilla ornata* Iljin
1608	菊科	Compositae	粉苞菊属	*Chondrilla*	少花粉苞菊	*Chondrilla pallciflora* Ledeb.
1609	菊科	Compositae	粉苞菊属	*Chondrilla*	暗苞粉苞菊	*Chondrilla phaeocephala* Rupr.
1610	菊科	Compositae	粉苞菊属	*Chondrilla*	粉苞菊	*Chondrilla piptocoma* Fisch. et Mey.
1611	菊科	Compositae	粉苞菊属	*Chondrilla*	基节粉苞菊	*Chondrilla rouillieri* Kar. et Kir.

编号	科名	科拉丁学名	属名	属拉丁学名	种名	种拉丁学名
1612	菊科	Compositae	岩苣属	*Cicerbita*	天蓝岩苣	*Cicerbita azurea* (Ledeb.) Beauv.
1613	菊科	Compositae	岩苣属	*Cicerbita*	天山岩苣	*Cicerbita tianshanica* (Rgl.et Schmalh.) Beauv.
1614	菊科	Compositae	菊苣属	*Cichorium*	毛菊苣	*Cichorium glandulosum* Boiss. et Huet.
1615	菊科	Compositae	蓟属	*Cirsium*	阿尔泰蓟	*Cirsium incanum* (S. G. Geml.) Fisch. ex M. B.
1616	菊科	Compositae	蓟属	*Cirsium*	麻花头蓟	*Cirsium serratuloides* (L.) Hill.
1617	菊科	Compositae	白酒草属	*Conyza*	小蓬草	*Conyza canadensis* (L.) Cronq.
1618	菊科	Compositae	刺头菊属	*Cousinia*	刺头菊	*Cousinia affinis* Schrenk
1619	菊科	Compositae	刺头菊属	*Cousinia*	翼茎刺头菊	*Cousinia alata* Schrenk
1620	菊科	Compositae	刺头菊属	*Cousinia*	深裂刺头菊	*Cousinia disselta* Kar. et Kir.
1621	菊科	Compositae	刺头菊属	*Cousinia*	光苞刺头菊	*Cousinia leiocephala* (Rgl.) Juz.
1622	菊科	Compositae	刺头菊属	*Cousinia*	宽苞刺头菊	*Cousinia platylepis* Schrenk ex Fish. et Mey.
1623	菊科	Compositae	刺头菊属	*Cousinia*	细弱刺头菊	*Cousinia tenella* Fisch. et Mey.
1624	菊科	Compositae	还阳参属	*Crepis*	黄花还阳参	*Crepis chrysantha* (Ledeb.) Turca.
1625	菊科	Compositae	还阳参属	*Crepis*	细叶还阳参	*Crepis flexuosa* (Ledeb.) W. A. Weber var. *tenuifolia* Z. X. An
1626	菊科	Compositae	还阳参属	*Crepis*	全叶还阳参	*Crepis integrifolia* Shih.
1627	菊科	Compositae	还阳参属	*Crepis*	琴叶还阳参	*Crepis lyrata* (L.) Forel.
1628	菊科	Compositae	还阳参属	*Crepis*	小还阳参	*Crepis nana* Richardson.
1629	菊科	Compositae	还阳参属	*Crepis*	中山还阳参	*Crepis oreades* Schrenk
1630	菊科	Compositae	还阳参属	*Crepis*	沙湾还阳参	*Crepis shawanica* Shih.
1631	菊科	Compositae	还阳参属	*Crepis*	屋根草	*Crepis tectorum* L.
1632	菊科	Compositae	半毛菊属	*Crupina*	半毛菊	*Crupina vulgaris* Cass.
1633	菊科	Compositae	菊属	*Dendranthema*	甘菊	*Dendranthema lavandulifolium* (Fisch. ex Trautv.) Ling et Shih.
1634	菊科	Compositae	多榔菊属	*Doronicum*	天山多榔菊	*Doronicum tianshanicum* Z. X. An
1635	菊科	Compositae	多榔菊属	*Doronicum*	突厥多榔菊	*Doronicum turkertanicum* Cavil.
1636	菊科	Compositae	蓝刺头属	*Echinops*	白茎蓝刺头	*Echinops albicaulis* Kar. et Kir.
1637	菊科	Compositae	蓝刺头属	*Echinops*	汉塔蓝刺头	*Echinops chantavicus* Trautv.

编号	科名	科拉丁学名	属名	属拉丁学名	种名	种拉丁学名
1638	菊科	Compositae	蓝刺头属	*Echinops*	矮蓝刺头	*Echinops humilis* M. B.
1639	菊科	Compositae	蓝刺头属	*Echinops*	薄叶蓝刺头	*Echinops tricholepis* Schrenk
1640	菊科	Compositae	鼠毛菊属	*Epilasia*	顶毛鼠毛菊	*Epilasia acrolasia* (Bge.) C. B. Clarke
1641	菊科	Compositae	鼠毛菊属	*Epilasia*	腰毛鼠毛菊	*Epilasia hemilasia* (Bge.) Clarke
1642	菊科	Compositae	飞蓬属	*Erigeron*	一年飞蓬	*Erigeron annuus* (L.) Pers.
1643	菊科	Compositae	飞蓬属	*Erigeron*	橙舌飞蓬	*Erigeron aurantiacus* Rgl.
1644	菊科	Compositae	飞蓬属	*Erigeron*	长茎飞蓬	*Erigeron elongates* Ledeb.
1645	菊科	Compositae	飞蓬属	*Erigeron*	绵苞飞蓬	*Erigeron eriocalyx* (Ledeb.) Vierh.
1646	菊科	Compositae	飞蓬属	*Erigeron*	光山飞蓬	*Erigeron leioreades* M. Pop.
1647	菊科	Compositae	飞蓬属	*Erigeron*	柄叶飞蓬	*Erigeron petiolaris* Vierh
1648	菊科	Compositae	飞蓬属	*Erigeron*	革叶飞蓬	*Erigeron schmalhausenii* M. Pop.
1649	菊科	Compositae	飞蓬属	*Erigeron*	天山飞蓬	*Erigeron tianschanicus* Botsch.
1650	菊科	Compositae	飞蓬属	*Erigeron*	蓝舌飞蓬	*Erigeron vicarius* Botsch.
1651	菊科	Compositae	絮菊属	*Filago*	絮菊	*Filago arvensis* L.
1652	菊科	Compositae	乳菀属	*Galatella*	阿尔泰乳菀	*Galatella altaica* Tzvel.
1653	菊科	Compositae	乳菀属	*Galatella*	窄叶乳菀	*Galatella angustissima* (Tausch) Novopour
1654	菊科	Compositae	乳菀属	*Galatella*	盘花乳菀	*Galatella biflora* (L.) Nees
1655	菊科	Compositae	乳菀属	*Galatella*	紫缨乳菀	*Galatella chromopappa* Novopokr.
1656	菊科	Compositae	乳菀属	*Galatella*	帚枝乳菀	*Galatella fastigiiformis* Novopokr.
1657	菊科	Compositae	乳菀属	*Galatella*	鳞苞乳菀	*Galatella hauptii* (Ledeb.) Lindl.
1658	菊科	Compositae	乳菀属	*Galatella*	乳菀	*Galatella punctata* (Waldst. et Kit.) Nees
1659	菊科	Compositae	乳菀属	*Galatella*	准葛尔乳菀	*Galatella songarica* Nowpor.
1660	菊科	Compositae	鼠曲草属	*Gnaphalium*	挪威鼠曲草	*Gnaphalium norvegicum* Gunn.
1661	菊科	Compositae	鼠曲草属	*Gnaphalium*	林地鼠曲草	*Gnaphalium sylvaticum* L.
1662	菊科	Compositae	天山菁属	*Handelia*	天山菁	*Handelia trichophylla* (Schreak. ex Fisch. et Mey.) Heimer.
1663	菊科	Compositae	蜡菊属	*Helichrysum*	喀什蜡菊	*Helichrysum kashgaricum* Z. X. An

编号	科名	科拉丁学名	属名	属拉丁学名	种名	种拉丁学名
1664	菊科	Compositae	异喙菊属	*Heteracia*	异喙菊	*Heteracia szovitsii* Fisch. et Mey.
1665	菊科	Compositae	狗娃花属	*Heteropappus*	千叶阿尔泰狗娃花	*Heteropappus altaicus* (Willd.) Novopokr. var. *millefolius* (Vant.) Wang
1666	菊科	Compositae	狗娃花属	*Heteropappus*	青藏狗娃花	*Heteropappus boweri* (Hemsl.) Griers.
1667	菊科	Compositae	河西苣属	*Hexinia*	河西苣	*Hexinia polydichotoma* (Ostenf.) H. L. Yang
1668	菊科	Compositae	山柳菊属	*Hieracium*	亚洲山柳菊	*Hieracium asiaticum* Naeg. et Peter.
1669	菊科	Compositae	山柳菊属	*Hieracium*	基叶山柳菊	*Hieracium dublitzkii* B. Fedtsch. et Nevski
1670	菊科	Compositae	山柳菊属	*Hieracium*	蓝蓟山柳菊	*Hieracium echioides* Lumn.
1671	菊科	Compositae	山柳菊属	*Hieracium*	高山柳菊	*Hieracium korshinskyi* Zahn.
1672	菊科	Compositae	山柳菊属	*Hieracium*	大花山柳菊	*Hieracium krylovii* Nevski
1673	菊科	Compositae	山柳菊属	*Hieracium*	柳叶山柳菊	*Hieracium regelianum* Zahn.
1674	菊科	Compositae	女蒿属	*Hippolytia*	新疆女蒿	*Hippolytia herderi* (Rgl. et Schmalh.) Poljak.
1675	菊科	Compositae	女蒿属	*Hippolytia*	喀什女蒿	*Hippolytia kaschgarica* (Krasch.) Poljak.
1676	菊科	Compositae	琉苞菊属	*Hyalea*	琉苞菊	*Hyalea pulchella* (Ledeb.) C. Koch
1677	菊科	Compositae	旋覆花属	*Inula*	新疆旋覆花	*Inula aspera* Poir.
1678	菊科	Compositae	旋覆花属	*Inula*	窄叶旋覆花	*Inula britanica* L. var. *angustifolia* Beck.
1679	菊科	Compositae	旋覆花属	*Inula*	糙叶旋覆花	*Inula caspica* Blume var. *scaberrima* Trautv.
1680	菊科	Compositae	小苦荬属	*Ixeridium*	中华小苦荬	*Ixeridium chinense* (Thunb.) Tzvel.
1681	菊科	Compositae	小苦荬属	*Ixeridium*	窄叶小苦荬	*Ixeridium gramineum* (Fisch.) Tzvel.
1682	菊科	Compositae	苓菊属	*Jurinea*	刺果苓菊	*Jurinea chaetocarpa* Ledeb.
1683	菊科	Compositae	苓菊属	*Jurinea*	天山苓菊	*Jurinea dshungarica* (Rubtz.) Iljin
1684	菊科	Compositae	苓菊属	*Jurinea*	软叶苓菊	*Jurinea flaccida* Shih.
1685	菊科	Compositae	苓菊属	*Jurinea*	南疆苓菊	*Jurinea kaschgarica* Iljin
1686	菊科	Compositae	苓菊属	*Jurinea*	蒙疆苓菊	*Jurinea mongolica* Maxim.
1687	菊科	Compositae	苓菊属	*Jurinea*	绥定苓菊	*Jurinea suidunensis* (Winkl.) Korsh.
1688	菊科	Compositae	喀什菊属	*Kaschgaria*	密枝喀什菊	*Kaschgaria brachanthemoides* (Winkl.) Poljak.

编号	科名	科拉丁学名	属名	属拉丁学名	种名	种拉丁学名
1689	菊科	Compositae	喀什菊属	*Kaschgaria*	喀什菊	*Kaschgaria komarovii* (Krasch. et N. Rubtz.) Poljak.
1690	菊科	Compositae	岩菀属	*Krylovia*	沙生岩菀	*Krylovia eremophila* (Bge.) Schischk.
1691	菊科	Compositae	岩菀属	*Krylovia*	岩菀	*Krylovia limoniifolia* (Less) Schischk.
1692	菊科	Compositae	莴苣属	*Lactuca*	阿尔泰莴苣	*Lactuca altaica* Fisch. et Mey.
1693	菊科	Compositae	莴苣属	*Lactuca*	大头叶莴苣	*Lactuca auriculata* DC.
1694	菊科	Compositae	莴苣属	*Lactuca*	裂叶莴苣	*Lactuca dissecta* D. Don
1695	菊科	Compositae	莴苣属	*Lactuca*	莴苣	*Lactuca saliva* L.
1696	菊科	Compositae	莴苣属	*Lactuca*	锯齿莴苣	*Lactuca serriola* Torner. ex L.
1697	菊科	Compositae	莴苣属	*Lactuca*	飘带莴苣	*Lactuca undulata* Ledeb.
1698	菊科	Compositae	火绒草属	*Leontopodium*	山野火绒草	*Leontopodium campestre* (Ledeb.) Hand.-Mazz.
1699	菊科	Compositae	火绒草属	*Leontopodium*	火绒草	*Leontopodium leonpodo-dioides* (Willd.) Beauv.
1700	菊科	Compositae	火绒草属	*Leontopodium*	矮火绒草	*Leontopodium nanum* (Hook. f. et Thoms.) Hand.-Mazz.
1701	菊科	Compositae	火绒草属	*Leontopodium*	灰黄火绒草	*Leontopodium ochroleucum* Beaur.
1702	菊科	Compositae	火绒草属	*Leontopodium*	弱小火绒草	*Leontopodium pusillum* Hand.-Mazz.
1703	菊科	Compositae	橐吾属	*Ligularia*	阿尔泰橐吾	*Ligularia altaica* DC.
1704	菊科	Compositae	橐吾属	*Ligularia*	异叶橐吾	*Ligularia heterophylla* Pupr.
1705	菊科	Compositae	橐吾属	*Ligularia*	昆仑橐吾	*Ligularia kunlunshanica* Z. X. An
1706	菊科	Compositae	橐吾属	*Ligularia*	山地橐吾	*Ligularia narynensis* (Winkl.) O. et B. Fedtsch.
1707	菊科	Compositae	橐吾属	*Ligularia*	准噶尔橐吾	*Ligularia songarica* (Fisch. et Mey.) Ling
1708	菊科	Compositae	橐吾属	*Ligularia*	西域橐吾	*Ligularia thomsonii* (Clarke) Pojark.
1709	菊科	Compositae	橐吾属	*Ligularia*	塔序橐吾	*Ligularia thyrsoidea* (Ledeb.) DC.
1710	菊科	Compositae	橐吾属	*Ligularia*	天山橐吾	*Ligularia tianshanica* C. Y. Yang et S. L. Keng
1711	菊科	Compositae	橐吾属	*Ligularia*	吐鲁番橐吾	*Ligularia tulupanica* Z. X. An
1712	菊科	Compositae	麻菀属	*Linosyris*	新疆麻菀	*Linosyris tatarica* (Less.) C. A. M.
1713	菊科	Compositae	母菊属	*Matricaria*	母菊	*Matricaria recutita* L.
1714	菊科	Compositae	乳苣属	*Mulgedium*	乳苣	*Mulgedium tataricum* (L.) DC.

续表

编号	科名	科拉丁学名	属名	属拉丁学名	种名	种拉丁学名
1715	菊科	Compositae	栉叶蒿属	*Neopallasia*	栉叶蒿	*Neopallasia pectinata* (Pall.) Poljak.
1716	菊科	Compositae	猬菊属	*Olgaea*	新疆猬菊	*Olgaea pectinata* Iljin
1717	菊科	Compositae	猬菊属	*Olgaea*	假九眼菊	*Olgaea roborowskyi* Iljin
1718	菊科	Compositae	假小喙菊属	*Paramicrorhynchus*	假小喙菊	*Paramicrorhynchus procumbens* (Roxb.) Kirp.
1719	菊科	Compositae	毛莲菜属	*Picris*	毛莲菜	*Picris hieracioides* L.
1720	菊科	Compositae	毛莲菜属	*Picris*	日本毛莲菜	*Picris japonica* Thunb.
1721	菊科	Compositae	斜果菊属	*Plagiobasis*	斜果菊	*Plagiobasis centauroides* Schrenk
1722	菊科	Compositae	匹菊属	*Pyrethrum*	丝叶匹菊	*Pyrethrum abrotanifolium* Bge. ex Ledeb.
1723	菊科	Compositae	匹菊属	*Pyrethrum*	匹菊	*Pyrethrum corymbiforme* Tzvel.
1724	菊科	Compositae	匹菊属	*Pyrethrum*	白花匹菊	*Pyrethrum transiliense* (Herd.) Rgl. et Schmalh.
1725	菊科	Compositae	纹苞菊属	*Russowia*	纹苞菊	*Russowia sogdiana* (Bge.) B. Fedtsch.
1726	菊科	Compositae	风毛菊属	*Saussurea*	阿尔金风毛菊	*Saussurea aerjingensis* K. M. Shen
1727	菊科	Compositae	风毛菊属	*Saussurea*	翅茎风毛菊	*Saussurea alata* DC.
1728	菊科	Compositae	风毛菊属	*Saussurea*	美丽风毛菊	*Saussurea blanda* Schrenk
1729	菊科	Compositae	风毛菊属	*Saussurea*	灰白风毛菊	*Saussurea cana* Ldb.
1730	菊科	Compositae	风毛菊属	*Saussurea*	伊犁风毛菊	*Saussurea canescens* Winkl.
1731	菊科	Compositae	风毛菊属	*Saussurea*	昆仑风毛菊	*Saussurea cinerea* Franch.
1732	菊科	Compositae	风毛菊属	*Saussurea*	达乌里风毛菊	*Saussurea davurica* Adams.
1733	菊科	Compositae	风毛菊属	*Saussurea*	大序风毛菊	*Saussurea frolovii* Ledeb.
1734	菊科	Compositae	风毛菊属	*Saussurea*	鼠娴兔子	*Saussurea ganphalodes* (Royle) Sch.-Bip.
1735	菊科	Compositae	风毛菊属	*Saussurea*	冰河雪兔子	*Saussurea glacialis* Herd
1736	菊科	Compositae	风毛菊属	*Saussurea*	鼠曲风毛菊	*Saussurea gnaphalodes* (Royle) Sch.-Bip.
1737	菊科	Compositae	风毛菊属	*Saussurea*	黑毛雪兔子	*Saussurea hypsipeta* Diels
1738	菊科	Compositae	风毛菊属	*Saussurea*	雪莲	*Saussurea involucrata* (Kar. et Kir.) Sch.-Bip.
1739	菊科	Compositae	风毛菊属	*Saussurea*	喀什风毛菊	*Saussurea kaschgarica* Rupr.
1740	菊科	Compositae	风毛菊属	*Saussurea*	裂叶风毛菊	*Saussurea laciniata* Ledeb.
1741	菊科	Compositae	风毛菊属	*Saussurea*	宽叶风毛菊	*Saussurea latifolia* Ldb.
1742	菊科	Compositae	风毛菊属	*Saussurea*	白叶风毛菊	*Saussurea leucophylla* Schrenk

编号	科名	科拉丁学名	属名	属拉丁学名	种名	种拉丁学名
1743	菊科	Compositae	风毛菊属	*Saussurea*	苞鳞风毛菊	*Saussurea lomatolepis* Lipsch.
1744	菊科	Compositae	风毛菊属	*Saussurea*	垫状风毛菊	*Saussurea lpulviniformis* Winkl.
1745	菊科	Compositae	风毛菊属	*Saussurea*	假高山风毛菊	*Saussurea pseudoalpina* N. D. Simps.
1746	菊科	Compositae	风毛菊属	*Saussurea*	若羌风毛菊	*Saussurea ruoqiangensis* K. M. Shen
1747	菊科	Compositae	风毛菊属	*Saussurea*	柳叶风毛菊	*Saussurea salicifolia* (L.) DC.
1748	菊科	Compositae	风毛菊属	*Saussurea*	盐地风毛菊	*Saussurea salsa* (Pall.) Spreng.
1749	菊科	Compositae	风毛菊属	*Saussurea*	小果雪兔子	*Saussurea simpsoniana* (Field et Gardn.) Lipsch.
1750	菊科	Compositae	风毛菊属	*Saussurea*	藏西风毛菊	*Saussurea stoliczkai* Clarke
1751	菊科	Compositae	风毛菊属	*Saussurea*	针叶风毛菊	*Saussurea subulate* Clarke
1752	菊科	Compositae	风毛菊属	*Saussurea*	肉叶雪兔子	*Saussurea thomsonii* Clarke
1753	菊科	Compositae	风毛菊属	*Saussurea*	草甸雪兔子	*Saussurea thoroldii* Hemsl.
1754	菊科	Compositae	风毛菊属	*Saussurea*	托里风毛菊	*Saussurea tuoliensis* L.
1755	菊科	Compositae	风毛菊属	*Saussurea*	太加风毛菊	*Saussurea turgaiensis* B. Fedtsch.
1756	菊科	Compositae	鸦葱属	*Scorzonera*	剑叶鸦葱	*Scorzonera ensifolia* M. B.
1757	菊科	Compositae	鸦葱属	*Scorzonera*	和田鸦葱	*Scorzonera hotanica* Z. X. An
1758	菊科	Compositae	鸦葱属	*Scorzonera*	伊犁鸦葱	*Scorzonera illiensis* Krasch.
1759	菊科	Compositae	鸦葱属	*Scorzonera*	皱叶鸦葱	*Scorzonera incospicua* Lipsch. ex Pavl.
1760	菊科	Compositae	鸦葱属	*Scorzonera*	帚枝鸦葱	*Scorzonera pseudodivericata* Lipsch.
1761	菊科	Compositae	鸦葱属	*Scorzonera*	基枝鸦葱	*Scorzonera pubescons* DC.
1762	菊科	Compositae	千里光属	*Senecio*	北极千里光	*Senecio arcticus* Rupr.
1763	菊科	Compositae	千里光属	*Senecio*	亚洲千里光	*Senecio asiaticus* Schischk.
1764	菊科	Compositae	千里光属	*Senecio*	线叶千里光	*Senecio dubitabilis* Jaffer et Y. L. Chen var. *linearifolius* Z. X. An et S. L. Keng
1765	菊科	Compositae	千里光属	*Senecio*	芸芥叶千里光	*Senecio erucifolius* L.
1766	菊科	Compositae	千里光属	*Senecio*	异果千里光	*Senecio jacobaea* L.
1767	菊科	Compositae	千里光属	*Senecio*	卷舌千里光	*Senecio krascheainnikovii* Schischk.
1768	菊科	Compositae	千里光属	*Senecio*	昆仑千里光	*Senecio kunlunshanicus* Z. X. An
1769	菊科	Compositae	千里光属	*Senecio*	木樨叶千里光	*Senecio resedifolius* Less.
1770	菊科	Compositae	千里光属	*Senecio*	疏齿千里光	*Senecio subdentatus* Ldb.

续表

编号	科名	科拉丁学名	属名	属拉丁学名	种名	种拉丁学名
1771	菊科	Compositae	千里光属	*Senecio*	灰千里光	*Senecio turczaninowii* DC.
1772	菊科	Compositae	绢蒿属	*Seriphidium*	博乐绢蒿	*Seriphidium borotalense* (Poljak.) Ling et Y. R. Ling
1773	菊科	Compositae	绢蒿属	*Seriphidium*	雾头绢蒿	*Seriphidium compactum* (Fisch. ex Bess.) Poljak.
1774	菊科	Compositae	绢蒿属	*Seriphidium*	喀什绢蒿	*Seriphidium kaschgaricum* (Krasch) Poljak.
1775	菊科	Compositae	绢蒿属	*Seriphidium*	西北绢蒿	*Seriphidium nitrosum* (Web. ex Stechm.) Poljak.
1776	菊科	Compositae	绢蒿属	*Seriphidium*	沙漠绢蒿	*Seriphidium santolinum* (Schenk) Poljak.
1777	菊科	Compositae	绢蒿属	*Seriphidium*	伊犁绢蒿	*Seriphidium transiliense* (Poljak.) Poljak.
1778	菊科	Compositae	麻花头属	*Serratula*	分枝麻花头	*Serratula cardunculus* (Pall.) Schischk.
1779	菊科	Compositae	麻花头属	*Serratula*	羽裂麻花头	*Serratula dissecta* Ledeb.
1780	菊科	Compositae	麻花头属	*Serratula*	薄叶麻花头	*Serratula marginata* Tausch
1781	菊科	Compositae	麻花头属	*Serratula*	歪斜麻花头	*Serratula procumbens* Rgl.
1782	菊科	Compositae	麻花头属	*Serratula*	新疆麻花头	*Serratula rugosa* Iljin
1783	菊科	Compositae	水飞蓟属	*Silybum*	水飞蓟	*Silybum marianum* (L.) Gaertn.
1784	菊科	Compositae	一枝黄花属	*Solidago*	寡毛一枝黄花	*Solidago vigaurea* L. var. *dahurica* Kitag.
1785	菊科	Compositae	苦苣菜属	*Sonchus*	田野苦荬菜	*Sonchus arvensis* L.
1786	菊科	Compositae	苦苣菜属	*Sonchus*	全叶苦苣菜	*Sonchus transcarpicus* Nevski
1787	菊科	Compositae	苦苣菜属	*Sonchus*	短裂苦苣菜	*Sonchus uliginosus* M. B.
1788	菊科	Compositae	鹿草属	*Stemmacantha*	鹿草	*Stemmacantha carthamoides* (Willd.) Dittrich
1789	菊科	Compositae	蒲公英属	*Taraxacum*	翼柄蒲公英	*Taraxacum alatopetiolum* D. T. Zhai et Z. X. An
1790	菊科	Compositae	蒲公英属	*Taraxacum*	阿尔泰蒲公英	*Taraxacum altaiaum* Schischk.
1791	菊科	Compositae	蒲公英属	*Taraxacum*	阿尔金蒲公英	*Taraxacum altune* D. T. Zhai et Z. X. An
1792	菊科	Compositae	蒲公英属	*Taraxacum*	中亚蒲公英	*Taraxacum centrasiaticum* D. T. Zhai et Z. X. An
1793	菊科	Compositae	蒲公英属	*Taraxacum*	无角蒲公英	*Taraxacum ecorrutum* S. Kovalevsk.
1794	菊科	Compositae	蒲公英属	*Taraxacum*	策勒蒲公英	*Taraxacum girae* D. T. Zhai et Z. X. An
1795	菊科	Compositae	蒲公英属	*Taraxacum*	橡胶草	*Taraxacum koksaghyz* Rodin
1796	菊科	Compositae	蒲公英属	*Taraxacum*	小果蒲公英	*Taraxacum lipskyi* Schischk.

续表

编号	科名	科拉丁学名	属名	属拉丁学名	种名	种拉丁学名
1797	菊科	Compositae	蒲公英属	*Taraxacum*	长准蒲公英	*Taraxacum longipyramidatum* Schischk.
1798	菊科	Compositae	蒲公英属	*Taraxacum*	药蒲公英	*Taraxacum officinale* Wigg.
1799	菊科	Compositae	蒲公英属	*Taraxacum*	山地蒲公英	*Taraxacum pseudoalpinum* Schischk. ex Oraz.
1800	菊科	Compositae	蒲公英属	*Taraxacum*	窄边蒲公英	*Taraxacum pseudoatratum* Oraz.
1801	菊科	Compositae	蒲公英属	*Taraxacum*	血果蒲公英	*Taraxacum repandum* Pavl.
1802	菊科	Compositae	蒲公英属	*Taraxacum*	和田蒲公英	*Taraxacum stanjukoviczii* Schischk.
1803	菊科	Compositae	蒲公英属	*Taraxacum*	紫果蒲公英	*Taraxacum sumnevucuzii* Schischk.
1804	菊科	Compositae	婆罗门参属	*Tragopogon*	胀梗婆罗门参	*Tragopogon capitatus* S. Nikit.
1805	菊科	Compositae	婆罗门参属	*Tragopogon*	东方婆罗门参	*Tragopogon orientalis* L.
1806	菊科	Compositae	婆罗门参属	*Tragopogon*	紫婆罗门参	*Tragopogon rubber* S. G. Gmel.
1807	菊科	Compositae	婆罗门参属	*Tragopogon*	西伯利亚婆罗门参	*Tragopogon sibricus* Ganeseh.
1808	菊科	Compositae	三肋果属	*Tripleurospermum*	褐苞三肋果	*Tripleurospermum ambiguum* (Ledeb.) Franch. et Sav.
1809	菊科	Compositae	碱菀属	*Tripolium*	碱菀	*Tripolium vulgare* Nees
1810	菊科	Compositae	驱虫斑鸠菊属	*Vernonia*	驱虫斑鸠菊	*Vernonia anthelmintica* (L.) Willd.
1811	菊科	Compositae	扁芒菊属	*Waldheimia*	西藏扁芒菊	*Waldheimia glabra* (Decene.) Rgl.
1812	菊科	Compositae	扁芒菊属	*Waldheimia*	扁芒菊	*Waldheimia tridactylites* Kar. et Kir.
1813	菊科	Compositae	苍耳属	*Xanthium*	意大利苍耳	*Xanthium italicum* Moertti.
1814	菊科	Compositae	黄鹌菜属	*Youngia*	异叶黄鹌菜	*Youngia diversifolia* (Ledeb.) Babc.
1815	菊科	Compositae	黄鹌菜属	*Youngia*	细茎黄鹌菜	*Youngia tenuicaulis* (Babc. et Stebb.) Czere.
1816	菊科	Compositae	黄鹌菜属	*Youngia*	细叶黄鹌菜	*Youngia tenuifolia* (Willd.) Babcock et Stebbins

中文笔画索引

《中国中药资源大典·新疆卷》1～4册共用同一索引，为方便读者检索，
该索引在每个物种名后均标注了其所在册数（如"[1]"）及页码。

十三画

拉丁学名索引

《中国中药资源大典·新疆卷》1 ~ 4 册共用同一索引，为方便读者检索，该索引在每个物种名后均标注了其所在册数（如"[1]"）及页码。

A

B

C

D

E

G

I

M

N

O

P

U

V